SISTEMAS DE AERONAVES DE TURBINA

TOMO 0

Felipe Gato Gutiérrez

y

Ángel Mario Gato Gutiérrez

2012

VALENCIA

Sistemas de aeronaves de turbina

© Felipe Gato Gutiérrez
    A. Mario Gato Gutiérrez

NOTA:
Las imágenes cedidas por los distintos fabricantes se identifican por un asterisco seguido del propietario legal de la imagen.

ISBN obra completa: 978–84–9948–009–1

ISBN: 978–84–9948–999–5
Depósito legal: A 542-2012

Edita: Editorial Club Universitario. Telf.: 96 567 61 33
C/ Decano, 4 – 03690 San Vicente (Alicante)
www.ecu.fm
ecu@ecu.fm

Printed in Spain
Imprime: Imprenta Gamma. Telf.: 965 67 19 87
C/ Cottolengo, 25 – 03690 San Vicente (Alicante)
www.gamma.fm
gamma@gamma.fm

ÍNDICE

INTRODUCCIÓN

Cuando una persona después de muchos años de vida laboral, habiendo tenido la suerte de ejercerla en el medio de su vocación, y pasado por todas las categorías laborales de su profesión, empieza a reflexionar y a darle sentido a muchas cosas, trata de ver su andadura laboral como si estuviese subido en una gran torre, y se hace la gran pregunta:

¿He sembrado algo que pueda ser de utilidad para los continuadores de esta gran profesión? Descubre que todavía le queda mucho que puede hacer, que es necesario transmitir más cosas.

A la vez en el tiempo, en Europa las autoridades de EASA (European Aviation Safety Agency) y la DGAC (Dirección General de Aviación Civil) española están ordenando las normas que regulan el mantenimiento aeronáutico, y la formación del personal que lo ejecute, así que está claro lo que hay que hacer, y se pone uno manos a la obra, en la creencia de que ayudar a tu profesión es servir a la mejor de las causas.

Dentro de la formación de un técnico de mantenimiento de aeronaves es básico el conocimiento de los sistemas de las mismas, en esta obra se han tratado de cubrir todas las necesidades de formación básica que tiene que conocer un futuro técnico de mantenimiento, tratados desde tres puntos de vista y con un objetivo. **Primero,** que cumpla con lo especificado en la normativa vigente. **Segundo,** tratarlo desde un aspecto no excesivamente teórico. **Tercero,** tratarlo desde el punto de vista que me han proporcionado los más de cuarenta años de experiencia a pie de avión en hangares y pistas en gran parte del mundo, dentro de la gran compañía aérea que es IBERIA. Todo esto con el **objetivo** de situar al técnico que llegará a las empresas con las herramientas intelectuales y prácticas necesarias para que puedan recibir los cursos de tipo de aeronaves con un alto grado de aprovechamiento, y además inculcar en el alumnado formas, normas y costumbres para que sabiendo lo que **"no debe hacer"** pueda, a partir de las primeras semanas, ir efectuando trabajos de principiantes, pero necesarios y que le ayudarán a sentirse útil mientras va adquiriendo la experiencia imprescindible, que le permita llegar donde él mismo se marque su objetivo.

Creo que el resultado de este trabajo, al estar puntualmente ajustado a las normas vigentes, puede ser de gran ayuda a profesores, que sumándole su experiencia personal puedan conseguir para sus alumnos los mismos objetivos que yo persigo para los míos.

Toda esta documentación está en las manos del lector no solo por mi esfuerzo y trabajo, sino que tengo que agradecer muy de veras a todos los que me han ayudado y animado en los momentos en que me rondaba la idea de abandonar el objetivo.

Una vez tenido claro lo que hay que hacer, observo que el objetivo me desborda; al tener la suerte de tener a mi lado a Ángel Mario Gato Gutiérrez, licenciado en Documentación, oficial del Ejército de Aire en la reserva que ejerció su labor como controlador aéreo de interceptación, conocedor de la normativa y documentación del entorno aeronáutico, con el que mano a mano hemos conseguido que este trabajo tenga sentido, y nos sintamos satisfechos del resultado.

Vaya mi agradecimiento a mi esposa Marisa, a la que he quitado muchas horas de "otras cosas", y ha corregido, desde el punto de vista gramatical, todas las páginas de esta obra; a Jesús Albear por sus opiniones, orientaciones y apuntes en materia de aviónica y electricidad, y muy especialmente a:

José Luis Quirós, que, desde su puesto de director de producción de una de las grandes compañías europeas, como es Iberia, ha encontrado tiempo para escribir unas líneas a modo de prólogo, que le agradezco de corazón por lo leal amigo que es, ahora que por mi pase a la reserva ya no es "mi director", su opinión es para mí muy valiosa.

A Cesar Moya Villasante, ingeniero técnico aeronáutico, otro referente en el mantenimiento de aviones en la aviación comercial, que amablemente ha opinado sobre este trabajo en el prólogo del segundo tomo.

Al doctor en Geografía e Historia D. Rafael González Prieto, que desde su puesto de inspector de Enseñanza de la Comunidad Valenciana deja su opinión sobre la obra y que con mucha satisfacción inserto a modo de prólogo del tomo tercero, ya que si bien no es profesional de la aeronáutica, sí lo es de la enseñanza y nadie mejor que él para dejar su opinión desde ese punto de vista.

Al ingeniero técnico aeronáutico Francisco Carrascal Minero, que además de dedicar su vida laboral al mantenimiento de aviones de la compañía Iberia en diversos destinos y cargos, siempre encontró tiempo para dedicárselo a la enseñanza, ya como profesor en la universidad madrileña, o como director técnico de escuelas de formación de técnicos de mantenimiento de aeronaves reconocidas como centros AESA-147, que como conocedor profundo de este medio ha tenido a bien prologar el tomo 0 de esta obra, por lo que le estaré muy agradecido porque es una opinión muy autorizada y valiosa.

Y a todos los compañeros de la enseñanza por sus ánimos y opiniones recibidos, a todos, mi gratitud sin límites porque han sido los animadores de mi labor. Tampoco quiero olvidarme de los alumnos que he tenido en estos años, que me han manifestado esta o aquella preferencia y que yo he tratado de corregir, vaya en estas líneas mi gratitud a todos.

Si con este trabajo se puede ayudar a conseguir dar posibilidades a cuantos sientan un deseo de formarse profesionalmente en el mantenimiento aeronáutico, puedan hacerlo y dedicarse a esta apasionante profesión durante toda su vida, o para que algún "aficionado" al medio aeronáutico pueda solucionar alguna de sus dudas, o para los técnicos actuales para que les pueda ayudar a refrescar sus conocimientos básicos, habré conseguido el sentirme satisfecho y con el "deber cumplido".

Felipe Gato Gutiérrez

PRÓLOGO

Cuando hace algún tiempo me hizo saber Felipe, el autor, junto con su hijo Ángel Mario, que estaba escribiendo este libro sobre los sistemas de aeronaves de turbina de manera que se adaptase a lo exigido en las escuelas de formación de técnicos de mantenimiento de aeronaves por la Agencia Europea de Seguridad Aérea (EASA) en el anexo III (parte 66) del reglamento (UE) 2042/2003 (recientemente modificado por el 1149/2011), me comentó que le gustaría que le prologara este tomo 0, que trataría de Teoría del Vuelo y Estructuras del Avión, del total de los cinco tomos que componen el libro.

Difícilmente podría yo negar esto debido a la antigua y excelente amistad con él, pero además había otro motivo que me hacía aceptar el encargo, mi compromiso desde siempre con la enseñanza.

Todo lo que se refiere a la enseñanza aeronáutica ha sido siempre para mí, y yo sé que también para Felipe, de gran importancia, y es por esto por lo que gran parte de mi ya dilatada vida profesional se ha desarrollado en paralelo entre el mantenimiento de aviones en una gran compañía (Iberia), en la que conocí al autor del libro, y la enseñanza, primeramente en la Universidad Politécnica de Madrid (Escuela de Ingenieros Técnicos Aeronáuticos) impartiendo clases de Estructuras de Aeronaves y Arquitectura y Mantenimiento de Aviones, y posteriormente tras mi traslado a Málaga como jefe de mantenimiento de Iberia del Área de Andalucía (año 1990), inicialmente en escuelas de pilotos (no existían escuelas de TMA) y desde octubre de 1998, año en el que se inicia la formación de TMA en Málaga, en la escuela SUR'AVIAN, (actualmente Centro de Formación EASA Parte 147) como profesor de Aerodinámica Básica, Teoría del Vuelo y Estructuras de Avión (materias precisamente de las que trata este Tomo 0) y como director de formación de la misma.

Es evidente que escribir un libro conlleva mucho sacrificio, ratos de ocio robados a la familia y mucha perseverancia, método y constancia, cualidades que sin lugar a dudas posee el autor en demasía, además de una voluntad férrea para la consecución de aquello que se propone, como lo ha demostrado desde el momento en que se inicia la formación de técnicos de mantenimiento en la Escuela de Formación de Cheste, participando activamente y siendo un pilar importante en su puesta en marcha, y posteriormente como profesor de la misma, compatibilizándolo todo con su trabajo como jefe de mantenimiento de aviones de Iberia para el área de Levante y que al final dan como fruto este libro que hoy tenemos entre manos.

Sin duda alguna, en el momento de ponerse a escribir el libro el autor ya tenía muy claro lo que quería, pues bien sabemos que para desarrollar complicadas fórmulas matemáticas, primero hay que aprender a sumar, y para hacerlo alguien nos tiene que enseñar, así que como lo principal de la enseñanza no ha de consistir en amueblar copiosamente la memoria de los alumnos, sino en educar su inteligencia de manera que estos entiendan las ideas fundamentales, se familiaricen con ellas y se acostumbren a manejarlas, de ahí que el libro esté escrito en tono fácil, descriptivo y sencillo, que haga su lectura amena, sin por ello faltar a la rigurosidad necesaria para lo que se pretende transmitir.

A juzgar por los comentarios oídos a los alumnos en estos años, parecía claro que se necesitaba un libro sencillo, que proporcionase la información básica sobre sistemas de aeronaves de turbina y a la vez se adaptase a lo exigido en el módulo 11A de la parte 66, sin los adornos de una publicación más técnica. Es de esperar que esta publicación cubra esas expectativas tanto a futuros alumnos de estas escuelas de formación de TMA como a los profesionales que quieran "refrescar sus conocimientos", porque con el paso de los años se hayan ido oxidando y venga bien hacerlo.

Podrá encontrar el lector en este libro un trabajo que ha sabido unir una síntesis clara de los fundamentos y razones del funcionamiento de los sistemas del avión y una buena exposición que va desde los principios fundamentales a los más modernos adelantos de la tecnología actual, todo ello tratado con una claridad que hace del texto un libro recomendado fundamentalmente para todo aquel que se inicia en la materia.

Es fundamental hacer comprender a alumnos y futuros profesionales de la aviación la importancia que tiene en el desarrollo de la profesión, y fundamentalmente en un campo tan amplio y complejo como la aviación, el buen conocimiento de la teoría, ya que se expondría a graves errores aquel técnico que se limitara a seguir ciertos métodos y aplicar sin más ciertas reglas aprendidas de memoria. Tampoco podrá realizar labor útil el teórico que desconozca las cuestiones técnicas que permitan aplicar la teoría a la práctica. Esto es, no se puede ser un buen técnico teniendo solamente una formación práctica suficientemente amplia que nos permita desarrollar nuestro trabajo con suficiente holgura y conocimientos sin la formación teórica complementaria. De ahí que siempre fui de la opinión de que para un buen profesional deben ir íntimamente unidas teoría y práctica.

Me permito aquí traer a la memoria, de más de uno que le conocía, la frase que decía frecuentemente el amigo, buen compañero y gran profesional, ingeniero aeronáutico, fallecido hace unos años, Martín Cuesta Álvarez, que dedicó muchos años a la enseñanza de los técnicos de mantenimiento de aviones, aparte de los ingenieros en la ETSIA, iniciándola allá por el año 48 en la Escuela Militar de Especialistas de Aviación de Málaga, que solía decir con gracia y acierto eso de: "NO HAY PRÁCTICA SIN TEORÍA" siempre que salía este tema de conversación.

Un aspecto más que tener en cuenta en el libro, que es de agradecer por los dedicados a la enseñanza de esta materia, y que el autor tuvo en cuenta a la hora de su diseño, es que la numeración de sus apartados sigue la numeración del módulo 11A de la parte 66, al que pretende adaptarse, lo que viene a facilitar su seguimiento por parte de instructores y alumnos.

Por tanto, este tomo 0 viene a cubrir los apartados 11.1 "Teoría el vuelo", 11.2 "Estructuras de la célula". Conceptos generales y 11.3 "Estructuras de la célula. Aviones", del módulo 11A de la parte 66, siendo quizás el último apartado el que parezca más ameno al alumno en su lectura y estudio, dado que viene a descubrirle, de una forma sencilla y fácilmente comprensible, la estructura del avión en sus partes fundamentales: fuselaje, alas, estabilizadores y góndolas o voladizos.

No quiero terminar estas líneas sin agradecer a los autores la atención que han tenido conmigo al darme ocasión de prologar este tomo 0 de su obra *Sistemas de aeronaves de turbina*, lo que hago con sumo placer, deseándoles un gran éxito en su empeño.

Málaga, enero de 2012

F.J.Carrascal
Ingeniero Técnico Aeronáutico

11.1 – TEORÍA DEL VUELO

11.1 – 0 – GENERALIDADES

Una vez tratados convenientemente en el módulo 8 "Aerodinámica básica" tanto las nomenclaturas y fuerzas que intervienen en el vuelo como las leyes físicas y principios conocidos, que nos han dejado con suficiente claridad el cómo y por qué vuela una aeronave más pesada que el aire, entramos en este capítulo a tratar con un poco más de profundidad el origen y la necesidad de los elementos que se han ido diseñando para el control del vuelo que ya se ha tratado, y cómo se produce. Todo este camino se hace necesario para poder llegar al módulo 11.9 ("Mandos de vuelo"), donde se trata en profundidad cómo funcionan todos esos mandos de control de vuelo, con los conocimientos necesarios para poder desarrollar la comprensión del funcionamiento de todo el conjunto llegando posteriormente al cuarto escalón de la formación de este tipo, que es el de la aplicación de todas estas teorías y posibilidades a una aeronave en concreto dentro de lo que denominamos la formación de tipo, o sea, los cursos específicos de tipo de avión.

Al final de todo este periplo de capítulos que conforman la formación del técnico de mantenimiento de aeronaves, quedan aclaradas preguntas tan básicas como: por qué vuela un avión, cómo es la máquina resultante de la aplicación de esos conocimientos, para qué puede ser utilizada o de qué forma se consigue que la realización de todos esos elementos y conocimientos sirva para cubrir las expectativas con las que la humanidad empezó toda esta carrera, que afortunadamente ha adquirido una velocidad en los cambios, mejoras y prestaciones que hace que una gran cantidad de personas y medios en el mundo se dediquen a esas tareas.

Desde siempre los pobladores de la Tierra han sentido la necesidad de volar, de imitar a las aves, y no han cesado en el empeño aportando conocimientos, experiencias y fracasos, hasta que en los albores del siglo veinte se consigue el primer vuelo, comienza una vertiginosa carrera, basándose en los conocimientos de la física y las matemáticas conseguidos por la humanidad, aplicándolos y desarrollándolos junto con los de otros campos como la química y los materiales, para conseguir que un elemento más pesado que el aire sea capaz de moverse de un punto a otro de la Tierra, proporcionando a la humanidad unos servicios determinados.

Ese vuelo que se ha conseguido efectuar se controla utilizando otras varias ramas de la industria como la hidráulica, para mover mandos de vuelo o tren de aterrizaje, la neumática, para crear y mantener el hábitat confortable para el ser humano dentro del fuselaje de la aeronave, los conocimientos de la navegación que nos permiten navegar por el camino más adecuado, también son aplicados todos los progresos en el campo de las comunicaciones o la electricidad y la electrónica, que posibilitan cada vez más el control y manejo de las órdenes que emite el piloto.

Estas órdenes, que en las aeronaves de generaciones anteriores eran de la magnitud que el piloto tenía por conveniente, en la actualidad en los aviones de la generación última son los computadores los que una vez recibida la orden del piloto, la analiza y después de analizar el resto de las situaciones en las que se encuentra la aeronave, emiten la orden correspondiente a las unidades actuadoras siempre en el sentido que demandó el piloto, pero con la magnitud más idónea según las circunstancias.

A lo largo de este capítulo se exponen unos comentarios elementales sobre aerodinámica necesarios para la comprensión de los fenómenos físicos que intervienen en el vuelo de un avión, como son la sustentación producida por las alas, la estabilidad del avión y el control del mismo mediante las superficies de mando.

No es este capítulo un profundo estudio de los principios de la mecánica de fluidos, que no son necesarios para la formación de un técnico de mantenimiento, porque entre sus funciones no está la del diseño, no obstante, sí es necesario tener conocimientos de estos fenómenos para comprender las funciones de cada elemento de la aeronave relacionados con la mecánica del vuelo, teniendo en cuenta que de una forma básica y profunda, estos temas se tratan en la asignatura de Aerodinámica en el módulo 8.

Dentro de lo que se denomina aerodinámica se encuentran todos los conocimientos sobre las tres áreas relacionadas con el diseño y fabricación de una aeronave, el área de la **dinámica de fluidos**, el área de la **mecánica del vuelo** y el área de la **aeronáutica.**

DINÁMICA DE FLUIDOS

Es la parte de la física teórica que estudia el movimiento de los fluidos, ya sean líquidos, gaseosos o casi sólidos, como pueden ser los diferentes tipos de grasas, gelatinas, etc., tomando para los estudios sobre el avión la parte correspondiente al aire en movimiento.

MECÁNICA DEL VUELO

Es el área en la que se trata gran parte de la teoría aerodinámica relacionada con el movimiento y estabilidad de los aeroplanos en función de las fuerzas aerodinámicas.

AERONÁUTICA

En esta área se considera la unidad completa, ya que comprende desde la parte aerodinámica y el mecanismo de control de vuelo a la estructura de los aeroplanos, los sistemas de propulsión y toda la ingeniería de los vehículos destinados al vuelo mecánico.

Como referencia histórica, los conocimientos en la aerodinámica logrados hasta ahora implican una serie de exhaustivos cálculos, satisfactorios unos, o erradas teorías otros, que van proporcionando a la humanidad avances muy intermitentes, hasta llegar a la primera década del siglo XX, en la que comienza un proceso de avance con la ampliación de conocimientos, desarrollo de las nuevas técnicas y la aplicación a la aeronáutica de los avances en otras ramas del conocimiento y la industria.

Sin remontarnos a la historia del ansia de volar que tiene el hombre desde muy antiguos tiempos, ni a los artilugios o fábulas que desde Ícaro a Leonardo da Vinci aparecen en los anales de la historia, es Newton el que da un impulso a los conocimientos, cuando plasma las teorías en las que más tarde se basará la fórmula cuantitativa para calcular el esfuerzo ascensional o de sustentación de una placa inclinada en movimiento en el aire, allá por el año 1726.

Unos años más tarde (en 1738) es Daniel Bernoulli, en su libro *Hidrodinámica,* el que da otro avance más a estos conocimientos con lo que se conoce como el principio o el teorema de Bernoulli.

Muchos años más tarde, Rayleigh, en 1876, presenta otra teoría sobre la distribución, de una influencia similar a la creada por una tabla plana al deslizarse sobre el agua. Estas teorías eran insuficientes para la creación de los aeroplanos, ya que en muchos puntos son bastante discrepantes.

Sobre el año 1907 es Joukowski el que estudia y advierte la importancia que tiene la plancha ascensional en movimiento a través de un gran volumen de aire, dando con sus cálculos y teorías un gran impulso a estos conocimientos, que permitirán en ya poco tiempo que se comenzase a construir prototipos de máquinas más pesadas que el aire con la idea de que fuesen capaces de volar, cosa que consiguen los hermanos Wright poco tiempo más tarde, dando así la salida a una imparable y vertiginosa carrera de avances y progresos, que nos lleva al desarrollo no solo de la aeronáutica con los aviones y helicópteros actuales, sino también al de la astronáutica con los vuelos tripulados al espacio.

En la figura siguiente se muestra un cuadro con las comparaciones sobre las teorías más significativas estudiadas antes del siglo XX.

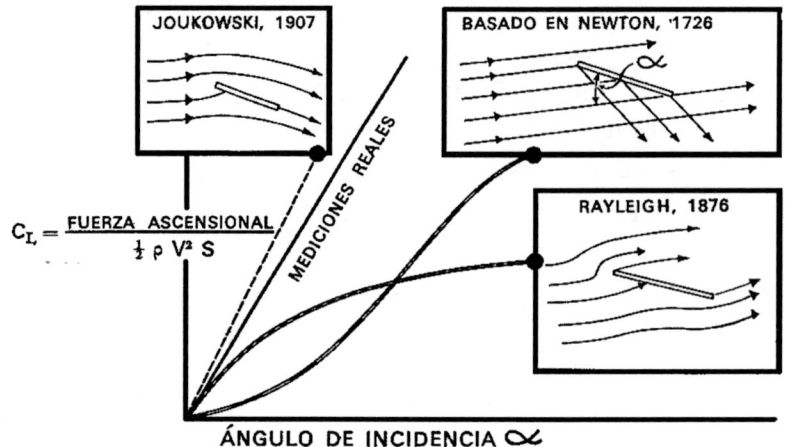

$$C_L = \frac{FUERZA\ ASCENSIONAL}{\frac{1}{2}\rho V^2 S}$$

ÁNGULO DE INCIDENCIA α

COMPARACIÓN ENTRE TEORÍAS

A continuación se exponen unas definiciones básicas de los términos generalmente más utilizados en el tratamiento de los fenómenos que se desarrollan alrededor de las teorías del vuelo de una aeronave, así se define como:

LÍNEA DE CORRIENTE DE UN FLUIDO

La línea que es tangente en cada punto a la velocidad de la corriente en dicho punto. Un conjunto de varias líneas forma un espectro aerodinámico.

CORRIENTE LAMINAR Y TURBULENTA

La corriente laminar de un fluido es aquella en la que todas las líneas de corriente son paralelas a una misma dirección, sin interponerles ningún obstáculo, o sea, que el espectro aerodinámico de una corriente libre laminar es un conjunto de líneas de corriente paralelas. Desde un punto de vista teórico si un grupo de líneas de una corriente laminar atraviesa paralelamente un tubo, con una pared de espesor despreciable, si el fluido carece de viscosidad, la corriente laminar no se verá perturbada. Por otra parte, si la sección del tubo no es excesivamente variable, ni la velocidad del fluido sobrepasa ciertos límites, la corriente seguirá siendo laminar.

Si se aumenta la velocidad del fluido con respecto de ese mismo cuerpo interpuesto, se desprenden las líneas de corriente formando detrás de él torbellinos. Los límites de la velocidad a los que empieza a formarse este movimiento turbulento están directamente relacionados con la forma del cuerpo interpuesto y con las características del fluido, de aquí se deduce la importancia básica que tiene la elección del perfil del ala por parte de los equipos de diseño de los aviones.

En la figura siguiente se presenta una corriente laminar que, al aumentar la velocidad del aire, se vuelve turbulenta:

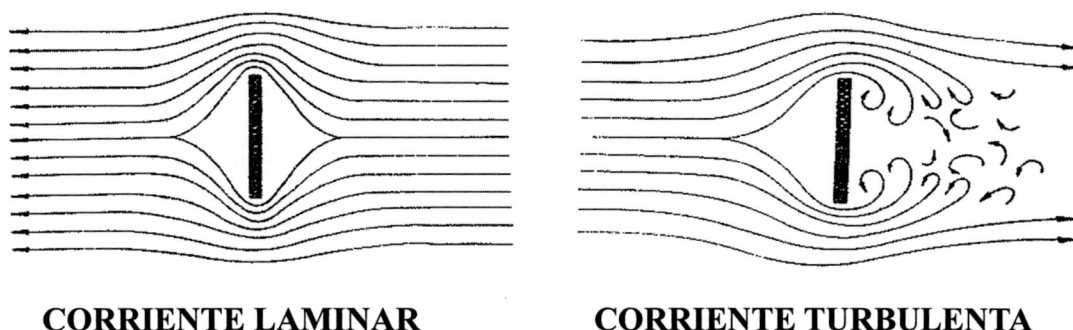

CORRIENTE LAMINAR   **CORRIENTE TURBULENTA**

Para que un objeto más pesado que el aire sea capaz de mantenerse en el mismo y circular por él, es necesario que se produzca una fuerza ascensional, que en los aviones la producen las alas, que deberá ser igual al peso del avión en vuelo horizontal, pero deberá superar al mismo para modificar su posición controlada, para ascender, maniobrar y aterrizar.

Para obtener un vuelo estable se tienen que dar, entre otras, dos condiciones básicas, que exista un equilibrio entre fuerzas y momentos y que si al avión se le modifica el equilibrio por cualquier causa (atmosférica o de modificación de su carga), los momentos y las fuerzas tiendan a devolverlo a su posición original. En cuanto al control del avión en el aire este es ejercido por el piloto, con la ayuda de unas superficies móviles, que alteran el flujo del aire y por lo tanto las fuerzas y momentos, todo ello para conseguir que el avión se desplace a voluntad del piloto, lo que le permite desplazarse de un lugar a otro, por la ruta más conveniente en cada momento, colocando el avión con el ángulo correcto frente al flujo de aire que se aproxima.

EJES DEL AVIÓN

Se trata de rectas imaginarias e ideales trazadas sobre el avión. Su denominación y los movimientos que se realizan alrededor de ellos son los siguientes:

Eje longitudinal. Es el eje que va desde el morro hasta la cola del avión. El movimiento alrededor de este eje (levantar un ala bajando la otra) se denomina alabeo (*roll*). También se le denomina eje de alabeo, nombre que parece más lógico, pues cuando se hace referencia a la estabilidad sobre este eje, es menos confuso hablar de estabilidad de alabeo que de estabilidad "transversal", pero se utilizan los dos términos.

Eje transversal o lateral. Eje que va desde el extremo de un ala al extremo de la otra. El movimiento alrededor de este eje (morro arriba o morro abajo) se denomina cabeceo (*pitch*). También denominado eje de cabeceo, por las mismas razones que en el caso anterior.

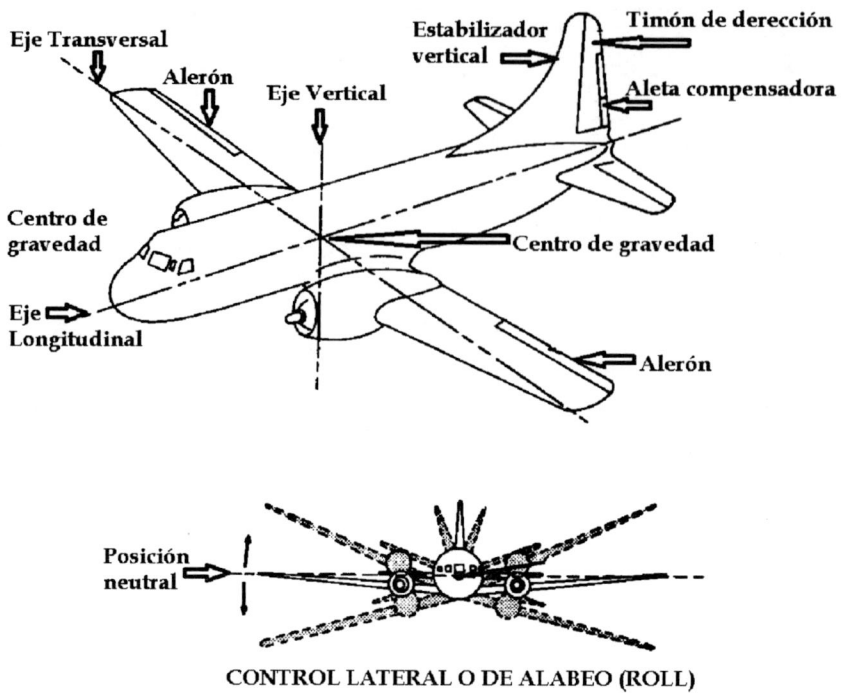

CONTROL LATERAL O DE ALABEO (ROLL)

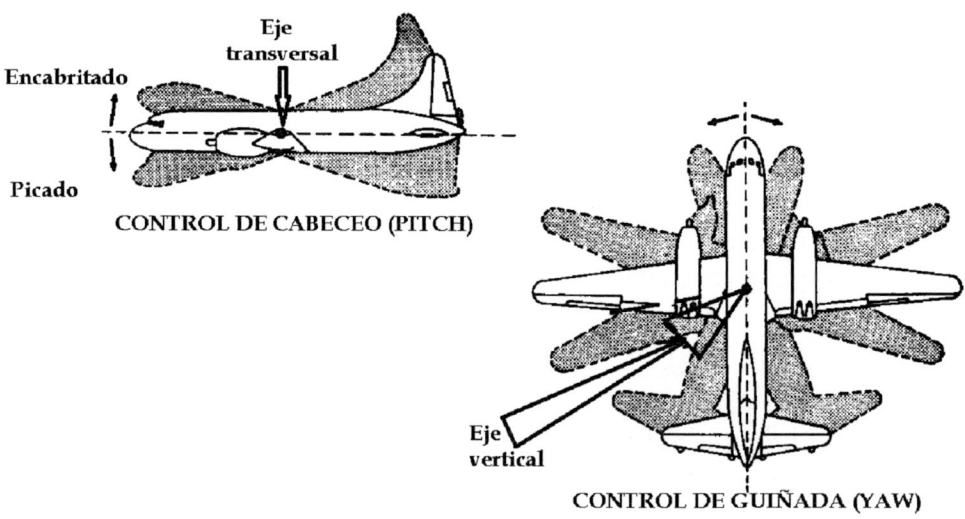

CONTROL DE CABECEO (PITCH)

CONTROL DE GUIÑADA (YAW)

EJES DEL AVIÓN Y SUS MOVIMIENTOS

Eje vertical. Es el eje que atraviesa el centro del avión. El movimiento en torno a este eje (morro virando a la izquierda o la derecha) se llama guiñada (*yaw*). Denominado igualmente eje de guiñada.

ÁNGULO DE ATAQUE

Se denomina así al ángulo que forma la dirección del fluido en movimiento, o corriente relativa, con la cuerda del perfil del ala. **Ángulo de ataque inducido**, al formado por la dirección del viento relativo con la corriente libre del aire, y **ángulo de ataque geométrico**, al formado por la cuerda del perfil con la corriente libre del aire. En la figura siguiente se muestra un dibujo con varios de los ángulos formados con un perfil aerodinámico.

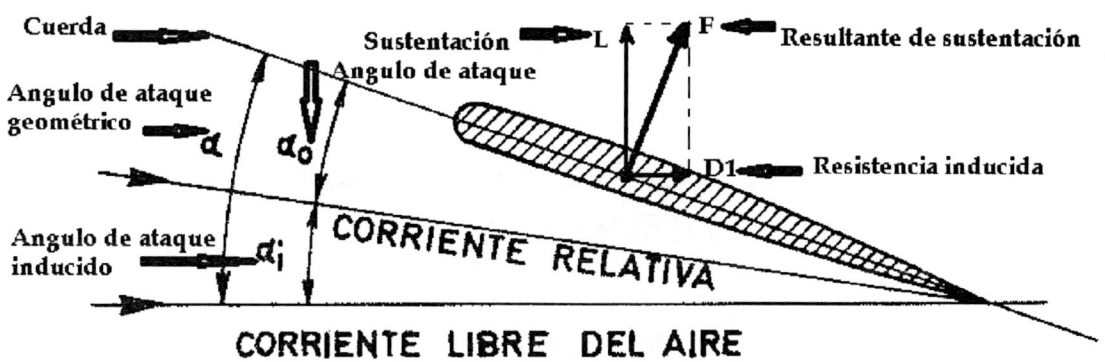

ÁNGULO DE ATAQUE

ÁNGULO DIEDRO

Se conoce como ángulo diedro el formado por las alas de un avión con la horizontal del suelo, es positivo cuando las alas están hacia arriba, negativo cuando las alas están hacia abajo y diedro nulo cuando están paralelas con la horizontal del terreno.

El diedro es el dato o elemento más importante en la estabilidad transversal de los aviones, si observamos la figura siguiente para ver la influencia del diedro, suponemos que una ráfaga de aire u otro fenómeno ha movido el avión girándolo sobre su eje longitudinal, aparecerá entonces una diferencia de sustentación entre el ala de un lado y la del otro, que tenderá a enderezarlo, si el avión tiene diedro positivo, tenderá a aumentar la inclinación inicial si el diedro es negativo, y si el diedro es nulo no influirá para nada, es por lo que se considera que el diedro positivo proporciona estabilidad, el negativo inestabilidad y el nulo no influye.

En la siguiente figura se muestran los dibujos de los diferentes ángulos diedros y su influencia en la aeronave.

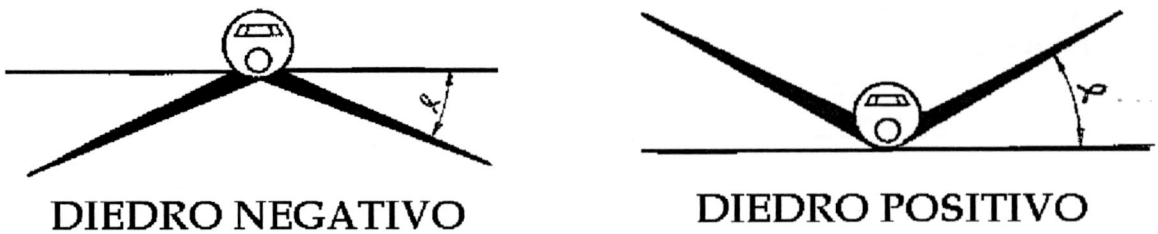

DIEDRO NEGATIVO   DIEDRO POSITIVO

DIEDRO NULO

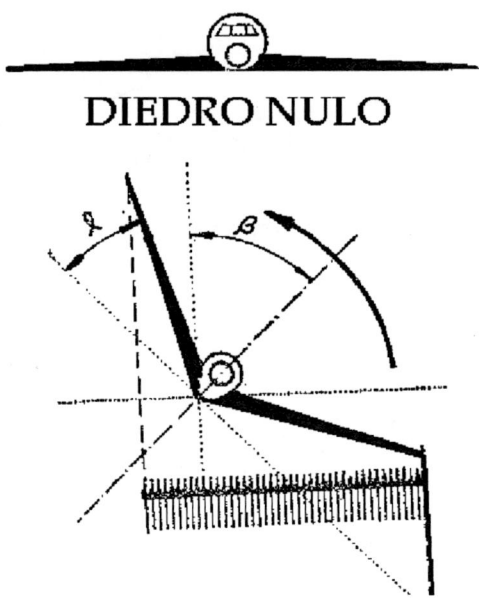

INFLUENCIA DEL DIEDRO

FLECHA DEL ALA

Los dos elementos que influyen en la estabilidad de la ruta de un avión son el plano fijo de deriva o estabilizador vertical y la flecha del ala. Si se dividen las cuerdas de los perfiles del ala en cuatro partes y tomamos como punto de partida el borde de ataque, la línea que une los puntos correspondientes a ¼ de la cuerda, formará un ángulo con el eje transversal del avión, si la línea está dentro de los 90° que forman los ejes longitudinal y transversal del avión se dice que la flecha es positiva, si la línea de ¼ y la de los 90° coinciden la flecha es nula, y si la línea de ¼ está fuera de los 90° entonces la flecha es negativa, según se puede observar en la figura siguiente: en un avión con flecha positiva, si por cualquier causa es desviado con un movimiento de guiñada, el ala que se adelanta presenta al viento relativo una resistencia mayor que la del ala que se retrasa, lo que crea un par de fuerzas que vuelven al avión a su posición anterior. Si por el contrario la flecha es negativa y ocurre un movimiento de guiñada, la diferencia de resistencia al avance de cada ala crea un par que aumentará la desviación iniciada. En el caso de que la flecha sea nula no habrá diferencias que generen un par de fuerzas, de modo que no habrá fuerza recuperadora

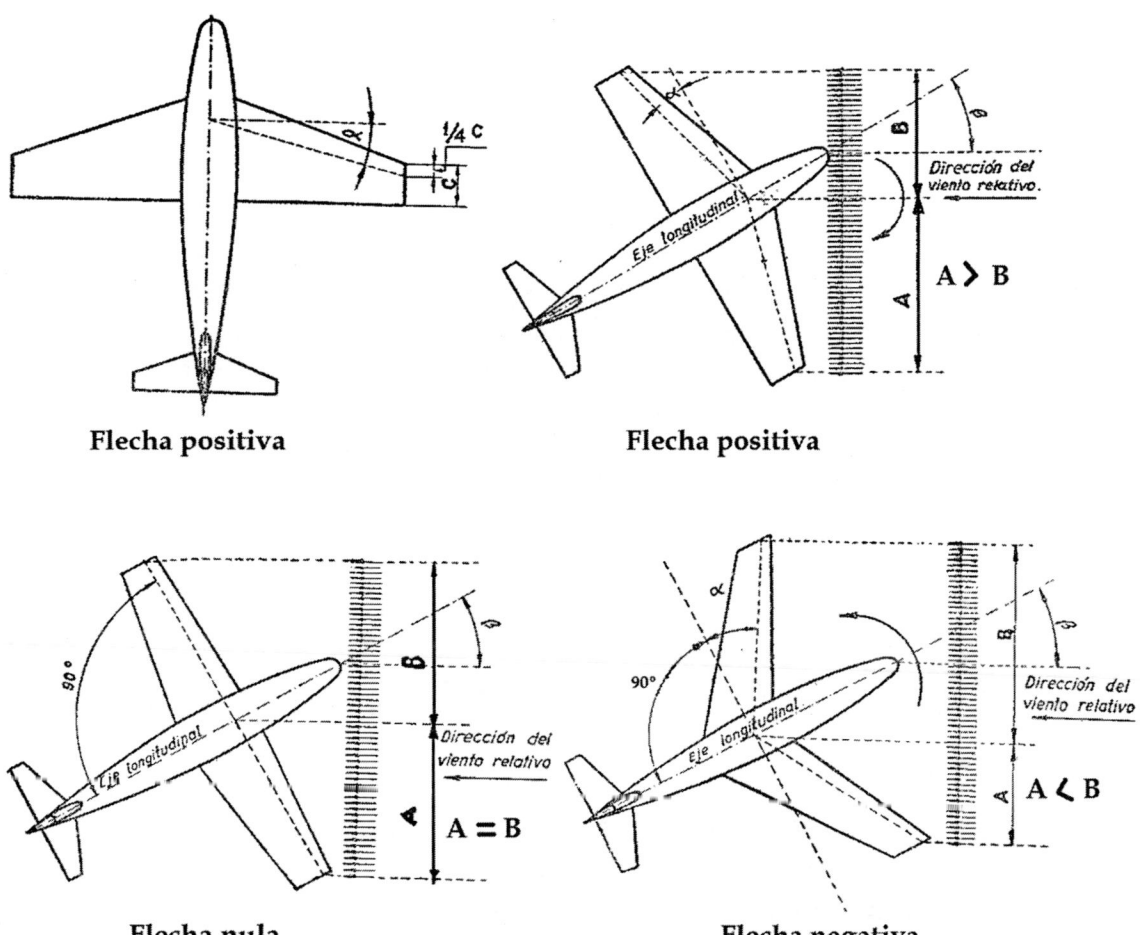

FLECHA DE ALA

11.1 – 1 – AERODINÁMICA DEL AVIÓN Y MANDOS DE VUELO

FUERZAS QUE ACTÚAN EN VUELO

Sobre un aeroplano en vuelo actúan una serie de fuerzas, favorables unas y desfavorables otras, siendo una tarea primordial del piloto ejercer control sobre ellas para mantener un vuelo seguro y eficiente.

De todas las fuerzas que actúan sobre un aeroplano en vuelo, las básicas y principales, porque afectan a todas las maniobras, son cuatro: sustentación, peso, empuje y resistencia. Estas cuatro fuerzas actúan en pares; la sustentación es opuesta al peso, y el empuje o tracción a la resistencia.

Un avión, como cualquier otro objeto, se mantiene estático en el suelo debido a la acción de dos fuerzas: su peso, debido a la gravedad, que lo mantiene en el suelo, y la inercia o resistencia al avance, que lo mantiene parado. Para que este aeroplano vuele será necesario contrarrestar el efecto de estas dos fuerzas negativas, peso y resistencia, mediante otras dos fuerzas positivas de sentido contrario, sustentación y empuje respectivamente. Así, el empuje ha de superar la resistencia que opone el avión a avanzar, y la sustentación superar el peso del avión manteniéndolo en el aire.

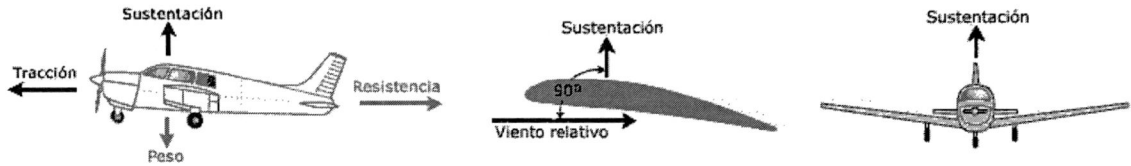

FUERZAS QUE ACTÚAN EN VUELO

SUSTENTACIÓN

Es la fuerza desarrollada por un perfil aerodinámico moviéndose en el aire, ejercida de abajo arriba, y cuya dirección es perpendicular al viento relativo y a la envergadura del avión (no necesariamente perpendiculares al horizonte). Se suele representar con la letra **L**, del inglés *Lift* = Sustentación.

PESO

El peso es la fuerza de atracción gravitatoria sobre un cuerpo, siendo su dirección perpendicular a la superficie de la Tierra, su sentido hacia abajo, y su intensidad proporcional a la masa de dicho cuerpo. Esta fuerza es la que atrae al avión hacia la tierra y ha de ser contrarrestada por la fuerza de sustentación para mantener al avión en el aire.

CENTRO DE GRAVEDAD

Es el punto donde se considera ejercida toda la fuerza de gravedad, es decir, el peso. El C.G. es el punto de balance, de manera que si se pudiera colgar el avión por ese punto específico este quedaría en perfecto equilibrio. El avión realiza todos sus movimientos pivotando sobre el C.G. En la figura siguiente se presentan las consecuencias de la variación del centro de gravedad:

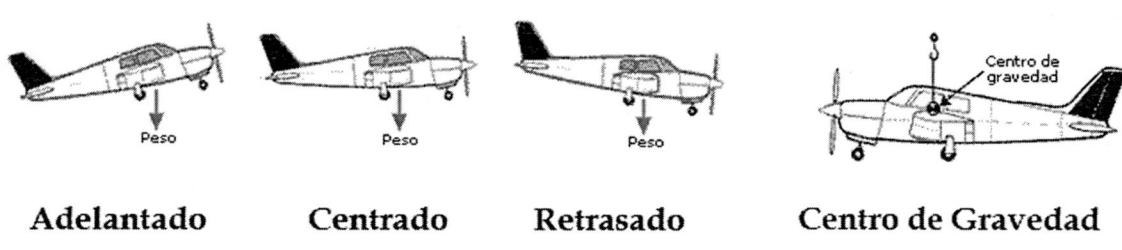

| Adelantado | Centrado | Retrasado | Centro de Gravedad |

POSICIONES DEL CENTRO DE GRAVEDAD

RESISTENCIA

La resistencia es la fuerza que impide o retarda el movimiento de un aeroplano. La resistencia actúa de forma paralela y en la misma dirección que el viento relativo, aunque también podríamos afirmar que la resistencia es paralela y de dirección opuesta a la trayectoria.

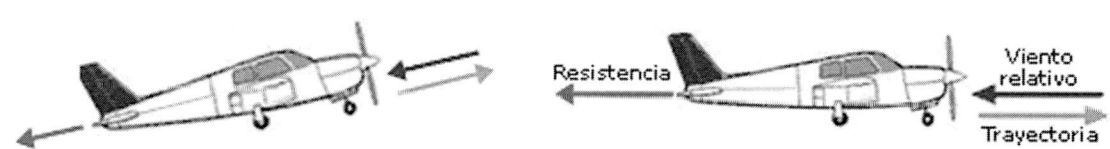

RESISTENCIA

13

EMPUJE O TRACCIÓN

Para vencer la inercia del avión parado, acelerarlo en la carrera de despegue o en vuelo, mantener un ritmo de ascenso adecuado, vencer la resistencia al avance, etc., se necesita una fuerza: el empuje o tracción.

Esta fuerza se obtiene acelerando una masa de aire a una velocidad mayor que la del aeroplano. Aplicando la tercera ley de Newton, la acción o empuje deberá ser de mayor intensidad que la reacción pero de sentido opuesto para que el avión se mueva hacia delante. En aviones de hélice la fuerza de propulsión la genera la rotación de la hélice, movida por el motor (convencional o turbina); en reactores, la propulsión se logra por la expulsión violenta de los gases quemados por la turbina.

Esta fuerza se ejerce en la misma dirección a la que apunta el eje del sistema propulsor, que suele ser más o menos paralela al eje longitudinal del avión.

11.1.1 – 1 – MANDOS DE ALABEO

Llamamos mandos de alabeo a las superficies móviles que situadas en las alas permiten el movimiento angular del aeroplano alrededor de su eje longitudinal, en este movimiento un ala del avión sube y la opuesta baja, a este movimiento también se le conoce como movimiento de balanceo. Los mandos o superficies que permiten este movimiento básicamente son los alerones, que están situados en el borde de salida del ala, de forma que al mover el mando en la cabina, uno sube y su opuesto baja, lo que obliga a bajar el ala en la que el alerón sube y subir el ala en la que el alerón baja. En la figura siguiente se muestra un gráfico de un primitivo sistema de alabeo.

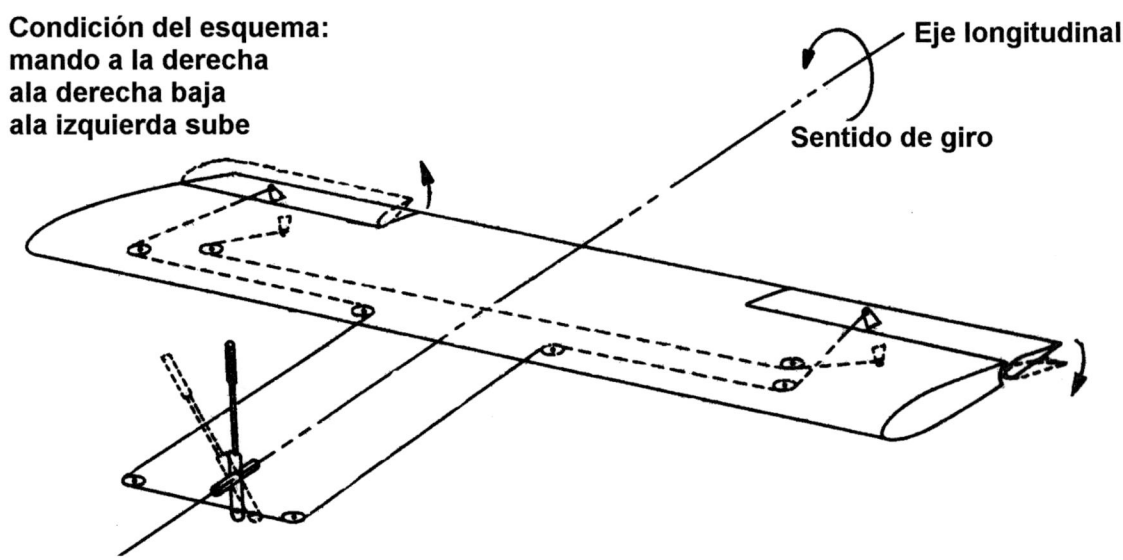

SISTEMA DE ALABEO

Con el correr de los tiempos y el avance de los conocimientos para ayudar a originar y controlar el balanceo van apareciendo lo que se puede llamar mandos mixtos, o sea, mandos que, aparte de su función principal, tienen la de ayudar o sustituir a los alerones, estos mandos son los **spoilers**, los **elevones**, los **flaperones** y los **spoilerones.**

ALERONES

Los alerones se ubican en el borde de salida del ala hacia el extremo de la misma al objeto de aumentar su brazo de acción y por lo tanto su efectividad.

Al ir aumentando los aviones de tamaño y de velocidad, el tamaño y la ubicación de los alerones va disminuyendo y se van situando más al interior del borde marginal de las alas, y en cuanto a los grandes aviones actuales, en muchos modelos se les dota de dos alerones en cada ala, uno más al interior, y cuando el avión después del despegue alcanza una determinada velocidad, se quedan bloqueados los alerones exteriores, pues a partir de lo considerado como alta velocidad con el pequeño alerón interior es suficiente para conseguir el movimiento de balanceo necesario sin someter a la estructura del ala a esfuerzos innecesarios.

En la figura siguiente se presenta la ubicación de los alerones de alta y baja velocidad de una aeronave Douglas MD-11.

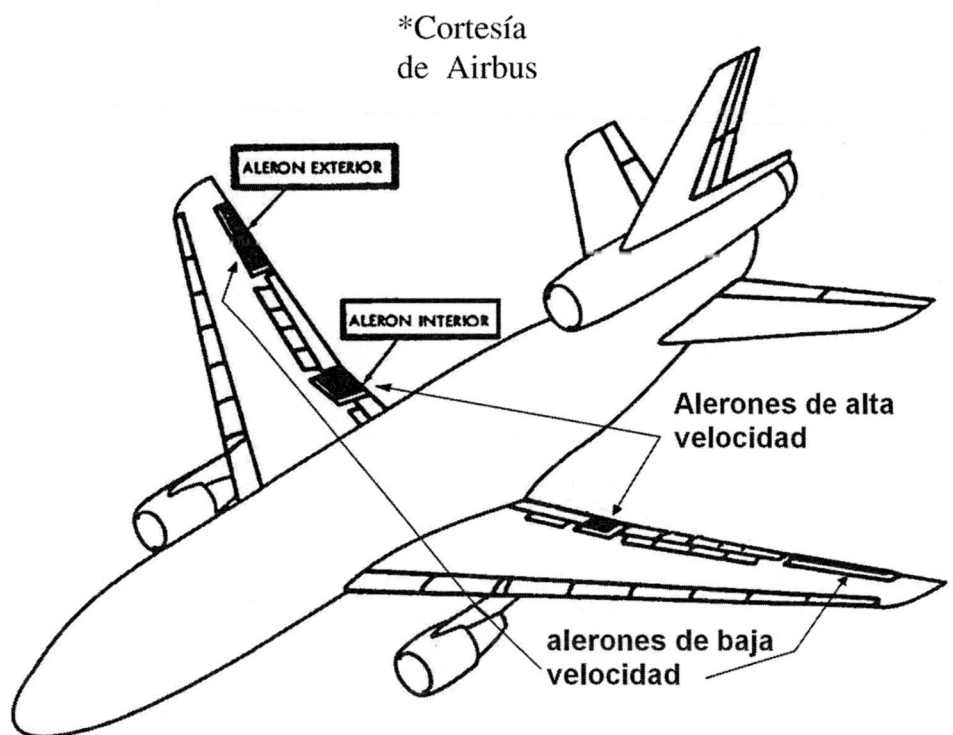

ALERONES DE ALTA Y BAJA VELOCIDAD

Los alerones son superficies de perfil aerodinámico, más o menos simétrico, porque existen varios tipos de ellos, de entre los más utilizados están el **alerón normal**, el **alerón Frise, alerón con ranura** o alerón con compensación interna.

ALERÓN NORMAL

Es el alerón que con respecto a su estructura es simétrico con respecto a su cuerda, que, abisagrado a la estructura del ala, durante el recorrido el borde de ataque no sobresale de la estructura del ala.

ALERÓN FRISE

Es aquel que tiene el borde de ataque de forma que al moverse hacia arriba sobresale de la estructura del ala por la parte inferior de la misma, produciendo una resistencia que compensa la guiñada adversa.

ALERÓN CON RANURA

Es el alerón que, al deflectarse, forma entre el borde de salida del ala y el borde de ataque del alerón una ranura por la que se transfiere aire del intradós hacia el extradós que produce un fenómeno aerodinámico que retrasa la formación de flujo turbulento y la entrada en pérdida, pero al no compensar la guiñada adversa, necesita una ligera actuación del timón de dirección y de los timones de profundidad. La estructura de los alerones es simple y en general está constituida por un larguero al que van unidas las costillas y las articulaciones, con un revestimiento que puede ser de tela, metálico o de fibras de materiales plásticos.

En la figura siguiente se presenta una estructura interior de un alerón convencional:

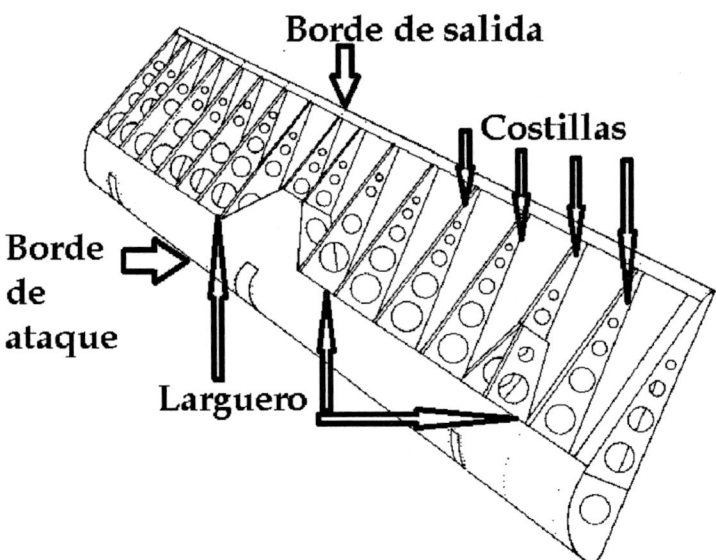

ESTRUCTURA DE UN ALERÓN

11.1.1 – 2 – MANDOS DE CABECEO

Se llama movimiento de cabeceo al movimiento rotatorio que efectúa un avión alrededor de su eje transversal o también llamado eje lateral. El control de este movimiento se efectúa mediante los timones de profundidad como mando de vuelo primario y mediante aletas de control o estabilizador horizontal móvil como mandos secundarios, a este movimiento también se le denomina **movimiento de pitch**.

En la figura siguiente se presenta un esquema del sistema de control de los timones de profundidad de un avión ligero con dos puestos de pilotaje en tándem utilizado para la formación de pilotos, es un sistema de control manual y de transmisión de la señal de mando por cables de acero trenzado guiados por poleas. En el capítulo 11.9 del tomo II de *Sistemas de aeronaves de turbina* se tratan las diversas formas de funcionamiento de los sistemas de control del control de los movimientos alrededor del eje transversal.

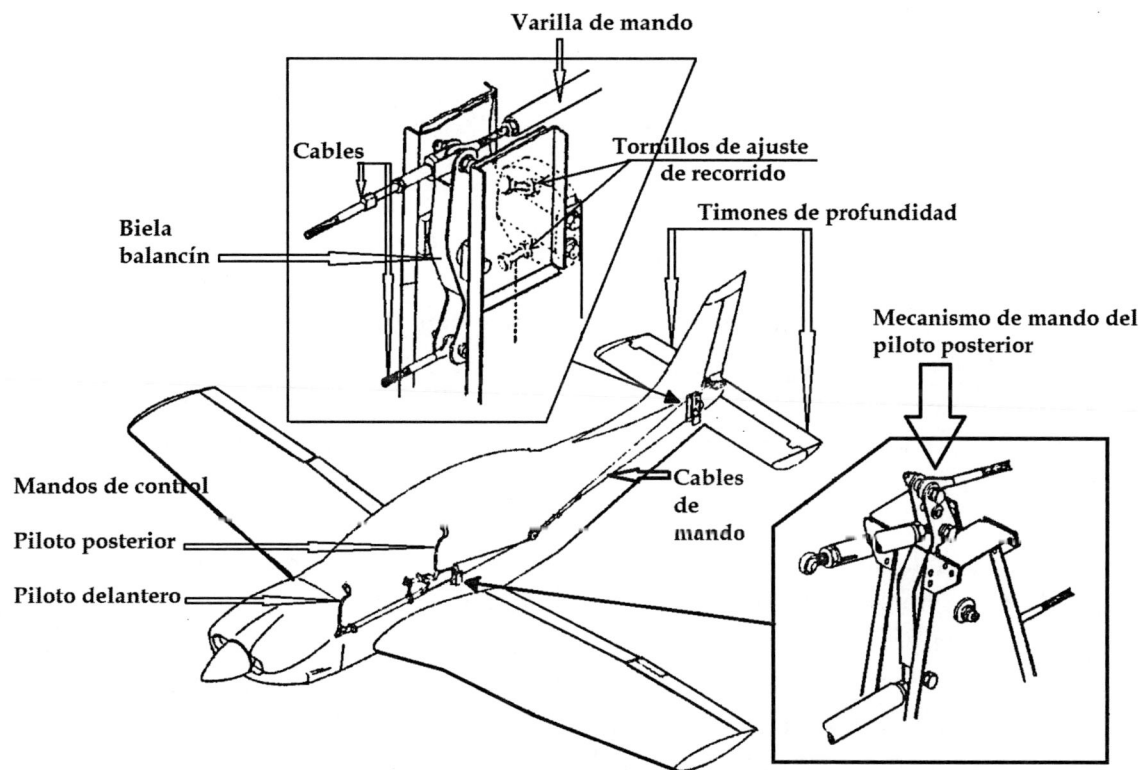

CONTROL DEL MOVIMIENTO

TIMONES DE PROFUNDIDAD

Los timones de profundidad son las superficies de control de vuelo que, fijadas mediante puntos de giro al estabilizador horizontal, controlan el movimiento de giro del avión alrededor del eje transversal, denominado movimiento de cabeceo.

17

En lo referente al perfil de los timones se utilizan perfiles aerodinámicos y de una estructura, tecnología de construcción, equilibrado estático, ajustes y materiales similares a los otros mandos de control del vuelo como los alerones o el timón de dirección, que lógicamente irán en consonancia con los medios de que disponga la industria en el momento.

En la figura siguiente se muestra un esquema de los elementos básicos de un sistema de profundidad en la posición de avión morro arriba.

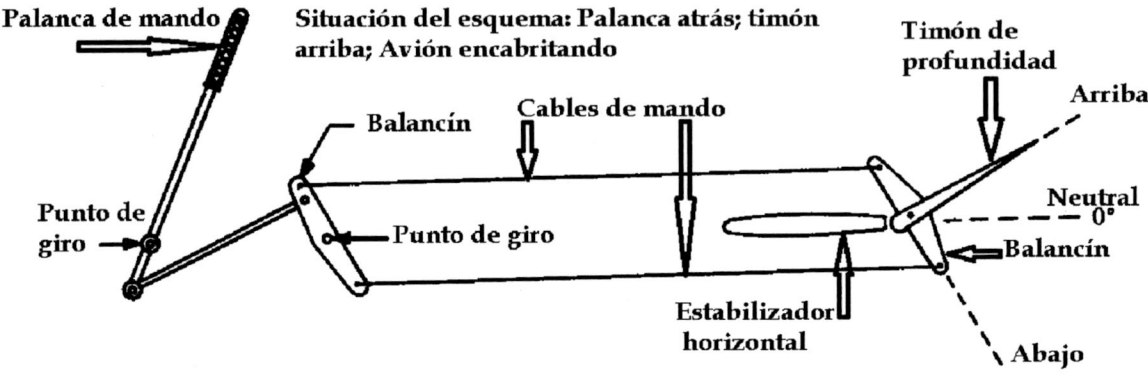

ESQUEMA DE UN TIMÓN DE PROFUNDIDAD

Los timones de profundidad se sitúan en el empenaje de cola en la parte posterior del estabilizador horizontal, a cada lado del timón de dirección, son gobernados desde la cabina de pilotaje el movimiento de la palanca de control, columna de mando o barra soporte de los volantes de alabeo si el avión tiene los mandos en el tablero frontal de instrumentos.

Si la palanca se mueve hacia delante los timones girarán en sentido de borde de salida hacia abajo, con lo que el avión tenderá a subir la cola y bajar el morro, variando el ángulo de ataque, el movimiento se denomina **picado**, si por el contrario el movimiento de mando es tirar de la palanca hacia atrás, el timón se colocará con el borde de salida hacia arriba y la cola bajará, el morro subirá variando también el ángulo de ataque, y al movimiento se le denomina **encabritado.**

En la figura siguiente se representan los efectos que ocurren en el avión con las diferentes posiciones del timón de profundidad.

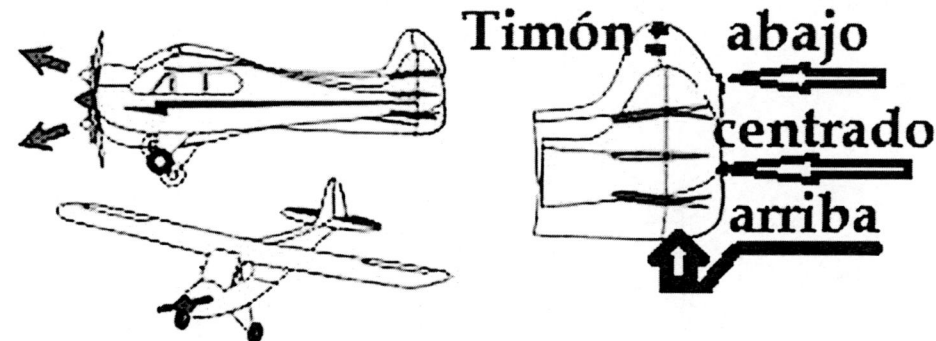

EFECTOS DEL TIMÓN DE PROFUNDIDAD

ESTABILIZADOR HORIZONTAL

El estabilizador horizontal es la superficie que junto con el estabilizador vertical y los timones forman el empenaje de cola, también se le identifica como empenaje horizontal, se compone de una superficie simétrica, a cada lado del estabilizador vertical, de perfil aerodinámico, que en el borde de salida lleva abisagrado el timón de profundidad. Dependiendo del diseño del avión, el estabilizador puede ser fijo o móvil, la estructura es similar a las de las alas o los timones, es decir, está construido de costillas, largueros y revestimiento.

En principio, la estructura era de madera y el revestimiento de tela, pero como todas las demás partes del avión ha ido incorporando los materiales que en cada momento estaban a disposición del fabricante, en cuanto a las prestaciones que proporciona este elemento a un avión, también han variado, y están desde los que son fijos al estabilizador vertical, que producen la estabilidad aerodinámica necesaria y soportan los timones, a los estabilizadores móviles que varían su posición según sea conveniente para el vuelo que vaya a realizar, o ajuste del ángulo de ataque del avión durante el vuelo sin tener que utilizar el timón de profundidad.

En lo referente al funcionamiento del movimiento del estabilizador y control del mismo desde la cabina de mandos, en algunos aviones ligeros es manual con sistema de cables, poleas y husillos; si los aviones son de tamaño mediano o pequeño el movimiento se efectúa mediante un motor eléctrico, una caja de engranajes desmultiplicadora que mueve un husillo con tuerca. En caso de los aviones grandes, como el estabilizador horizontal es de gran tamaño y mucha superficie, el movimiento lo genera uno o dos motores hidráulicos alimentados por diferentes sistemas. En la figura siguiente se presenta un esquema del sistema de funcionamiento del estabilizador horizontal de un avión Boeing 747.

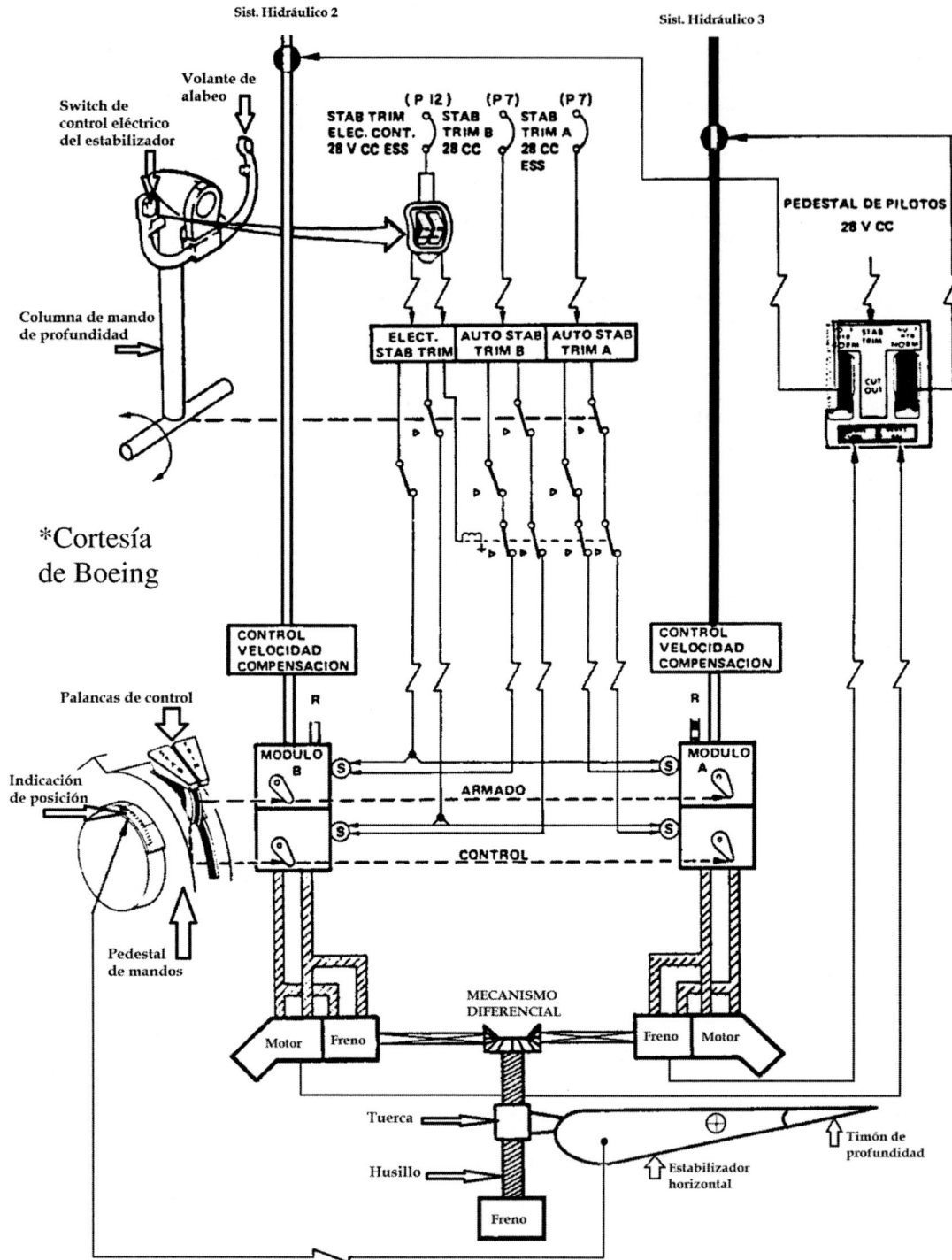

SISTEMA DE ESTABILIZADOR HORIZONTAL

El estabilizador horizontal móvil, al ser de gran superficie, está sujeto a los esfuerzos de las fuerzas aerodinámicas, a vibraciones, por lo que es necesario que el mecanismo de actuación tenga un sistema de bloqueo eficaz, ya que sería muy peligroso que variase su posición por otras causas que no sean las demandadas por el piloto. Este mecanismo normalmente es un freno de actuación eléctrica cuyo mando siempre estará situado junto al mando de actuación del motor, a fin de que puedan ser operados los dos a la vez.

En cuanto a la situación entre los mandos de la cabina de pilotos, generalmente tiene dos formas, una que sitúa los mandos en el volante de alabeo y otra desde las palancas situadas en el pedestal central. En la actualidad y en algunos aviones de gran tamaño (Airbus A-340 o A-380) utiliza también como depósito de combustible, que a la vez que da más autonomía a la aeronave también se utiliza el peso del mismo como elemento equilibrador de la aeronave.

En la figura siguiente se muestra un estabilizador horizontal con depósito de combustible en la cola, que instala el fabricante Airbus en los modelos A-340.

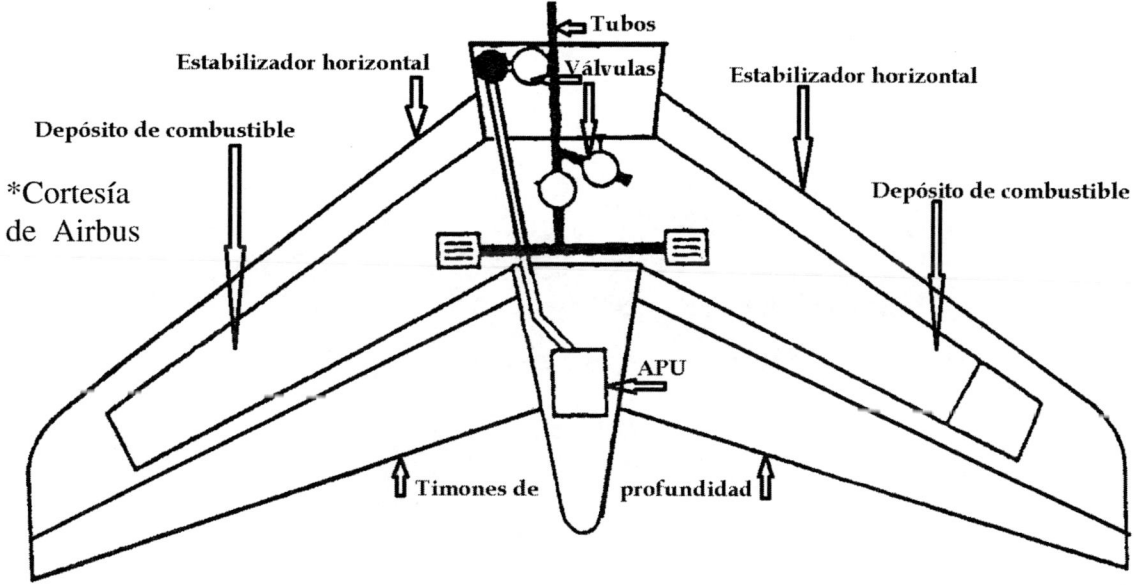

ESTABILIZADOR HORIZONTAL CON DEPÓSITO DE COMBUSTIBLE

En el capítulo 11.9-4 del tomo II de esta obra se trata con la profundidad necesaria el funcionamiento de este elemento como mando de vuelo secundario, y en el capítulo 11.10 del tomo III se trata el estabilizador como depósito de combustible.

CONFIGURACIÓN CANARD

Desde el principio de la aviación, ha sido el estudio del vuelo de las aves y del comportamiento de animales acuáticos dentro del agua uno de los pilares importantes dentro del diseño de la forma de los aviones, y así encontramos ejemplos como la similitud que tiene el morro de un Boeing 757 con la cabeza de un delfín, o la planta que ofrece un avión como el Concorde momentos antes de aterrizar, con el aterrizaje de un águila, o la ubicación de los mandos de control del movimiento de cabeceo delante del centro de gravedad del avión, o sea, hacia el morro del mismo, con el perfil que ofrece un pato en vuelo, de ahí que a esa configuración de mandos se la conozca como configuración CANARD. Si bien en los primeros aviones la necesidad de un mayor control en el picado del mismo aconsejaba que el timón de profundidad estuviese situado en la parte delantera de la aeronave, pronto los diseños fueron variando en el sentido de tener muy en cuenta el componente de sustentación que produce y va apareciendo el ala en tándem.

En la figura siguiente se muestra un avión de los comienzos de la aviación que tiene el control de la profundidad en la parte delantera y el timón de dirección en la parte posterior.

AVIÓN CANARD PRIMITIVO

Con el desarrollo de los conocimientos en aerodinámica, en resistencia de materiales y la aplicación de los revestimientos trabajando, la configuración canard va desapareciendo, el control de los movimientos de cabeceo pasa a la cola del avión y solo se mantiene en la aviación ligera, y no con mucha profusión, el ala en tándem, que en cierto modo es una de las configuraciones consideradas como **canard.** Solo en algunos aviones pequeños y casi experimentales, el control de la profundidad se efectúa por medio de unas aletas situadas a cada lado de la parte delantera del fuselaje.

En la figura siguiente se presenta un avión tipo canard de generación actual.

AVIÓN CANARD

En la aviación comercial actual, en algunos modelos de avión que tienen el fuselaje de gran longitud y la planta de potencia en la parte posterior del fuselaje, sitúan los diseñadores unas aletas fijas, a cada lado de la puerta delantera del fuselaje, que no tienen otro objetivo más que el control de los movimientos de cabeceo, sino que actúan como canard de sustentación, aunque no encajen perfectamente en las prestaciones que históricamente se han tomado como básicas para los canard de sustentación, ni tampoco pueden considerarse como aviones con ala en tándem, ya que por su tamaño no se las puede considerar como tales, básicamente amortiguan la carga vertical hacia abajo que se produzca muy acusadamente en aviones de fuselaje largo y cola alta como pueden ser los Douglas MD-83 y MD-88, que se presenta en la figura siguiente:

ALETA ESTABILIZADORA (CANARD) EN UN MD-83

11.1.1 – 3 – MANDOS DE GUIÑADA

Se llama movimiento de guiñada al movimiento circular que ejerce un avión alrededor de su eje vertical, este giro puede ser hacia la derecha o hacia la izquierda tomando como punto de referencia el eje longitudinal del avión. Los elementos que intervienen en el movimiento de guiñada son básicamente: **el estabilizador vertical**, el **timón de dirección** y la **aleta compensadora,** y los diferentes elementos que componen los sistemas de control de los mismos, que son tratados con la necesaria profundidad en los capítulos 11.9-1 y 11.9-2 del tomo II de *Sistemas de aeronaves de turbinas*.

Este movimiento de guiñada puede combinarse con los giros efectuados sobre los otros dos ejes del avión, se controla desde la cabina de mandos por el piloto mediante los pedales, de forma que si se ejerce presión con el pie hacia delante en el pedal derecho, el pedal izquierdo se mueve hacia atrás, y el timón de dirección gira en sentido contrario a las agujas del reloj, colocando el borde de salida hacia la derecha del avión, entonces las fuerzas aerodinámicas que inciden sobre el timón girarán el avión sobre su eje vertical hacia la derecha, o sea, en sentido de las agujas del reloj, con lo que el avión variará de rumbo. Si la presión la ejerce el piloto sobre el pedal izquierdo los movimientos se producirán en sentido contrario al expuesto y el avión variará su rumbo hacia la izquierda. En la figura siguiente se muestra la planta de un avión con los elementos del control del movimiento de guiñada.

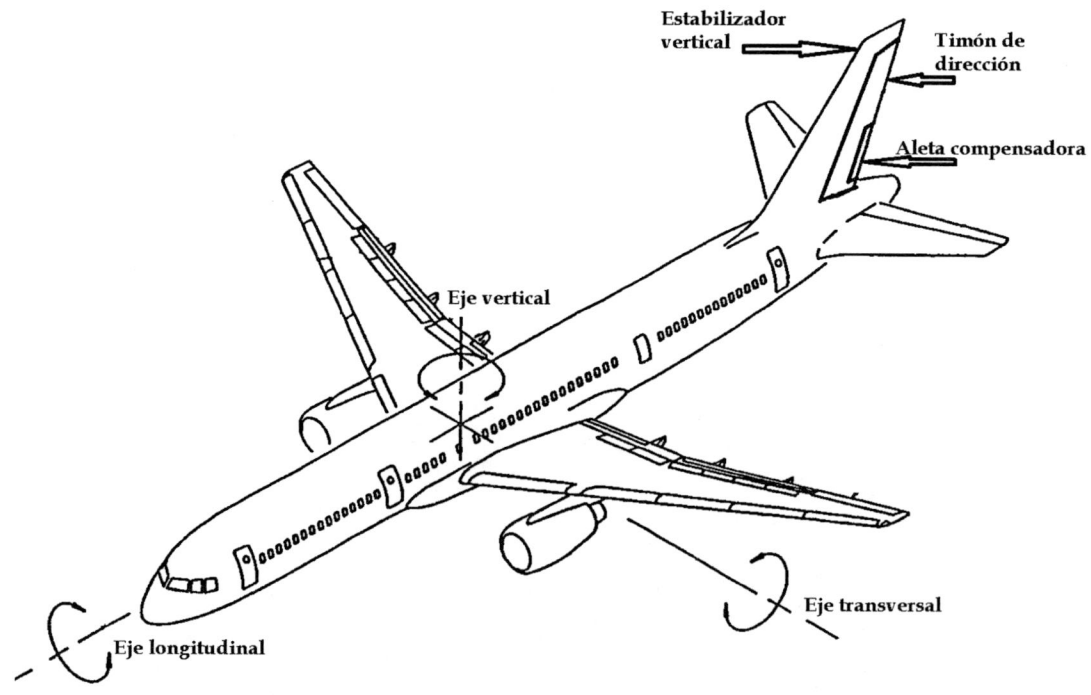

ELEMENTOS DE CONTROL DE LA GUIÑADA

En cuanto a los empenajes de cola existen varios modelos entre los cuales es escogido por los diseñadores el que más se ajuste a sus necesidades de diseño. En la figura siguiente se muestran varios modelos de empenajes de cola.

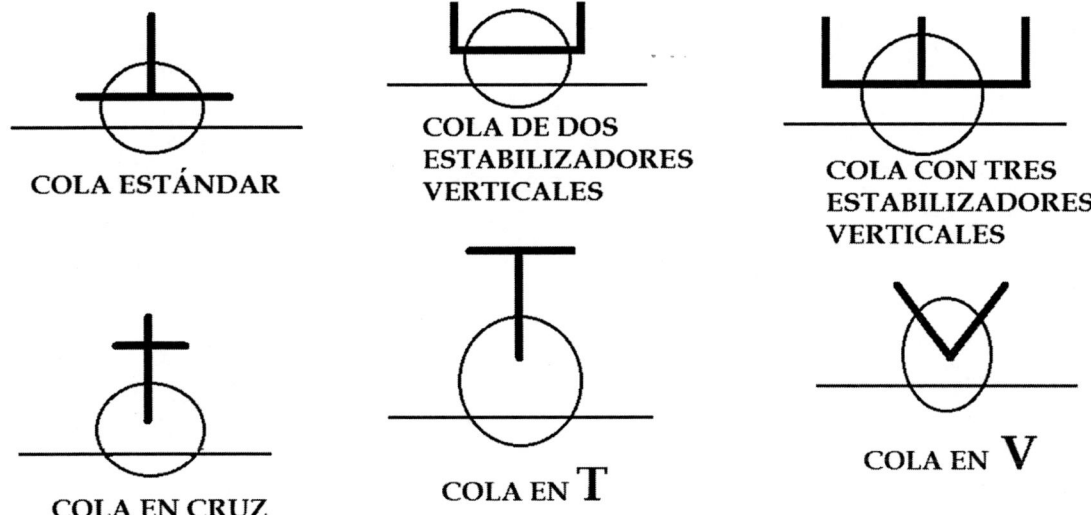

COLA ESTÁNDAR

COLA DE DOS ESTABILIZADORES VERTICALES

COLA CON TRES ESTABILIZADORES VERTICALES

COLA EN CRUZ

COLA EN T

COLA EN V

TIPOS DE EMPENAJES DE COLA

TIMÓN DE DIRECCIÓN

El timón de dirección es un elemento móvil de perfil aerodinámico, abisagrado al larguero posterior del estabilizador vertical, sirve para efectuar los giros de la aeronave sobre su eje vertical, con lo que se controla y puede variar la dirección o rumbo trazado.

El movimiento hacia uno u otro lado del timón de dirección se produce mediante la actuación del piloto sobre los pedales, esta orden de mando se transmite hasta el timón de diferentes formas, mediante cables de acero y poleas hasta el balancín del timón, si es de actuación directa; hasta una válvula de control si es de control mecánico y actuación hidráulica; o mediante cables eléctricos hasta las unidades de actuación electrohidráulicas, si el avión es de los llamados de tecnología *fly by wire*.

En la figura siguiente se muestra un esquema de un sistema de control del timón de dirección de diseño primario.

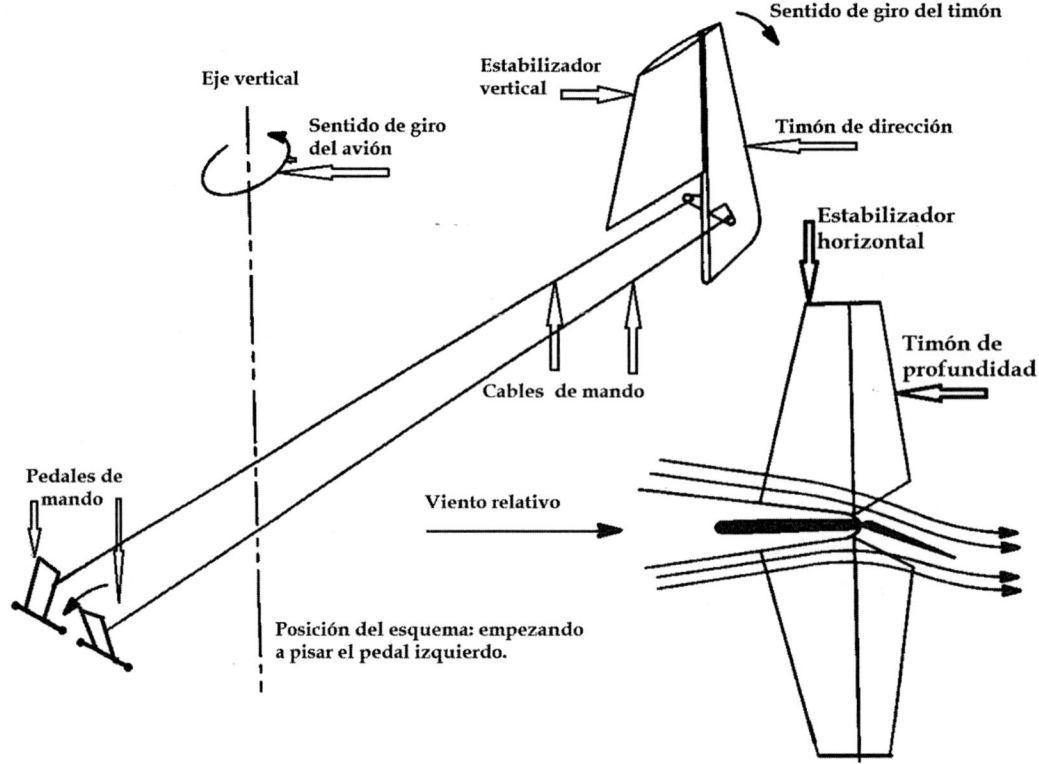

Sentido de giro del timón

Eje vertical

Estabilizador vertical

Sentido de giro del avión

Timón de dirección

Estabilizador horizontal

Cables de mando

Timón de profundidad

Pedales de mando

Viento relativo

Posición del esquema: empezando a pisar el pedal izquierdo.

ESQUEMA DE UN TIMÓN DE DIRECCIÓN

Desde el punto de vista estructural, el timón de dirección es similar a la estructura de los timones de profundidad o a los alerones. En aviones en los que el diseño así lo requiere, en parte del borde de salida del timón está alojada la aleta compensadora, abisagrada al larguero posterior del timón.

11.1.1 – 4 – CONTROL MEDIANTE ELEVONES Y TIMONES DE PROFUNDIDAD Y DIRECCIÓN

Con los avances tecnológicos y de medios en la industria, en los conocimientos y en los medios de diseño, todos los mecanismos y sistemas están en constante evolución, incorporando los resultados de este avance de conocimientos y medios, así en los dispositivos de mandos de control del vuelo aparecen los mandos de acción combinada, que en principio solo eran destinados a la aviación experimental y a la militar, en la actualidad ya son varios los fabricantes que van incorporando a alguno de sus aviones estos mandos combinados.

Dentro de este tipo de mandos de control del vuelo se pueden considerar como más importantes los elevones y los flaperones.

ELEVONES

Este tipo de mandos incorpora las funciones de los alerones y las del timón de profundidad, y generalmente se diseñan en aviones con la planta del ala en forma delta, con unas patas de tren de una longitud muy superior a la generalidad de los aviones de un tamaño parecido, no tienen timón de profundidad y su forma de aterrizaje es con un alto grado de ángulo de ataque, muy similar al aterrizaje que efectúan algunas aves rapaces como buitres o águilas.

La ubicación de los elevones es en el borde de salida del ala, partiendo de la raíz de la misma y hacia el borde marginal. Este tipo de mandos es de bastante profusión en los modelos de utilidad militar, en el área de la aviación civil el modelo más característico es el avión de fabricación franco-británica supersónico Concorde.

El desplazamiento de los elevones es simétrico, cuando ejercen funciones de control del cabeceo y desplazamiento asimétrico, cuando lo que se le demanda son funciones de control del movimiento de balanceo, o sea, funciones de alabeo.

Para el diseño, la construcción y el mantenimiento son tipos de mecanismos bastante complejos, con muchas articulaciones, por lo que en la aviación civil comercial no son de uso muy común.

En la figura siguiente se muestra un avión militar que a la vez que utiliza elevones también lleva instaladas unas aletas estabilizadoras canard en la parte delantera.

27

11.1.1 – 5 – DISPOSITIVOS HIPERSUSTENTADORES

Son dispositivos hipersustentadores aquellos mandos secundarios de control del vuelo que complementan a los mandos primarios, que permiten a la aeronave variar en aumento o disminución la sustentación del ala, básicamente aumentando el ángulo de ataque efectivo del ala mediante los slats, aumentando la curvatura del ala y la superficie alar mediante los diferentes tipos de flaps o variando la superficie alar cambiando la geometría del ala (caso de los aviones militares de geometría variable). En la aviación civil actual, como elementos básicos comúnmente utilizados, para la función de aumento de sustentación están **los slats** y **los flaps** (en el capítulo 11.9-4 del tomo II de esta obra, se encuentran estos mecanismos con sus funciones y controles).

Los elementos hipersustentadores se pueden dividir en dos grupos básicos, los **elementos pasivos**, que al ser utilizados modifican la geometría de ala, o generan huecos para controlar el flujo del aire alrededor de la misma, como son los flaps o los slats, y los **elementos activos**, que controlan el desprendimiento de la capa límite sin modificar la geometría de ala, como pueden ser los generadores de torbellinos, los vortilones, o los llamados flaps de soplado.

LOS SLATS

Por regla general, los slats y las ranuras fijas son los dispositivos que se instalan en el borde de ataque del ala, y los flaps se instalan en el borde de salida y en algunos modelos de aviones también llevan instaladas unas aletas de flap, en el intradós en el tercio interior del borde de ataque.

Las ranuras son unas aberturas practicadas detrás del borde de ataque, con un ángulo y una forma adecuada para que la corriente de aire pase desde el intradós al extradós del ala, de forma que suaviza el flujo de aire en la zona del borde de ataque, retrasando así la entrada en pérdida con grandes ángulos de ataque. Las ranuras generalmente se utilizan en aviones de pequeño tamaño y con no mucha profusión.

Los slats son unas aletas de perfil aerodinámico, son superficies móviles que cuando están plegados se ajustan al borde de ataque del ala y llevan en su propio borde de ataque los tubos de conducción de aire caliente del sistema de protección contra el hielo. En la figura siguiente de presenta un dibujo con los efectos en el coeficiente de sustentación (CL) que produce un slat en las posiciones de abierto y cerrado.

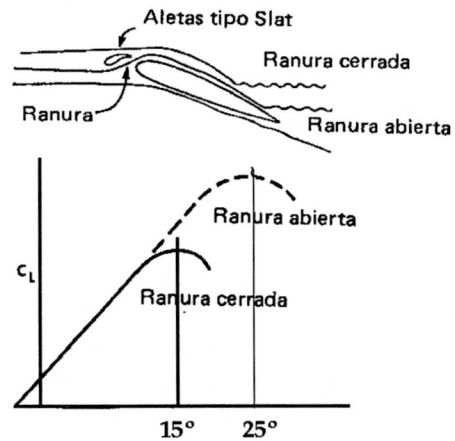

EFECTOS DEL SALT

Cuando los slats están parcial o totalmente desplegados forman una ranura entre la aleta y el ala por la que pasa el aire desde el intradós al extradós, esta infiltración de aire desde la zona inferior del ala, que es una zona de mayor energía cinética y presión estática, hacia la parte del extradós, sirve para estabilizar la capa límite en la zona y retrasar el punto de desprendimiento, con lo que realmente se consigue que la aeronave pueda alcanzar un mayor ángulo de ataque a una menor velocidad, es decir, que se retrasa la entrada en pérdida.

Los tipos de slats pueden ser fijos o de posición variable, o sea, retráctiles; los fijos son aletas fijadas al ala mediante unos herrajes que dejan una ranura fija entre el slat y el ala, no se utilizan en aviones de alta velocidad, ya que producen una alta resistencia, y tampoco son muy comunes en la aviación ligera.

Los slats de posición variable pueden ser de **apertura automática**, o de **accionamiento controlado**, bien directamente por parte del piloto, o a través de las órdenes emanadas de los computadores del piloto automático.

Los slats de **apertura automática** se extienden cuando la disminución de la presión estática en el borde de ataque del ala alcanza un valor próximo al correspondiente al de entrada en pérdida, los slats se extienden automáticamente. Los slats de **apertura controlable** se extienden desde la cabina de mandos por parte del piloto cuando es necesario, y en casos en los que la aeronave esté dotada de esa posibilidad será el piloto automático quien los actúe.

Si el control del sistema de slats puede ser de las formas descritas, la actuación de los mismos también puede ser de varias formas, según se trata con la profundidad necesaria en el capítulo 11.9-4 del tomo II de los de *Sistemas de aeronaves de turbina*. La actuación generalmente es mediante cilindros de actuación hidráulica, servidos por los sistemas hidráulicos del avión, o mediante husillos actuados por motores hidráulicos en aviones de gran tamaño y alta velocidad.

29

En la siguiente figura se muestra un ala con los slats desplegados donde puede observarse la ranura existente entre el borde de ataque del ala y la aleta de slats.

SLATS

Para aviones ligeros y de baja velocidad, los slats normalmente son actuados mediante un motor eléctrico que mueve un husillo a través de una caja de engranajes desmultiplicadora.

<u>LOS FLAPS</u>

Es posible dar una definición de los flaps desde varios puntos que coincidirán con las prestaciones necesarias que se utilizan en cada fase del vuelo, ya que en la primera fase se parte de velocidad cero y se necesita aumentar en lo posible la sustentación para despegar con menor velocidad. Según se va realizando el vuelo, para que el avión adquiera la velocidad de crucero, es necesario disminuir la resistencia, lo que se consigue variando el perfil del ala.

Una vez que el vuelo entra en fases de descenso para el aterrizaje, es necesario disminuir la velocidad y aumentar la sustentación, para lo que se varía el perfil del ala, con esa variación también se aumenta la resistencia, con lo que se ayuda a la reducción de la carrera de aterrizaje sobre la pista en la fase final del vuelo. En la figura siguiente se muestran unos diagramas teóricos con unas curvas de sustentación y una distribución de la sustentación con varias posiciones de flap.

CURVA DE SUSTENTACIÓN DEL PERFIL CON FLAPS Y RANURAS DE BORDE DE ATAQUE

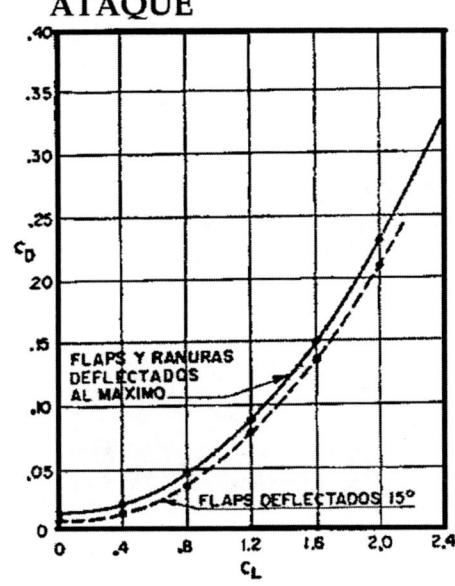

DISTRIBUCIÓN DE LA SUSTENTACIÓN CON FLAPS Y RANURAS DE BORDE DE ATAQUE

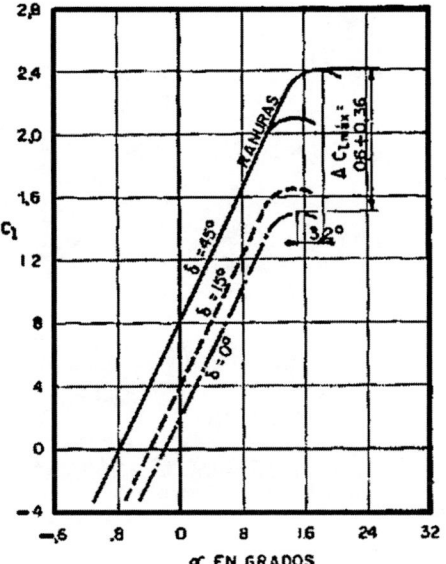

DISTRIBUCIÓN DE LA SUSTENTACIÓN

Para conseguir cubrir estas necesidades se utilizan los flaps en sus diferentes tipos y ubicación sobre el ala. Los flaps son superficies móviles, fijadas sobre el perfil principal del ala, en los que, al variar su posición con respecto a la misma, varía su curvatura, aumentando, consiguiendo entre otras cosas un aumento del coeficiente de sustentación máximo y una reducción del umbral de velocidad de pérdida.

Los flaps si son de borde de ataque se sitúan en el intradós, en el primer tercio desde la raíz del ala, por el contrario, si son flaps de borde de salida se sitúan generalmente al interior de los alerones, ocupando unos dos tercios del borde de salida del ala, entre el encastre y los alerones. Generalmente, la gran mayoría de aviones solo tienen instalados flaps de borde de salida y solo aviones de gran tamaño y velocidad llevan instalados también unos flaps de borde de ataque. En la figura siguiente se presenta un avión con los flaps de borde de ataque desplegados.

Los flaps son accionados por el piloto, y generalmente no están relacionados para su funcionamiento con las órdenes que pueda emitir el piloto automático, por lo tanto, en general, son superficies de control manual. En lo referente al accionamiento, hay muy diversas maneras, siendo más o menos normal encontrar los de accionamiento mediante motor eléctrico en aviones ligeros, los de accionamiento hidráulico directo mediante actuadores en aviones medios, y en aeronaves de gran tamaño el accionamiento es mediante husillos roscados y

31

carriles guía para conducir el desplazamiento. Los husillos están unidos mediante transmisiones mecánicas a unas cajas de engranajes que son actuadas por motores hidráulicos o eléctricos.

FLAPS DE BORDE DE ATAQUE

Como se trata en el capítulo 11.9-4 del tomo II de *Sistemas de aeronaves de turbina*, los flaps tienen muy diferentes formas tanto de control de su extensión y retracción como del control de la velocidad de actuación, de las formas de realimentación mecánica del movimiento a las válvulas de control, así como tipos de indicación en cabina de la posición y movimiento de las superficies.

En lo referente a los tipos de flaps, la característica más común es la de que proporcionan un aumento de la curvatura del perfil del ala, ya sean flaps de borde de salida o combinados con los de borde de ataque o con los slats.

Además de las consecuencias aerodinámicas que proporciona la variación de la curvatura del ala, hay tipos de flap que, por estar constituidos por varias aletas articuladas y unidas entre sí, proporcionan al perfil del ala unas ranuras entre sus bordes de ataque y de salida, ranuras que, al permitir el paso de aire desde el intradós al extradós del ala, ayudan a mejorar el control de los efectos de la capa límite sobre el perfil del ala. En la figura siguiente se muestra un dibujo con varios tipos de flaps y zona donde va ubicado cada tipo.

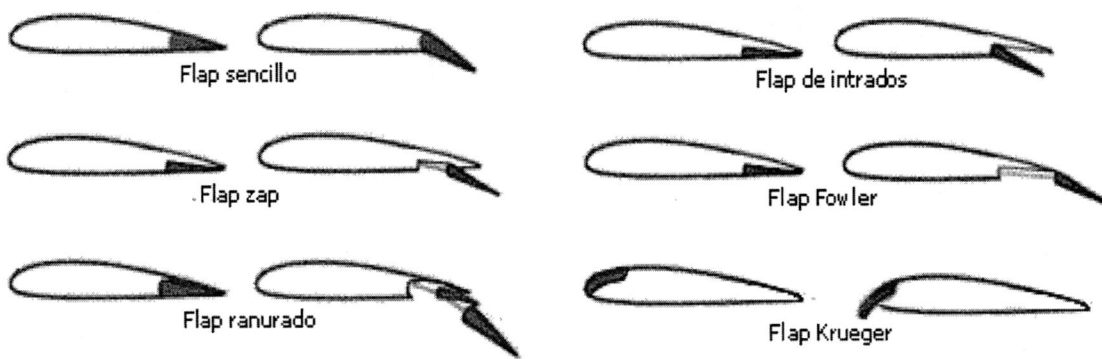

Flap sencillo

Flap de intrados

Flap zap

Flap Fowler

Flap ranurado

Flap Krueger

TIPOS DE FLAPS

Otra característica importante en algunos tipos de flap es que, además de las descritas, proporciona un aumento de superficie del ala, y por lo tanto varía la carga alar, característica que, según en qué fases del vuelo, es altamente beneficiosa para el desarrollo del mismo.

Entre los diferentes tipos de flaps, y las combinaciones que con ellos se pueden hacer, cuentan los diseñadores con un amplio abanico de posibilidades a la hora de encontrar el diseño más eficaz y que mejor cumpla con los objetivos y prestaciones de la aeronave motivo de su trabajo.

En la figura siguiente se muestran varios tipos de flaps de aletas, entre las que se ve uno desplegado de tres aletas, tipo Fowler, con ranuras entre cada aleta que mejoran la sustentación del ala, soportes de fijación al ala y carril de deslizamiento.

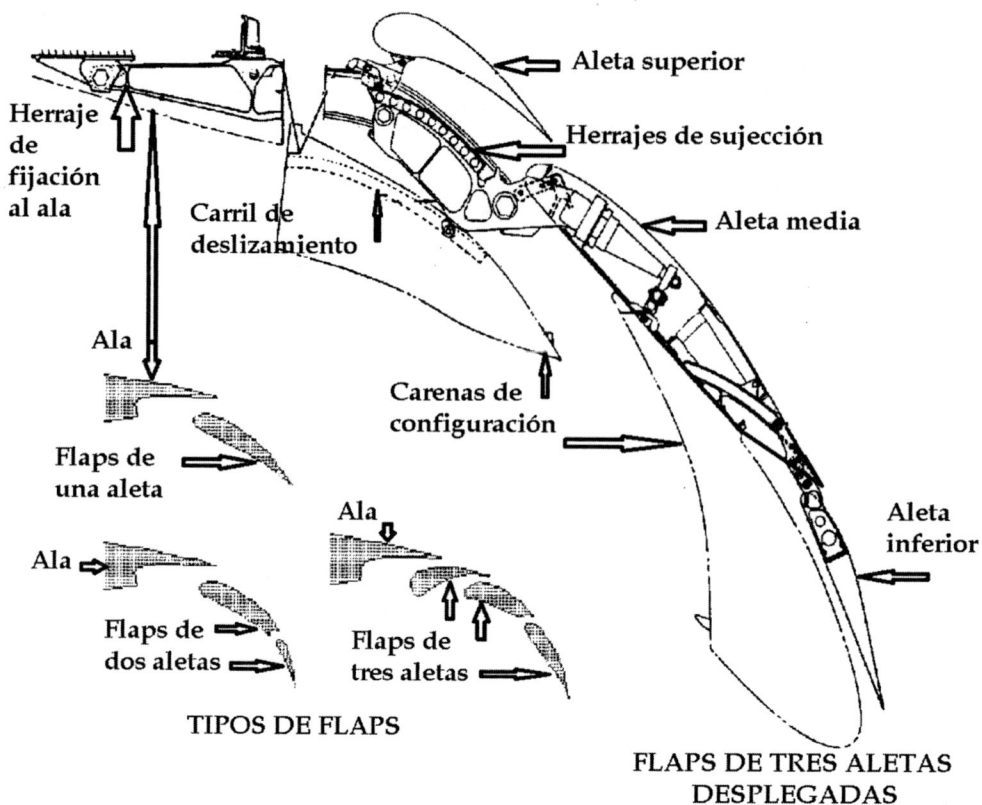

Herraje de fijación al ala

Carril de deslizamiento

Ala

Aleta superior

Herrajes de sujección

Aleta media

Carenas de configuración

Aleta inferior

Flaps de una aleta

Ala

Ala

Flaps de dos aletas

Flaps de tres aletas

TIPOS DE FLAPS

FLAPS DE TRES ALETAS DESPLEGADAS

FLAPS DE BORDE DE SALIDA

De entre los varios tipos de flap que se conocen, a continuación se describen los más comúnmente utilizados así como sus características más importantes.

FLAP SIMPLE O DE CURVATURA

Es este un tipo de flap plano, de perfil aerodinámico, de amplia utilización en la aviación ligera o general; cuando está plegado forma el borde de salida del ala, está abisagrado al larguero posterior de la misma y solo produce las prestaciones que genera el aumento de curvatura del ala, como son el aumento de sustentación y de la resistencia.

FLAP RANURADO

Es un tipo de flap que cuando está recogido es similar al flap simple, pero al desplegarse sobre su punto de giro queda al descubierto, entre el borde de salida del ala y el borde de ataque de la aleta de flap, una ranura que produce un efecto aerodinámico de estabilidad de la capa límite en el extradós, además de la sustentación y la resistencia.

FLAP PARTIDO O DE INTRADÓS

Este modelo de flap consiste en una aleta que está abisagrada en el intradós del ala, que cuando está plegado forma junto con el extradós el conjunto del perfil del ala. Este es un tipo de flap poco utilizado en la actualidad, ya que, al no tener ranura, proporciona una mayor resistencia y menos picado que los flap simples.

FLAP DE ZAP

Es un flap de intradós pero con la variación de que a la vez que se despliega se desplaza hacia atrás, con lo que aunque no produce ranura, sí aumenta la superficie alar, la curvatura y la resistencia.

FLAP DE KRÜGER

Se llama así a las aletas de flaps de borde de ataque, que abisagradas al ala en la parte delantera de la aleta, salen hacia delante sobrepasando el borde de ataque del ala, por lo que, además de proporcionar curvatura al ala, también aumentan la superficie alar, en la zona del último tercio interior del borde de ataque del ala, hacia el encastre con el fuselaje. Los fabricantes Boeing y Airbus los instalan en varios de sus modelos como el B737 o el A-300, también el fabricante inglés del BAC VC-10 utilizó este tipo de flaps, todos ellos lo combinan con un slat que proporciona la curvatura y ranura al resto del borde de ataque del ala.

FLAP DE FOWLER

Es un flap de borde de salida del ala que a la vez que aumenta la curvatura y la superficie alar, proporciona una o varias ranuras. Es el flap más completo, por lo que es ampliamente utilizado por los fabricantes en casi todos los modelos de aviones de medio y gran tamaño. Dentro del tipo de los flaps Fowler existe una gran profusión de modelos o variaciones del mismo, bien de una sola aleta, o de varias, fijas o plegables, que según se van desplegando conforme el flap va saliendo, van produciendo una ranura entre cada aleta.

Generalmente, y sobre todo en aeronaves de gran tamaño, es un flap muy articulado, compuesto de muchas piezas unidas, que básicamente se pueden agrupar en **cuatro cometidos o partes. Parte de aletas aerodinámicas**, que comprende el tipo, la forma y construcción de los perfiles; **parte de carriles**, rodillos y articulaciones que unen las aletas entre sí, que guían a las aletas y les marcan el camino, **parte de arrastre o accionamiento**, normalmente de husillos con tuercas montadas sobre articulaciones del tipo cardán, que permiten la variación de la dirección de arrastre según va variando el ángulo de flap, estos husillos van unidos a unas cajas de engranajes que les dan la dirección. Las transmisiones corren sobre el larguero posterior del ala hasta la caja principal o caja de arrastre, donde van montados los motores de accionamiento. Finalmente, la **parte de indicación** de

35

posición en la cabina y los mecanismos de mando y control, y de reposición de los elementos o mecanismos de realimentación de las válvulas de control que reposicionan estas a la posición neutral de corte del suministro de potencia, una vez que las aletas de flap han alcanzado los grados correspondientes a la posición seleccionada en la cabina.

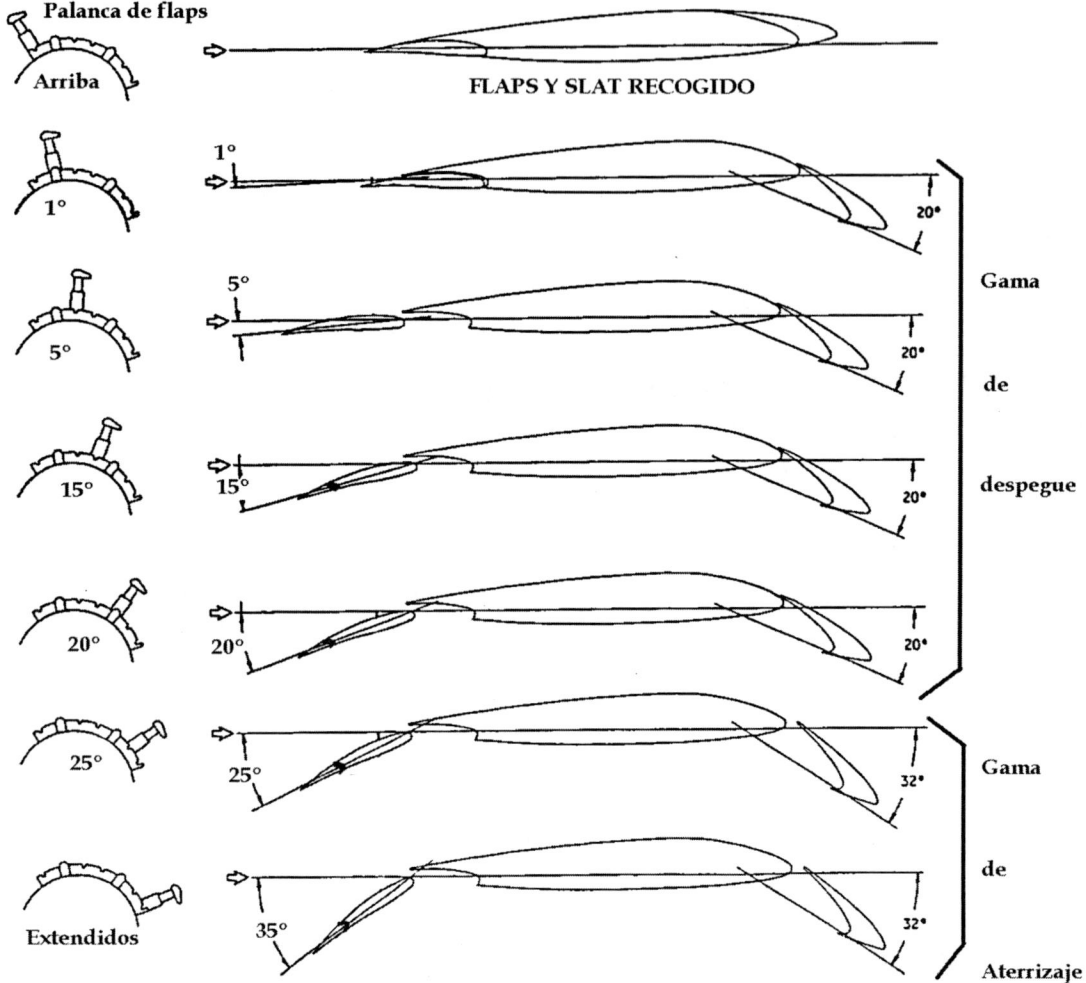

POSICIONES DE UN FLAP DE FOWLER Y SLAT

Una característica de este tipo de flap es que cuando comienza a desplegarse, durante la primera parte de su recorrido aumenta la superficie alar con poco ángulo de inclinación de las aletas, produciendo mucha sustentación y poca resistencia, a medida que va aumentando el recorrido, el régimen de aumento de superficie disminuye y el de grados de inclinación aumenta, produciendo así más resistencia. Esta característica es la que más se ajusta a las necesidades del avión, en la fase de despegue se utiliza la primera parte de su recorrido, y en las fases de aproximación y aterrizaje se utiliza todo el recorrido, porque es más necesaria una resistencia alta que ayuda al avión a disminuir la velocidad tanto en la última parte de la aproximación a la pista como durante la carrera de aterrizaje sobre la misma. En la figura anterior se presenta un flap de este tipo con las diversas posiciones junto con el slat.

LOS FLAPERONES

Entre los mecanismos hipersustentadores, de función mixta se encuentran los llamados flaperones, que son unas superficies de control del vuelo que se sitúan en el borde de salida del ala hacia el interior (en el lugar que normalmente se ubican los flaps de borde de salida), que incorporan las funciones del flap y del alerón, desplazándose de forma simétrica en las dos alas cuando efectúa funciones de flap, pero cuando se le demandan funciones de control del alabeo se desplazan de forma asimétrica. Esta asimetría se produce desde cualquier posición de las aletas como flap, extendiendo uno más que otro. En caso de que se demande una actuación de alabeo con los flaps a su máxima extensión será una de las superficies la que disminuirá su recorrido, produciendo así la asimetría necesaria para el control del movimiento de balanceo solicitado.

Este tipo de mando de control del vuelo se encuentra con bastante profusión en aviones militares, pero en la aviación civil hasta la actualidad solo se encuentran en aviones de pequeño tamaño y gran velocidad, como son los de la llamada aviación ejecutiva. La tendencia de los diseñadores es ir introduciéndolos en varios modelos de grandes dimensiones de la aviación comercial como el Boeing B-787.

11.1.1 – 6 – ELEMENTOS QUE AUMENTAN LA RESISTENCIA

En el módulo 8.2 de la formación del técnico de mantenimiento de aeronaves y en el capítulo 11.1 de esta obra, se trata convenientemente la resistencia aerodinámica del avión, de los perfiles o de las alas y cómo la resistencia es un punto básico para el diseño del cálculo de la potencia necesaria para que el avión pueda volar. La **resistencia de presión** y la **de fricción**, junto con **la resistencia inducida,** la **resistencia parásita** y la **resistencia de interferencia**, son realmente los tipos de resistencia imprescindibles a tener en cuenta como datos básicos en el diseño, con todas las dificultades prácticas que ofrece el separar y valorar las resistencias de presión y las resistencias de fricción.

Llamamos **resistencia de presión** a la causada por las presiones inducidas por el movimiento del aire alrededor de los elementos de un avión, dependiendo también de la estela relacionada con la forma de estos elementos, siendo **la resistencia de fricción** la que está relacionada con las propiedades viscosas de la capa de aire cercana a la superficie del elemento del avión, zona en la que se sitúa la capa límite, que es la zona de muy poco espesor (generalmente inferior a los dos milímetros) en la que la velocidad del aire respecto del elemento sólido varía desde cero al 99 % de la velocidad de la corriente de aire, que no sufre perturbación. Esta capa puede ser laminar o turbulenta; existen muchos estudios sobre la capa límite, desde los efectuados por Otto Lilienthal a las ecuaciones de Navier-Stokes o las de Blasius, que no son objeto de estudio en esta parte de la formación que está orientada a los conocimientos sobre el mantenimiento de las aeronaves más que hacia su diseño.

También se originan resistencias adicionales durante el vuelo variando la forma de la superficie de las alas o del empenaje de cola, esto se consigue con la variación de posición de lo que llamamos superficies de mando y control del vuelo, además de con los mandos primarios, con los spoilers en funciones como amortiguadores de la sustentación, o como frenos aerodinámicos.

LOS SPOILERS

Los spoilers son unas superficies de control instaladas en el extradós de las alas que durante el vuelo originan resistencias adicionales, cuando las superficies están total o parcialmente extendidas, dependiendo su utilización de las circunstancias o necesidades, como ayuda en el alabeo, reducción de velocidad, o en tierra, en la carrera de aterrizaje con su extensión total aumenta la eficacia del frenado, acortando la carrera. En la figura siguiente se presenta un dibujo de la planta de un ala izquierda con los diferentes elementos indicados.

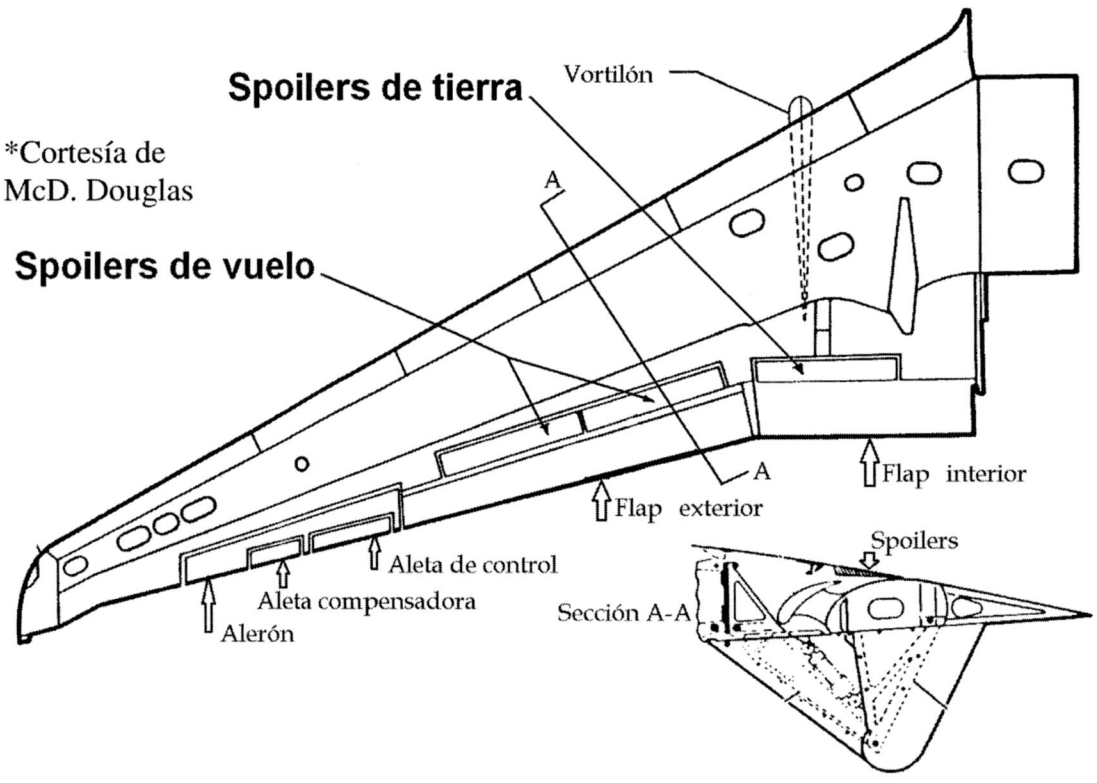

SITUACIÓN DE LOS SPOILERS

Los spoilers se sitúan en el extradós del ala en el tercio posterior de la cuerda del perfil, sobre el larguero posterior del ala y delante de los flaps. Son mecanismos disruptores, es decir, que cuando se despliegan rompen la capa límite, aumentan la resistencia, reduciendo la velocidad y aumentando el régimen de descenso si el avión está en vuelo. Si se utilizan en el aterrizaje, los efectos aerodinámicos son los mismos, pero al estar el avión sobre las ruedas, se aumenta la fuerza de reacción en los amortiguadores de las patas de tren, las ruedas se apoyan en el suelo con más firmeza, lo que aumenta la eficacia de la frenada, permitiendo una menor utilización de los sistemas de frenos de fricción de las ruedas, y alargando la vida útil de los conjuntos de freno.

La forma de actuación de las superficies de spoilers es generalmente mediante unidades de actuación hidráulica, servidos por los sistemas hidráulicos del avión de forma simétrica en cada ala, de forma que el mismo sistema hidráulico alimenta a los spoilers situados en las mismas posiciones físicas de cada ala.

El control de las unidades hidráulicas de actuación se realiza de **forma automática** cuando se utilizan en funciones de ayuda en el aterrizaje y como ayuda en el alabeo, volando con el piloto automático conectado, y de **forma manual** para la ayuda en el alabeo sin piloto automático conectado y para la función de aerofrenos en vuelo, según queda tratado convenientemente en los capítulos 11.9-1 y 11.9-5 del tomo segundo de los de *Sistemas de aeronaves de turbina*.

Los spoilers están limitados en su recorrido de apertura dependiendo de la función que vayan a ejecutar, así, para funciones de aerofrenos en vuelo, salen alrededor de los 30 grados, dependiendo del modelo de avión, en caso de ayuda en la frenada de aterrizaje salen al máximo de su recorrido, o cuando salen como ayuda al alabeo solo salen parcialmente los spoilers del ala que baja.

Al tener varias funciones pueden efectuar simultáneamente algunas de ellas, como ser utilizados como aerofrenos y a la vez mover el volante de alabeo, en este caso se recogerán total o parcialmente las aletas de spoilers del ala que sube, produciendo así la diferencia de sustentación en las alas necesaria para ayudar a los alerones a conseguir el movimiento de alabeo solicitado.

En algunos aviones que tienen todas estas posibilidades, generalmente tienen prioridad las funciones que impliquen un aumento de la diferencia de sustentación positiva en algún ala, así la función de ayuda al alabeo tiene prioridad sobre las funciones de aerofrenos.

En aviones de nueva generación en los que los computadores controlan las funciones y las respuestas en modos automáticos, demandan el movimiento necesario a las superficies de control del vuelo, fuera de la función de ayuda al alabeo, si por cualquier causa una aleta de spoiler no obedeciese como aerofrenos en vuelo o en tierra, quedaría inoperativa la aleta simétrica del ala contraria, como protección de la operación, para que no se pueda producir asimetría en la resistencia.

11.1.1 – 7 – EFECTOS DE LOS "WING FENCES", BORDES DE ATAQUE EN DIENTE DE SIERRA

Debido a la forma de las alas y a las velocidades que alcanzan con respecto al aire que las rodea, la capa límite corre el riesgo de comenzar a desprenderse y comenzar la entrada en pérdida del ala, para proteger el ala de ese desprendimiento se utilizan los dispositivos protectores, a los que se les denomina elementos **hipersustentadores activos**, que, colocados fijos en diferentes puntos de las alas, aumentan la sustentación del avión controlando la capa límite para evitar su desprendimiento, introduciendo directamente energía al fluido que la forma.

Estos elementos, al controlar la capa límite, el efecto que proporcionan es un aumento de sustentación que, sumado a los efectos que producen los **hipersustentadores pasivos** como los flaps o los slats, producen en el avión la sustentación y el control de la capa límite necesarios para que se alcancen las velocidades pretendidas sin que sea un problema la entrada en pérdida por desprendimiento de la capa límite.

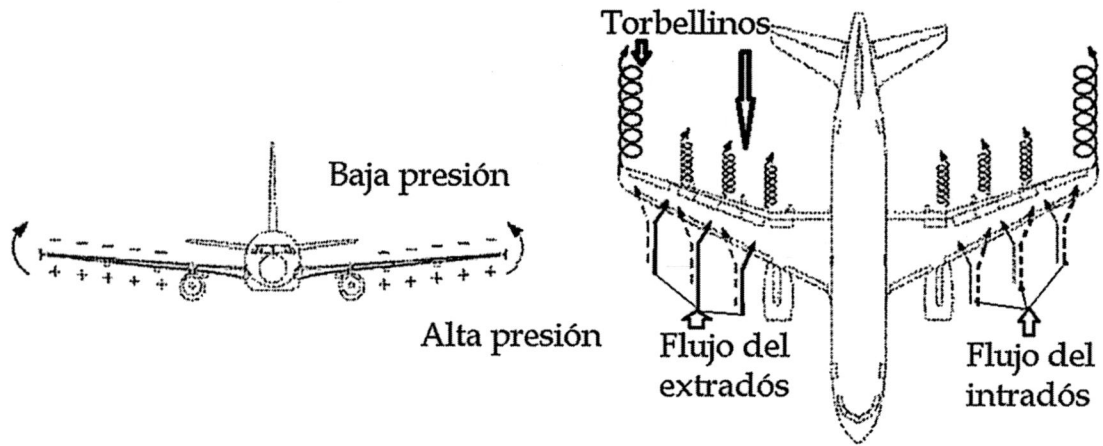

EFECTOS AERODINÁMICOS EN LAS ALAS

11.1.1 – 8 – CONTROL DE LA CAPA LÍMITE, GENERADORES DE TORBELLINOS, CUÑAS DE PÉRDIDA Y DISPOSITIVOS DEL BORDE DE ATAQUE

De entre los varios elementos o métodos que se utilizan para el control de la capa límite por medios activos, los más comunes y utilizados son:

Generadores de torbellinos

Vortilones

Dispositivo en el extremo de las alas (winglet)

Bordes de ataque dentados (dogtooth o notched)

Flap soplado

Métodos de succión

GENERADORES DE TORBELLINOS

Son unas series de placas pequeñas verticales que se sitúan en las zonas más susceptibles de desprendimiento de la capa límite, como el estabilizador vertical, el encastre del ala o en las zonas convenientes del extradós del ala, estas placas están orientadas con respecto al eje longitudinal del avión, con unos ángulos convenientemente estudiados desde el punto de vista aerodinámico para que canalicen la capa límite. En la figura siguiente se presenta la colocación y consecuencias de los generadores de torbellinos en el extradós en la parte exterior del ala.

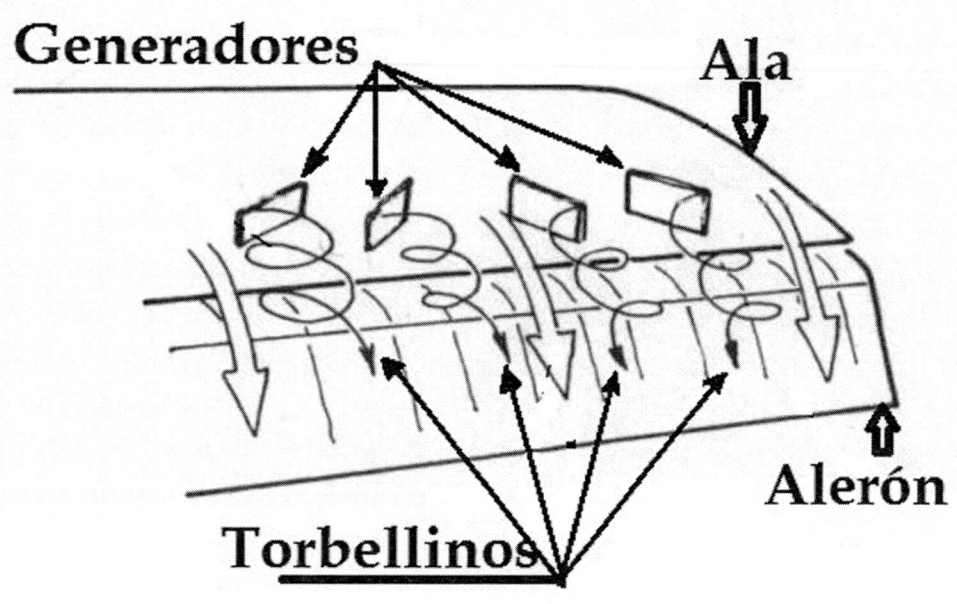

GENERADORES DE TORBELLINOS

VORTILONES Y WINGLETS

El vortilón es una superficie vertical, perpendicular al intradós del ala, que ocupa desde la parte superior del borde de ataque de la misma hasta gran parte del intradós en el sentido de la cuerda del perfil, la longitud del vortilón depende del modelo de avión. Su función es controlar la capa límite para impedir que resbale hacia el extremo del ala y así retrasar los valores de entrada en pérdida.

La parte más alta en su posición vertical está en el borde de ataque y después va disminuyendo progresivamente tanto en altura como en grosor hasta que se difumina en el intradós del ala.

También se llama así a las aletas que se instalan en algunas partes de los capós de los motores o en los pylons de algunos aviones cuando llevan los motores instalados en las alas, con la función de orientar el flujo de aire hacia el borde de ataque del ala.

En algunos aviones, generalmente reactores de pequeño tamaño o militares, también se instalan vortilones sobre el extradós del ala. En la figura siguiente se muestra un avión en cuyo intradós tiene instalados dos vortilones.

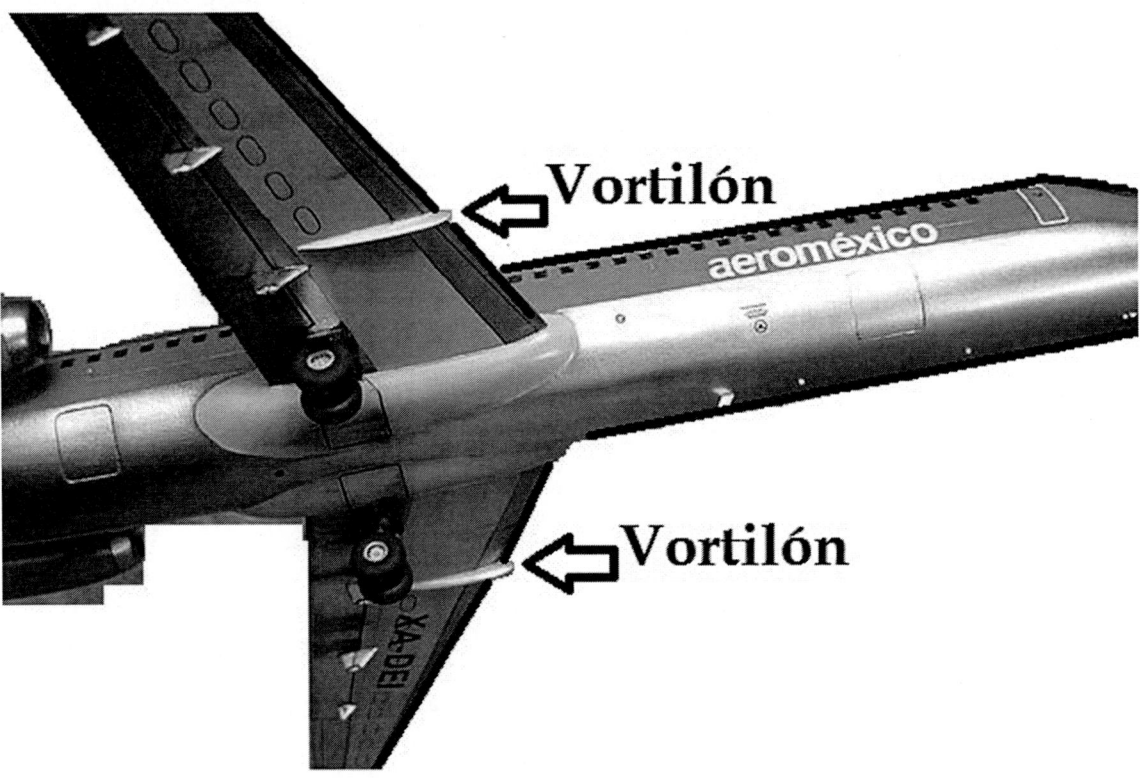

Los winglets son elementos aerodinámicos verticales en ángulo con el extradós y el intradós del ala que se instalan en los extremos de las mismas, con el fin de disminuir la resistencia y los torbellinos que produce la diferencia de presión entre el intradós y el extradós, además de frenar el resbalamiento de la capa límite en la parte del ala cercana al extremo. En la figura siguiente se muestran las diferencias de estos efectos en un ala con winglets y otra sin él.

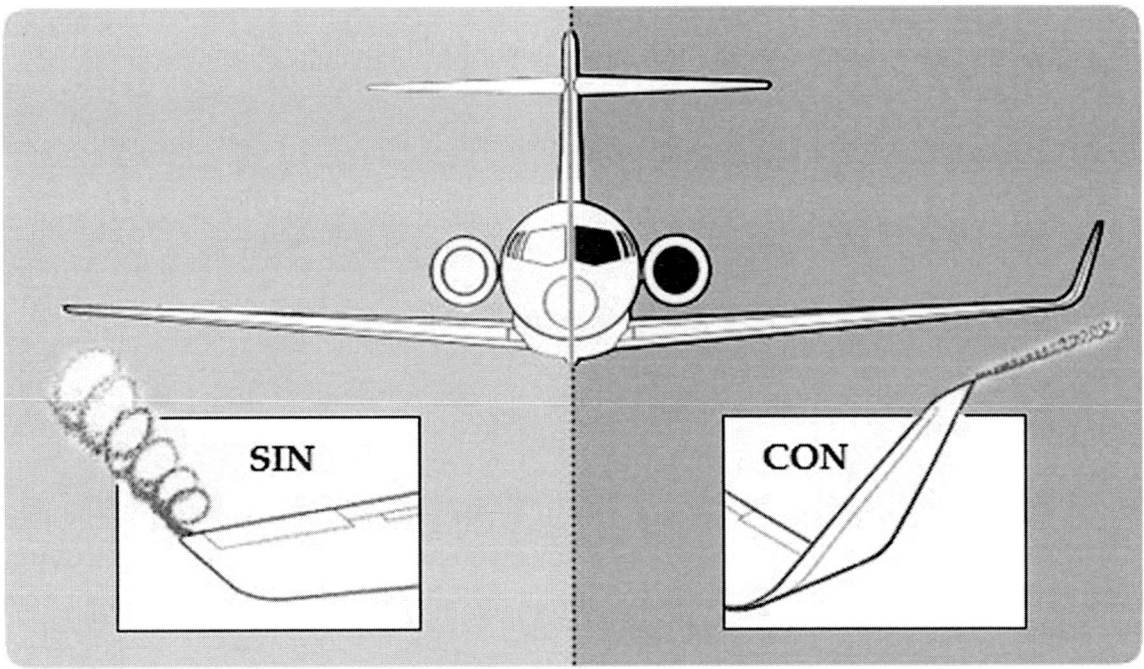

WINGLET

Los winglets son, en cuanto a su forma, generalmente de dos modelos, sobresaliendo hacia arriba, o sobresaliendo hacia arriba y abajo del borde marginal de cada ala, dependiendo de los criterios de aplicación para cubrir las necesidades que tenga el equipo de diseño de uno u otro modelo de avión.

En la figura siguiente se muestra una foto de cada uno de los modelos descritos.

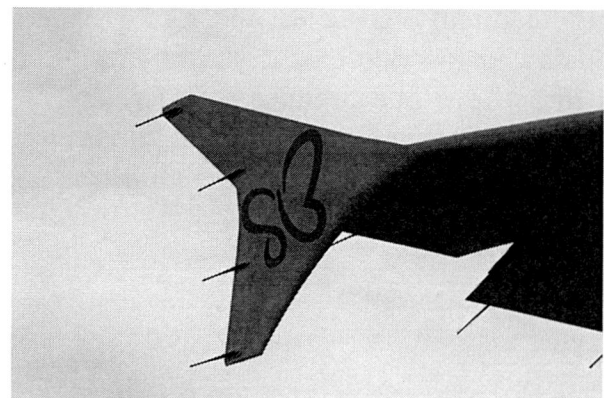
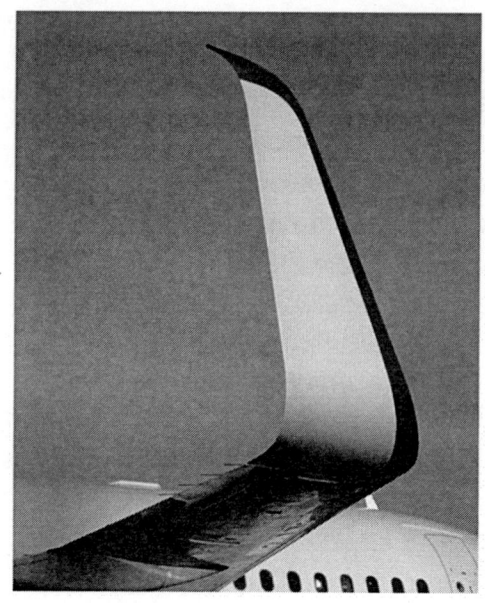

TIPOS DE WINGLET

Generalmente se instalan en aviones de alta velocidad, como reactores de mediano tamaño Airbus o Boeing y en algunos modelos de la aviación ejecutiva.

Otra de las ventajas de los winglets es el ahorro significativo de combustible que se obtiene, entre un 3 % y un 5 % al poder mantener la misma velocidad del avión con los motores a más bajo régimen.

En la actualidad existen estudios en adelantadas fases de experimentación, de unos winglets que puedan variar por medio de algún mecanismo el ángulo vertical dependiendo de la velocidad del avión.

BORDES DE ATAQUE DENTADOS

Debido a que el control de la capa límite es tan importante existen numerosos estudios de los elementos y formas de conseguirlo, unos más utilizados que otros, en cuanto a los dispositivos que se sitúan en los bordes de ataque de las alas, los tres más utilizados son:

Bordes de ataque dentados
Bordes de ataque en diente de perro (dogtooth)
Separador de capa límite

Los bordes de ataque dentados son unas hendiduras que se practican con un ancho de varias pulgadas, con el fondo de la hendidura redondeado con forma aerodinámica.

44

Borde de ataque en diente de perro es un retranqueo hacia delante del borde de ataque de la parte más hacia el extremo del ala, produciendo una discontinuación de la uniformidad de la misma, este resalte produce un torbellino que actúa sobre la capa límite del extradós oponiéndose al resbalamiento de la capa.

En la figura siguiente se presentan varias de las formas más comúnmente utilizadas para el control de la capa límite.

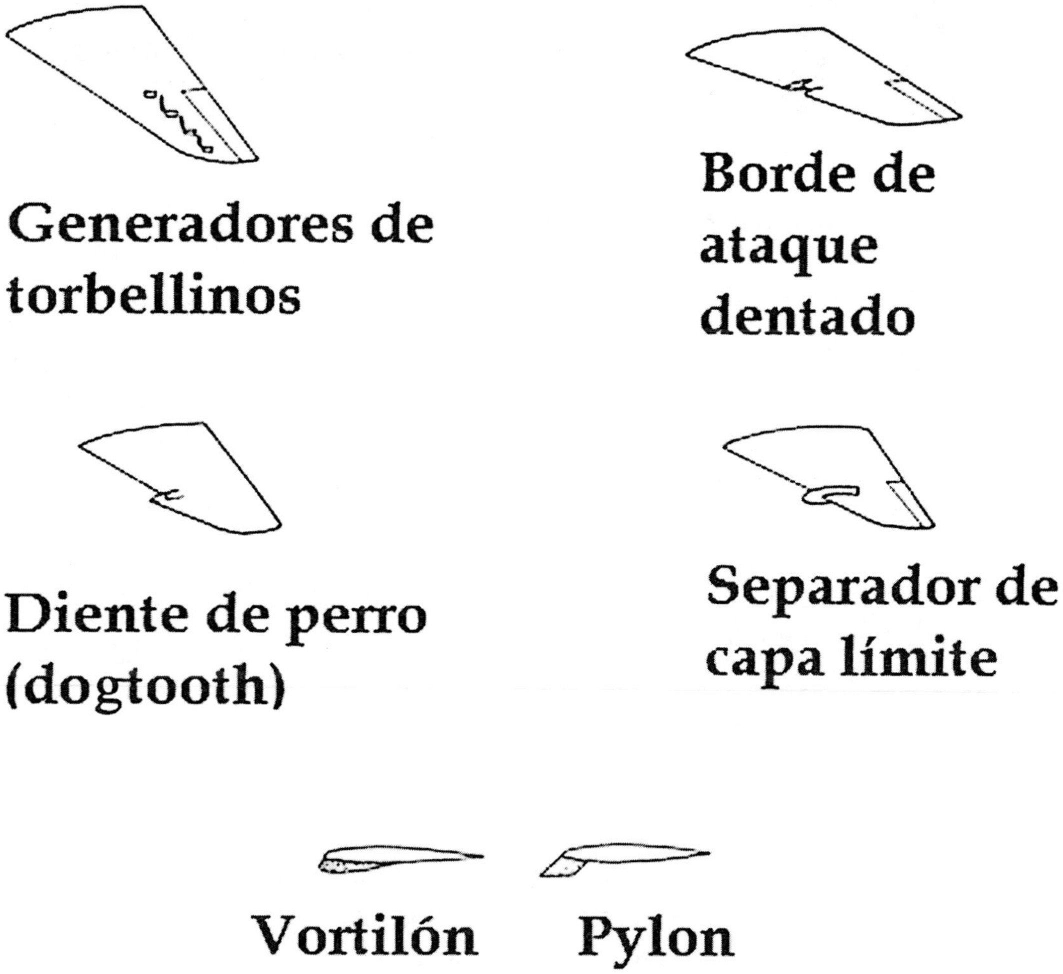

Generadores de torbellinos

Borde de ataque dentado

Diente de perro (dogtooth)

Separador de capa límite

Vortilón   **Pylon**

BORDES DE ATAQUE

El separador de capa límite es un elemento vertical que se sitúa desde el comienzo del borde de ataque en el intradós hasta parte del extradós, es de escaso grosor, en muchos casos es solo una chapa cuando los aviones son de baja velocidad.

GENERADORES DE TORBELLINOS

SEPARADORES DE CAPA LÍMITE

FLAPS SOPLADOS Y MÉTODOS DE SUCCIÓN

Estos son unos métodos de aseguramiento de la capa límite que, si bien teóricamente son eficaces, en la práctica no han tenido mucha utilidad. En los **flaps soplados** se utiliza aire a presión, que, o bien lo produce un compresor, o se sangra directamente del motor, este aire canalizado mediante tuberías hacia las ranuras de los flaps, aumenta la energía cinética del aire y evita el desprendimiento de la capa límite al generar en la misma gradientes favorables.

También algún constructor ha utilizado los gases de escape de los motores para efectuar este cometido en algunos aviones utilizados en pistas muy cortas.

El llamado **método de succión** consiste en unos orificios que atraviesan el ala con la inclinación correspondiente y que en una parte llevan la terminación en forma de perfil NACA para facilitar la succión, estos orificios se efectúan en las zonas en las que se empieza a desprender la capa límite de forma.

11.1.1 – 9 – FUNCIONAMIENTO Y EFECTO DE LAS ALETAS COMPENSADORAS, DE EQUILIBRIO, SERVOALETAS, CENTRADO DE MASA, DESVIACIÓN DE LAS SUPERFICIES DE MANDO, PANELES DE EQUILIBRIO AERODINÁMICO

Las aletas son unas superficies de pequeño tamaño que se colocan en el borde de salida de los timones de profundidad, de dirección o de los alerones, cuando son móviles tienen perfil aerodinámico y se integran dentro de la superficie principal abisagradas al larguerillo posterior de la misma, de forma que cuando está en la posición neutral es uniforme con la superficie principal, ya sea alerón o cualquiera de los timones del empenaje de cola.

Si son fijas se utilizan para corregir pequeños desvíos en vuelo. Las aletas se utilizan como ayuda para mover las superficies principales descargando al piloto de parte del esfuerzo que debe imprimir sobre los mandos en la cabina, ya que las aletas se mueven en sentido contrario al mando principal. Los principales tipos de aletas son las aletas compensadoras, las aletas de equilibrio y las servoaletas.

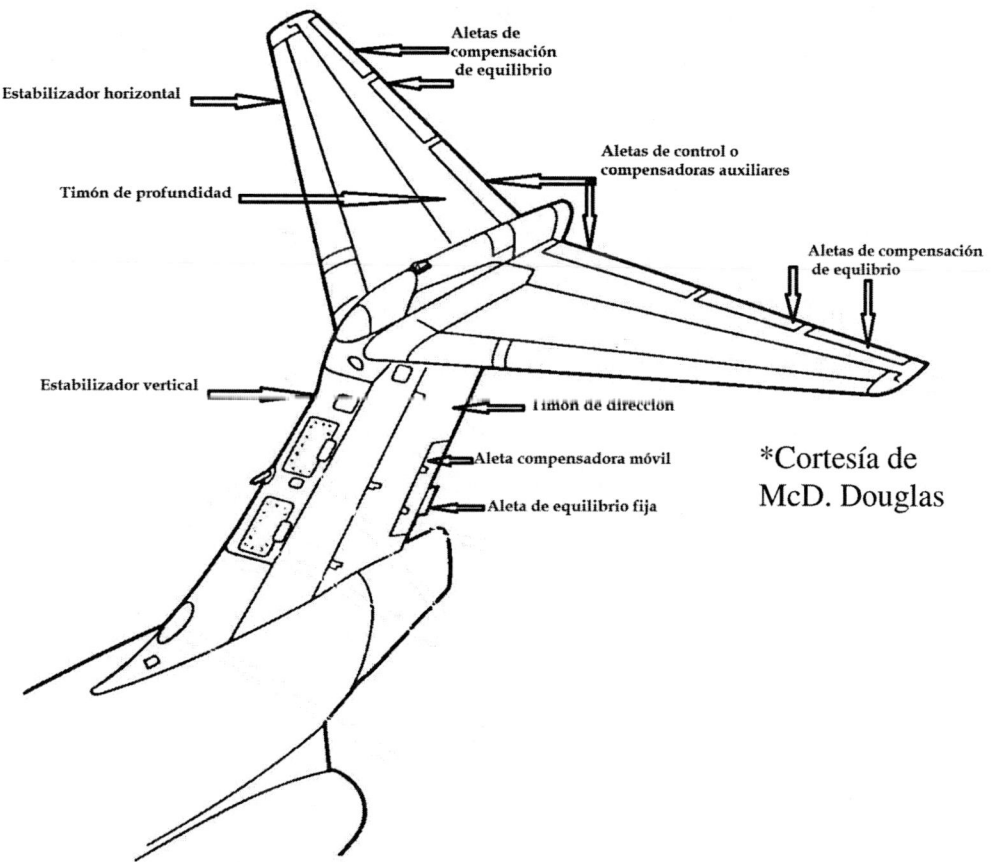

TIPOS DE ALETAS EN UN EMPENAJE DE COLA

47

También es importante señalar que en caso de agarrotamiento de una superficie de control principal el piloto podrá hacer que el avión obedezca moviendo las aletas compensadoras, pero habrá de tener en cuenta que el avión obedecerá en sentido contrario al normal y tendrá que actuar el mando en la dirección opuesta.

A continuación se desarrollan unas consideraciones sobre cada uno de los tipos de aletas más principales y su funcionamiento, remitiendo al lector al capítulo 11.9 ("Mandos de vuelo") del tomo 2 de *Sistemas de aeronaves de turbina*, donde en el apartado 2 ("La compensación aerodinámica") se desarrollan con bastante profundidad los sistemas de compensación aerodinámica que completan un excelente conocimiento sobre el asunto.

ALETAS COMPENSADORAS

Este tipo de aleta es de la misma forma y estructura que todas las aletas móviles y solo varían en cuanto al tamaño y el sistema de accionamiento, la aleta compensadora se actúa desde la cabina mediante un mecanismo de carrete de actuación manual, a través de un sistema de cables de acero trenzados y poleas, o mediante un sistema eléctrico que transmite la señal de mando a un actuador de tornillo que por medio de palancas actúa a la aleta y al moverse esta genera unas fuerzas aerodinámicas que mueven la superficie principal en la dirección opuesta. En la figura siguiente se muestra un ejemplo de un sistema de compensación de alabeo de actuación manual con sus correspondientes carretes cables, poleas y actuadores de tornillo.

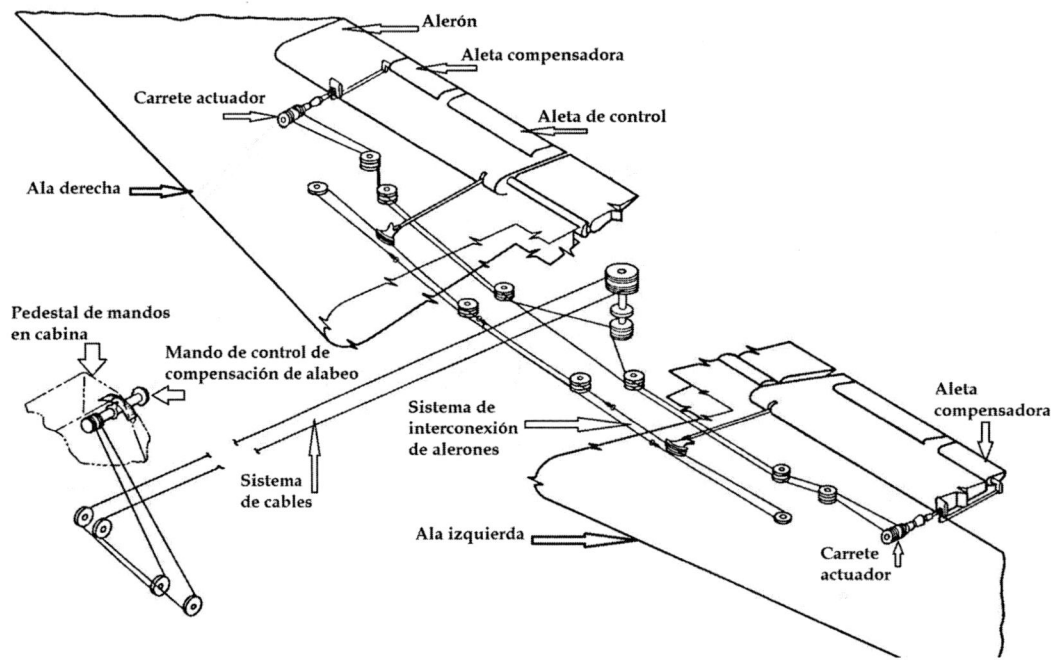

SISTEMA DE COMPENSACIÓN DE ALERONES

Con este tipo de sistema de actuación una vez que se ha alcanzado la posición deseada y se deja de actuar el mando, la aleta se queda en la posición alcanzada, por lo que es utilizada para efectuar compensaciones por las pequeñas desviaciones que por alguna causa, como desajuste de alguna superficie de control, una carga descompensada etc., producen una descompensación en el equilibrio del avión, corrigiéndose así sin tener que estar el piloto actuando sobre la superficie de control principal durante todo el vuelo.

ALETAS DE CONTROL

Con el aumento de la velocidad de vuelo y del tamaño de los aviones, se hace cada vez más difícil que el piloto desde la cabina pueda mover los mandos de control del vuelo debido a la resistencia que ofrecen, para que esto sea posible van apareciendo varias formas alternativas, como son las actuaciones de los mandos mediante cilindros movidos por energía de los sistemas hidráulicos del avión, o asociar los sistemas de mando a las aletas de control, que al ser de menor tamaño hacen que se reduzca el esfuerzo a aplicar sobre el mando; la aleta, al variar su ángulo, genera unas fuerzas aerodinámicas que mueven al timón en sentido contrario, lo que hace girar al avión sobre el eje que corresponda. En la actualidad, en varios tipos de avión se utiliza para algunos mandos una mezcla de control manual directo sobre la aleta y, a partir de cierta cantidad de mando, por medio de un sistema de actuación hidráulica, se ayuda a deflectar el timón. En la figura siguiente se muestra un ejemplo de mando del control de profundidad en el que directamente por medio de cables se mueve la aleta de control y a partir de un valor determinado un cilindro hidráulico ayuda a mover el timón.

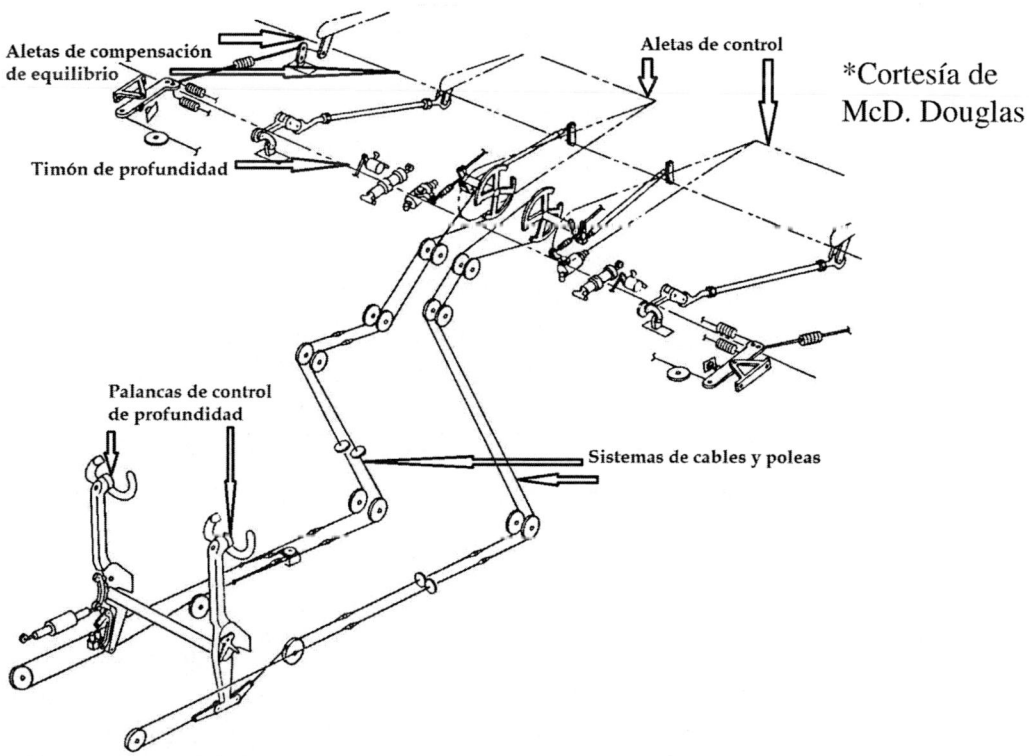

**SISTEMA DE PROFUNDIDAD MEDIANTE MANDO
SOBRE LAS ALETAS DE CONTROL**

49

ALETAS DE EQUILIBRIO

Cuando son aletas fijas constan de unas pequeñas superficies generalmente metálicas, fijadas mediante remaches al borde de salida de la superficie donde vayan colocadas, estas aletas se utilizan para corregir los pequeños desvíos que pueden producirse en algunos aviones debido a las tolerancias de fabricación, o en un vuelo con potencia desigual (en los bimotores) al ser elementos fijos deberán ajustarse doblando la aleta hacia el lado que se necesite mediante una herramienta o utillaje apropiado, siempre cuando el avión esté en tierra.

Este tipo de aleta sobresale de la superficie del timón en el borde de salida. En la figura siguiente se muestra remarcado un ejemplo de empenaje de cola con una aleta fija en el timón de dirección.

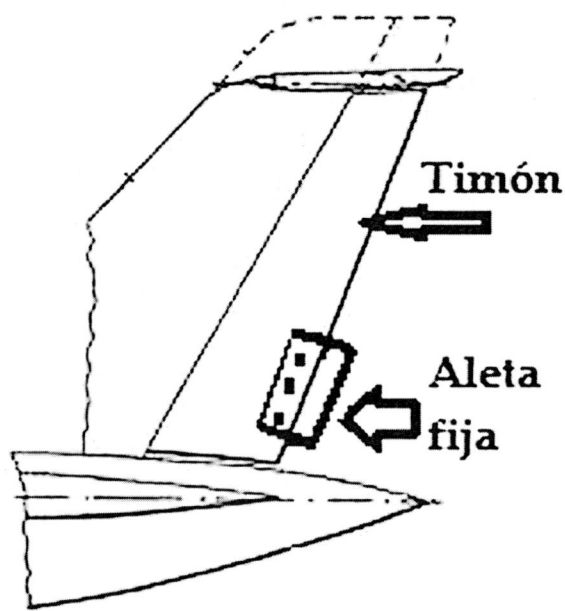

ALETA DE EQUILIBRIO FIJA

Otro tipo de aleta de equilibrio es la móvil o aleta enganchada, que es utilizada para ayudar a mover la superficie principal, esta aleta está abisagrada a la estructura de la zona del borde de salida de la superficie principal y mediante un juego de palancas que hace que, cuando la superficie principal es movida en una dirección, la aleta se mueva en la dirección opuesta, de forma que se originan unas fuerzas aerodinámicas que ayudan a mover la superficie principal.

En el momento en que la posición de la superficie principal alcanza la posición neutral, la aleta queda fuselada con ella. También por parte de algunos medios a este tipo de aleta la denominan servoaleta mecánica. Estas aletas no tienen posibilidad de ser actuadas directamente desde la cabina de mandos. En la figura del apartado "Aletas de control" se pueden observar las aletas de compensación de equilibrio y las varillas que las unen a la estructura del estabilizador horizontal.

SERVOALETAS

Se entiende por servo a cualquier elemento que ayuda a un operador o a otro elemento en su movimiento operativo. Si bien no es esta una definición muy ortodoxa, sí es la que se utiliza bastante en el medio en que se desarrolla el mantenimiento aeronáutico, por lo que nos puede servir para comprender las servoaletas de los mandos de vuelo, que se utilizan para disminuir en lo posible el llamado "**momento de charnela**", que se forma en las superficies de control de vuelo al deflectarse, estos momentos son de gran magnitud cuando las superficies son de gran tamaño, y sin las servoaletas o aletas de ayuda al esfuerzo necesario, al piloto no le sería fácil mover los mandos.

En estos casos el mando del piloto se actúa directamente sobre la servoaleta, teniendo que ejercer un menor esfuerzo en su palanca de mando, así as deflectarse la aleta generará unas fuerzas aerodinámicas que moverán a la superficie principal en sentido contrario.

En la figura siguiente se presentan dos dibujos muy esquemáticos con los que se pueden comprender los movimientos de las servoaletas y los elementos de que se componen, en el capítulo 11.9-2,"La compensación aerodinámica", del tomo segundo de *Sistemas de aeronaves de turbina* se trata este tema con bastante detalle.

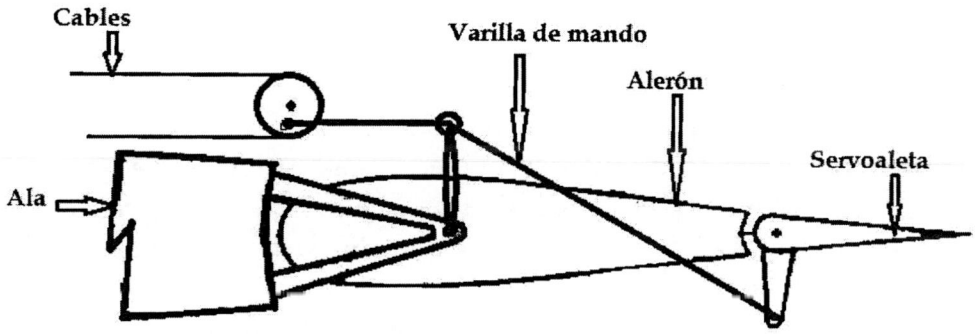

ESQUEMA DE SERVOALETA SIMPLE

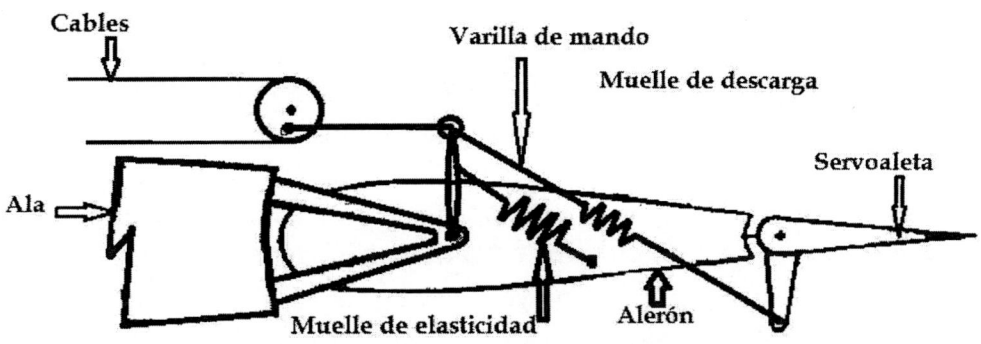

ESQUEMA DE SERVOALETA CON RESORTES

En cuanto al funcionamiento, tanto las servoaletas simples como las de resorte tienen un funcionamiento similar, por ejemplo con una servoaleta instalada en un timón de dirección, si el piloto quiere modificar su rumbo hacia la derecha, pisará el pedal derecho, la servoaleta girará desplazando su borde de salida hacia la izquierda, esto generará un momento de charnela en la aleta y unas fuerzas aerodinámicas que moverán el timón hacia la derecha y el avión tomará su rumbo hacia la derecha, que es donde en principio deseaba ir el piloto.

Al ir aumentando la velocidad de los aviones, aparecen en los diseños las servo aletas con resorte, como se indica en la figura anterior, en unos casos solo es un resorte de bastante rigidez, que une la superficie principal de mando con la estructura, si bien a baja velocidad es necesario un aumento del esfuerzo del piloto para vencer el momento de charnela de la aleta, más una parte del momento de la superficie principal, se consigue que el movimiento sea mucho más elástico y el aumento del esfuerzo del piloto es asumible.

Por otra parte, cuando el avión circula a alta velocidad sucede lo contrario, y al aumentar los momentos de charnela se sobrepasa la rigidez del muelle, ayuda proporcionando un movimiento de la superficie principal más elástico y con más fácil control por parte del piloto.

Como una función más, estos muelles proporcionan el centrado de la superficie principal cuando se deja de ejercer fuerza sobre el mando de la servoaleta y colaboran a mantener una posición neutral cuando no se ejerce mando desde la cabina.

Al utilizar el avión una gama de velocidades bastante amplia y variable, no todos los diseños tienen la misma efectividad frente al efecto que generalmente se conoce como la "ligereza de mandos" a alta velocidad y se necesita disminuir el desplazamiento de la aleta según va aumentando la velocidad y, por lo tanto, los momentos de charnela sobre ella, para ello se coloca en la barra de ligadura y transmisión de mando un resorte de descarga que absorberá y hará coincidir en lo necesario la cantidad de mando sobre la aleta con el desplazamiento angular necesario de la misma.

Las servoaletas se utilizan generalmente en la aviación general y en algunos aviones medios de las generaciones anteriores a las actuales, en estas ya, tanto los mandos como las compensaciones y los controles de los movimientos de las mismas, son actuados por unidades electrohidráulicas alimentadas por los sistemas hidráulicos del avión, y el mando lo ejerce el piloto sobre una válvula o una electroválvula, que envían presión hidráulica a un cilindro actuador que mueve la superficie de control necesaria.

En estos sistemas el piloto, al no ejercer el mando directo, tampoco tiene percepción física del resultado de su esfuerzo, para conseguir que el piloto tenga esa percepción se dota al avión de un sistema de restitución de esfuerzos, o también conocido como "**sensación artificial**", tratado en el capítulo 11.9 "Mandos de vuelo" en el tomo II de *Sistemas de aeronaves de turbina*.

En la figura anterior se muestran unos dibujos esquemáticos de cómo funcionan teóricamente los elementos, se presentan de esa forma para su mejor comprensión, pero en la realidad tanto los cables de mando como las varillas de transmisión se instalan por el interior del fuselaje y de las alas, los muelles se sitúan en los ejes de giro si son resortes lineales, o en paquetes de muelles axiales o también en muelles planos espirales, dependerá de lo que más tenga por conveniente el equipo de diseño del avión.

En la figura siguiente se muestra un esquema de un sistema de servoaleta de mando mecánico para mover un alerón de un avión de tamaño medio y alta velocidad, donde se ve la situación de los diversos elementos que lo componen.

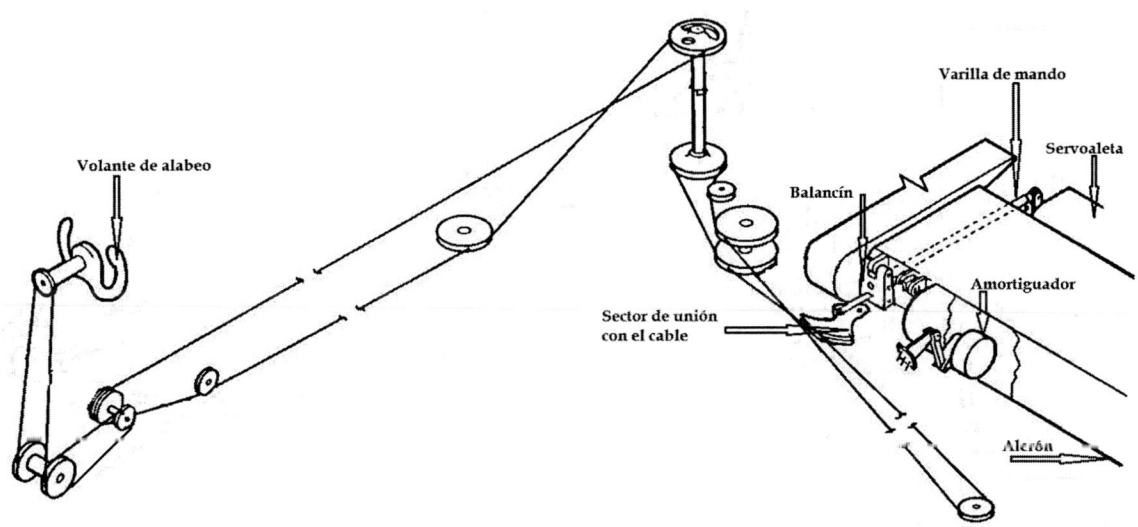

SISTEMA DE SERVOALETA DE ALABEO

CENTRADO DE LA MASA Y DESVIACIÓN DE LAS SUPERFICIES DE MANDO

Al comienzo de la aviación la construcción de los aviones era rudimentaria y muy basada en las propias sensaciones, en experiencias y pruebas más que en estudios y cálculos, lo que llevaba a una gran pérdida tanto de materiales como de vidas humanas durante los experimentos.

En la actualidad se siguen muchos procedimientos científicos basados en cálculos y pruebas antes de empezar la construcción de cualquier aeronave, y muy especialmente los cálculos de cargas, pesos y distribución de los mismos, es decir, su equilibrado, que habrá de ser tenido muy en cuenta no solo en la construcción, sino en cada modificación de su estructura, en cada colocación o rediseño de la ubicación de equipos, o en la distribución de la carga antes de cada vuelo, ya sea combustible, mercancías o pasajeros. Si el centrado y la distribución de la carga no se hacen de forma conveniente, se reducen las posibilidades de una correcta maniobrabilidad, lo que puede derivar en consecuencias negativas para el costo de la operación o nefastas para la propia aeronave y las personas que puedan ir a bordo.

En anteriores etapas formativas y en el módulo dos de la formación de los técnicos de mantenimiento de aeronaves se tratan, dentro de los conceptos generales de la Física, de la Mecánica y de la Dinámica, temas como el centro de gravedad de una masa y todo lo relacionado con ello, es por lo que en este capítulo trataremos solo lo relacionado con el centro de gravedad de un avión, y el equilibrado del mismo.

Puede decirse que el centro de gravedad de un avión es el punto donde puede considerarse centrado todo el peso del mismo, que coincidirá con el punto donde se cruzan los tres ejes básicos, o sea, el eje longitudinal, el eje transversal y el eje vertical, si desde ese punto se pudiese colgar el avión, permanecería en equilibrio.

Aplicando la ley de la palanca de primer género, entre los puntos de resistencia y de potencia se encuentra el punto de apoyo, y, por consiguiente, si el momento de una fuerza es el producto de la fuerza por su brazo de palanca, cuando la palanca está en equilibrio, la suma de los momentos de la fuerza de potencia es equivalente a la suma de los momentos de la fuerza de resistencia.

Trasladando esto a la práctica de un avión, cuando la fuerza de tracción es igual a la resistencia, el avión está equilibrado y ese equilibrio es uno de los aspectos que durante el diseño y fabricación más se cuidan, junto con los pesos estructurales y la equilibración de los mismos.

El centro de gravedad deberá estar dentro de unos límites que dará el constructor y que nunca deberán ser sobrepasados, ni en el caso de modificaciones en la estructura o los sistemas ni en la distribución de las cargas a las que esté destinado a transportar cualquier tipo de avión, ya sean mercancías, combustible o pasajeros.

En la figura siguiente se presenta un dibujo de un avión con el centro de gravedad equilibrado.

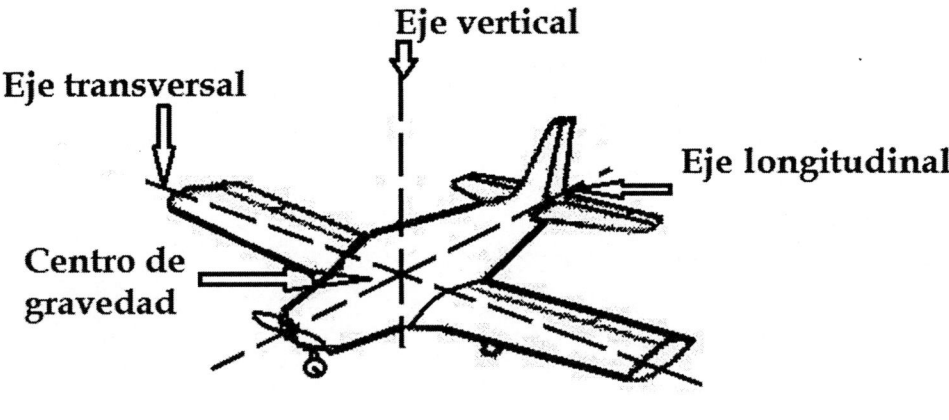

CENTRO DE GRAVEDAD

Otro equilibrio que hay que tener en cuenta es el equilibrado de las superficies de control de vuelo, como alerones y timones de dirección o de profundidad sobre sus ejes de giro, aplicando el mismo principio que para todo el avión, estos mandos deberán tener un preciso equilibrio estático en sus masas para no producir desviaciones del mando, sobre todo a bajas velocidades, cuando es necesario variar su posición para las maniobras en vuelo. Esto se consigue generalmente colocando contrapesos en el borde de ataque y/o en la cornadura (si tiene) de forma que en estático con la superficie apoyada sobre su eje, el elemento esté equilibrado. En la figura siguiente se muestra un ejemplo de equilibrado de un timón.

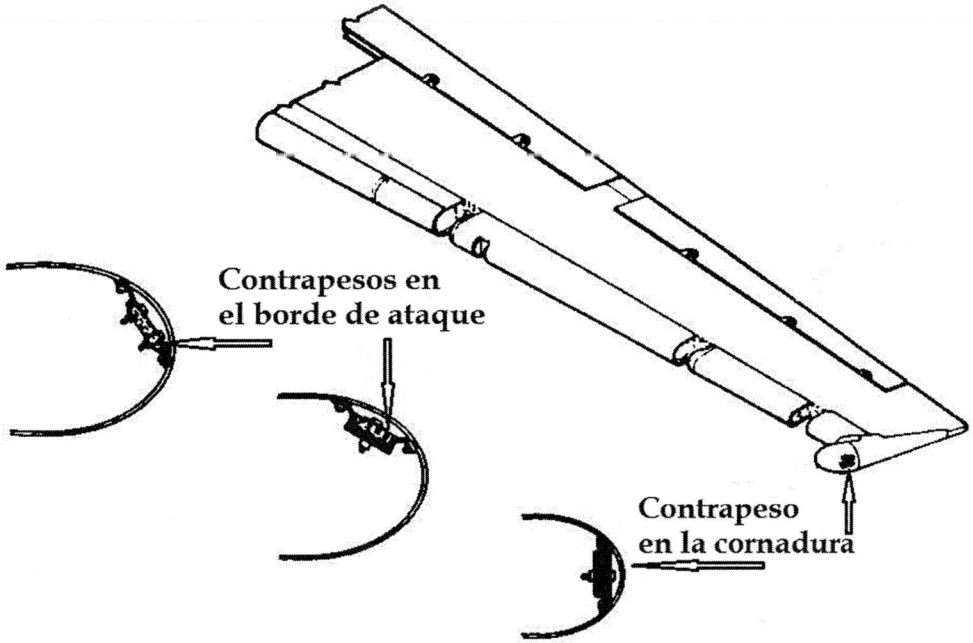

EQUILIBRADO DE UNA SUPERFICIE DE CONTROL

DESPLAZAMIENTO DEL CENTRO DE GRAVEDAD HACIA DELANTE

Cuando la posición del centro de gravedad sobrepasa el límite hacia delante, tiene como consecuencia principal que el avión sea pesado de morro, con tendencia a subir la cola; con el avión en estas condiciones las consecuencias negativas pueden ser varias, tales como que en el despegue necesitará más longitud de pista, pues el timón de profundidad se hace menos efectivo cuanto más fuera de límites hacia delante esté el centro de gravedad, además de que en estas condiciones al sacar flaps para el despegue se acentuará la tendencia a picar del avión.

Otra consecuencia grave se produce nada más despegar, cuando hay que limpiar el avión recogiendo el tren y los flaps, para enderezar el avión elevando el morro y bajando la cola, antes hay que poner el avión alto de potencia, porque el ángulo de ataque de la cola puede llegar a ser negativo y se corre el riesgo de entrar en pérdida, así el avión será difícil de controlar y el consumo de combustible será alto.

También hay que tener en cuenta que al efectuar el aterrizaje y en caso de necesidad de una maniobra de emergencia como hacer "motor y al aire", la maniobra tendrá bastante dificultad y mucho riesgo. Otra consecuencia negativa será que al volar en estas condiciones el ángulo de ataque de las alas no será el correcto, lo que aumentará la resistencia y por lo tanto más potencia se necesitará para vencerla generando así un mayor consumo de combustible, con todas las consecuencias negativas para la operación. En la figura siguiente se presenta un dibujo de un avión con el centro de gravedad adelantado.

Centro de gravedad

CENTRO DE GRAVEDAD ADELANTADO

CENTRO DE GRAVEDAD RETRASADO

En caso de que el centro de gravedad esté fuera de límites en sentido retrasado, el avión se vuelve pesado de cola, tiende a elevarse de morro demasiado pronto, lo que puede inducir a que el avión vuelva con el morro a la pista bruscamente, el despegue será con mucho riesgo de que cualquier ráfaga de viento pueda sacar el avión de la pista.

En estas condiciones, cuando el avión ha despegado intentará ascender con un ángulo de ataque excesivo, perderá velocidad y se corre el riesgo de entrar en pérdida. El avión pierde la estabilidad longitudinal, ya que al estar volando con un ángulo de ataque superior al que debiera, y si este es excesivo, puede ser que el avión vuele con mayor ángulo de ataque en la cola que en las alas.

En estas condiciones al aterrizar se corre el riesgo de que, al tirar de la palanca de profundidad, la cola se hunda demasiado y el morro,se eleve mucho, con lo que el desequilibrio y el accidente son inminentes. En la figura siguiente se presentan dos posiciones de un avión con el centro de gravedad excesivamente retrasado.

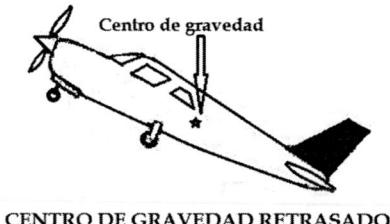

CENTRO DE GRAVEDAD RETRASADO

CENTRO DE GRÁVEDAD
CON MAYOR ANGULO DE
ATAQUE EN LA COLA

CENTRO DE GRAVEDAD RETRASADO

CENTRO DE GRAVEDAD DESPLAZADO LATERALMENTE

Otro de los desvíos del centro de gravedad es el desplazamiento lateral del mismo, aunque en este eje el desvío es menos crítico y más fácil de controlar que en el canal de profundidad.

Un avión mal equilibrado lateralmente tiene fácil corrección actuando sobre los alerones y la compensación lateral, o consumiendo más combustible de un ala que de la otra, pero en un vuelo en estas condiciones se aumenta la resistencia al avance, lo que disminuye el rendimiento y aumenta el consumo de combustible, con la consiguiente disminución de la autonomía y aumento del costo económico de la operación. En la figura siguiente se muestra un dibujo de un avión con un desplazamiento lateral del centro de gravedad.

Centro de gravedad

CENTRO DE GRAVEDAD DESPLAZADO A LA IZQUIERDA

PANELES DE EQUILIBRIO AERODINÁMICO

En aviones de gran tamaño y altas velocidades, casi exclusivamente para los mandos de control de vuelo de los canales de profundidad y alabeo, al ser estos de gran tamaño, el equilibrado es mucho más necesario y a la vez más difícil de conseguir mediante contrapesos en el interior del borde de ataque, es por lo que se utilizan los paneles de equilibrado, que debido a su forma y ubicación, además de equilibrar la superficie de mando, cargan ligeramente el movimiento de la superficie a fin de eliminar el flameo de la misma y las vibraciones que se originan.

Los paneles de equilibrado se ubican entre el borde de ataque de la superficie de control, sea alerón o timón, y el larguero posterior del ala o del estabilizador. Entre el borde de ataque de la superficie de control y la estructura del ala o del estabilizador se forma un cajón en el que se mueve el panel de equilibrado formando dos cámaras, una entre el panel de equilibrado y el intradós y otra entre el panel y el extradós.

Durante el vuelo a un lado y a otro del panel de equilibrado se producen presiones diferentes dependiendo de la posición de la superficie de mando con respecto de su posición neutral, estas diferentes presiones crean unas fuerzas que ayudan al movimiento de la superficie, sea timón o alerón.

En la figura siguiente se muestra el dibujo de un panel de equilibrado básico con el que el fabricante Boeing equipa a alguno de sus modelos en el canal de profundidad.

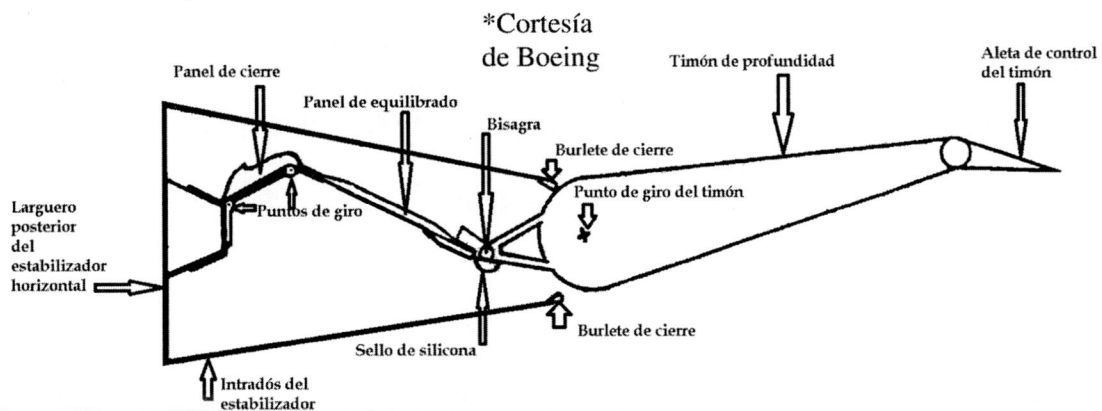

PANELES DE EQUILIBRADO DE UN TIMÓN DE PROFUNDIDAD

11.1 – 2 – VUELO A ALTA VELOCIDAD

Tomando como punto de referencia la velocidad del sonido en el aire, en el vuelo de un avión se producen varios tipos o etapas de vuelo, que denominamos:
Vuelo subsónico, velocidad inferior a 0,75 Mach
Vuelo transónico, velocidad entre 0,75 y 1,20 Mach
Vuelo supersónico, velocidad entre 1,20 y 5,0 Mach
Vuelo hipersónico, velocidad a partir de 5,0 Mach

11.1.2 – 1 – VELOCIDAD DEL SONIDO, VUELO SUBSÓNICO, VUELO TRANSÓNICO, VUELO SUPERSÓNICO

VELOCIDAD DEL SONIDO

Aunque como definición de la velocidad del sonido podemos decir que es la velocidad con la que se propagan las ondas sonoras, otra cosa es el valor numérico de esa velocidad, que dependerá del medio en el que se propaguen, ya sea gas, sólido o líquido, conceptos tratados con la profundidad necesaria en los módulos 2 ("Física") y 8 ("Aerodinámica") de la formación de un técnico de Mantenimiento Aeronáutico.

En la tabla siguiente se muestra un ejemplo de la velocidad de la propagación de las ondas sonoras en diferentes medios:

Velocidad de propagación en el aire a 0 ºC.......... 331,5 m/s.
"   "   " a 20 ºC .... 343 m/s.
"   "   en el agua a 25 ºC............ 1493 m/s.
"   "   en el acero .... 5100 m/s.
"   "   en el aluminio................. 6400 m/s.

En este capítulo se desarrollan estos temas relacionados con el vuelo de un avión, por lo que se utilizarán los conceptos y datos de la velocidad de transmisión del sonido en un medio gaseoso como es el aire de la atmósfera, donde las ondas sonoras se transmiten a una velocidad de unos trescientos cuarenta y tres m/s (343 m/s) aproximadamente, ya que los valores tanto de presión, de temperatura, como de coeficiente de dilatación adiabática son variables, y se producen a una velocidad tal que no hay tiempo de que se produzca un intercambio de calor, por lo que consideramos que esta serie de fenómenos que ocurren son adiabáticos; teniendo en cuenta todo esto, podemos decir que la velocidad del sonido está en el entorno de los mil doscientos veinticinco kilómetros por hora (1225 km/hora) aproximadamente, utilizando generalmente para los cálculos de las propiedades del flujo de aire la ley de los gases perfectos.

VUELO SUBSÓNICO

Vuelo subsónico es aquel que se efectúa a velocidades inferiores a la del sonido (hasta 0,75 Mach), y es aquí donde se desarrollan la práctica totalidad de los vuelos de la aviación general, ejecutiva o comercial. En el vuelo subsónico se considera que las líneas de corriente de aire están compuestas por un gran número de pequeñas partículas que en ningún punto de la aeronave exceden la velocidad del sonido, las líneas de corriente son tangentes a la velocidad en cada punto, y las partículas no fluyen transversalmente a las líneas de corriente, en este régimen la densidad del aire no varía excesivamente, al contrario que en el régimen supersónico, donde la densidad puede tener variaciones muy acusadas.

En la figura siguiente se presenta un dibujo en el que se señala la zona de perturbación de un perfil y la dirección que toman las líneas de corriente a velocidad subsónica.

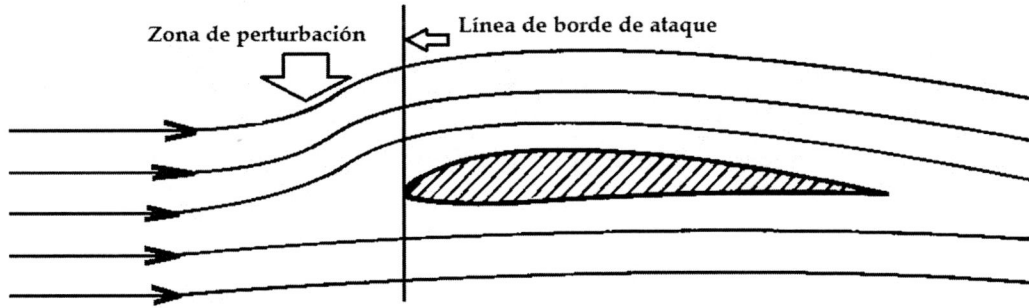

PERFIL A VELOCIDAD SUBSÓNICA

A velocidades inferiores a los doscientos sesenta y cinco nudos (265 kt.) para efectuar los cálculos se considera el aire como incompresible, no se tiene en cuenta el efecto de la viscosidad, o sea, se considera al aire como un fluido perfecto, aunque realmente la distribución de presiones que existe en cada punto del extradós y del intradós se propaga en todas direcciones, lo que da lugar a los cambios de dirección de la corriente delante del borde de ataque formando la zona descrita en la figura anterior como "zona de perturbación".

VUELO TRANSÓNICO

Vuelo transónico. Se llama así al vuelo o etapa del mismo en la que un avión se desplaza a una velocidad cercana a la del sonido (entre 0,75 y 1,20 Mach), tiene varias partes de él en las que se dan los flujos a velocidad ligeramente inferior a la del sonido y otros puntos en los que el flujo a su alrededor pasa a la velocidad del sonido o ligeramente superior, así la zona transónica se puede definir como la zona en la que parte de la corriente es subsónica y otra parte supersónica, siendo la zona en la que empieza a manifestarse con bastante intensidad la variación de la densidad del aire.

En esta gama de velocidades los valores y cálculos a efectuar son sumamente críticos, ya que a medida que el avión se acerca a la velocidad del sonido, la propagación de las ondas se efectúa a velocidad ligeramente superior a la velocidad del avión, y se igualará la velocidad de las ondas acústicas con la del avión al alcanzar este la velocidad del sonido o Mach 1.

VUELO SUPERSÓNICO

Vuelo supersónico es el que se efectúa cuando se ha sobrepasado la velocidad del sonido (entre 1,20 y 5,0 Mach), para los aviones de este tipo una de las características importantes es el perfil de ala a utilizar, serán perfiles con poco espesor, no es conveniente que superen el 10 % de la cuerda, a fin de que tenga prestaciones aceptables durante el vuelo transónico, el borde de ataque deberá ser agudo, por lo que se utilizan generalmente perfiles tipo rómbico biconvexo o exagonal, que son los que proporcionan mayores ventajas con un mejor comportamiento aerodinámico. En la figura siguiente se muestran como ejemplo varios dibujos de los perfiles alares más utilizados.

| RÓMBICO | BICONVEXO | EXAGONAL |

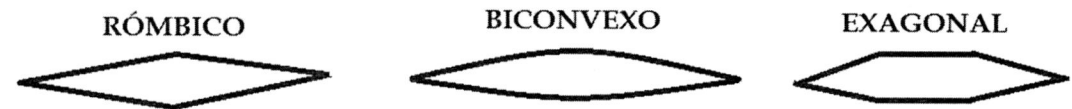

TIPOS DE PERFIL SUPERSÓNICOS

Otro punto muy a tener en cuenta en el vuelo supersónico es la variación que sufre la fuerza de la resistencia aerodinámica, cuando el avión se acerca a la velocidad Mach 1, el valor de la resistencia aumenta muy rápidamente, para, después de haber superado la velocidad del sonido, disminuir primero muy rápidamente y después progresivamente conforme aumenta la velocidad del avión.

En la figura siguiente se muestra un ejemplo de la variación de la fuerza de la resistencia en las tres etapas de un vuelo.

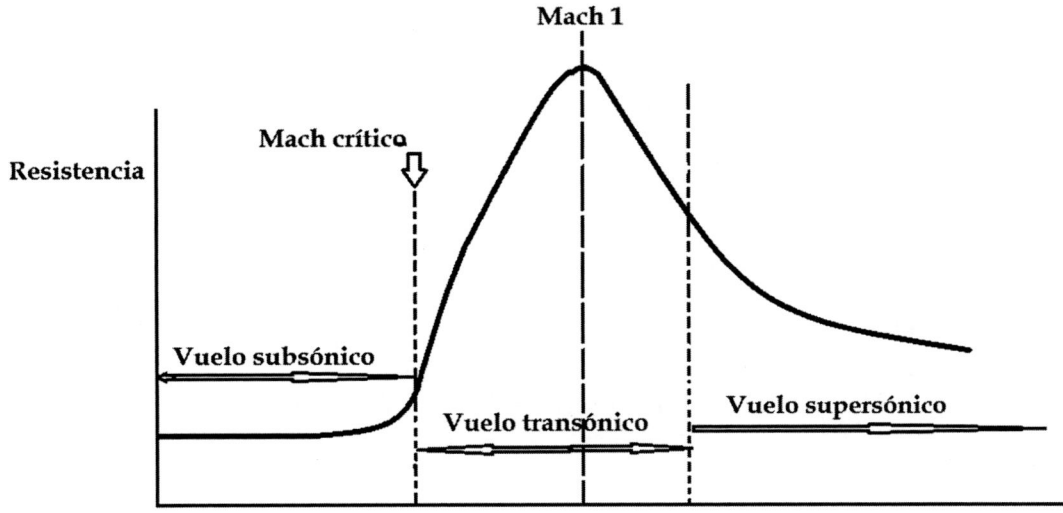

DIAGRAMA DE RESISTENCIAS

Cuando un avión traspasa la velocidad del sonido y al comprimirse el aire, aparece la onda de choque. Sabemos que un sonido se transmite a través de ondas de presión a una velocidad de unos 340 m/s. Si un avión se mueve a una velocidad inferior a la del sonido, los efectos de su paso se percibirán por un observador por delante y por detrás del avión; por efecto Doppler, siempre que se mueve una fuente de sonido o el observador con respecto de la misma, la frecuencia del sonido que se percibe parece diferente a la frecuencia del sonido original, diferencia que se percibe cuando la distancia entre la fuente y el observador aumenta o disminuye.

En el vuelo subsónico las ondas de presión se comprimen por delante del avión y se expanden por detrás, como puede observarse en la siguiente figura.

Por otra parte, cuando el avión vuela a una velocidad igual o mayor que la del sonido, los efectos de su paso no podrán viajar más rápido que él, por lo que estos efectos los sentiremos cuando nos alcance o nos sobrepase.

Como las ondas de presión se transmiten en todas direcciones y al circular el avión a velocidad supersónica en línea recta, el frente de onda estará siempre dentro del llamado "cono Mach" y detrás del avión, el cono disminuirá en grados, es decir, se hará más afilado, según vaya aumentando la velocidad el avión. En la figura siguiente se muestra un esquema de los efectos que se forman al circular un avión en los tres regímenes de velocidad.

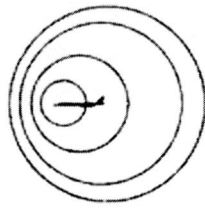
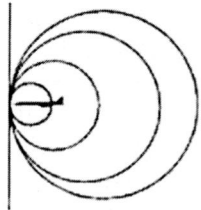
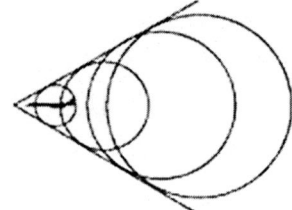

Vuelo subsónico

Vuelo transónico (Mach 1)

Vuelo supersónico

ONDAS DE CHOQUE

VUELO HIPERSÓNICO O ESPACIAL

Vuelo hipersónico o vuelo espacial es el que se realiza por las aeronaves que alcanzan velocidades superiores a cinco veces la del sonido (a partir de 5,0 Mach), aunque en la actualidad superar estas velocidades con fines comerciales o militares está fuera del alcance de la industria, aunque se están haciendo pruebas con unos resultados que hacen creer que el objetivo podrá conseguirse en tiempos no muy lejanos.

Los principales problemas con los que se tropieza son, por un lado, los materiales, que han de tener una gran resistencia a la alta temperatura que se produce al volar a tan altas velocidades, ya que actualmente solo los materiales cerámicos consiguen esas prestaciones, pero son excesivamente duros, muy frágiles y de alto coste económico, son utilizados para el revestimiento de las partes de la estructura que tienen que soportar las altas temperaturas.

Otro problema básico que solucionar es el equipo de propulsión, es decir, los motores, ya que con los actuales no es posible alcanzar esas velocidades, aunque están en fase de investigación y prueba en muy avanzados proyectos como el VULCAN, con aceptables resultados hasta la fecha.

El tercer campo en el que se están consiguiendo buenos resultados es el de los combustibles a utilizar por ese tipo de aeronaves.

Al efectuar los cálculos correspondientes para las aeronaves que superen la velocidad del sonido es necesario tener en cuenta que antes tienen que pasar por las etapas de vuelo subsónico y vuelo transónico.

<u>11.1.2 – 2 – NÚMERO DE MACH, N.º MACH CRÍTICO, ONDA DE CHOQUE, CALENTAMIENTO AERODINÁMICO, REGLA DEL ÁREA</u>

<u>NÚMERO DE MACH</u>

Uno de los conceptos elementales en la mecánica de fluidos aplicada a los aviones es el número de Mach, que puede definirse como la relación entre la velocidad verdadera de la aeronave (TAS) y la velocidad del sonido:

$$M = \frac{V}{C} \quad \text{Siendo:} \quad \begin{array}{l} V = \text{velocidad verdadera del avión} \\ C = \text{velocidad del sonido} \end{array}$$

Como queda dicho anteriormente, a bajas velocidades (hasta 0,5 y 0,6 Mach) y para cálculos se considera el aire incompresible debido a que los valores de la compresibilidad a esas velocidades no producen errores significativos en los cálculos.

Es de tener en cuenta que a una misma velocidad de vuelo pueden corresponderle números de Mach diferentes, solo con que se varíe la temperatura, así, si se vuela a mayor altitud la temperatura disminuye y por consiguiente la velocidad del sonido será menor y el número de Mach mayor, con lo que se comprueba que para un mismo valor de velocidad verdadera, el n.º de Mach será mayor, a mayor altitud de vuelo.

<u>N.º DE MACH CRÍTICO</u>

En cuanto a la definición del n.º de Mach crítico es necesario tener en cuenta la llamada velocidad verdadera o velocidad local, o sea, la velocidad de la aeronave con respecto al aire que la rodea, que es la velocidad que realmente incide en los cálculos y actuaciones de la aeronave, y es la velocidad que se entiende si no se especifica otro tipo.

El n.º de Mach crítico de una aeronave se alcanza en el momento en el que el aire que la rodea alcanza en algún punto la velocidad del sonido, su valor siempre será menor que uno (1) porque hay zonas como el extradós de las alas en las que con respecto al aire que las rodea tienen mayor velocidad, que viene dada por la configuración de su perfil aerodinámico.

Al alcanzar el n.º de Mach crítico comienzan a variar más acusadamente las condiciones del fluido que rodea la aeronave, aparecen las ondas de choque, las turbulencias, etc., como queda tratado en apartados anteriores de este capítulo, por lo tanto, además de ser el punto de partida del régimen transónico, el n.º de Mach crítico es la máxima velocidad a la que puede volar un avión de diseño subsónico, que generalmente no suele superar el 0,80 de Mach.

<u>ONDA DE CHOQUE</u>

Según los aviones fueron alcanzando más velocidad y al acercarse a la del sonido, o sea, a lo que llamamos región sónica, el avión comenzaba a vibrar y a dar fuertes sacudidas que fueron causa de muchos accidentes por desintegración de la estructura, a ese punto se le llamaba "la barrera del sonido", que durante mucho tiempo se tuvo como una barrera infranqueable, hasta que al final de la década de los cuarenta del siglo XX se consigue romper esa barrera con un avión diseñado para tal fin.

Al sobrepasar la barrera del sonido y entrar el avión en régimen supersónico se produce una onda de choque alrededor del mismo, que tiene forma de cono, los valores y propiedades del aire como presión, densidad y temperatura cambian radicalmente y esta onda viajará por el espacio hasta el infinito dispersándose cada vez más, de forma que si el avión circula a grandes alturas, la onda, cuando llega a tocar la tierra, no es perceptible.

Por otra parte, si el avión traspasa la velocidad del sonido a baja altura, la onda de choque chocará contra la tierra sintiéndose el estampido sónico tanto por las personas como por los edificios, llegando a causar daños en los mismos por efecto de las vibraciones si el avión rompe la barrera cerca de la tierra.

En el momento en que un avión alcanza velocidades superiores a la del sonido se produce una onda de choque en forma de cono alrededor del mismo, en ese momento propiedades del fluido como temperatura, presión, velocidad y densidad varían instantáneamente de una forma radical. La magnitud de estas perturbaciones dependerá de la forma del móvil, de su velocidad y de la velocidad del sonido.

Las ondas se pueden dividir en dos grupos de ondas de compresión, **ondas de choque normales, ondas de choque oblicuas**, y un tercer grupo que se denomina **ondas de expansión**, que no son ondas de compresión, ya que en las mismas no existe pérdida de energía.

La línea tangente a las sucesivas ondas de choque se denomina **línea de Mach**, y llamamos **ángulo de Mach** al formado por la dirección del avión con la línea de Mach, que será más agudo cuanta más velocidad lleve el avión.

En la figura siguiente se muestra un dibujo con la trayectoria de un avión a velocidad supersónica, formando las ondas de choque, la línea y el ángulo de Mach.

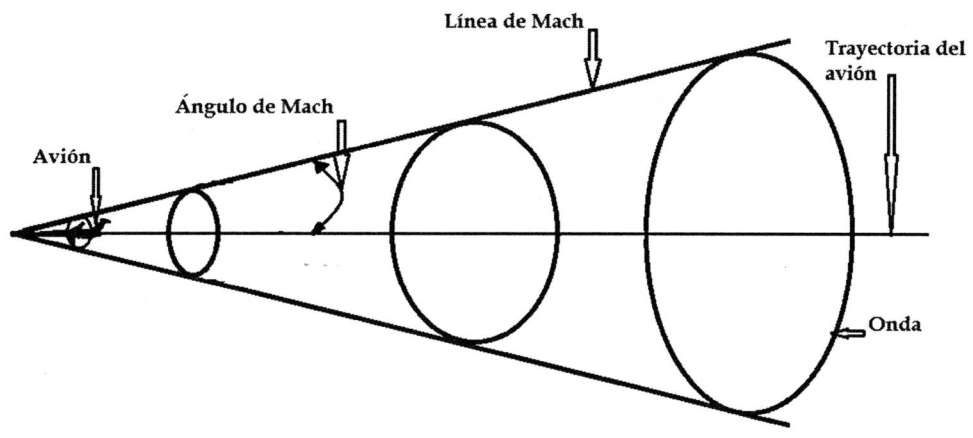

ONDAS DE CHOQUE

Una vez que las ondas de choque de compresión, normales u oblicuas, se forman, viajan teóricamente hasta el infinito, pero realmente y debido a las condiciones atmosféricas se van debilitando y se dispersan.

En caso de que un avión cruce la barrera del sonido y efectúe vuelo supersónico a una altitud en que todavía las ondas de choque no se han dispersado, estas chocan con la superficie de la tierra y son escuchadas y sentidas tanto por las personas que estén en su entorno como por los edificios, y si el vuelo es muy bajo y la onda es muy fuerte puede causar daños en los edificios, como grietas en las paredes y rotura de cristales de ventanas.

A medida que el avión alcanza la velocidad del sonido (vuelo transónico), a veces y dependiendo de la humedad de la atmósfera en su entorno, se forma una nube un tanto peculiar, que según una de las principales teorías se conoce como singularidad de Prandtl Glauert, que es producida por el brusco cambio de la presión que condensa la humedad del aire, y puede ser fotografiada según se muestra en la siguiente figura que ha difundido la NASA de un avión F/A18 Hornet.

En una corriente supersónica, cuando se encuentra con un cambio de dirección en la superficie del móvil (en este caso un avión), se produce una **onda de expansión**, en ese momento la línea de Mach formará un determinado ángulo con la prolongación del plano del perfil (**ángulo A en la siguiente figura**), el cambio de dirección no se hace de una forma radical, sino más paulatinamente, ya que al ser la corriente supersónica, el aire empieza a estar afectado al alcanzar el punto de variación de la superficie del móvil, nunca por delante de él, al contrario de lo que ocurre en caso de una corriente a velocidad subsónica. A partir de ese punto, la corriente de aire va cambiando lentamente de dirección hasta que la nueva línea de Mach forma el ángulo correspondiente con la zona del perfil (**ángulo B de la siguiente figura**), momento en el que las ondas de expansión dejan de producirse y el perfil deja de estar afectado por las mismas.

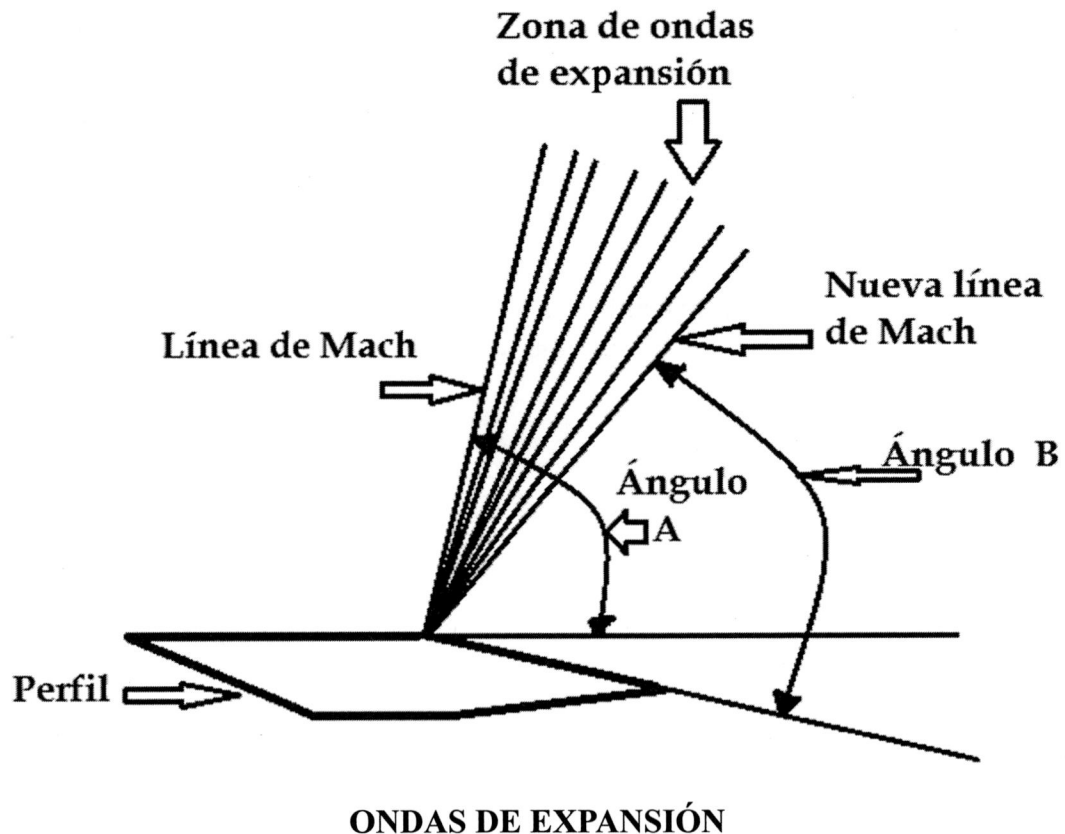

ONDAS DE EXPANSIÓN

Con estos someros comentarios solo se quiere poner de manifiesto la gran importancia que tienen en el diseño las formas de los perfiles de las alas, de los empenajes, del fuselaje y del resto de los mandos de vuelo y accesorios como antenas y demás elementos exteriores.

CALENTAMIENTO AERODINÁMICO

El calentamiento aerodinámico es el fenómeno que ocurre cuando un móvil se desplaza por el aire a partir de una determinada velocidad supersónica (aprox. a partir de Mach 2), entonces, junto con la resistencia, la densidad del aire y demás condicionantes atmosféricos, aparece el calentamiento de partes del revestimiento metálico de la aeronave.

El calentamiento es debido a la conversión en energía térmica de la energía cinética al reducir la velocidad del aire hasta cero en las zonas de choque de las superficies del avión. El resto de las zonas, o sea, la mayor parte de la estructura del avión, no alcanzarán estas temperaturas, ya que la eficiencia de esa conversión generalmente estará entre un 5 % y un 15 % por debajo de la temperatura máxima de estancamiento.

Esta elevación de temperaturas debida principalmente a la resistencia de fricción es un fenómeno altamente importante en la construcción de la estructura de un avión que alcance velocidades supersónicas, por lo que se utilizan materiales especiales a base de titanio, berilio, vanadio o litio, entre otros, que soportan bien las altas temperaturas y elevan al máximo necesario el valor de la llamada "barrera térmica".

En cuanto a la forma y el perfil, para estas velocidades se utilizan estructuras estilizadas como alas de poco espesor, bordes de ataque cortantes para las alas y empenajes, fuselajes con un morro muy afilado, y en muchos modelos de aviones militares de caza se utiliza la geometría variable, con la que se consigue reducir los efectos del calentamiento aerodinámico en los aviones sin tener que recurrir a las protecciones térmicas utilizadas en los vehículos espaciales, donde debido a las velocidades que alcanzan en la reentrada a la atmósfera, se alcanzan valores de varios cientos de grados (p.e. a 2,0 Mach, unos 260 °F, y unos 1500 °F a una velocidad de 5,0 Mach) las protecciones son de materiales cerámicos.

La estructura de un avión supersónico se diseña para soportar una temperatura de equilibrio resultante de deducir la pérdida de calor por radiación de la temperatura de la pared adiabática, que se encontrará entre en 85 % y el 95 % de la temperatura de estancamiento, que dependerá de la temperatura del aire y del n.º de Mach a que circule el avión.

REGLA DEL ÁREA

Cuando se efectúa el diseño de un avión que va a volar a velocidades próximas a la del sonido, es de tener en cuenta por parte del equipo de diseño que el avión, cuando se acerca mucho a la velocidad del sonido, o sea, en lo que se llama gama de velocidad transónica, se produce un aumento muy rápido de la resistencia (como se muestra en el diagrama del capítulo "Vuelo supersónico"), por otra parte, los aviones comerciales actuales en general alcanzan velocidades algo por debajo de Mach 1, así que la resistencia alcanza valores máximos, y para conseguir que la resistencia de onda sea la mínima posible, los resultados de los estudios de Richard T. Whitcomb, que llamó **regla de área**, dicen que para minimizar la resistencia de onda es necesario que las secciones transversales del avión varíen de forma suave, porque según estos estudios dos cuerpos con la misma distribución de áreas tendrán la misma resistencia aerodinámica.

Si contásemos un avión en sucesivos planos perpendiculares al eje longitudinal del mismo, las áreas de estos planos tendrán superficies diferentes dependiendo de si el plano corresponde al morro, a la cola o al centro del fuselaje, así, la variación suave de las áreas de estas secciones, independientemente de la forma que tengan, reducirá la resistencia de onda, más cuanto más suave sea la variación.

En la figura siguiente se muestra la planta de un avión con unos planos simulados sombreados para mejor comprensión de las superficies de los diferentes cortes.

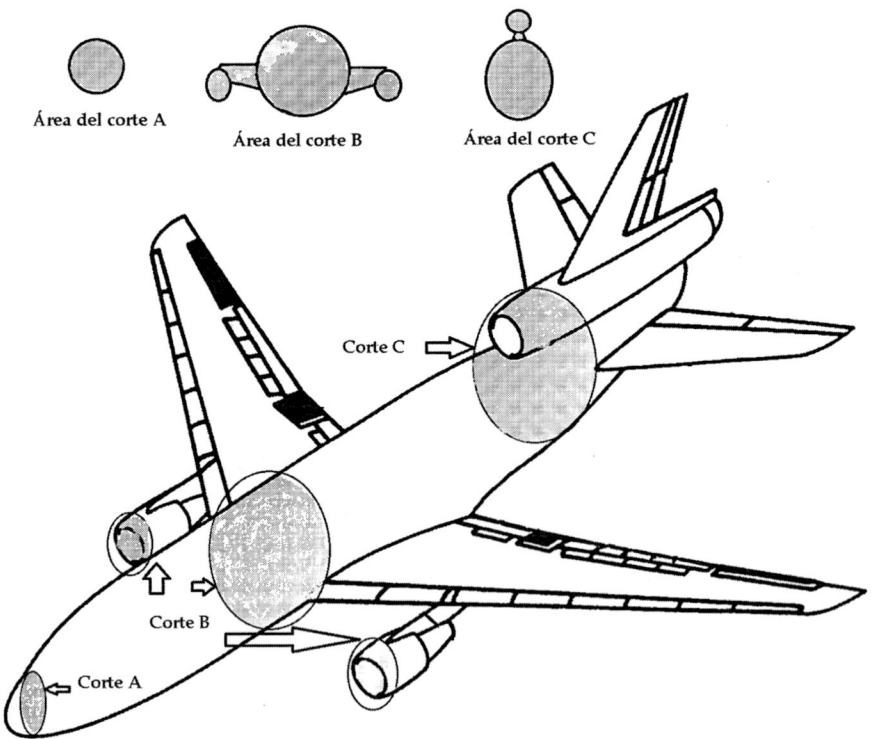

CORTES SIMULADOS PARA LA REGLA DEL ÁREA

Para conseguir estos resultados, los diseñadores utilizan unas formas más comunes a todos los aviones como son los carenados de las bisagras de las superficies móviles de las alas como los flaps, o en los aviones que llevan los motores en las alas, se colocan lo más adelante posible del borde de ataque del ala y del punto de anclaje del pylon, en vez de colgar directamente del intradós del ala con un anclaje menos complicado. Esto hace que, además de disminuir la resistencia por causa de la interferencia entre las alas y los pylons de los motores, varíe de forma más gradual el área de la sección transversal de la zona del borde de ataque de las alas. Otras soluciones más particulares pero que causan las mismas ventajas son la colocación en las alas de depósitos externos de combustible o la forma de joroba superior del Boeing 747 y de los transportes especiales como los Beluga y similares.

11.1.2 – 3 – FACTORES QUE AFECTAN AL FLUJO DE AIRE EN LA ADMISIÓN DEL MOTOR EN AERONAVES DE ALTA VELOCIDAD

Para las entradas de aire a los motores de los aviones de alta velocidad, los diseñadores manejan varios tipos de pautas o requisitos, unos generales que también sirven al resto de los aviones subsónicos, y otros más propios de los aviones supersónicos, por lo que las pautas y requisitos se pueden dividir en:

- Pautas y requisitos generales para las tomas de admisión de motores reactores.
- Pautas y requisitos apropiados para motores reactores de aviones subsónicos.
- Pautas y requisitos apropiados para motores reactores de aviones supersónicos.

PAUTAS GENERALES DE LAS ENTRADAS DE AIRE A LOS MOTORES A REACCIÓN

La forma del difusor de entrada de los motores a reacción deberá alimentar convenientemente de aire al motor en cualquier régimen de funcionamiento y a cualquier nivel de vuelo o situación de maniobra.

En cualquier posición del avión, ascenso, descenso, giro, etc., la forma de la entrada del motor deberá garantizar la velocidad de la vena de aire lo más uniformemente posible, para lo cual la orientación de la boca tendrá el ángulo conveniente para que, tanto a altos ángulos de ataque como en maniobras bruscas, en tierra o en vuelos con viento cruzado, las condiciones del aire de entrada puedan mantener las prestaciones del motor en cada momento.

La forma de la toma de aire debe afectar lo menos posible al flujo aerodinámico que envuelve al avión, también deberá conseguir todo esto con las menores pérdidas energéticas posibles.

En los casos de aviones con solo un motor en el fuselaje, generalmente de utilización casi exclusivamente militar, excepto por algún antiguo modelo de Boeing o alguno del fabricante ruso Tupolev, la admisión del aire se produce por conductos de una sola entrada o de dos entradas.

En la figura siguiente se presentan cuatro formas de entrada de aire a un motor en diferentes tipos de avión, todas con el motor en el fuselaje.

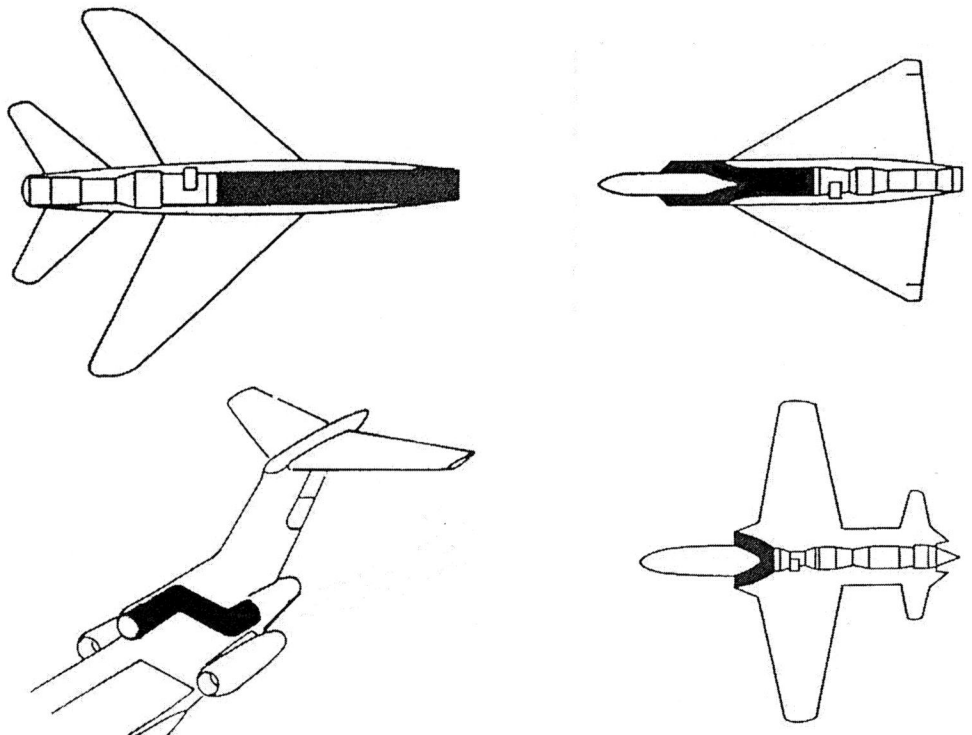

Conductos de entrada única   **Conductos de entrada doble**

CONDUCTOS DE ENTRADA DE AIRE AL MOTOR

En los conductos de una entrada rectos (aviones militares), al ser tan largos se origina un ligero descenso de la presión que es compensado por las características del flujo suave y recto, cuando los conductos tienen curvas son más cortos y deberán tener los ángulos y diámetros adecuados para no originar disturbios aerodinámicos. Caso particular es el avión que lleve dos motores en paralelo en el interior del fuselaje, aquí el conducto deberá ser corto y lo más recto posible para eliminar la tendencia a sufrir turbulencias en la entrada del motor en algunas posiciones de vuelo. Los aviones con conductos de dos entradas presentan más dificultades de diseño, ya que es necesario que tenga el conducto con la menor cantidad de pliegues y curvas. El flujo mejora con la colocación de pequeñas aletas o varillas que controlan su dirección.

PAUTAS Y REQUISITOS DE LAS ENTRADAS DE AIRE A LOS MOTORES A REACCIÓN DE AVIONES SUBSÓNICOS

En este grupo de difusores de entrada de aire al motor se agrupan los correspondientes a motores de aviones que no están considerados como supersónicos aunque en algunos puntos o zonas, la velocidad del aire se encuentre dentro de los valores que se consideran como transónicos, entre 0,75 y 1,20 Mach. Los difusores de entrada de aire, en cuanto a la geometría de su perfil exterior, son similares, de corte más o menos elíptico, en el interior de su borde de ataque llevan generalmente el sistema de defensa contra la formación de hielo.

En la figura siguiente se presentan dos dibujos de un corte de dos difusores de entrada de aire al motor, de parecidas características en las zonas de variación del flujo de aire más acusadas.

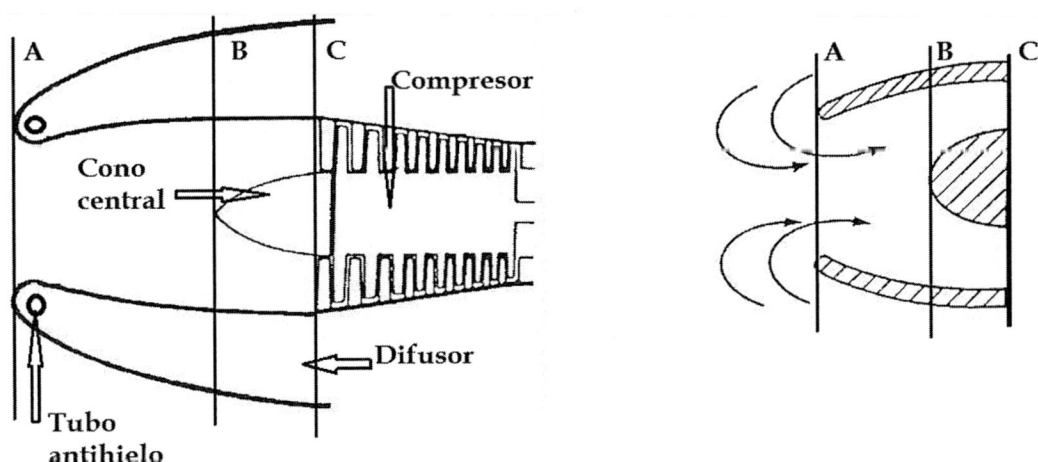

**ENTRADAS DE AIRE AL MOTOR TÍPICAS
DE AVIONES SUBSÓNICOS**

En cuanto a las formas internas del conducto difusor, o sea, las áreas en las diferentes zonas desde el borde de entrada hasta la entrada al compresor del motor propiamente dicho, tienen diferentes formas, con comportamientos de la presión, la temperatura y la velocidad también diferentes, por lo que se pueden dividir en tres grupos que engloban la mayoría de los difusores de alta velocidad subsónicos:

- Difusor de conducto convergente.
- Difusor de conducto divergente.
- Difusor de conducto divergente-convergente.

En la figura siguiente se muestran unos ejemplos de la variación de los parámetros de Presión (P), Temperatura (T) y Velocidad (V) en las mismas zonas (A-B), (B-C) y (C-D) de entrada de aire a los motores con diferentes conductos en los que se pueden apreciar las tendencias y comparaciones de los diferentes conductos.

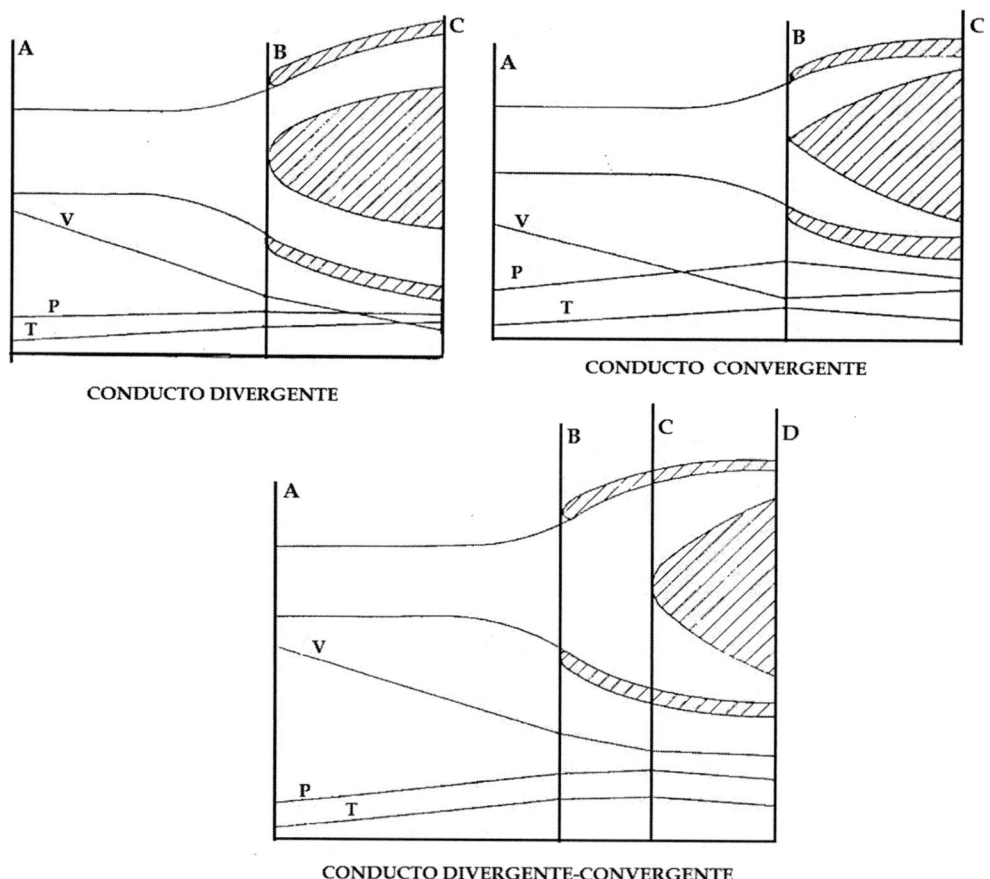

CONDUCTO DIVERGENTE

CONDUCTO CONVERGENTE

CONDUCTO DIVERGENTE-CONVERGENTE

TIPOS DE CONDUCTOS SUBSÓNCOS

Las características que más acusadamente varían son en el conducto **divergente**, conforme la sección de entrada va aumentando uniformemente, la compresión del aire (P) se empieza a efectuar delante del propio difusor, la velocidad (V) disminuye a dos regímenes diferentes, uno en la zona A-B, y continúa disminuyendo, pero a un régimen menor, en la zona B-C; por otra parte, la temperatura (T) va aumentando también a regímenes diferentes, pero con menores diferencias.

Si el conducto es del tipo **convergente**, en la **zona A-B** la temperatura y la presión aumentan y la velocidad disminuye para comenzar a aumentar en la **zona B-C**, es decir, dentro del difusor; en ese punto la presión y la temperatura disminuyen a regímenes menores que en la zona anterior.

En cuanto al conducto del tipo **divergente-convergente**, aquí se establecen claramente tres zonas, **zona exterior (A-B)**, donde la velocidad disminuye notablemente y la presión y la temperatura aumentan progresivamente, pero con poca variación en sus valores. **Zona intermedia (B-C)**, que va desde el borde del difusor al comienzo del cono de la cubierta del eje central del motor, en esta zona la velocidad sigue disminuyendo, pero a un régimen menor, la presión y la temperatura se mantienen en los valores alcanzados, pero el área del difusor aumenta.

La tercera es la **zona (C-D)**, comprende desde el comienzo del cono central hasta la entrada al compresor del motor. En esta zona el área disminuye de forma acusada hasta la entrada al compresor, la velocidad prácticamente no varía y tanto la presión como la temperatura disminuyen ligeramente.

El resultado de este tipo de diseño de difusor de entrada es conseguir que llegue al compresor el aire a una velocidad adecuada, debidamente canalizado para que el riesgo de turbulencias sea el menor posible.

PAUTAS Y REQUISITOS DE LAS ENTRADAS DE AIRE A LOS MOTORES A REACCIÓN DE AVIONES SUPERSÓNICOS

En los aviones con posibilidad de efectuar vuelos supersónicos, las tomas de aire de los motores tienen la misión de canalizar la corriente de aire al compresor con la velocidad adecuada, generalmente alrededor de 0,5 Mach, y sin riesgo de turbulencias en la entrada al compresor, teniendo en cuenta que antes de alcanzar la velocidad supersónica, el avión parte de velocidad cero antes del despegue, pasa por velocidad subsónica y transónica, además, pasa por unos ángulos de ataque y virajes acusados antes de establecer la velocidad supersónica.

Los tipos más comunes de difusores supersónicos son de **compresión externa** en los diferentes tipos de ondas de choque, según se puede comprobar en los dibujos y diagrama de la siguiente figura, donde se presentan varios tipos de difusores con ondas de choque oblicuas y normales.

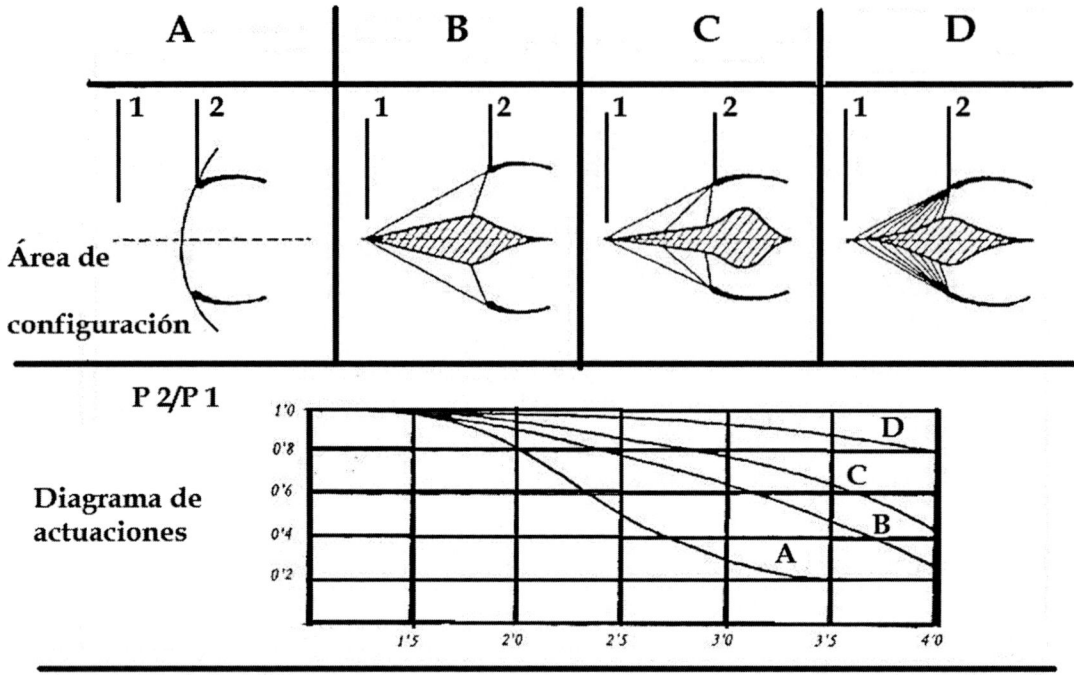

DISTINTOS TIPOS DE DIFUSORES DE COMPRESIÓN EXTERIOR PARA AVIONES SUPERSÓNCOS

Otro tipo de difusor de entrada de aire al motor es el de **compresión interna,** en el que, debido a su forma, las ondas de choque se encuentran en su interior en la zona A-B, según puede observarse en la siguiente figura. Hay un tercer tipo de difusores llamado de **compresión mixta**, es decir, una parte de las ondas se encuentra en el exterior del conducto, en la zona A-B de la figura siguiente, y otras ondas se encuentran en la zona B-C de la misma figura en el interior del conducto.

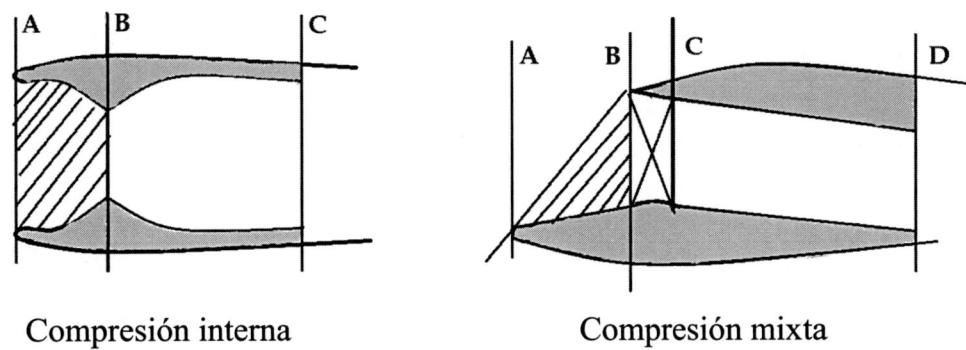

Compresión interna   Compresión mixta

DIFUSORES SUPERSÓNICOS

Al objeto de poder alcanzar las diferentes velocidades de vuelo y maniobras, es necesario que el motor trabaje a diversos regímenes, con lo que el gasto de aire también será diferente en cada régimen. Una de las formas más utilizadas es la de la variación del área de entrada mediante aletas regulables que adaptan las necesidades de aire según el régimen de funcionamiento que tenga el motor. En la figura siguiente se muestra un difusor de entrada de área regulable en situaciones diferentes, en despegue, en vuelo supersónico y en posición de parada de motor.

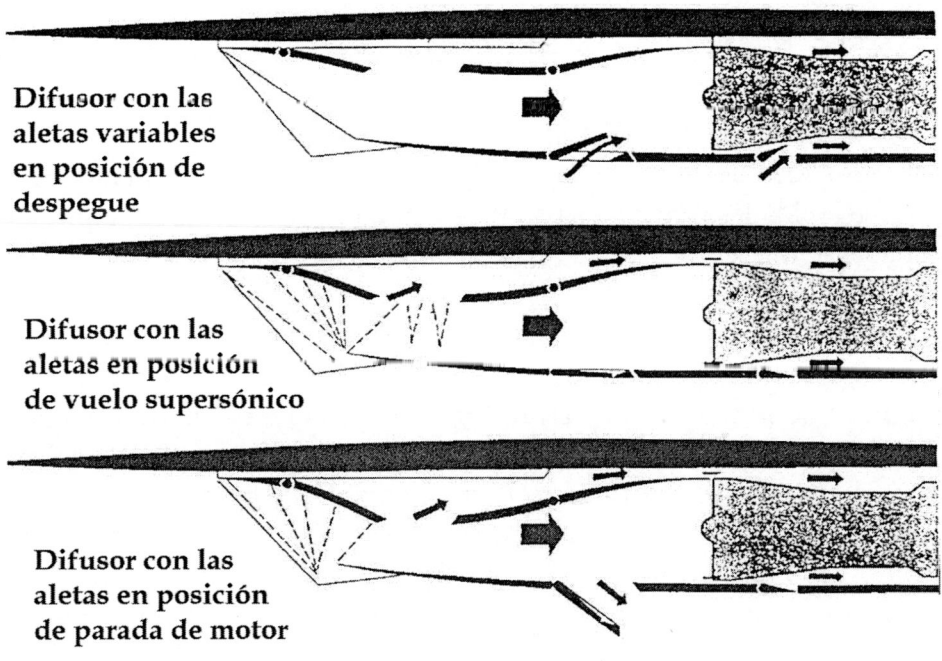

DIFUSOR DE ENTRADA DE ÁREA VARIABLE

11.1.2 - 4 - EFECTOS DE LA FLECHA EN EL N.º DE MACH CRÍTICO

En el capítulo 11.1 "Teoría del vuelo", se tratan los efectos aerodinámicos que se dan en el vuelo de un avión con la profundidad necesaria y el nivel requerido para desarrollar cualquier función de mantenimiento de sistemas de aeronaves.

Con ese mismo objetivo se efectúan las siguientes consideraciones sobre los efectos de la flecha en el n.º de Mach crítico, a fin de que se tengan los conocimientos necesarios con el nivel adecuado para que las personas de mantenimiento puedan desarrollar ampliamente sus funciones.

Según un avión se va aproximando a la velocidad del sonido, en los extremos de las alas el aire puede alcanzar velocidad supersónica y genera una onda de choque oblicua perpendicular al extradós del ala, y también comienzan a desarrollarse en todo el avión fenómenos de conmoción estructural, o sea, oscilaciones y vibraciones irregulares que comúnmente se conocen con las palabras inglesas FLUTTER y BUFFER.

Para solucionar o reducir este tipo de problemas los investigadores de los equipos de diseño probaron un sinfín de formas con no muy buenos resultados, hasta que el equipo del ingeniero Robert T. Jones en 1945 desarrolla la teoría del barrido perfeccionando el ala en flecha y la forma de controlar los efectos negativos que se producen al alcanzar esas velocidades críticas, como queda tratado en el capítulo 11.1.2 - 1 "Velocidad del sonido" de este libro, esta gama de velocidades desde 0,75 a 1,2 Mach o velocidades transónicas son las velocidades en las que se producen estas inestabilidades aerodinámicas.

A partir de estos estudios se perfecciona el ala en flecha positiva consiguiendo que los efectos de la onda de choque en esa gama de velocidades sean mínimos. Si el ala se coloca de forma que el ángulo formado por el eje longitudinal con la línea de ¼ del perfil del ala sea similar al representado con la letra A que se muestra en la siguiente figura, parte del flujo resbala siguiendo el borde de ataque, y la otra parte cruza el ala a menor velocidad, por lo que la componente perpendicular al ala será menor y las ondas de choque necesitarán más velocidad para formarse, lo que permite que el avión vuele a velocidades próximas a gamas transónicas con una resistencia de onda pequeña. En el control de la estabilidad de la capa límite sobre el ala también los equipos de diseño en algunos modelos utilizan soluciones como colocar elementos antichoque, como los generadores de torbellinos o modificación de los bordes de ataque del ala o la geometría variable utilizada en varios modelos de la aviación militar.

En la actualidad, para velocidades críticas en la aviación civil subsónica, el resbalamiento hacia el extremo del ala de la capa de aire que la envuelve, que a velocidades cortas no produce inconvenientes significativos, a velocidades críticas hace que los extremos de las alas puedan entrar en pérdida, se controla no solo con el ángulo de flecha apropiado, sino que en muchos aviones se ayudan con generadores de torbellinos, con vortilones, con los carenados de los mecanismos de los elementos móviles como los flaps, o con los winglets en el extremo del ala, en el capítulo 11.1.1 - 8 de este libro se tratan los diferentes elementos para controlar la capa límite.

Con todos estos elementos son con lo que cuentan los equipos de diseño para impedir o corregir las conmociones estructurales que genera el alcance de esas velocidades por parte de aviones del tipo subsónico.

Por otra parte, las alas en flecha también generan algún tipo de inconvenientes, como el torque que se produce en el ala al estar en muchos casos el extremo del borde de ataque del ala más retrasado que el borde de salida del ala en el encastre con el fuselaje. Otro inconveniente que se produce es el derivado de que la envergadura real del avión se reduce lo que aumenta el arrastre o resbalamiento de la capa de aire que envuelve el ala.

Otra parte del desarrollo de los estudios sobre la incidencia de la flecha en estas velocidades tan críticas es correspondiente a lo que se denomina flecha negativa o invertida, es decir, que el ángulo que forma el fuselaje con el borde de ataque del ala es un ángulo agudo. Esto proporciona al avión una mejora en la entrada en pérdida de los extremos de las alas, pero también produce una gran inestabilidad, por lo que aparte de algunos aviones militares donde esa inestabilidad produce una muy provechosa maniobrabilidad, prestación muy valorada en los aviones de caza. En la siguiente figura, FLECHA NEGATIVA, se muestra el ejemplo de este tipo de ala, donde el ángulo queda indicado con la letra B.

También es utilizada la flecha negativa en algunos modelos de la aviación ligera y deportiva, pero en la aviación comercial subsónica actual no es una opción a tener en cuenta. Con la aparición de los llamados sistemas fly by wire se abre un campo en la utilización de la flecha negativa, ya que tanto los tiempos de respuesta a las órdenes como los métodos de sensación y control son mucho más rápidos y precisos que en los aviones convencionales.

Cuando la línea de ¼ del ala es perpendicular al eje longitudinal del avión, según se muestra en la siguiente figura FLECHA NULA, señalado con la letra C, la flecha no existe y se dice que la flecha es nula, se utiliza generalmente en aviones pequeños y de baja velocidad, que no son objeto de este capítulo.

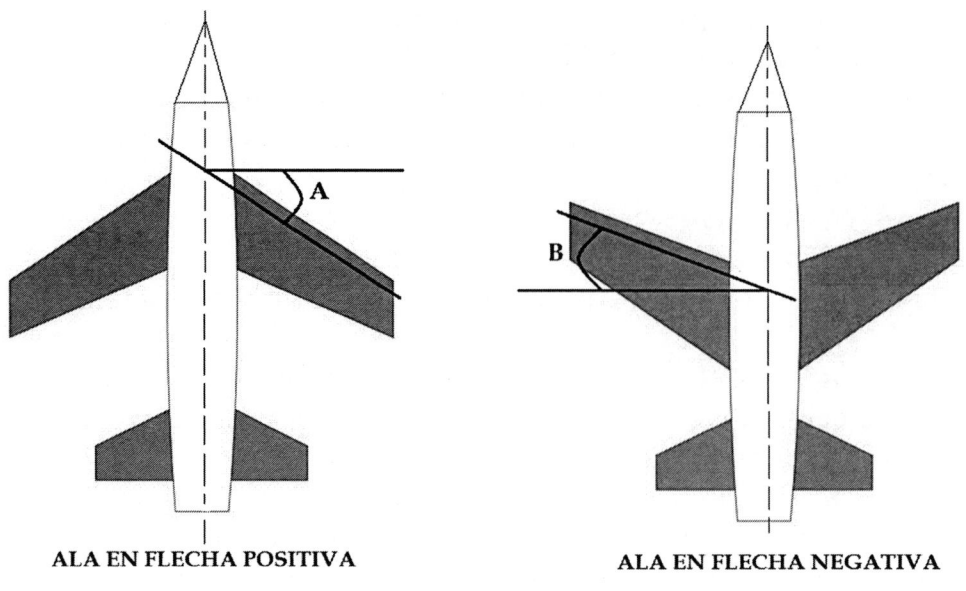

ALA EN FLECHA POSITIVA   ALA EN FLECHA NEGATIVA

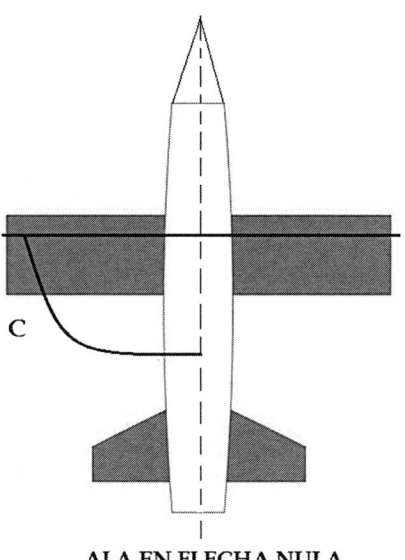

ALA EN FLECHA NULA

TIPOS DE ALAS EN FLECHA

A modo de resumen se puede sacar la conclusión de que cuanto mayor sea la velocidad de crucero de un avión, mayor deberá ser su flecha en caso de ser positiva. En aviones de velocidad subsónica el ángulo se encontrará entre los 30 y 50 grados, quedando los valores de ángulo de flecha positiva mayores de 50º para los aviones de velocidad supersónica, donde, debido a la velocidad supersónica, el punto más adelantado del avión crea una onda de choque, de forma cónica, y el objetivo de un buen diseño es que las alas se mantengan dentro del cono formado, ya que en el interior del cono la velocidad será subsónica y el comportamiento aerodinámico de las alas será más positivo.

11.2 – ESTRUCTURA DE CÉLULAS. CONCEPTOS GENERALES

11.2 – 0 – GENERALIDADES

El conjunto de los elementos que componen la estructura principal de un avión, como son el fuselaje, las alas y los estabilizadores horizontal y vertical (empenaje), constituyen la célula de un avión.

A esta estructura irán fijados todos los elementos que componen un avión completo, ya sean mandos de control del vuelo, tren de aterrizaje, planta de potencia, sistemas de actuación, más los específicos accesorios para cubrir las necesidades dependiendo de la utilidad a la que vaya a ser destinada la aeronave, como asientos de pasajeros, anclajes de carga, cocinas o servicios de higiene o de imagen, etc.

Todo el conjunto estará sometido a lo largo de la vida a cargas físicas, tanto en tierra como en vuelo, que provocarán alteraciones de la estabilidad, tanto **estáticas** como la tendencia inicial que tiene un avión a volver a su posición de equilibrio, cuando ha sido modificada por causas externas, p. e., atmosféricas; como la **estabilidad dinámica**, determinada en función del tiempo transcurrido y la variación que sufre el avión después de haber sido sometido a una perturbación, o sea, un factor de seguridad, o factor de carga, tratado el capítulo 11.3 de este libro.

A todas estas situaciones hay que añadir que la célula deberá tener una resistencia estructural a impactos, golpes, esfuerzos generados en los despegues y aterrizajes o los que se forman durante los desplazamientos del avión por las pistas y aparcamientos.

Todas estas condiciones crean la necesidad de tener un marco legislativo apropiado que deberá ser tenido en cuenta por el equipo de diseño y que se encontrará en las leyes y reglamentos emitidos y controlados por las autoridades aeronáuticas de cada país y de los organismos internacionales, como FAR (Federal Aviation Regulations), EASA, etc.

Por otra parte, también entra en juego la valoración de las consecuencias que sobre todos los aviones de cabina presurizada tiene la presurización sobre la estructura del fuselaje al someterlo a unos esfuerzos en cada vuelo que producen una fatiga a los materiales.

A lo largo de los siguientes capítulos se irán tratando con la profundidad requerida para el mantenimiento todos los requisitos y consecuencias necesarios para que la estructura de una aeronave pueda obtener la certificación para volar con las debidas garantías estructurales.

11.2 – 1(A) – REQUISITOS DE AERONAVEGABILIDAD PARA RESISTENCIA ESTRUCTURAL

Los requisitos que tener en cuenta tanto por los equipos de diseño como de fabricantes o los centros de mantenimiento están recogidos en las normas emanadas de los diferentes organismos internacionales, como la Agencia Europea de Seguridad Aérea (EASA), en España AESA. Estas normas, generalmente conocidas como Normas JAR (Joint Aviation Requirement) o las ACJ, entre otras, recogen todas las normas y requisitos para que una aeronave esté en condiciones aptas para el vuelo. A continuación se exponen a modo de ejemplo varias de las normas y requisitos importantes de obligado cumplimiento por el equipo de diseño, referentes a la estructura de un avión.

JAR 25.301 CARGAS

a) Los requerimientos de resistencia están especificados en términos de cargas límite (las cargas máximas que se esperan en servicio) y cargas últimas (cargas límite multiplicadas por los valores de seguridad prescritos). A no ser que se especifique lo contrario, las cargas prescritas serán cargas límite.

b) A no ser que se especifique lo contrario, las cargas en el aire, en tierra y agua deben estar en equilibrio con las fuerzas de inercia, considerando cada componente como masa de la aeronave. Estas cargas deben estar distribuidas de forma que representen lo más cercanamente posible las condiciones reales. Los métodos que se utilicen para determinar la intensidad y distribución de las cargas deberán ser validados mediante mediciones de las mismas en vuelo, a no ser que estos métodos hayan sido validados (ver ACJ 25.301[b]).

c) Si las deflexiones producidas por las cargas pudieran cambiar significativamente las distribuciones de cargas externas e internas, esta distribución tiene que ser tomada en cuenta.

JAR 25.303 FACTOR DE SEGURIDAD

A no ser que se especifique lo contrario, se debe aplicar un factor de seguridad de 1,5 a las **cargas límite** prescritas, que se considerarán cargas externas a la estructura. Cuando las cargas que se especifiquen sean **cargas últimas**, el factor de seguridad no necesita ser aplicado a no ser que así se especifique.

JAR 25.305 FUERZAS Y DEFORMACIÓN

a) Las estructuras tienen que ser capaces de soportar cargas límite sin sufrir deformaciones permanentes. Con cualquier carga hasta el límite, las deformaciones no deben interferir con una operación segura.

b) Las estructuras tienen que ser capaces de soportar cargas últimas sin fallar durante al menos tres segundos (3 s.). No obstante, cuando la prueba de resistencia se demuestre mediante pruebas dinámicas simulando condiciones de cargas reales, el límite de tres segundos no se aplicará. Pruebas estáticas con cargas últimas deben incluir deformaciones últimas y deformaciones últimas producidas por las cargas. Cuando se utilicen métodos analíticos para demostrar que cumple con los requisitos de resistencia a las cargas últimas, se debe demostrar que:

1) Los efectos de la deformación no son significativos.

2) Las deformaciones que se obtienen están completamente estudiadas en el análisis.

3) Los métodos y las hipótesis usados son suficientes para cubrir los efectos de esas deformaciones.

c) Donde la flexibilidad estructural sea tal que cualquier régimen de aplicación de cargas (que probablemente ocurran durante las condiciones de operación) pueda producir fatigas crecientes apreciablemente mayores que aquellas que corresponden a cargas estáticas, los efectos de este régimen de aplicación de cargas deben ser considerados.

d) La respuesta dinámica de la aeronave a continuas turbulencias verticales y laterales debe ser considerada (ver ACJ 25.305 d).

JAR 25.307 PRUEBA DE LA ESTRUCTURA

a) Las estructuras tienen que ser capaces de soportar cargas límite sin sufrir deformaciones permanentes. Con cualquier carga hasta el límite, las deformaciones no deben interferir con una operación segura.

b) Las estructuras tienen que ser capaces de soportar cargas últimas sin fallar durante al menos tres segundos (3 s). No obstante, cuando la prueba de resistencia se demuestre mediante pruebas dinámicas simulando condiciones de cargas reales, el límite de tres segundos no se aplicará. Pruebas estáticas con cargas últimas deben incluir deformaciones últimas y deformaciones últimas inducidas por cargas. Cuando se utilicen métodos analíticos para demostrar que cumple con los requisitos de resistencia a las cargas últimas, se debe demostrar que:

1) Los efectos de la deformación no son significativos.

2) Las deformaciones que se obtienen están completamente estudiadas en el análisis.

3) Los métodos y las suposiciones usadas son suficientes para cubrir los efectos de las deformaciones.

c) Donde la flexibilidad estructural sea tal que cualquier régimen de aplicación de cargas (que pueda ocurrir durante las condiciones de operación) pueda producir fatigas crecientes apreciablemente mayores que aquellas que corresponden a cargas estáticas, los efectos de este régimen de aplicación de cargas deben ser considerados.

d) La respuesta dinámica de la aeronave a continuas turbulencias verticales y laterales debe ser considerada (ver ACJ 25.305 d).

11.2 – 2 – CARGAS DE VUELO

<u>JAR 25.321 GENERAL</u>

a) Factor de carga en vuelo representa la relación entre la componente de la fuerza aerodinámica normal al eje longitudinal de la aeronave y el peso de la misma. Un factor de carga positivo es aquel en que la fuerza aerodinámica actúa hacia arriba con respecto a la aeronave.

b) Considerando los efectos de la compresibilidad para cada velocidad, se debe demostrar cumplimiento con los requisitos de cargas en vuelo de esta subparte:

1) En cada altitud crítica dentro del rango de altitudes seleccionadas por el solicitante.

2) Con cada peso desde el mínimo hasta el máximo de diseño apropiado a cada condición particular de carga en vuelo.

3) Para cada altitud y peso requerido, con cualquier distribución practicable de pesos móviles dentro de las limitaciones operacionales registradas en el Manual de Vuelo de la Aeronave.

11.2 – 3 – MANIOBRAS EN VUELO Y CONDICIONES DE RÁFAGAS

JAR 25.331 CONDICIONES DE MANIOBRAS SIMÉTRICAS

a) **Procedimiento**. El análisis de vuelos simétricos tiene que introducir al menos las condiciones especificadas en los subpárrafos (b) al (d) de este apartado. El siguiente procedimiento debe ser utilizado:

1) Suficientes puntos en las envolventes de maniobra y rachas deben ser investigados para asegurar que las cargas máximas para cada parte de la estructura de la aeronave son obtenidas. Se podrá utilizar una envolvente combinada conservativa.

2) Las fuerzas significativas que actúen en la aeronave deberán ser colocadas en equilibrio de una forma conservadora y racional. Las fuerzas de inercia lineal deben ser consideradas en equilibrio con el empuje y todas las cargas aerodinámicas, mientras que las fuerzas de inercia angulares (cabeceo) deben ser consideradas en equilibrio con el empuje y todos los momentos aerodinámicos, incluyendo los momentos debidos a cargas en componentes como empenajes y góndolas. Se deberán considerar todos los empujes críticos en el rango de cero a máximo continuo.

3) Cuando se especifiquen movimientos repentinos de controles, el régimen asumido de desplazamientos de la superficie de control no debe ser menor al régimen que pudiera ser aplicado por el piloto a través de su sistema de control.

4) Cuando se determinen los ángulos del timón de profundidad y distribuciones de cargas a lo largo de la cuerda durante los virajes y recuperaciones de picados (en las condiciones de maniobra de los subpárrafos [b] y [c] de este apartado), el efecto de las correspondientes velocidades de cabeceo debe ser tenido en cuenta. Se deben considerar las condiciones de avión compensado y descompensado especificadas en la JAR 25.255.

5) **Condiciones de maniobras compensadas**. Asumiendo que la aeronave está en equilibrio con aceleraciones de cabeceo cero, las

87

condiciones de maniobra desde el punto A al I en la envolvente de maniobra de la JAR 25.333 (b) deben ser investigadas.

b) **Condiciones de maniobra de cabeceo.**

1) **Desplazamiento máximo del timón de profundidad con V_A.** Se asume la aeronave en vuelo recto y nivelado (punto A1, JAR 25.333 [b] y, exceptuando cuando se limite por el esfuerzo del piloto según JAR 25.397 [b], el control de cabeceo se mueve repentinamente para obtener una aceleración extrema en cabeceo [morro arriba]). Para definir la condición de carga de la cola, la respuesta de la aeronave puede ser tenida en cuenta. Se podrán ignorar las cargas que ocurran más allá del momento cuando las aceleraciones normales alrededor del centro de gravedad excedan el factor de carga límite máximo positivo de maniobra.

2) **Maniobra comprobada entre VA y VD.** Debe establecerse una maniobra comprobada, basada en un movimiento voluntario de control de cabeceo contra un perfil de tiempo, en la que el factor límite de carga en la JAR 25.337 no se exceda. (Ver también ACJ 25.331 © [2])

c) **Condiciones de rachas.** Deberán investigarse las condiciones de rachas B´a J´ en la JAR 25.333 (c). Se aplicarán los siguientes factores:

1) El incremento de carga producido por el aire debido a una racha específica debe ser añadido a la carga de balance inicial de la cola correspondiente a un vuelo nivelado.

2) El efecto de alivio del flujo "aguas abajo" del ala y del movimiento de la aeronave como respuesta a la racha puede ser incluido para computar el incremento de carga en la cola.

3) En vez de una investigación racional de la respuesta de la aeronave, el factor de alivio de racha puede ser aplicado al estabilizador horizontal para la intensidad de la racha específica.

JAR 25.337 FACTORES DE CARGA LÍMITE EN MANIOBRAS

a) Excepto donde esté limitado por los coeficientes de sustentación (estáticos) máximos, se asume que el avión está diseñado para ser expuesto a maniobras simétricas, con factores de carga límite resultante, a los límites de maniobra sujetos descritos en este párrafo. Las velocidades de cabeceo en las maniobras de encabritamiento brusco del morro y maniobras durante los virajes mantenidos deben ser tenidas en cuenta.

b) El factor de carga límite en maniobras positivo "n" para cualquier velocidad hasta VD no puede ser menor que

$$2,1 + \frac{24.000}{W + 10.000}$$

Excepto que "n" no puede ser menor que 2,5 ni mayor que 3,8, donde "W" es el peso máximo de despegue de diseño (en libras).

c) El factor de carga límite negativo en maniobras:

1) No puede ser menor que −1,0 a velocidades hasta Vc.

2) No debe variar linealmente con la velocidad desde el valor en Vc hasta cero a VD.

d) Los factores de carga límite en maniobras inferiores a los especificados en este párrafo pueden ser empleados si la aeronave tiene características de diseño que hacen imposible exceder estos valores en vuelo. (Ver ACJ 25.337 [d]).

JAR 25.341 CARGAS POR RÁFAGAS Y TURBULENCIAS

a) **Criterios de diseño para ráfagas discretas**. Se asume que la aeronave está sujeta a ráfagas simétricas verticales y laterales a nivel de vuelo. Las cargas límite por ráfagas deben ser determinadas de acuerdo con las siguientes previsiones:

1) Las cargas en cada parte de la estructura deben ser determinadas por análisis dinámico. Los análisis deben tener en cuenta las características aerodinámicas inestables y todos los grados de libertad estructurales significativos incluyendo los movimientos de cuerpo rígido.

2) A la velocidad de diseño de la aeronave Vc las ráfagas positivas y negativas con velocidades de referencia de la ráfaga de 56,0 pies/s. EAS deben ser consideradas al nivel del mar. La velocidad de referencia de la ráfaga puede ser reducida linealmente desde 56,0 pies/s. EAS al nivel del mar hasta 44,0 pies/s. EAS a 15 000 pies. La velocidad de referencia de la ráfaga puede reducirse aún más linealmente desde los 44,0 pies hasta los 26,0 pies/s a 50 000 pies.

(ii)   A la velocidad de diseño de la aeronave VD la velocidad de referencia de la ráfaga se obtiene multiplicando por 0,5 el valor obtenido según el párrafo (i) (ver apartado i de la JAR 25.343).

b)   **Criterios de diseño para ráfagas continuas**. Debe ser tenida en cuenta la respuesta dinámica a turbulencia continua lateral y vertical. (Ver ACJ 25.341 [b]).

c)   **No se requiere para JAR-25.**

JAR 25.343 DISEÑO DE LAS CARGAS DE COMBUSTIBLE Y ACEITE

a)   Las combinaciones de carga disponibles deben incluir cada carga de combustible y aceite en la gama, desde combustible y aceite cero hasta la máxima seleccionada de combustible y aceite. Una condición de reserva estructural de combustible, que no exceda de 45 minutos de combustible bajo condiciones operacionales según JAR 25.1001 (f), puede ser seleccionada.

b)   Si se selecciona una condición se reserva estructural de combustible, debe ser usada como la condición de mínimo peso de combustible para mostrar el cumplimiento con los requisitos de carga de vuelo según las prescripciones de esta subparte. Además:

1)   La estructura debe estar diseñada para una condición de combustible y aceite cero en el ala en cargas límite correspondientes a:

(i)   Un factor de carga durante la maniobra de +2,25.
(ii)   Las condiciones de JAR 25.341 (a), pero asumiendo el 85 % de las velocidades de diseño de ráfagas prescritas en JAR 25.341 (a) (4).

2)   La evaluación de la fatiga de la estructura debe contarse para cualquier incremento en los esfuerzos de operación resultantes de la condición de diseño del subpárrafo (b) (1) de este párrafo.

3)   Los requisitos de flameo, deformación y vibración también deben ser cumplidos con combustible cero.

11.2 – 4 – CONDICIONES SUPLEMENTARIAS

JAR 25.361 TORQUE DEL MOTOR Y DEL APU

a)   Cada montante del motor y sus estructuras de apoyo deben ser diseñadas para absorber los efectos del torque combinados con:

    1)   Un torque límite del motor correspondiente a potencia de despegue y ajuste del paso de la hélice actuando simultáneamente con el 75 % de las cargas límite de la condición de vuelo A de JAR 25.333 (b).

    2)   Un torque límite del motor según lo especificado en el subpárrafo (c) de este párrafo actuando simultáneamente con las cargas límite de la condición de vuelo A de JAR 25.333 (b).

    3)   Para instalaciones de turbohélices, además de las condiciones especificadas en los subpárrafos (a) (1) y (2) de este párrafo, un torque límite del motor correspondiente a potencia de despegue y ajuste del paso de la hélice, multiplicando por un factor que asuma el fallo del sistema de control del paso de la hélice, incluyendo el abanderado rápido, actuando simultáneamente con cargas en vuelo nivelado de 1 g. En ausencia de un análisis razonable, debe usarse un factor de 1.6.

b)   Para motores de turbina e instalaciones de unidades auxiliares de potencia (APU) la carga de torque límite impuesta por una parada súbita debido a un funcionamiento anómalo o a un fallo estructural (como un bloqueo del compresor) debe ser considerada en el diseño de los montantes del motor y de las unidades auxiliares de potencia (APU) y de sus estructuras de soporte. En ausencia de informaciones más concretas debe asumirse que la parada súbita ocurre en tres (3) segundos.

c)   El torque límite del motor a ser considerado como "1" bajo las condiciones del subpárrafo (a) (2) de este párrafo se obtiene de multiplicar el torque medio por un factor de 1,25 para instalaciones de turbohélice.

d)   Cuando se esté aplicando JAR 25.361 a) a motores turborreactores, el torque límite del motor debe ser igual al torque máximo de aceleración para el caso considerado. (Ver ACJ 25.301 [b]).

JAR 25.363 CARGAS LATERALES EN LOS MONTANTES DEL MOTOR Y DEL APU

Cada montante de motor y de APU y su estructura de soporte deben estar diseñados para un factor de carga límite en una dirección lateral, para la carga lateral sobre el montante del motor y del APU al menos igual al factor de carga máximo obtenido en las condiciones de guiñada, pero no menor que:

1) 1,33.

2) Un tercio del factor de carga límite para la condición de vuelo A prescrita en JAR 25.333 (b).

   a) La carga lateral prescrita en el subpárrafo (a) de este párrafo puede ser asumida como independiente de otras condiciones de vuelo.

JAR 25.365 CARGAS EN LOS COMPARTIMENTOS PRESURIZADOS

Para aeronaves con uno o más compartimentos presurizados aplíquese lo siguiente:

a) La estructura de la aeronave debe ser lo bastante fuerte como para resistir las cargas de vuelo combinadas con las cargas por diferencias de presión desde cero hasta el tarado máximo de la válvula de alivio.

b) La distribución de presiones externas en vuelo, las concentraciones de esfuerzos y los efectos de la fatiga deben ser tenidos en cuenta.

c) Si han de poder hacerse aterrizajes con el compartimento presurizado, las cargas de aterrizaje deben combinarse con las cargas por diferencias de presión desde cero hasta el máximo permitido durante el aterrizaje.

d) La estructura de la aeronave debe ser lo bastante fuerte como para resistir las cargas por diferencias de presión correspondientes al tarado máximo de la válvula de alivio multiplicado por un factor de 1,33, omitiendo otras cargas.

e) Cualquier estructura parte o componente, dentro o fuera de un compartimento presurizado, el fallo del cual pudiera interferir con la continuación del vuelo y del aterrizaje en condiciones de seguridad, debe ser diseñada para resistir los efectos de una pérdida súbita de presión por un orificio en cualquier compartimento a cualquier altitud operativa resultante de cualquiera de las siguientes condiciones.

1) La perforación del compartimento por una porción de un motor siguiente a la desintegración de un motor.

2) Cualquier orificio en cualquier compartimento presurizado hasta el tamaño H0 en pies cuadrados; sin embargo, los compartimentos pequeños pueden estar combinados con un compartimento presurizado adyacente, y ambos ser considerados como un único compartimento para orificios que no pueden esperarse razonablemente que sean limitados únicamente al compartimento pequeño. El tamaño H0 debe ser computado siguiendo la fórmula:

$$H0 = PAs$$

Donde: H0 = orificio máximo en pies cuadrados, necesita no exceder de 20 pies cuadrados.
As = área de máxima sección en la zona presurizada del fuselaje a lo largo del eje longitudinal, en pies cuadrados.

$$P = \frac{As}{6240} + 0{,}024$$

3) El orificio máximo causado por fallos en la aeronave o su equipamiento no ha de considerarse extremadamente improbable. (Ver ACJ26.365)

f) En cumplimiento del subpárrafo "e" de este párrafo las características Fail-safe del diseño pueden ser consideradas en determinación de la probabilidad de fallo o penetración y tamaño probable de los orificios,

93

a condición de que también se considere la posible operación incorrecta de los dispositivos de sellado y de los orificios inadvertidos en las puertas. Además, las cargas resultantes de la presión diferencial deben ser combinadas de un modo racional y moderado con cargas en vuelo nivelado de 1 g y cualquier carga extra procedente de las condiciones de la despresurización de emergencia. Estas cargas pueden ser consideradas como condiciones últimas; sin embargo, cualquier deformación asociada con estas condiciones no debe interferir con la continuación del vuelo y el aterrizaje en condiciones de seguridad. El alivio de presión provisto por la ventilación entre compartimentos también puede ser considerado.

g) Los mamparos, pisos y particiones en compartimentos presurizados para ocupantes deben estar diseñados para resistir las condiciones especificadas en el subpárrafo (e) de este párrafo. Además, deben tomarse precauciones razonables en el diseño para minimizar la probabilidad de partes que puedan soltarse y herir a los ocupantes mientras permanecen en sus asientos.

Además de estas normas expuestas a modo de ejemplo, los equipos de diseño deberán cumplir, entre otras muchas condiciones y requisitos, los expuestos en las normas:

JAR 25.391 Cargas sobre las superficies de control
JAR 25.393 Cargas paralelas al eje de bisagra (charnela)
JAR 25.395 Sistemas de control (longitudinal, lateral, direccional)
JAR 25.397 Cargas del sistema de control (efectos de los esfuerzos del piloto)
JAR 25.399 Sistema de control doble
JAR 25.405 Sistema de control secundario
JAR 25.407 Efectos de las aletas de compensación
JAR 25.409 Aletas
JAR 25.415 Condiciones de ráfagas en tierra
JAR 25.427 Cargas asimétricas
JAR 25.445 Aletas externas
JAR 25.457 Flaps alares
JAR 25.459 Dispositivos especiales

También, aparte de las normas JAR con sus correspondientes ACJ, es de tener en cuenta que han de ser cumplidas las especiales que estén en vigor para el destino que se la vaya a dar al avión, y en algunos casos algunas propias en cada país donde vaya a ejercer sus funciones.

11.2 – 2 (A) – CLASIFICACIÓN DE ESTRUCTURAS, PRIMARIA, SECUNDARIA Y TERCIARIA

Se entiende como estructura al conjunto de elementos que unidos unos a otros dan a un avión tanto la forma física como el soporte donde fijar la planta de potencia, y el resto de los sistemas y elementos necesarios para poder utilizar y ejercer las funciones para las que haya sido diseñado, ya sea el transporte de personas o de carga.

Desde el comienzo de la aviación la estructura del mismo ha sido objeto de múltiples reformas, mejoras y utilización de distintos materiales, solos o combinados como la madera, la tela, los materiales metálicos, hierro, acero, diferentes aleaciones ligeras que tienen como base el aluminio, titanio, varias clases de fibras de carbono o de vidrio, Kevlar, hasta la actualidad, en que se utilizan con mucha profusión los llamados materiales compuestos.

A la par también han ido variando los métodos de unión de los elementos unos con otros, utilizándose el cosido, el remachado, el pegado o el atornillado en las diferentes formas y tipos. Siempre el objetivo que se persigue es lograr una estructura con la mayor resistencia posible, con el menor peso, y siempre sin perder de vista la rentabilidad económica.

La clasificación de las estructuras más utilizadas, es según su función en la aeronave: **estructura primaria, secundaria** y **terciaria**, según el tipo de materiales utilizados, **estructuras de madera**, **metálicas** o de **materiales compuestos** (composites) o según el tipo o método de construcción utilizado.

ESTRUCTURA PRIMARIA

Desde el punto de vista de la función que tiene en la aeronave la estructura primaria, la forman los componentes que están destinados a soportar y neutralizar las cargas a las que está sometido un avión tanto en tierra como en vuelo, y que es la estructura que en caso de fallo puede originar un debilitamiento de la estructura, una pérdida de control del avión, poniendo en peligro la integridad de la aeronave, interferencias con los sistemas principales o daños a los ocupantes; esta estructura la componen el fuselaje, las alas y los estabilizadores horizontal y vertical.

En la figura siguiente se presenta a modo de ejemplo la planta de un avión Boeing 757 con los tipos de estructura indicados.

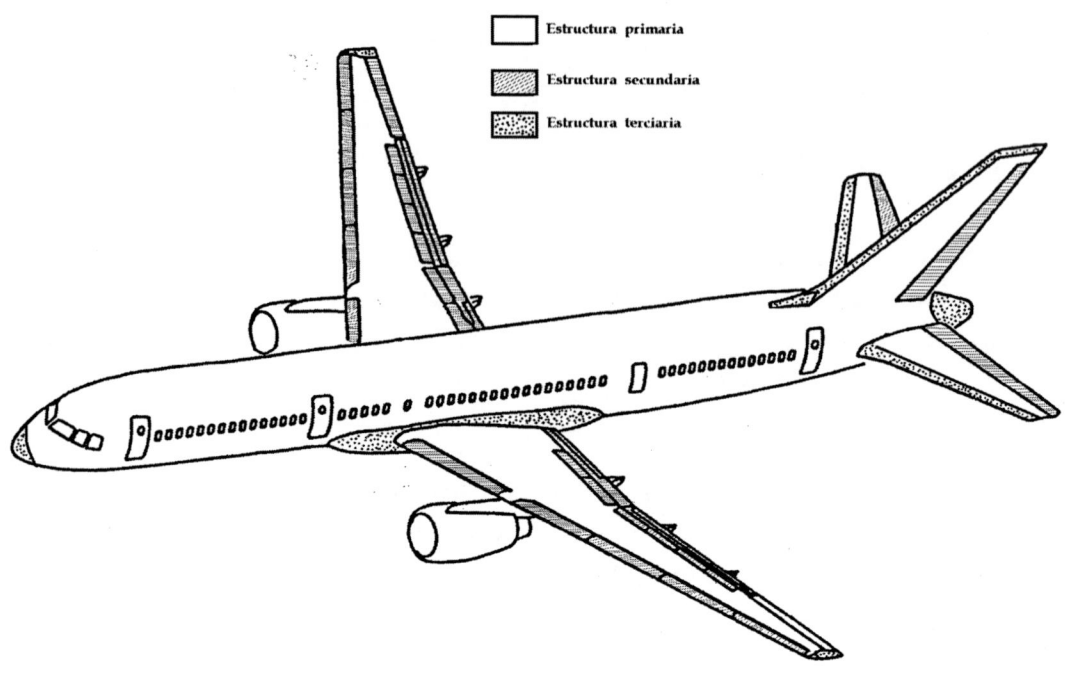

Estructura primaria
Estructura secundaria
Estructura terciaria

TIPOS DE ESTRUCTURA

ESTRUCTURA SECUNDARIA

Se denomina estructura secundaria a los elementos que, formando parte del conjunto, están unidos a la estructura primaria, a la que transmiten las cargas aerodinámicas que reciben. Los principales elementos de la estructura secundaria son los alerones, los timones de profundidad y dirección, los slats, los flaps y los spoilers.

Los daños en estas partes de la estructura generalmente no producen, en ningún caso, riesgo en la integridad del avión, aunque sí pueden afectar al control de algún sistema o maniobra, incluso con daños a ocupantes. El avión con daños en la estructura secundaria ocurridos en vuelo deberá poder aterrizar sin mayores problemas, aunque sea utilizando procedimientos alternativos o de emergencia. En la figura siguiente se muestra una planta de un avión con los tipos de estructura indicados, en el que se puede ver como los bordes de ataque de las alas son considerados estructura terciaria y en la figura anterior se muestra como estructura secundaria siendo el motivo que en este caso el avión no tiene slats

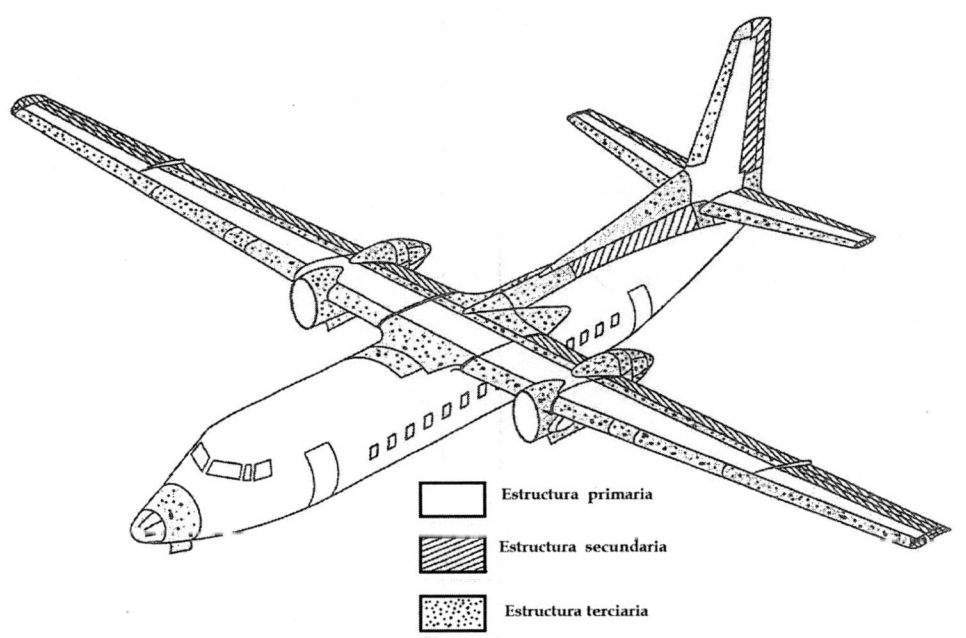

Estructura primaria

Estructura secundaria

Estructura terciaria

TIPOS DE ESTRUCTURA DE UN AVIÓN

<u>ESTRUCTURA TERCIARIA</u>

La estructura terciaria comprende todo el resto de elementos que forman la estructura del avión completo, que tienen funciones de carenados de configuración, registros de acceso a elementos internos o estaciones de servicios de combustible, de agua, de lavabos, de conexiones eléctricas o de aire, bordes marginales de las alas y estabilizadores, bordes de ataque de las alas cuando no tiene el avión slats, etc.

En los elementos terciarios, al estar sometidos a pocas cargas estructurales, los daños que se producen, por lo general, no afectan a los procedimientos de vuelo normales. Una vez que la aeronave está en tierra tendrá las limitaciones que proceda a cada uno de los daños que tenga la aeronave según los manuales y la normativa en vigor en ese momento y deban ser reparados antes del próximo vuelo o diferidos para cuando la ocasión lo permita o la norma indique.

ESTRUCTURAS DE MADERA

Desde el principio de la aviación los pioneros del medio tenían claro que los materiales que debían emplear en sus experimentos tenían que ser resistentes, compactos y lo más ligeros posible, así que, con los conocimientos de entonces y los medios industriales del momento, era la madera la que mejor servía y mas prestaciones daba. Los conocimientos que se tenían sobre la madera eran amplios y ya venían de muy antiguo, así que la madera ocupó un lugar de gran importancia en la construcción de los aviones hasta bien entrado el siglo XX, cuando a raíz de los experimentos y las necesidades de la Segunda Guerra Mundial se desarrolla con gran profusión y rapidez la utilización de los materiales producidos por la mano del hombre, o sea, los materiales metálicos, las aleaciones metálicas, quedando la madera relegada a la construcción de elementos de aviones ligeros, de planeadores y de pocas cosas más.

En la construcción de estructuras de madera se utilizan maderas de fresno, haya, pino europeo y la variedad de abeto americano (*spruce*), ya que tienen una gran resistencia mecánica en relación con la densidad, teniendo en cuenta el grado de humedad necesario. La humedad siempre tiende a situarse en equilibrio con la existente en su medio ambiente, con una lentitud mayor cuanto más tiempo lleve cortada, el grado medio de humedad generalmente más aconsejable para mantener las propiedades mecánicas convenientes es de un 15 %.

La madera se utiliza fundamentalmente de tres formas: **madera maciza, madera laminada** o **madera contrachapada**. Para **maderas macizas** se escogen maderas limpias, sin nudos y con las fibras lo más rectas posible. Las piezas de **madera laminada** están formadas por láminas de madera, unidas entre sí mediante pegado y prensado, pero con las fibras en la misma dirección. La construcción de los **contrachapados** se basa en la superposición de placas o chapas estructurales de madera alternando el sentido de la fibra y pegadas entre sí. Deben ser simétricos con respecto a la placa o placas centrales (alma). Esta disposición alterna de las fibras (en ángulo recto) es lo que le da una gran estabilidad dimensional, una gran resistencia al pandeo y una no dirección natural de ruptura. La calidad de un contrachapado viene dada por la calidad de sus chapas, el tipo de adhesivo y los métodos empleados en su fabricación.

En la figura siguiente se muestra un ejemplo del fuselaje de un avión pequeño de estructura de madera con revestimiento no trabajando, donde se indican varios de los elementos que lo constituyen.

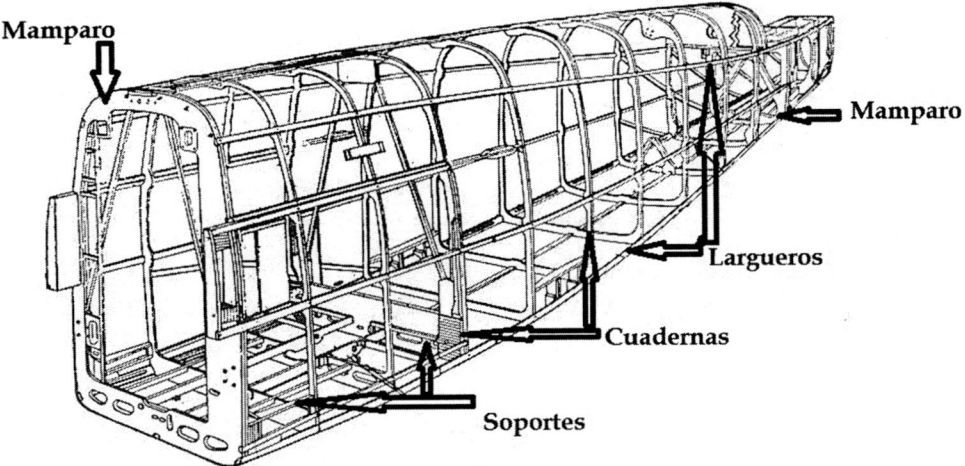

FUSELAJE DE MADERA

En cuanto a los inconvenientes principales de la utilización de la madera, está su alto índice de combustibilidad, por lo que hay que extremar mucho las precauciones contra incendios, ya que también se utilizan pegamentos de alto índice de inflamación. Otro inconveniente que tener en cuenta es la sensibilidad de la madera al ataque de insectos, a los efectos del moho o a los ataques de hongos, para lo que se establecen varios tipos de tratamientos con productos químicos y barnices.

Una defensa contra los ataques de insectos y hongos, que no tiene base científica pero que viene de muchos siglos atrás, para los barcos, es que la corta de los árboles deberá efectuarse durante la fase de la luna de cuarto menguante de los meses septiembre, octubre y noviembre, en el hemisferio norte, si bien circulan entre los que trabajan la madera varias justificaciones, no hay una base científica, pero lo cierto es que a una madera cortada en esas fechas está comprobado que, o no le atacan los insectos nunca, o si alguna vez lo hacen es de una manera superficial y muy leve.

En lo referente a los métodos de trabajo con la madera y su conservación, para dar la formas convenientes a cualquier elemento de la estructura, se utilizan la humedad, el calor y los conformadores para el doblado (se tratará más adelante en el capítulo 11.2 – 10), para la conservación en almacén también existen unas normas estándar en cuanto a la forma de colocación y la humedad.

En la siguiente figura se muestra una estructura de un ala de un avión de pequeño tamaño de revestimiento de contrachapado, indicándose la posición de varios de los elementos que la componen.

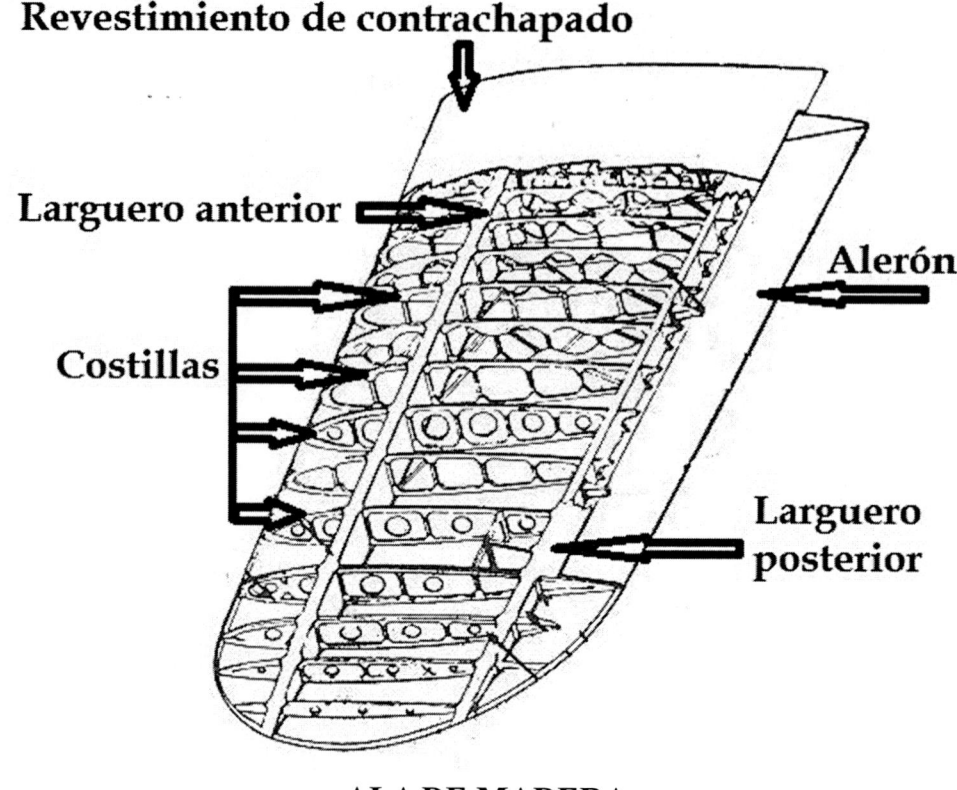

ALA DE MADERA

En cuanto a las reparaciones a efectuar en las estructuras de madera, estarán en los manuales del fabricante, pero la más básica es que se deberá utilizar la misma clase de madera de la que esté construido el elemento a reparar.

ESTRUCTURAS METÁLICAS

Ya en principio los materiales metálicos se utilizaban en las estructuras de madera para refuerzos y uniones, pero con el avance de los conocimientos sobre las aleaciones metálicas y la modernización de los procesos de fabricación, podía la industria producir tubos y perfiles de bastante resistencia y poco peso que van sustituyendo las estructuras en las que predominaba la madera, por estructuras metálicas reticulares a partir de tubos de acero soldados, cuadernas y largueros de perfiles geométricos.

Estas estructuras absorben todas las cargas, ya que el revestimiento es de tela tratada con productos químicos, que le dará la rigidez necesaria para mantener la forma, pero en las estructuras de madera el revestimiento no absorbe carga alguna, se catalogan como revestimiento "no trabajando".

Según va pasando el tiempo, rápidamente, tanto en el diseño como en la construcción de las estructuras, se van utilizando numerosos factores como perfil aerodinámico, cálculos sobre cargas estructurales, y como los aviones se empiezan a dedicar a diversas funciones, tanto civiles como militares, también intervienen en el diseño las condicionas necesarias para la función a la que va a ser destinada la aeronave, ya sea recreo, transporte de pasajeros o carga o funciones militares.

En la figura siguiente se muestra una estructura reticular de tubo con los elementos que la componen.

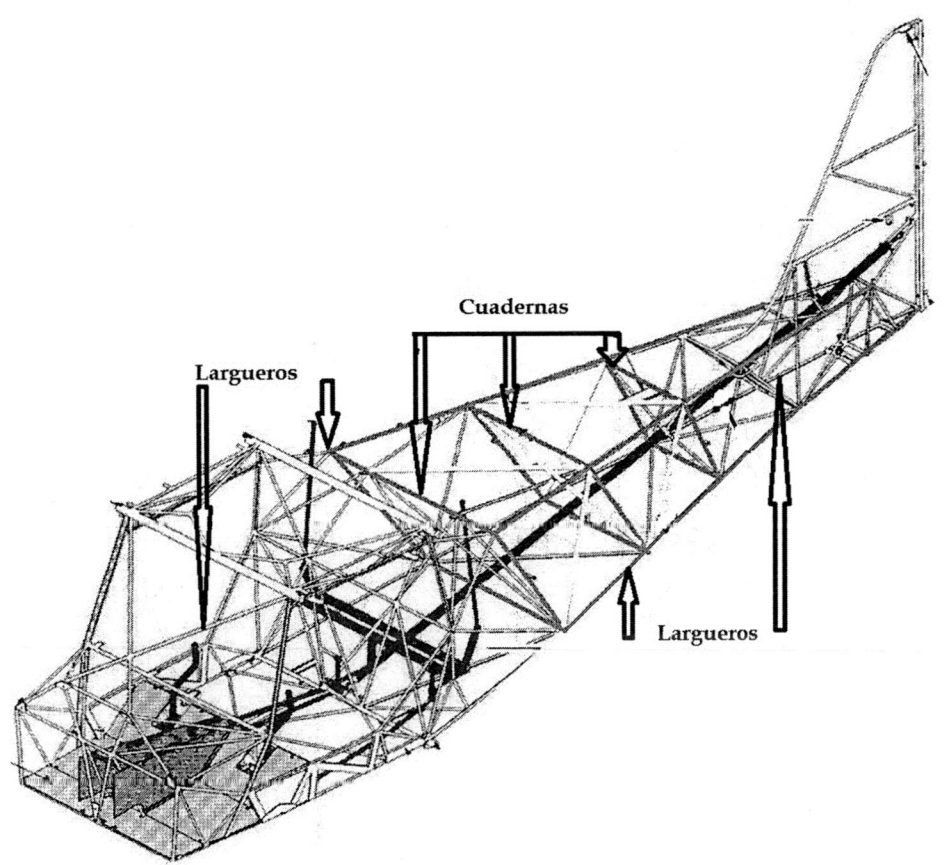

FUSELAJE RETICULAR

En poco tiempo aparecen nuevos motores que demandan estructuras más resistentes, y que sean capaces de volar más rápido y más alto, y se tiene la necesidad de diseñar y fabricar aviones más grandes con espacios útiles en su interior; se comienza a cubrir la estructura con planchas metálicas sustituyendo a la tela, que van fijadas a las cuadernas y largueros mediante remaches que proporcionan absorción de cargas y transmisión de esfuerzos, son las estructuras monocasco para la fabricación de fuselajes.

Los diseños monocasco son pesados porque tanto los recubrimientos como las cuadernas y largueros tienen bastante espesor y mucho peso, así que pronto caen en desuso por no cubrir bien las demandas de aviones cada vez más numerosas, empleándose en la actualidad para aeronaves o armamentos (misiles) que no precisen mucho espesor de chapa para poderlos hacer más ligeros (ver capítulo 11.3). En la figura siguiente se muestra un ejemplo de fuselaje monocasco.

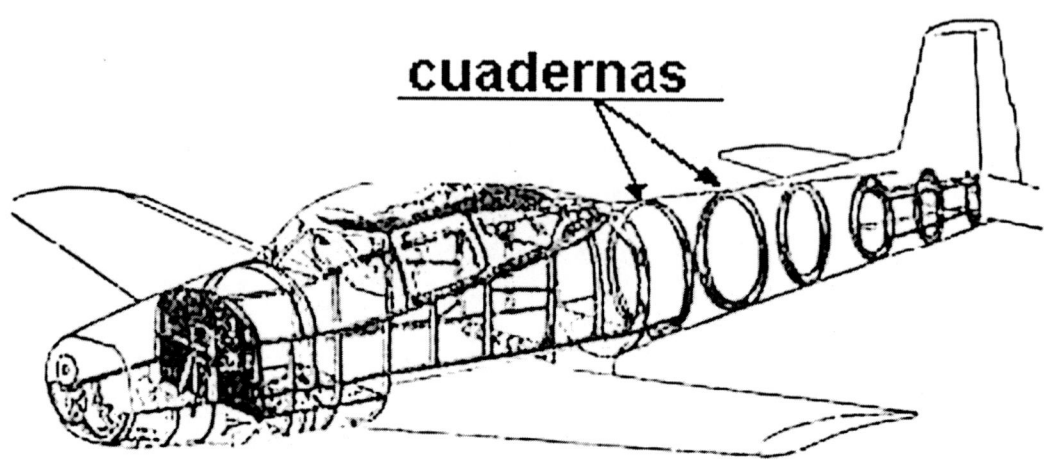

FUSELAJE MONOCASCO

Al dedicarse ya la aviación a las diversas funciones actuales en las que se necesitan grandes espacios interiores, los estudios de diseño se encaminan hacia los fuselajes semimonocasco para poder alojar en su interior a los pasajeros o a la carga, también se desarrollan las alas multilargueras con cajón interlarguero donde se almacena el combustible, y los empenajes de cola también con el mismo tipo de construcción, o sea, con largueros, costillas y revestimiento metálico, en la actualidad se empieza a utilizar el estabilizador horizontal también como depósito de combustible (Airbus A-340 y A-380) (ver capítulo 11.3 "Estructura de la célula"). En la figura siguiente se presenta un ejemplo de estructura semimonocasco.

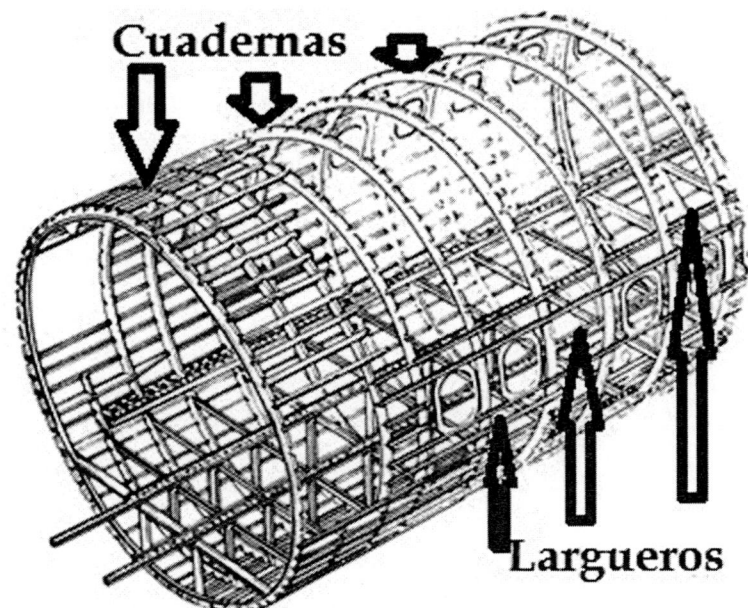

ESTRUCTURA SEMIMONOCASCO

Toda la estructura metálica soporta bien tanto los esfuerzos de tracción como los de compresión, los cortantes o los de torsión, que en muchos momentos se mezclan porque se dan al mismo tiempo y producen la flexión, que es una curvatura que adopta un componente estructural cuando se le somete a fuerzas que tienden a combar la estructura; un ejemplo típico puede ser el que se produce en la unión del ala con el fuselaje por el efecto que produce la sustentación.

El avión soporta numerosas cargas que someten a la estructura a diversos esfuerzos, pero ese soporte tiene unos límites que deben conocer tanto el diseñador como el piloto que maneja la aeronave y los técnicos de las operaciones de tierra, que estarán en los manuales, tanto de operación como de mantenimiento.

Las cargas se producen tanto en tierra al efectuar los servicios de carga de combustible, de mercancías, cargas en el remolcado o durante el carreteo con motores por las pistas, o en vuelo, las cargas que producen los mandos de vuelo, alerones, flaps, slats, timones o spoilers al ser utilizados, que aumentan según se va incrementando la velocidad, por lo que se hace necesario disminuir la cantidad de deflexión del mando según aumenta la velocidad del avión para conseguir la misma variación de la posición del mismo.

Otro tipo de cargas son las acústicas, como las vibraciones y las ondas sonoras, que aunque parecen menos importantes, también generan una fatiga estructural que al sumarse al resto de las cargas, produce una necesidad mayor de proteger y reforzar las zonas que sean más afectadas.

Los materiales de empleo aeronáutico para fabricar estructuras primarias, que son las que soportan la mayoría de los esfuerzos, las cargas y la fatiga tanto mecánica como térmica, son divididos en cuatro grandes grupos llamados: ALEACIONES FÉRREAS, que tienen como principal el acero con carbono, y otras aleaciones férreas para diferentes elementos y zonas, que llevan con el acero partes de níquel, cromo etc., que forman el grupo de aceros especiales, con los que se fabrican piezas de gran resistencia, como partes del tren de aterrizaje, herrajes o elementos de fijación del motor, etc.

Otro grupo es el de ALEACIONES LIGERAS, que tiene principalmente como base el aluminio, el titanio o el magnesio, el más utilizado es el ALCLAD, el 7075; el 7055 o el 2524, con los que se fabrican cuadernas, largueros, costillas, refuerzos o el revestimiento exterior de la estructura, tanto de fuselaje como de las alas y los empenajes de la cola

En las aleaciones para zonas que necesitan tener más resistencia a la corrosión y al esfuerzo como las cercanas al motor, el aluminio se alea con el titanio. En la siguiente figura se muestra una estructura de fuselaje semimonocasco de construcción básicamente con materiales de aleación ligera, y presentando varias formas de unión de los elementos que la componen.

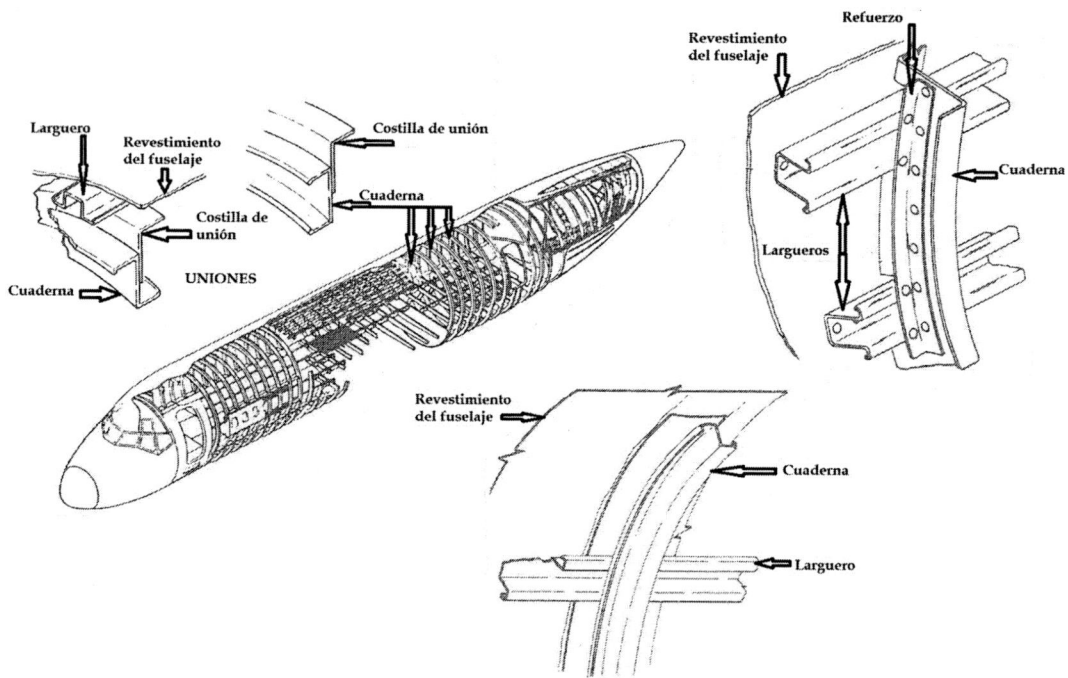

FUSELAJE METÁLICO SEMIMONOCASCO

En cuanto a los elementos que se necesita que sean lo más ligeros posible se utilizan preferentemente aleaciones con magnesio, aunque en la actualidad se está reduciendo su utilización por su alto índice de corrosión y de inflamabilidad en caso de accidentes con fuego, reemplazándolo por otras aleaciones y por los materiales compuestos.

Otro gran grupo es el de los MATERIALES COMPUESTOS (composites), cuya utilización está proliferando con mucha rapidez y que se trata con más detalle en el capítulo siguiente.

El cuarto grupo de los materiales de empleo aeronáutico es el de los denominados MATERIALES AUXILIARES, como gomas, plásticos, siliconas o lonas de diversos materiales y texturas. Para todo lo referente a los materiales aeronáuticos, además de las líneas generales expuestas en este capítulo, está el modulo 6 ("Materiales equipos y herramientas") de la formación del Técnico de Mantenimiento, donde se trata, con la amplitud necesaria y exigida por las normativas en vigor, todos los materiales utilizados en la aeronáutica con sus prestaciones, aplicaciones y propiedades.

ESTRUCTURAS DE MATERIALES COMPUESTOS (COMPOSITES)

En las estructuras de materiales compuestos, en cuanto a la forma y tipo de elementos, mantienen la misma nomenclatura que en las construcciones con otros materiales (p.e. cuadernas, largueros, costillas, etc.), donde más se ha desarrollado la utilización de los nuevos materiales es en los fuselajes semimonocasco, donde se han ido sustituyendo elementos de materiales metálicos por los nuevos materiales capaces de soportar los mismos o mayores esfuerzos, con un menor peso, lo que los hace más idóneos para estructuras aeronáuticas, donde la disminución de peso es uno de los objetivos más importantes.

En muchos casos las propiedades mecánicas de los materiales compuestos son superiores a los metálicos, aunque también tienen inconvenientes, como que son más frágiles, incluso cuando entre sus componentes está el boro o el carbono; estos materiales también tienen el inconveniente de que las reparaciones son más complejas, por esas razones todavía no son materiales utilizados en gran medida en la estructura primaria, donde además la normativa legal tiene las directrices necesarias en cuanto el uso de los mismos. De todas formas, es este un campo en el que las investigaciones sobre los nuevos materiales avanzan a gran velocidad, ya en los modelos de un próximo tiempo vemos que se están incorporando rápidamente a todos los tipos de estructuras.

La constitución de los paneles de materiales compuestos comprende básicamente dos elementos: **la matriz** de un material aglomerante **y las fibras** que se entretejen en la matriz, como se muestra en el dibujo de la figura siguiente:

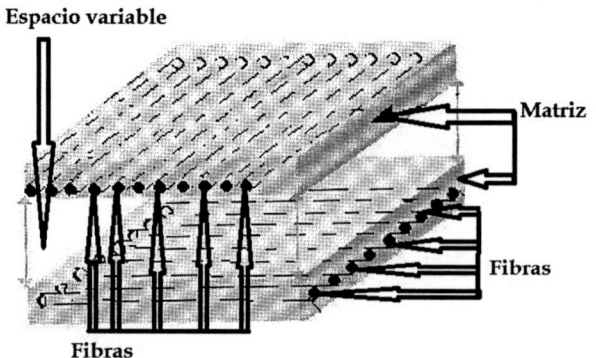

PANEL DE MATERIALES COMPUESTOS

Los materiales para la matriz tienen su normativa en cuanto a los lugares donde se pueden colocar, así, las resinas tipo **epoxi** no se utilizarán en los interiores de las cabinas donde se sitúen personas, porque generan mucho y muy tóxico humo en caso de un accidente con fuego, pero al ser de muy buena adhesión con las fibras, se utilizan con bastante profusión en elementos de la estructura terciaria. También se utilizan las resinas y los poliésteres y en zonas donde tengan que soportar temperaturas más altas, la matriz es de aleaciones más metálicas que de materiales compuestos.

En cuanto a las fibras, van entretejidas por capas, aglomeradas en la matriz, las capas de fibras pueden no tener el mismo grosor ni el mismo número de capas ni en la misma dirección, sino que están orientadas de forma que el elemento sea más resistente en las zonas en que se necesita, de forma que la resistencia mecánica del elemento construido vendrá dada por la orientación y el número de fibras de los tejidos y la composición de las mismas, siendo generalmente utilizadas fibras de carbono o de vidrio.

La utilización de los materiales compuestos en las estructuras de los aviones está avanzando muy rápidamente con el desarrollo de los nuevos procesos de fabricación que ofrecen la posibilidad de construir elementos cada vez más ligeros y resistentes, que proporcionan aeronaves menos pesadas, con lo que se gana más espacio libre en el interior para carga o pasajeros y mayor autonomía de vuelo al consumir menos combustible.

Una construcción muy utilizada para diversas partes de las estructuras secundaria y terciaria, como superficies de control de vuelo, paneles de registros, o en el interior para tabiquería o puertas de departamentos, etc., es la denominada "sándwich", que tiene buenas propiedades mecánicas. Es la construcción en un panel de abeja fabricado en aluminio o resinas, y una o varias capas por cada lado de una lámina de aluminio, de fibra de carbono u otros materiales, pegadas entre sí y curada bajo presión, quedando un panel con una estructura que soporta muy bien las cargas que impone la flexión. En la figura siguiente se muestra un ejemplo de construcción de un panel de sándwich.

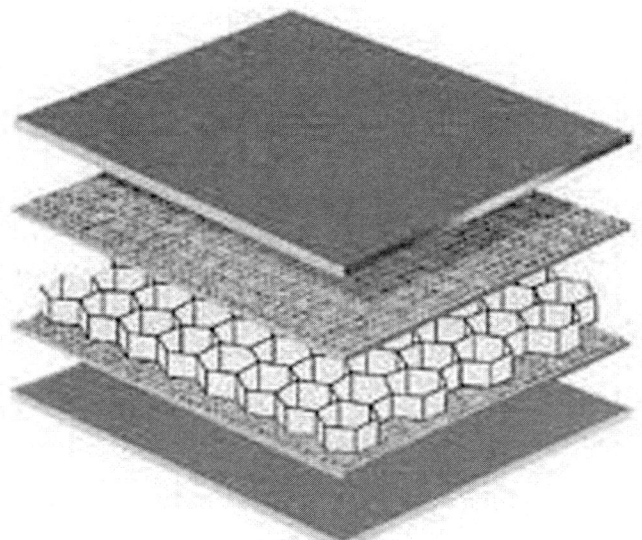

SÁNDWICH

EL GLARE (GLASS REINFORCED ALUMINIUM LAMINATE)

Otros materiales que ya se pueden incluir entre los materiales compuestos de uso en la construcción de aeronaves son los de la familia de los laminados de fibra-metal (FML) que tienen como base principal el aluminio y las fibras de vidrio, que desde que aparecen en la pasada década de los 70 sufren diversos procesos y van consolidándose hasta que en la actualidad son elegidos para construir varias zonas del Airbus A-380 y para el futuro A350, así como de los últimos modelos de Boeing, entre los grandes constructores y los fabricantes de aviones de la gama de ejecutivos y de reactores de pequeño tamaño van por el mismo camino, donde ya en partes del fuselaje y zonas de las alas en la estructura primaria, más parte de la estructura secundaria, se utiliza el GLARE como material de construcción.

El GLARE ya es un material considerado como "nuevo material", es un aglomerado de láminas de aluminio y de fibras de vidrio mezclado con resinas epóxicas, es de fácil fabricación y de una reparación relativamente sencilla.

Generalmente, el proceso de fabricación consiste en un tratamiento superficial de láminas de aluminio unidas con fibra de vidrio con una secuencia preestablecida dependiendo de la zona en que se vaya a utilizar, a esta estructura se la somete a unas determinadas presión y temperatura en una autoclave para el curado de la resina. En la figura siguiente se muestran dos ejemplos de una estructura de un panel de GLARE donde se pueden apreciar las diferentes capas que lo componen.

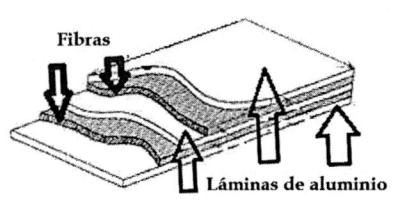

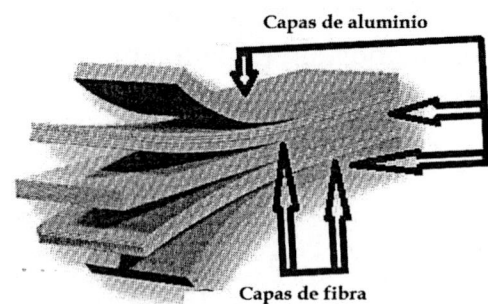

ESTRUCTURA DEL GLARE

Con respecto de las propiedades de este material, que sin duda será el sucesor de los aluminios tipo 7075 y similares, comparado con el aluminio tiene la elasticidad bajo tensión y compresión, y en el plano de corte, menor que el aluminio, sin embargo, tiene una alta resistencia a la fractura y a la fatiga, tiene, además, una muy buena resistencia al impacto, debido a la buena resistencia que las fibras tienen a la compresión. En la figura siguiente se muestra una tabla en la que se indican varias de las principales características.

Tabla 1 "Disponibilidad Comercial de distintos Tipos de GLARE"					
	Capas de Alumunio		Capas de Fibra		
Grado	Alloy	Espesor por capa (mm)	Orientación	Espesor por capa	Densidad Típica (g/cm3)
GLARE 1	7475-T76	0.3-0.4	Unidireccional	0,25	2,52
GLARE2	2024-T3	0.2-0.5	Unidireccional	0,25	2,52
GLARE 3	2024-T3	0.2-0.5	0°/90° Entretejido(50%-50%)	0,25	2,52
GLARE 4	2024-T3	0.2-0.5	0°/90°/0° Entretejido(67%-33%)	0..375	2,45
GLARE 5	2024-T3	0.2-0.5	0°/90°/90°/0° Entretejido(50%-50%)	0,5	2,38
GLARE 6	2024-T3	0.2-0.5	45°/-45° Entretejido(50%-50%)	0,25	2,52

Tabla 2 "Tensile properties of GLARE Laminates"								
	Tensile Ultimate Strength (MPa)		0.2% Tensile Yield Strength (MPa)		Tensile Elastic Modulus (GPa)		Tensile Ultimate Strain (%)	
Laminates	L	T	L	T	L	T	L	T
GLARE 1								
3/2	1282	352	545	333	65	50	4,2	7,7
2/1	1077	436	525	342	66	54	4,2	7,7
GLARE 2								
3/2	1214	317	360	228	66	50	4,7	10,8
2/1	992	331	347	244	67	55	4,7	10,8
GLARE 3								
3/2	717	716	305	283	58	58	4,7	4,7
2/1	662	653	315	287	60	60	4,7	4,7
GLARE 4								
3/2	1027	607	352	255	57	50	4,7	4,7
2/1	843	554	321	250	60	54	4,7	4,7
GLARE 5								
2/1	683	681	297	275	59	59	4,7	4,7
2024-T3	455	448	359	324	72	72	19	19
7075-T76	545	545	476	476	69	69	13	13

CARACTERÍSTICAS Y TIPOS DE GLARE

Quedan expuestas las líneas más generales de la clasificación de las estructuras y de los materiales más utilizados a lo largo del tiempo, pero sobre todo en los temas de materiales habrá que tomar referencia más especializada en el módulo 6 "Materiales, equipos y herramientas", en los capítulos 6.1, 6.2 y 6.3 de la formación de los técnicos de mantenimiento, aprobada por las autoridades europeas.

11.2 – 3 (A) – CONCEPTO DE "A PRUEBA DE FALLOS", VIDA SEGURA Y TOLERANCIA AL DAÑO

CONCEPTO DE "A PRUEBA DE FALLOS"

Dentro de los conceptos generales de una estructura a prueba de fallos, podemos decir que se considera a prueba de fallos cuando una estructura ha sido evaluada para asegurar que un fallo catastrófico no es previsible, después de que haya ocurrido algún fallo por fatiga o un fallo parcial de algún elemento estructural principal, o sea, que ese fallo no pondrá en peligro la aeronave por lo menos hasta que se efectúe la próxima inspección rutinaria por calendario, ya que en ese momento se evidenciaría el daño.

La prueba de fallos ya en los ensayos durante el diseño se logra a través de la selección del material y de los adecuados niveles de cargas a los que se le somete hasta que aparezcan las grietas u otros daños.

Durante las pruebas se somete al material a cargas cíclicas que simulan al máximo posible los esfuerzos que deberá sufrir en la realidad. Con los valores de los datos obtenidos durante estas pruebas se forma un programa de cálculo con el que se logran los valores de la resistencia al fallo que marcan el momento de iniciar una grieta, momento en el que el elemento tenderá a disminuir la resistencia a la rotura de la pieza.

La vida útil estructural generalmente se calcula para unas 120 000 horas de vuelo y después cada fabricante, aplicando la normativa y el objetivo de vida estructural que persigue, aplica los coeficientes de ampliación necesarios consiguiendo así una estructura con gran seguridad, a prueba de fallos, teniendo la posibilidad de escoger tanto el tipo de material como el grosor y la forma de cada elemento componente de una estructura.

A lo largo de este capítulo se efectúa la presentación de los temas sobre conceptos como a prueba de fallos, de vida segura o tolerancia al daño, quedando el tratamiento con más profundidad para el capítulo 11.18 del tomo IV de los de *Sistemas de aeronaves de turbina*.

VIDA SEGURA

La vida de un elemento estructural generalmente falla por la fatiga o por la corrosión, y su fin se puede definir como el momento en el que se inicia una grieta, así que la "**vida segura**" es la que tiene una estructura que ha sido evaluada para soportar cargas durante su vida útil, sin que aparezcan grietas en algún punto del elemento.

Un diseño resistente a la fatiga de una estructura de vida segura se basa en los cálculos de resistencia a la fatiga de todos los elementos estructurales que la componen, durante la fase de diseño y justificándose la prueba de fatiga con la estructura de seguridad completa.

La resistencia a la fatiga calculada, así como la prueba de vida útil obtenida son divididas por los correspondientes factores de dispersión, dando así los resultados en cada zona de la estructura.

Una estructura de vida segura tiene que sujetarse a unas características determinadas, como que la longitud de la grieta inspeccionada tiene que estar dentro de los límites considerados como grieta crítica para la zona que haya sido evaluada; o que la evaluación del daño tiene que estar basada en los cálculos de vida de fatiga de todos los elementos estructurales que la componen, lo que se justifica mediante ensayo de la estructura completa, obteniendo así un número de ciclos con el que, dividido por un factor de seguridad, se obtiene la vida de la estructura, a partir del cual la misma deja de ser una estructura de vida segura.

También se admite una disminución de la capacidad de la estructura por fallo de cualquier elemento, en cualquier momento del vuelo mientras el fallo no comprometa la continuación del mismo ni el aterrizaje del avión, siempre y cuando la tripulación pueda solventar la situación derivada de tal fallo.

Todos estos requisitos y normas de aplicación tanto para el diseño como para las inspecciones o el mantenimiento están regulados por la norma JAR/FAR 25.571, que con sus ACJ, desarrollos y actualizaciones en vigor logran en su cumplimiento, junto con la selección de los materiales actuales, unas estructuras a prueba de fallos, con una vida segura y una tolerancia al daño controlada.

TOLERANCIA AL DAÑO

El objetivo fundamental de un diseño tolerante al daño es la seguridad, entendiendo por la misma el que la aeronave no falle catastróficamente durante su vida operativa, para lo cual deberán tenerse en cuenta tres aspectos fundamentales:

1.º- Los daños o defectos que pudieran no detectarse no deben comprometer la seguridad de la aeronave durante su vida operativa.

2.º- Los daños o defectos que pudieran no detectarse no deben comprometer la seguridad de la aeronave durante un determinado periodo de tiempo antes de su detección.

3.º- En caso de daño en vuelo (rayo, impactos de pájaro, de granizo, fuego enemigo, etc.), la aeronave debe ser capaz de completar el vuelo de forma segura.

Por lo tanto, si ocurriera daño, la estructura restante debe ser capaz de soportar cargas razonables hasta que el daño sea detectado.

El principio de diseño de la tolerancia al daño consta de dos categorías, que son: la estructura de ruta de **carga única** y la estructura de ruta de **carga múltiple**.

La ruta de carga única se basa en la justificación de los análisis de los cálculos de resistencia a la fatiga, para justificar la fiabilidad durante el servicio y para determinar el umbral de inspección. El intervalo de inspección se determina a partir del análisis del crecimiento de la grieta cuando se detecta, y la longitud de la fisura crítica considerada para ese punto dividida por un factor de dispersión, aplicando por parte del diseñador las fórmulas al uso.

La llamada **ruta de carga múltiple** se subdivide a su vez en tres grupos: registrable solo externamente; no registrable por menos de un fallo total y registrable por menos de un fallo total. Los cálculos de vida demuestran con fiabilidad suficiente cuáles serán los umbrales y los intervalos de inspección basándose en el comportamiento de crecimiento de las grietas de las dos rutas de carga.

El intervalo se determina por el periodo de crecimiento de la grieta entre la longitud de la grieta, detectable en la ruta de carga principal, y la longitud de la grieta en la trayectoria de carga secundaria, divididos por el factor apropiado.

Para los cálculos de crecimiento de las grietas se deberá utilizar el mismo método tanto para los ensayos de la ruta de carga única como para los ensayos de la ruta de carga múltiple.

En la figura siguiente se muestran dos ejemplos con diagrama de tolerancia al daño con carga única y con carga múltiple.

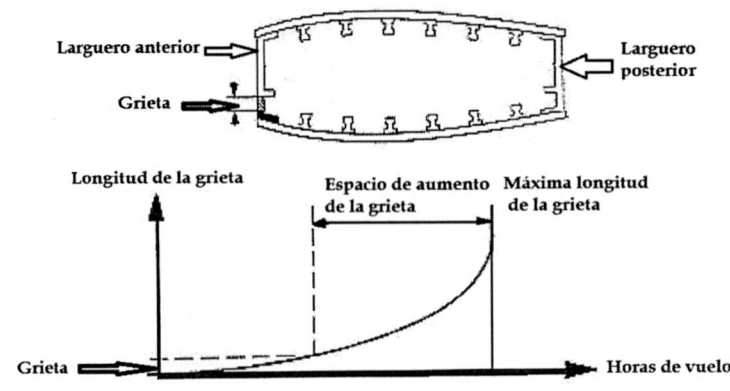

TOLERANCIA A LOS DAÑOS DE CARGA ÚNICA

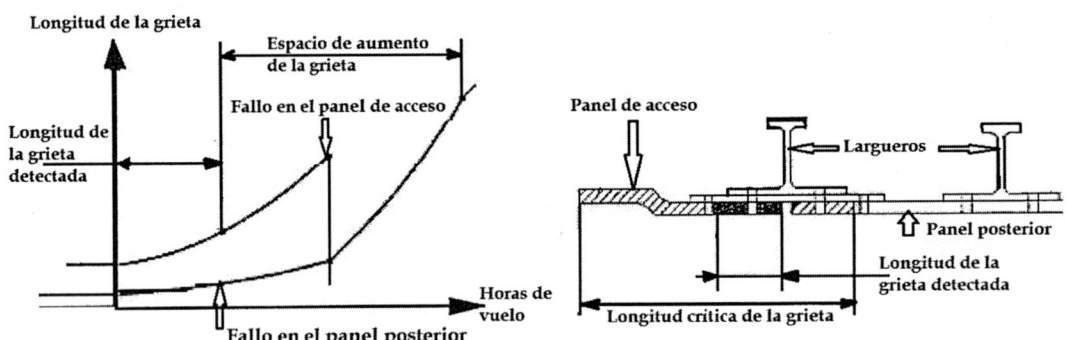

TOLERANCIA A LOS DAÑOS DE CARGA MÚLTIPLE

DIAGRAMAS DE TOLERANCIA AL DAÑO

11.2 – 4 (A) – SISTEMAS DE IDENTIFICACIÓN DE ZONAS Y SECCIONES TRANSVERSALES

Al objeto de que en un avión sean de fácil ubicación y localización los diferentes elementos que lo forman, el centro de gravedad o la distribución de los pesos, el avión está dividido en zonas, y estas zonas están divididas en puntos de referencia que generalmente se denominan estaciones, y se utilizan para determinar los números de estación los tres ejes fundamentales del mismo, el eje lateral o eje X, el eje longitudinal o eje Y, y el eje vertical o eje Z.

Con ligeras variaciones de siglas según sea el fabricante, en aviones actuales, salvo en la llamada aviación general (avionetas) para la identificación de zonas y sistemas se utiliza el sistema ATA 100, dentro del cual el capítulo seis (6) recoge todo lo relacionado con las dimensiones y áreas. A continuación se muestra una lista de los capítulos de este sistema con las materias o sistemas que corresponden a cada número:

SISTEMA ATA 100

El sistema ATA 100 es un sistema de clasificación en árbol, con el fin de estructurar de una forma generalizada desde el avión como elemento, hasta cada una de sus partes. Es un sistema de organización y clasificación básicamente utilizado en aeronáutica por la mayoría de los fabricantes con el objetivo de facilitar el trabajo al utilizar todo el mundo las mismas referencias, tanto para fabricación como para mantenimiento.

El sistema ATA consta de cien (100) capítulos, señalados con seis dígitos numéricos separados de dos en dos, más nueve bloques de páginas del 1 al 900. En el primer grupo de dos dígitos se indica el sistema al que pertenece. El segundo grupo indica el subsistema al que corresponde. El tercer campo de dígitos corresponde al elemento o componente, y en los nueve bloques de 100 páginas se proporcionan las descripciones o las tareas a efectuar y la forma de llevarlas a término de la forma que se indica a continuación

ATA 100:

01: Generalidades

02: Peso y balance

03: Equipo mínimo

04: Airworthiness limitations (AD's)

113

05: Límites de tiempo / Inspecciones

06: Dimensiones y áreas

07: Izado y anclaje

08: Nivelación y peso

09: Remolque y rodaje

10: Estacionamiento y anclaje

11: Letreros y señalamientos

12: Servicios (servicing)

14: Herramientas

15: Entrenamientos externos

16: Equipo de soporte en tierra

17: Equipo auxiliar

18: Vibración y ruido

19: Reparación estructural

20: Prácticas estándar

21: Aire acondicionado

22: Piloto automático

23: Comunicaciones

24: Sistema eléctrico

25: Equipo y accesorios

26: Protección contra el fuego

27: Controles de vuelo (solo aviones)

28: Sistema de combustible

29: Sistema hidráulico

30: Protección contra hielo y lluvia

31: Sistema de indicaciones e instrumentos de grabación

32: Tren de aterrizaje

33: Luces

34: Navegación

35: Oxígeno

36: Sistema neumático

37: Presión y vacío

38: Aguas y desechos

39: Electrical/electronic panel

41: Water ballast

45: Control Electrónico de Mantenimiento y Sistemas de Mantenimiento a bordo

46: Información del sistema

49: Unidad de potencia auxiliar (APU)

50: Aire

51: Estructuras

52: Puertas

53: Fuselaje

54: Pilones y barquillas

55: Estabilizadores

56: Ventanas

57: Alas

60: Practicas estándar de hélices y rotores

61: Hélices y propulsores

62: Rotores

63: Impulsor del rotor

64: Rotor de cola

65: Impulsor de rotor de cola

66: Palas plegables y pilones

67: Controles de vuelo del rotor (helicóptero)

70: Prácticas estándar del motor

71: Planta motriz

72: Turbinas y turbohélices (motor)

73: Sistema de combustible de motor

74: Encendido

75: Purga de aire

76: Controles de motor

77: Indicadores de motor

78: Escape

79: Lubricación

80: Arranque

81: Turbina de motor alternativo

82: Inyección de agua

83: Cajas de engranes de accesorios

84: Incremento de la propulsión

91: Gráficos y diagramas

95: Equipamiento especial

Los bloques de páginas son los siguientes, de la:

1 a la 100 para la descripción y operación.
101 a la 200 para investigación y localización de averías.
201 a la 300 para prácticas de mantenimiento.
301 a la 400 para servicios.
401 a la 500 para desmontaje y montaje.
501 a la 600 para ajustes y pruebas.
601 a la 700 para inspecciones y comprobaciones.
701 a la 800 para limpieza y pintado.
801 a la 900 para reparaciones aprobadas.

En el cuadro siguiente se muestra un ejemplo de utilización de este sistema para el caso de efectuar una recarga de nitrógeno a un acumulador del sistema de frenos de un avión.

32	**42**	**04**	**Página 201**
⇩	⇩	⇩	⇩
SISTEMA	**SUBSISTEMA**	**ELEMENTO**	**TAREA A REALIZAR**
Tren de aterrizaje	Ruedas y frenos	Acumulador de presión	Recarga de nitrógeno

SISTEMA ATA 100

En el proceso de identificación de zonas o áreas en las que se divide el avión, se emplea, por parte de varios fabricantes, un sistema numérico o alfanumérico de tres dígitos, **el primer dígito** da a conocer las grandes áreas o zonas principales, fuselaje, alas, etc., cada una de estas zonas se divide en zonas secundarias (cabina de vuelo, cocinas, etc.), identificadas **por el segundo** dígito, las zonas secundarias se subdividen en zonas más precisas (cúpula de radar, frigorífico, etc.), que las identifica **el tercer dígito**.

Las estaciones tienen los puntos de referencia en pulgadas, si el fabricante es americano, y en milímetros si es europeo (una estación cada pulgada), poniendo en algunos modelos unas letras delante de los números (FRP para el fuselaje).

Los números de las zonas generalmente van de interior a exterior, de la parte delantera hacia atrás, y de la parte inferior hacia las superiores.

Siempre que corresponde un dígito del número de zona indicada, si la zona es derecha o izquierda se emplea un número par para la derecha y un número impar para la izquierda.

Las zonas estarán limitadas si es posible por límites físicos reales como los mamparos principales, en el fuselaje, o los largueros en las alas. Una unidad o componente montado en un límite de zona tomará su número de zona de aquella en la que se desmonte.

Los detalles que se dan de las zonas son mirando hacia abajo o hacia delante del avión. Una designación bastante usada es con las siglas siguientes:

FRP Plano de referencia del fuselaje o referencia básica, que tendrá un ligero plano de inclinación con respecto al suelo, que vendrá expresado en el manual de mantenimiento correspondiente.

WRP Plano de referencia del ala, que contendrá el borde de salida del ala con los grados de diedro que corresponda con respecto del plano de referencia del fuselaje.

Eje X Dividido en segmentos en pulgadas o en milímetros (dependiendo de si el fabricante es europeo o americano) a lo largo del plano lateral. Según el eje X hay una designación para todos los subsistemas.

Eje Y Dividido en segmentos en pulgadas a lo largo del plano longitudinal con una designación para todos los subsistemas.

Eje Z Dividido en segmentos en pulgadas a lo largo del plano vertical con una designación para todos los subsistemas.

En la figura siguiente se muestra una planta de avión con los planos de simetría y los tres ejes.

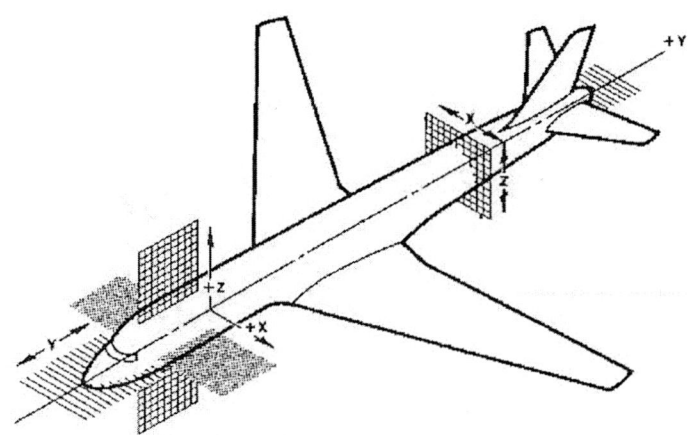

EJES Y PLANOS DE SIMETRÍA

ESTACIONES DEL FUSELAJE

Los ejes de referencia se obtienen como las intersecciones de los planos de un triedro de referencia, en el que la posición del plano horizontal, denominado plano de referencia del fuselaje, se realiza en el inicio del proyecto del avión, la intersección de este plano con el de simetría define el eje Y, la intersección con estos de un plano perpendicular a ambos y situado generalmente por delante de la proa define, sobre el horizontal, el eje X, y con el de simetría Z, quedando así determinados los tres ejes principales.

Las secciones obtenidas como intersecciones de planos paralelos al ZX con el fuselaje determinan las denominadas "estaciones de fuselaje" y se nombran por el número que da la distancia desde la estación cero "0" al origen de la misma, en pulgadas o milímetros dependiendo de que el origen sea americano o europeo. Las secciones obtenidas como intersecciones de planos paralelos al horizontal de referencia YX, con el fuselaje determinan las "líneas de flotación", se nombran por el número que da la medida de la cota Z en pulgadas o milímetros (dependiendo del país de origen).

En el fuselaje las estaciones se empiezan a contar desde el morro hacia la cola, estando la estación "0" en la mayoría de los casos fuera del fuselaje, en la prolongación del mismo sobre el eje longitudinal. En el caso de que algún fabricante utilice alguna nomenclatura o forma de contar o puntos de referencia exclusivo estará bien reflejado en sus manuales. En la figura siguiente se muestra un ejemplo de la parte anterior de un fuselaje con el punto correspondiente a la estación "0".

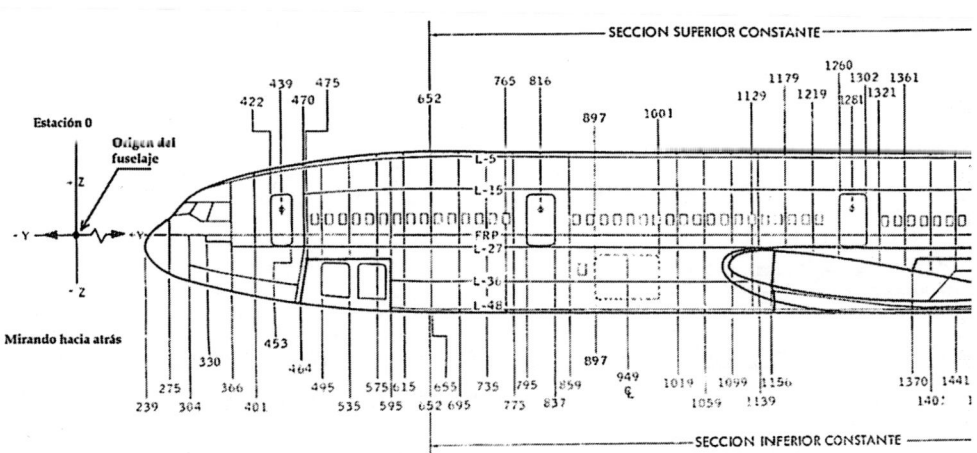

SECCIONES Y ESTACIONES DEL FUSELAJE

119

En los fuselajes, para la unión de las cuadernas se utilizan los largueros, para una localización se utiliza la numeración, partiendo del punto medio superior, y avanzando van numerándose correlativamente hacia la derecha (1-2-3-), y también correlativamente hacia la izquierda (1-2-3-), de forma que se identifican con una R para los de la derecha y con una L para los de la izquierda. En la figura siguiente se muestra la división de estaciones y la de los largueros de un fuselaje de un avión Douglas MD.

*Cortesía de
McD. Douglas

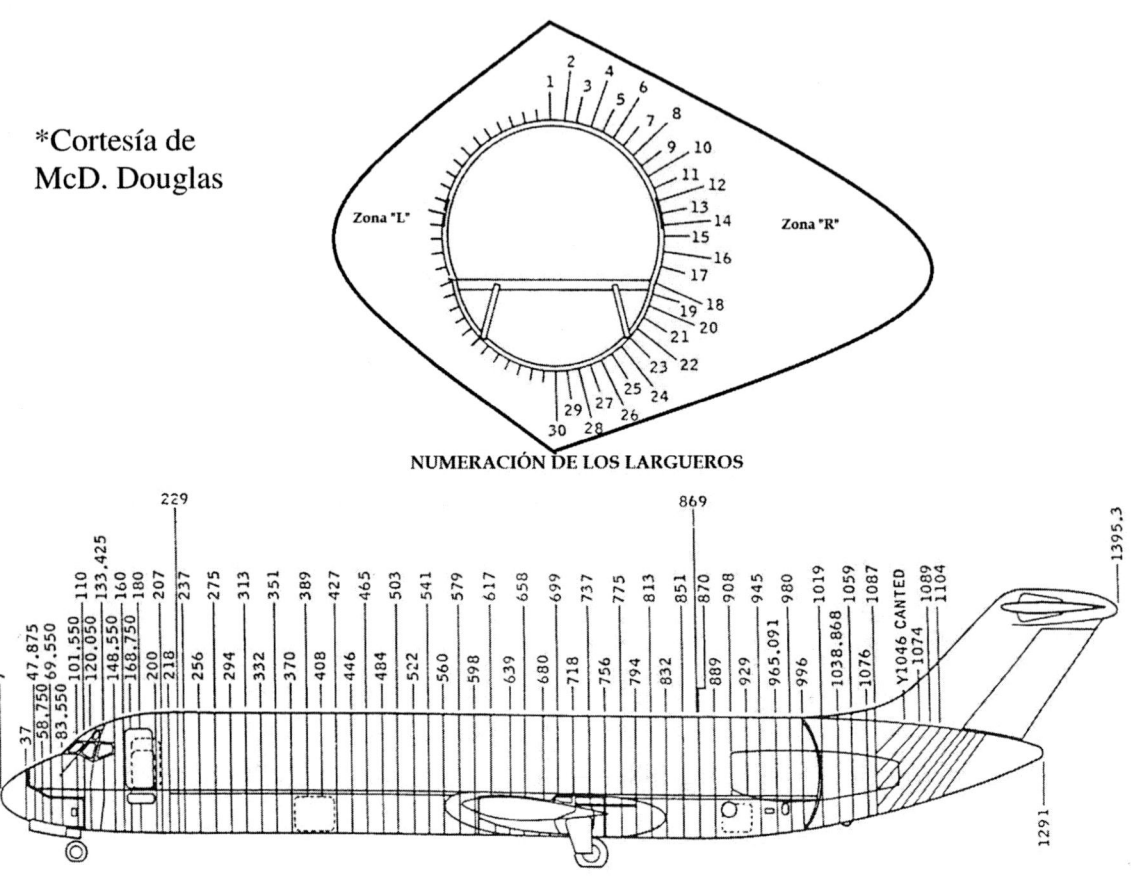

NUMERACIÓN DE LOS LARGUEROS

ESTACIONES DEL FUSELAJE

ESTACIONES DEL ALA

En la estructura de las alas se utilizan unas letras seguidas del número de la estación, las letras indican el tipo de estación que es y los números indican la distancia, así se utilizan:

X RS - para designar las estaciones situadas perpendicularmente al larguero posterior y empezando en la línea central del avión.

X ew - para designar las estaciones paralelas a la línea central del avión desde esta hasta el punto de quiebra del diedro del ala.

X w - para designar las estaciones perpendiculares a las estaciones del fuselaje y al plano de referencia del ala, empezando en la línea central del avión, hacia el exterior hasta el borde marginal del ala.

X f – para representar las estaciones situadas perpendicularmente a la línea de bisagra del flap del ala empezando en la línea central del avión.

X a - para indicar las estaciones situadas perpendicularmente a la línea de bisagra del alerón empezando en la línea central del avión.

X fs - para indicar las estaciones situadas perpendicularmente a la línea del larguero frontal del ala empezando en la línea central del avión.

En la figura siguiente se muestra una semiala con las divisiones correspondientes y la forma de enumerar los largueros que fijan las costillas y el revestimiento.

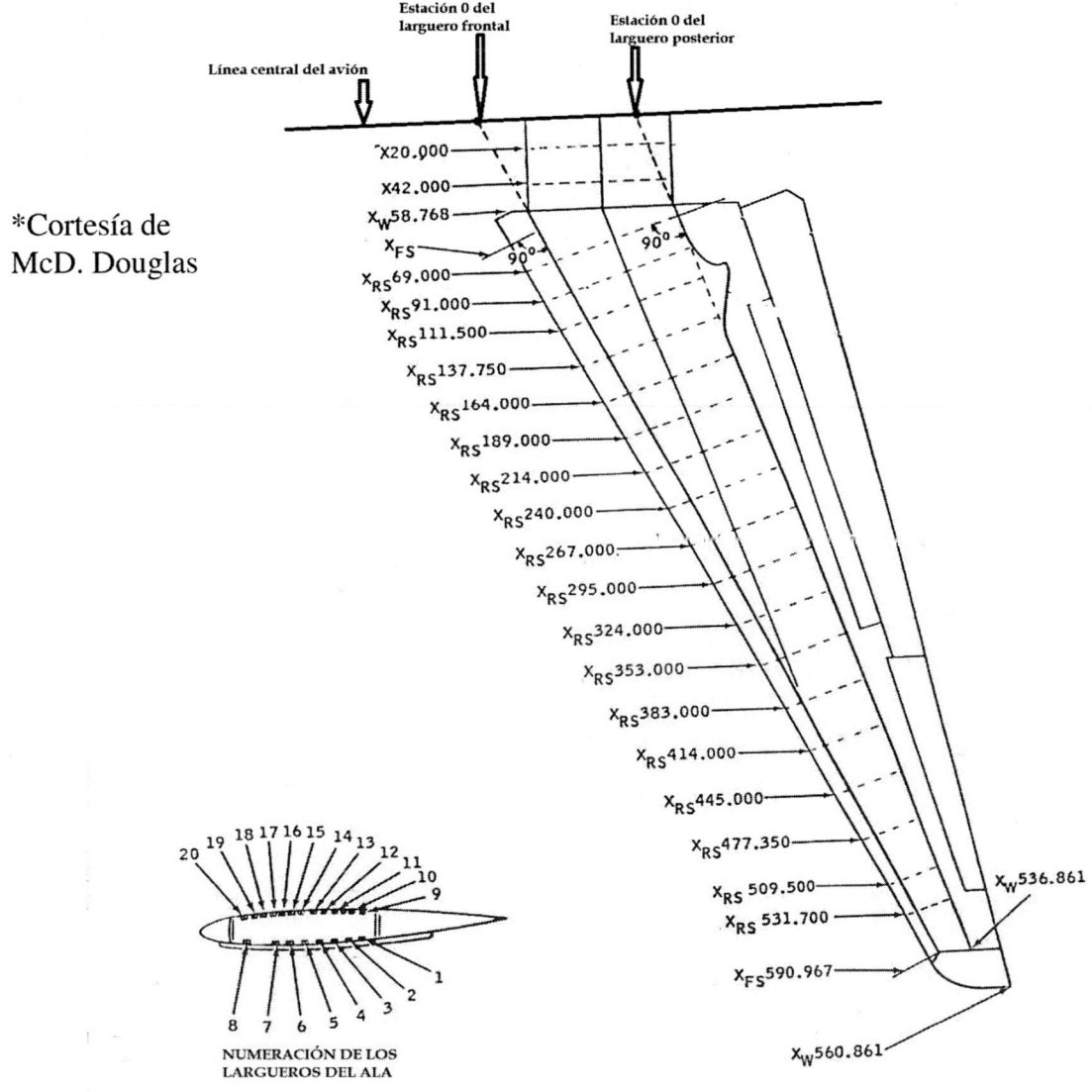

*Cortesía de McD. Douglas

ESTACIONES DEL ALA

121

ESTACIONES DEL EMPENAJE VERTICAL

La designación de las estaciones del estabilizador vertical está indicada con la letra Z seguida de otras que indican los puntos secundarios a que se refieren, y siempre partiendo de la estación Zv 0, así se utilizan las letras:

Z v - para el origen de las estaciones

Z fs - para las estaciones situadas perpendicularmente al larguero frontal.

Z R - para las estaciones situadas perpendicularmente a la línea de bisagra del timón de dirección.

Z RS - para las estaciones situadas perpendicularmente al larguero posterior.

Z RT - para las estaciones situadas perpendicularmente a la línea de bisagra de la aleta del timón de dirección.

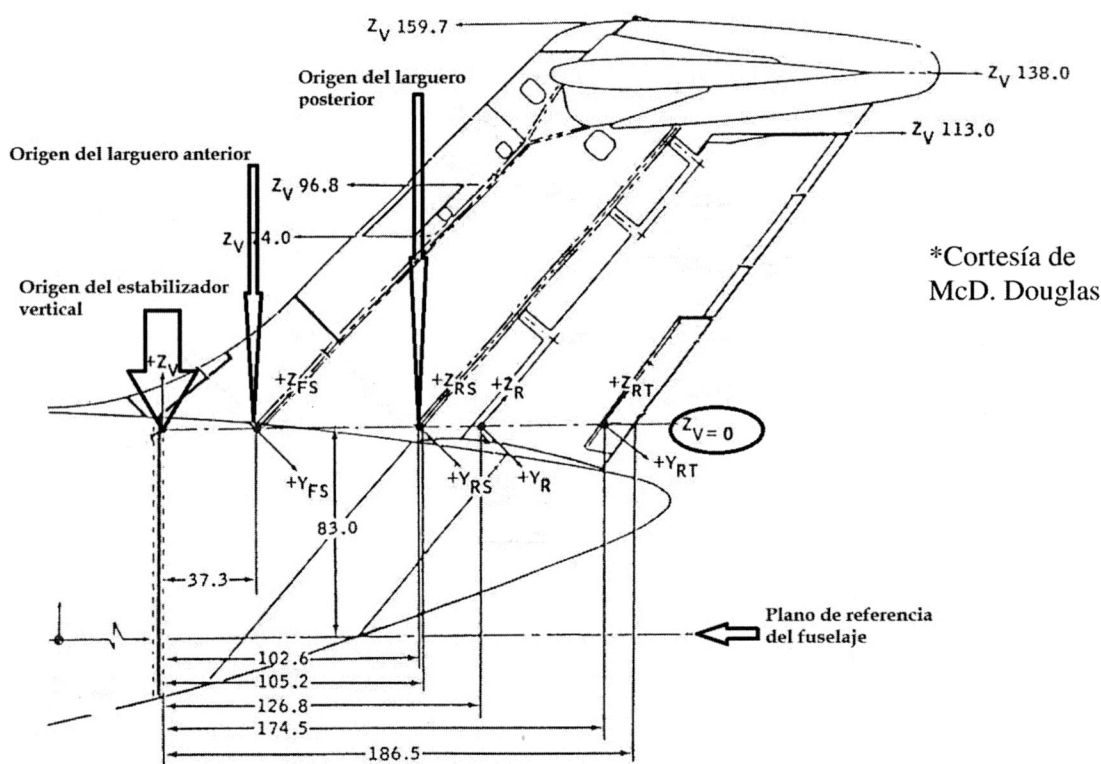

ESTACIONES DEL ESTABILIZADOR VERTICAL

ESTACIONES DEL ESTABILIZADOR HORIZONTAL

Para las estaciones del estabilizador horizontal se utiliza la misma filosofía que para las alas, se antepone al número la letra X seguida de una o dos letras más que indican:

X E - para designar las estaciones situadas perpendicularmente a la línea de bisagra del timón de profundidad.

X ET - para designar las estaciones situadas perpendicularmente a la línea de bisagra de las aletas del timón de profundidad.

X FS - para designar las estaciones situadas perpendicularmente al larguero frontal, el punto de origen es la línea central del fuselaje.

X H - representa las estaciones paralelas a la línea central del fuselaje. El punto de origen está en la línea central del fuselaje.

X HS - para designar las estaciones paralelas a los mamparos del estabilizador horizontal. El punto de origen es la línea central del fuselaje.

X HR - para designar las estaciones perpendicularmente al plano de la cuerda del estabilizador horizontal y a las estaciones del fuselaje.

En la figura siguiente se muestra un estabilizador horizontal con las diferentes estaciones indicadas.

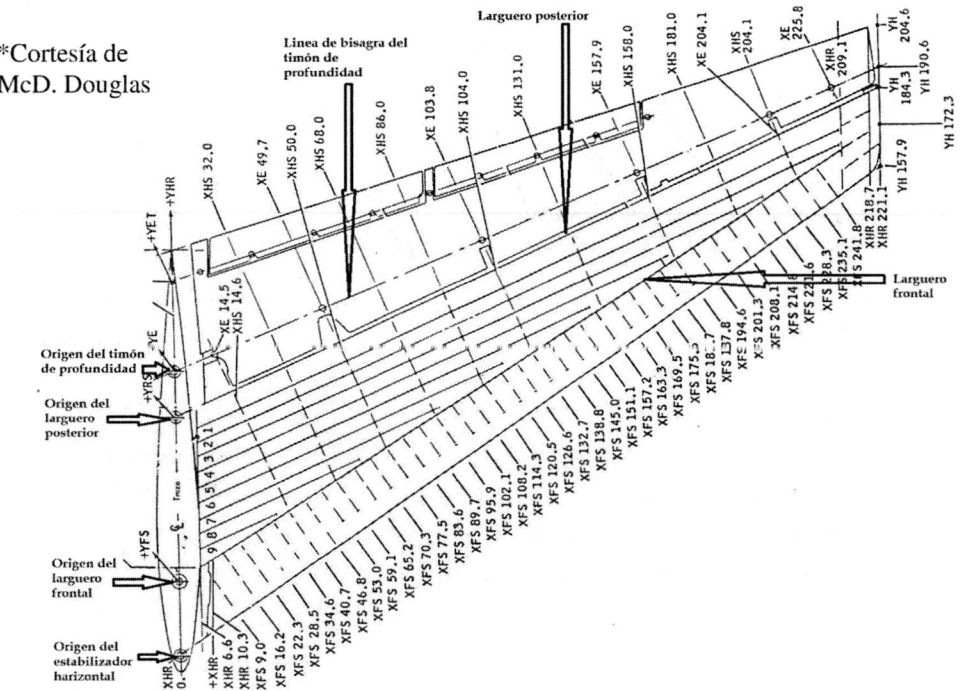

ESTACIONES DEL ESTABILIZADOR HORIZONTAL

123

11.2 – 5 (A) – ESFUERZO, DEFORMACIÓN, FLEXIÓN, COMPRESIÓN, ESFUERZO CORTANTE, TORSIÓN, TENSIÓN, ESFUERZO CIRCUNFERENCIAL, FATIGA

ESFUERZO

Llamamos esfuerzo a la fuerza que actúa sobre un cuerpo y que tiende a estirarla (tracción), aplastarla (compresión), doblarla (flexión), cortarla (corte) o retorcerla (torsión). O sea, podemos decir que esfuerzo es toda fuerza ejercida por unidad de superficie de un material elástico o de una estructura, o también la resistencia que ofrece un material o estructura a cualquiera de las fuerzas exteriores.

En ingeniería estructural los esfuerzos internos son magnitudes físicas con unidades de fuerza sobre áreas utilizadas para el cálculo de piezas como vigas, perfiles, con los que se construyen las estructuras en general y en aviones las estructuras del fuselaje, alas o empenajes.

DEFORMACIÓN

Deformación es la alteración de la forma de un elemento o estructura o en los procesos de estabilización de un material, al aplicarle cargas sobre el mismo. En mecánica la deformación puede ser **temporal**, **permanente, crítica** o **plástica**.

La **deformación temporal** es aquella en la que el elemento al que se somete a un esfuerzo recupera su forma inicial al dejar de aplicar las cargas sobre el mismo. La **deformación permanente** es la que permanece en mayor o menor grado después de retirar las cargas a las que fue sometido.

La **deformación crítica** en los materiales es la que se produce en los tratamientos de las aleaciones metálicas, como procesos de recocido, para conseguir que en el seno del metal no se formen regiones con energía interna elevada que produzcan un grano demasiado grueso; si en estos procesos de estabilización no se sobrepasa la deformación crítica, no existiría tendencia hacia la recristalización del material, es decir, que este problema se neutraliza manteniendo la deformación por debajo del punto crítico. En cuanto a la deformación crítica en las estructuras ocurre que, en las pruebas a efectuar, deberán evidenciar las zonas más susceptibles de deformarse para diseñar y colocar los refuerzos necesarios, con el fin de que durante la vida de trabajo los esfuerzos a los que se vea sometido no sobrepasen los valores que puedan producir deformaciones.

La **deformación plástica** es la propiedad que tienen los metales de deformarse sin romperse, sin perder propiedades debido a su estructura, lo que permite trabajar con ellos mediante los procesos mecánicos que correspondan, como laminados, extrusionados, etc., en la construcción de chapas, perfiles, tubos, utilizados con mucha profusión en la industria, en general, y en la aeronáutica, en particular.

A continuación se trata con unos breves comentarios sobre los diferentes y más principales esfuerzos a que están sometidas las estructuras que forman un avión, descripciones sin mucha profundidad, ya que los esfuerzos se tratan con la amplitud requerida en el módulo 2 (física) en el apartado 2.2 ("Mecánica") de la formación de los técnicos de mantenimiento de aeronaves.

En la figura siguiente se muestran unos dibujos a modo de ejemplo de los tipos de esfuerzos a que pueden estar sometidos los materiales y las estructuras de los aviones.

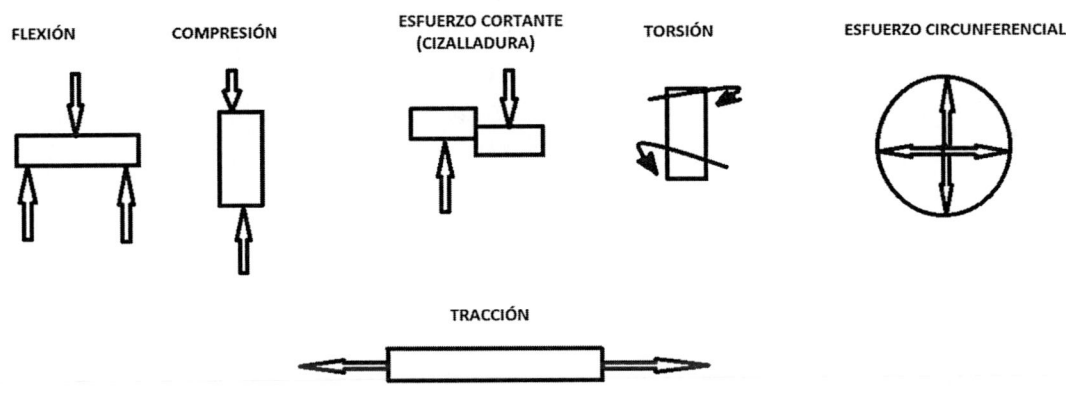

TIPOS DE ESFUERZOS

FLEXIÓN

Flexión es la resistencia que ofrece una barra plancha o estructura frente a un par de fuerzas que actúan perpendicularmente a su eje y tienden a curvarla; en una una estructura, cuando está sometida a pares de fuerzas iguales y opuestas en sus extremos, se originan en zonas de la estructura unas fuerzas internas que son anuladas o compensadas mediante refuerzos.

Un material está sometido a un esfuerzo de flexión cuando las fuerzas que actúan sobre él tienden a doblarlo, es una combinación de compresión y de tracción. Mientras que la parte superior del elemento sometido a un esfuerzo de flexión se alarga, la inferior se acorta, o viceversa.

COMPRESIÓN

Un material o estructura está sometido a un esfuerzo de compresión cuando las fuerzas que actúan sobre él tienden a comprimirlo, son necesarias dos fuerzas opuestas que actúan hacia el interior del cuerpo, en la misma dirección y en sentidos opuestos.

El esfuerzo de compresión hace que se aproximen las diferentes partículas de un material, tendiendo a producir acortamientos o aplastamientos.

ESFUERZO CORTANTE

En el cálculo de estructuras se denomina así a las tensiones que se producen en el interior de un elemento o estructura, a causa de esfuerzos exteriores que tienden a producir la rotura del mismo por cortadura o cizallamiento, es decir, que es la resultante de las fuerzas paralelas a la sección transversal de un elemento, o cuando se aplican fuerzas perpendiculares al mismo.

Que una pieza o estructura esté sometida a un esfuerzo cortante implica que la misma está sometida a un esfuerzo de flexión.

TORSIÓN

Un material está sometido a un esfuerzo de torsión cuando las fuerzas que actúan sobre él hacen que tienda a retorcerse sobre su eje central. Están sometidos a esfuerzos de torsión lo ejes o las manivelas, entre otros muchos ejemplos.

Esta deformación por la acción de dos pares de fuerzas opuestas y situadas en planos paralelos consiste en un giro relativo del elemento o estructura, ya sea macizo como una varilla, o estructural como un fuselaje.

Un ejemplo de torsión en avión es el que se produce en la parte posterior del fuselaje cuando se efectúa una maniobra de alabeo, entre el momento que originan los alerones y la resistencia que ofrece al giro el estabilizador vertical.

<u>TENSIÓN</u>

La tensión es una fuerza de reacción, que aparece en un cuerpo o estructura cuando se le somete a esfuerzos y que impide la separación de su estructura mecánica si es una composición de elementos, o molecular si es una aleación.

Cuando una barra es sometida a una carga de estiramiento, la relación entre la carga dividida por la sección de la barra da como resultado el esfuerzo de tensión.

La tensión es la fuerza aplicada por unidad de superficie y depende del punto elegido, del estado tensional del sólido y de la orientación del plano escogido para calcular el límite.

<u>ESFUERZO CIRCUNFERENCIAL</u>

El esfuerzo circunferencial es el que tiene que soportar una estructura cilíndrica por efecto de la presión, ya sea interna o externa, en aeronaves la zona principal que soporta este esfuerzo es el fuselaje en la zona presurizada. La estructura del fuselaje de un avión está sometida a varios esfuerzos que transmite y soporta sin perder la forma externa durante toda su vida de trabajo calculada tanto en tierra como en vuelo.

El mayor esfuerzo circunferencial que soporta es el que se origina con la presurización, ya que en el avión, según va ascendiendo después del despegue en busca de su nivel de crucero, la presión atmosférica exterior va disminuyendo progresivamente y es necesario que el interior del fuselaje forme un departamento estanco en el que se mantendrá la presión necesaria lo más cercana posible a la del nivel del mar para poder respirar en su interior con normalidad.

A la vez, según el avión va ascendiendo la presión diferencial entre el interior de la cabina y el exterior de la aeronave debe ser mantenida dentro de los límites de resistencia estructural del fuselaje, ya que dentro habrá más presión que en el exterior.

La presión de la cabina es controlada y mantenida por el sistema de aire acondicionado (ver el capítulo 11.4 del tomo I de *Sistemas de aeronaves de turbina*), de forma que desde el despegue irá aumentando la presión en la cabina sin sobrepasar el límite de resistencia estructural, que en los aviones comerciales actuales generalmente no sobrepasa las 10 p.s.i. de presión diferencial.

Cuando la aeronave comienza a descender, la presión de la cabina irá aumentando y la presión diferencial disminuyendo hasta que al aterrizar las presiones tanto del exterior como del interior del avión estén igualadas.

Esta operación somete al fuselaje a unos esfuerzos circunferenciales, progresivos y repetidos en cada vuelo, que, junto con los demás esfuerzos, como el peso, el estado de la atmósfera o las cargas que se originan durante las maniobras, hacen que sea necesario que el fuselaje tenga una gran resistencia a la fatiga, por lo que su estructura interna de cuadernas, largueros, refuerzos, vigas y revestimiento se debe inspeccionar con el intervalo de horas de vuelo que los planes de mantenimiento del fabricante indiquen.

TRACCIÓN

Un material o estructura está sometido a un esfuerzo de tracción cuando las fuerzas que actúan sobre él tienden a estirarlo, las fuerzas han de ser en la misma dirección y sentidos opuestos actuando hacia el exterior del cuerpo.

Al someter un material o estructura a un esfuerzo de tracción, si se alcanza el límite de la deformación permanente, produce un alargamiento en los sentidos en que se aplican las fuerzas, y una disminución de medida en las direcciones y sentidos perpendiculares a los de las fuerzas aplicadas.

FATIGA

La fatiga es un fenómeno característico de los materiales o estructuras que tengan algún grado de ductilidad, que, al someterlos a una carga, aunque sea inferior a la que produciría una deformación permanente, si actúa de modo variable o intermitente, puede producir la rotura del material o de alguna parte de la estructura.

La rotura por fatiga siempre se inicia con una grieta en el material que va avanzando progresivamente sin que previamente exista alguna deformación plástica permanente.

El número de veces que se aplica la carga y el valor o intensidad de la misma son las dos variables o condiciones a tener en cuenta para que se produzca la fatiga, por lo tanto, en una estructura aeronáutica, hay partes críticas que por motivos como la presurización y despresurización para el fuselaje y los mamparos de presión, así como para toda la estructura que sufre los fenómenos atmosféricos y las cargas de maniobra, o las vibraciones que se producen en las zonas cercanas al motor, al ser zonas críticas de riesgo de fatiga, tienen normas específicas de investigación, con pruebas de carga repetida cuando se fabrica la aeronave, y después inspecciones determinadas cada número de horas de vuelo prefijadas.

Todas estas medidas son tendentes a garantizar dentro de lo posible que la estructura del avión tenga una vida de trabajo a salvo de fatiga y no sufra fallos significativos por ese motivo.

11.2 – 6 (A) – INSTALACIONES DE DESAGÜE Y VENTILACIÓN

Un avión a lo largo de su vida de trabajo está sometido a muchas situaciones con la temperatura y con fenómenos atmosféricos como la lluvia, nieve, granizo, etc., que penetran por las diferentes aberturas de ventilación, también se producen en caso de rotura de algún tubo por el que circule agua, combustible o líquidos de los sistemas hidráulicos, escapes de los mismos, que se acumulan en la parte inferior del fuselaje, de los empenajes o de los diversos departamentos existentes, y que es necesario que puedan salir al exterior y no se acumulen.

En el interior del fuselaje, como aislante acústico y de temperatura, se instalan unos forros a modo de mantas que también están en contacto con el fuselaje y evitan gran parte de la condensación que por diferencia de temperatura se pueda producir, estas mantas son de materiales elastómeros, de siliconas o de otras fibras, que en su interior tienen el material aislante, y que son las adecuadas a la zona en que se instalan. Si en la zona hay elementos o paso de tubos que producen mucho calor, las mantas serán más resistentes a la temperatura que en zonas más frías.

En el interior del fuselaje hay varias zonas que tienen ventilación propia, como los lavabos, las zonas de cocinas o los compartimentos donde se sitúan las baterías principales, y también las zonas debajo de los capós de los motores o zonas de los pylons.

Estas zonas, debido a las operaciones que se efectúan como preparación de alimentos utilización de grifos de agua, etc., son susceptibles de generar derrames de líquidos y olores que no es conveniente que se extiendan al resto de la aeronave, por lo que tienen en su base una especie de bandeja que recoge los derrames y a través de tubos los lleva hasta los mástiles de drenaje. Para los vapores y olores tiene una salida en el techo que en unos aviones sale al exterior y en otros a zonas dentro del fuselaje, pero en el exterior de la cabina de los pasajeros.

Las formas de ventilar las zonas indicadas son independientes del sistema de aire acondicionado del avión, aunque en las zonas presurizadas la mayor presión en el interior de las mismas ayuda a ventilar y a desaguar por los orificios existentes en la parte inferior del fuselaje, además de que al renovarse el aire de la cabina a través de la válvula de derrame (out-flow) situada generalmente por debajo de la línea del piso del avión, se ventilan también todas las zonas y compartimentos entre las paredes de las bodegas y el piso o el fuselaje.

En cuanto a las baterías de a bordo normalmente van dentro de unos depósitos cerrados, y estos, situados sobre una bandeja con desagüe al exterior, en las partes inferiores del interior del fuselaje, los depósitos tienen unos tubos de ventilación directamente al exterior del avión, ya que los vapores que sueltan las baterías son altamente corrosivos y tóxicos.

129

En cuanto a las zonas no presurizadas como los conos de cola, bahías de tren principal, compartimentos de accesorios o sistemas, pylons o espacios en el interior de los capós de los motores, se ventilan por medio de unos orificios de entrada y salida de aire con bocas de perfil NACA y aprovechando la velocidad del avión.

Los pylons, como son zonas en las que no solo se acumula el calor que produce el motor, sino que también son atravesados en una y otra dirección por tubos de combustible, de aire, por cables eléctricos y en muchos aviones se instalan en su interior las botellas del agente extintor del sistema contra incendios, son zonas en las que es necesario que no se acumulen ni gases ni temperatura, para lo cual a uno y otro lado se instalan unas rejillas del tamaño necesario y con las aletas convenientemente orientadas para que con la velocidad del avión se facilite la entrada y salida de aire, que mantendrá las zonas dentro de los límites de ventilación y temperatura calculados.

En lo referente al propio motor en la zona donde se instalan los elementos tanto de generación de potencia eléctrica como hidráulica, además de los necesarios para el propio funcionamiento y control del mismo motor y que son cubiertos por los capós exteriores que a la vez le dan la forma y el perfil adecuado, son zonas en las que también es necesaria una ventilación.

INSTALACIONES DE DESAGÜE, AISLAMIENTO Y VENTILACIÓN DE LA ESTRUCTURA

En todos los aviones, tanto en el fuselaje como en las alas o en los empenajes de cola, hay huecos entre los largueros, cuadernas, costillas y el revestimiento, en los que no hay instalado ningún elemento, en unos casos son paso de tubos de diferentes sistemas, de cables, de transmisiones, etc. En estos huecos siempre se produce una condensación por diferencia de temperatura o pérdidas ocasionales de diferentes sistemas por razón de alguna avería o fuga, y a fin de que estos líquidos no se queden estancados en las partes más bajas de los compartimentos se practican unos orificios en los revestimientos para que salgan al exterior.

En el desagüe y ventilación de la estructura hay que distinguir dos tipos de huecos, los de las alas, cola y zonas no presurizadas del fuselaje, y los que se encuentran en zona presurizada, generalmente en el fuselaje; las partes no presurizadas tienen los orificios situados en las partes inferiores y si hay varios huecos a diferentes niveles, en unos casos tienen sus propios orificios al exterior o se comunican por el interior y drenan a través del hueco inferior.

En el caso de zonas presurizadas, como son las cabinas de pasajeros y tripulación, las bodegas o los compartimentos de accesorios, al ser zonas que se necesita que estén aisladas lo máximo posible tanto térmicamente como acústicamente, son zonas en las que sobre la parte interior del revestimiento se colocan unas mantas de materiales sintéticos y siliconas, dependiendo de las zonas que necesitan tener la posibilidad de, que tanto las gotas de agua de la condensación como los restos de pérdidas accidentales de líquidos de los sistemas, u otros derrames que se puedan producir, o también entradas de agua de lluvia a través de las juntas de puertas o ventanillas practicables, cuando la aeronave está estacionada en tierra y sin presurizar. Para eliminar todas estas consecuencias en la parte inferior del fuselaje se hallan unos orificios por los que estos líquidos drenan al exterior ayudados en vuelo por la diferencia de presión, que si bien no deja de ser una fuga de presurización, es una fuga tenida en cuenta en el diseño y no necesita tener válvula de regulación alguna.

A fin de que los líquidos traspasen las cuadernas y los largueros hay unos orificios por los que pasan camino de la salida. Estos orificios deberán estar siempre limpios para que no se acumule líquido alguno que pueda producir corrosiones u otros daños en los elementos de la estructura, por lo que son puntos cuya comprobación es de suma importancia durante las inspecciones. Muchos fabricantes en los pasos de cuaderna colocan unos tubos de fibras que permiten la aireación y ventilación de las zonas y de las mantas.

En la figura siguiente se muestra a modo de ejemplo el paso de un tubo de aire sobre un fuselaje con mantas de aislamiento.

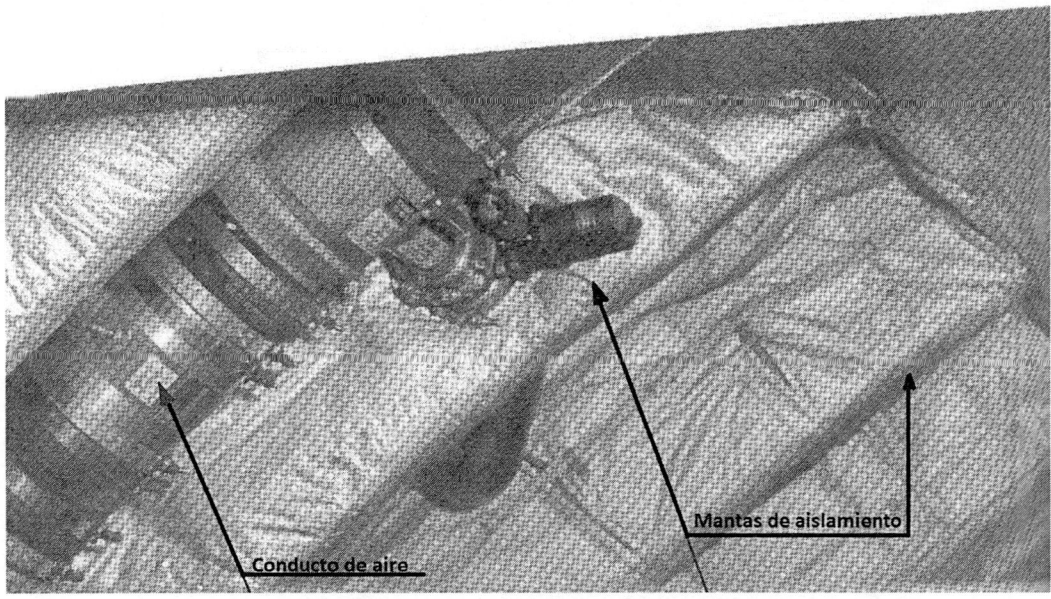

AISLANTES EN EL INTERIOR DEL FUSELAJE

VENTILACIÓN Y DESAGÜE DE LAVABOS Y COCINAS

En el interior del fuselaje de aviones que están destinados a transportar personas, aparte de las zonas donde están instalados los asientos, se instalan también los equipos y elementos necesarios para que durante el tiempo que dure el vuelo proporcionen al usuario la solución a necesidades tanto físicas como de imagen (se trata en el capítulo 11.7 "Equipo y Mobiliario").

Estos equipos, al estar en el interior de la cabina, tienen su atmósfera controlada tanto en presión como en temperatura y renovación de aire por el sistema de aire acondicionado, pero tanto en la zona de cocina como en los lavabos, debido al tipo de utilización a que se destinan, producen olores o humos que es conveniente que no salgan del entorno de la zona.

Para cubrir esta necesidad los departamentos de cocina y lavabos tienen una ventilación adicional que permite que el aire contaminado salga directamente al exterior, por lo que generalmente en la zona de cocina se instala en la parte superior una pequeña salida en forma de venturi orientada hacia la parte posterior, de forma que se pueda aprovechar la succión que produce la velocidad de la aeronave y la diferencia de presión para que el aire tienda a salir por la ventilación al exterior en vez de mezclarse con el aire del resto de la cabina.

En lo referente a los lavabos, estos son compartimentos más estancos, aquí la ventilación se produce desde la parte superior del techo mediante un tubo que desemboca en el exterior del revestimiento del lavabo y es arrastrado hacia la salida de aire a través de la válvula out-flow, y en otros casos directamente en la estación de servicio de los lavabos, o en zonas similares dependiendo de la posición del lavabo y del diseño empleado por cada fabricante, o de las peticiones de distribución de cada operador de la aeronave.

En la figura siguiente se presenta un dibujo de una zona de cocina donde se indican los tubos de desagüe en la bandeja del piso y el tubo de ventilación en la parte superior del departamento.

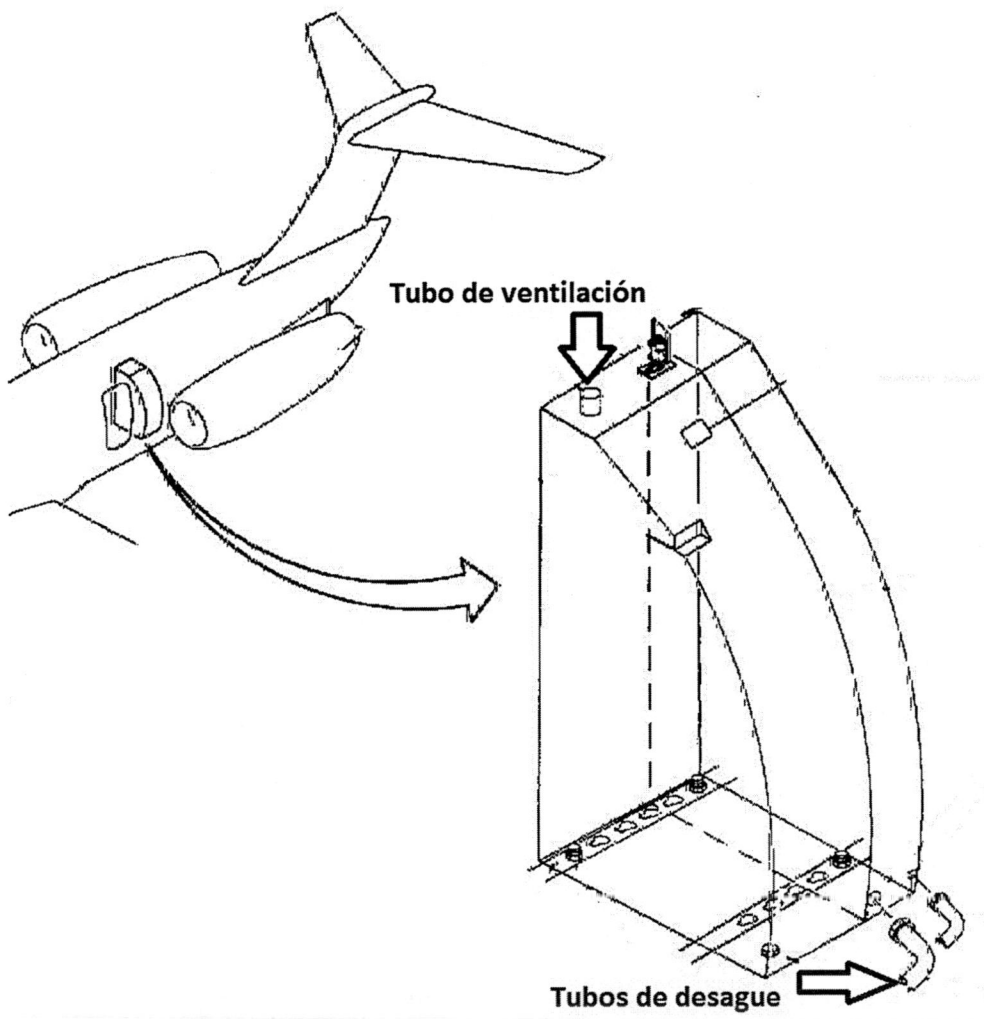

Tubo de ventilación

Tubos de desague

VENTILACIÓN Y DESAGÜE DE LA COCINA

VENTILACIÓN DE LOS COMPARTIMIENTOS DE BATERÍAS

Al tratar el capítulo correspondiente a la energía eléctrica (11.6.0) se ha explicado cómo son y cómo se recargan los diferentes tipos de baterías de a bordo, durante esta operación siempre se producen gases que son altamente corrosivos para los materiales metálicos, por lo que se instalan en cajas ventiladas al exterior.

En la actualidad, salvo en aviones antiguos o de pequeño tamaño, las baterías principales, además de estar situadas en un compartimento que tiene renovación de aire como los compartimentos de accesorios, se sitúan dentro de un cajón-depósito cerrado, del cual parte una instalación de tubo que sale directamente al exterior del avión, que ventila el interior del cajón de la batería donde se producen gases nocivos.

La salida de ventilación de las baterías principales es un punto a tener en cuenta por el técnico de mantenimiento durante las inspecciones, ya que en caso de sobrecalentamiento de las baterías estas despiden vapores que evidencian tanto el mal funcionamiento del cargador, de las baterías o de algún otro elemento.

En la figura siguiente se muestra la forma de instalar las baterías en una aeronave de las series MD de M. Douglas.

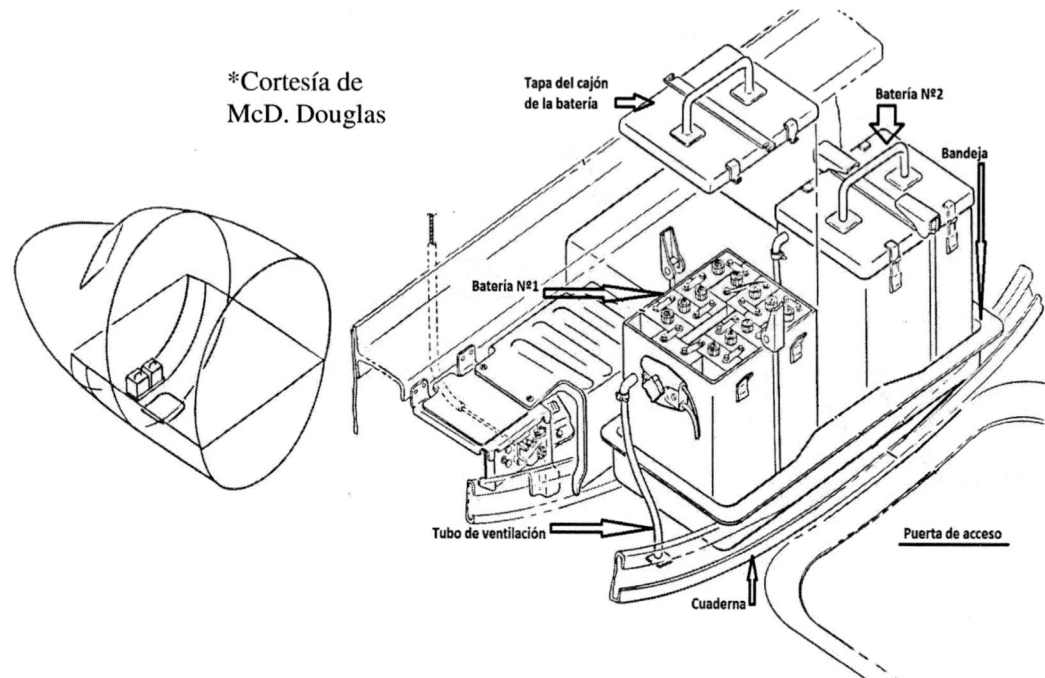

VENTILACIÓN DE ALOJAMIENTO DE BATERÍAS

VENTILACIÓN DE PYLONS Y MOTORES

El mantenimiento de la temperatura dentro de los límites diseñados para las zonas entre los capós que conforman el motor y las carcasas del mismo donde están instalados los diversos accesorios, así como la temperatura del interior de los pylons, se efectúa aprovechando la corriente de aire que se genera alrededor del avión con la velocidad. Para estas zonas el aire para la refrigeración y ventilación entra a través de unas aberturas de perfil y medida apropiados practicados en los capós y en la parte exterior de la entrada del motor, pasando por el exterior de los accesorios vuelve a salir al exterior a través de otros orificios, similares a los de entrada pero con el sentido invertido para que haya succión, situados en la parte posterior de los capós.

En la figura siguiente se muestran las rejillas de ventilación del pylon de un motor RB211 instalado en el ala de un Boeing B-757.

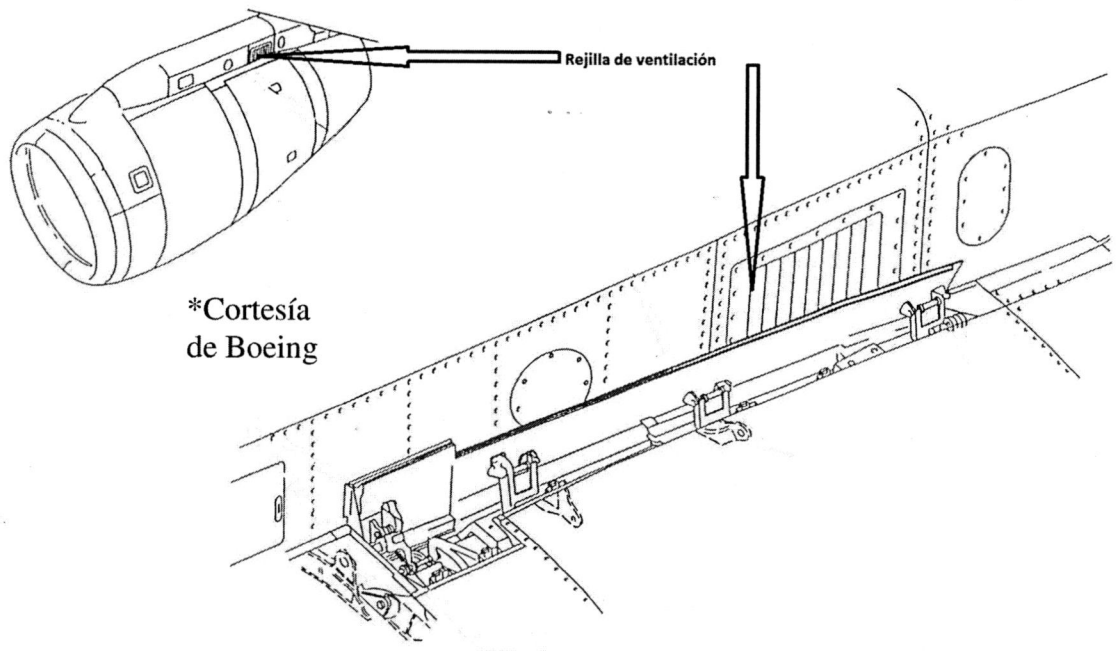

Rejilla de ventilación

*Cortesía de Boeing

VENTILACIÓN DEL PYLON DE UN MOTOR

En la figura siguiente se puede observar cómo se ventila mediante entradas de perfil NACA tanto en la entrada de aire al motor como en los capós de fan, por las que entra el aire frío del exterior a la vez que refrigera las zonas ventila las mismas.

En lo referente al drenaje de los líquidos que por pérdidas de los sistemas o entradas de agua de lluvia, tanto en vuelo como en tierra se pueden producir, estos salen directamente al exterior a través de unos orificios en la parte inferior de los capós.

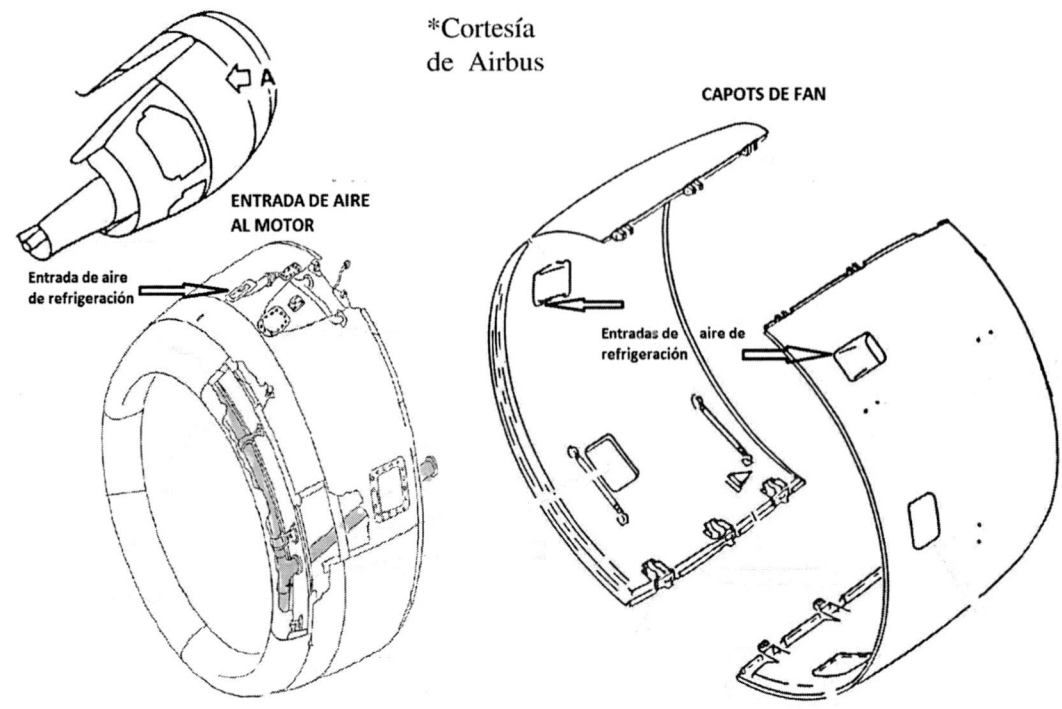

*Cortesía de Airbus

CAPOTS DE FAN

ENTRADA DE AIRE AL MOTOR

Entrada de aire de refrigeración

Entradas de aire de refrigeración

VENTILACIÓN DEL MOTOR

11.2 – 7 (A) – INSTALACIONES DE SISTEMAS

Una vez que se tiene la estructura de una aeronave para que pueda cumplir el objetivo a la que se le destine, transporte de carga, de personas, de recreo o de misiones militares, etc., es necesario instalarle los sistemas necesarios para que pueda cumplir su cometido. Todos los sistemas los controla y maneja el piloto desde la cabina de mandos, en unos casos o situaciones de forma manual, o automática si activa los controles correspondientes. Para poder controlar los sistemas es necesario que el piloto tenga información en la cabina del comportamiento y estado de cada sistema, para lo cual se instalan los correspondientes indicadores, de presión, de temperatura, de velocidad, de cantidad de líquidos, etc.

Al ser tantos y con tal cantidad de datos y posibilidades es necesario colocarlos en los tabiques frontales, en los laterales, en los pedestales centrales y en los del techo de la cabina, pero con una arquitectura y ubicación apropiadas y teniendo en cuenta como objetivo principal que al piloto le sea fácil tanto manejarlos como observar las informaciones que muestren los indicadores. Por otra parte, entre los fabricantes se va teniendo la norma de colocar tanto los mandos de control de los sistemas como los indicadores en el mismo lugar de la cabina, al objeto de que sea más fácil para los usuarios la localización de la ubicación de los elementos, así, en los aviones terrestres encontraremos los mandos de control de los motores en el pedestal central y la información de los mismos en la parte central del panel frontal de la cabina. En un principio las cabinas eran más fáciles de observar porque no tenían muchos instrumentos, eran analógicos, en la figura siguiente se muestra una cabina de esta época.

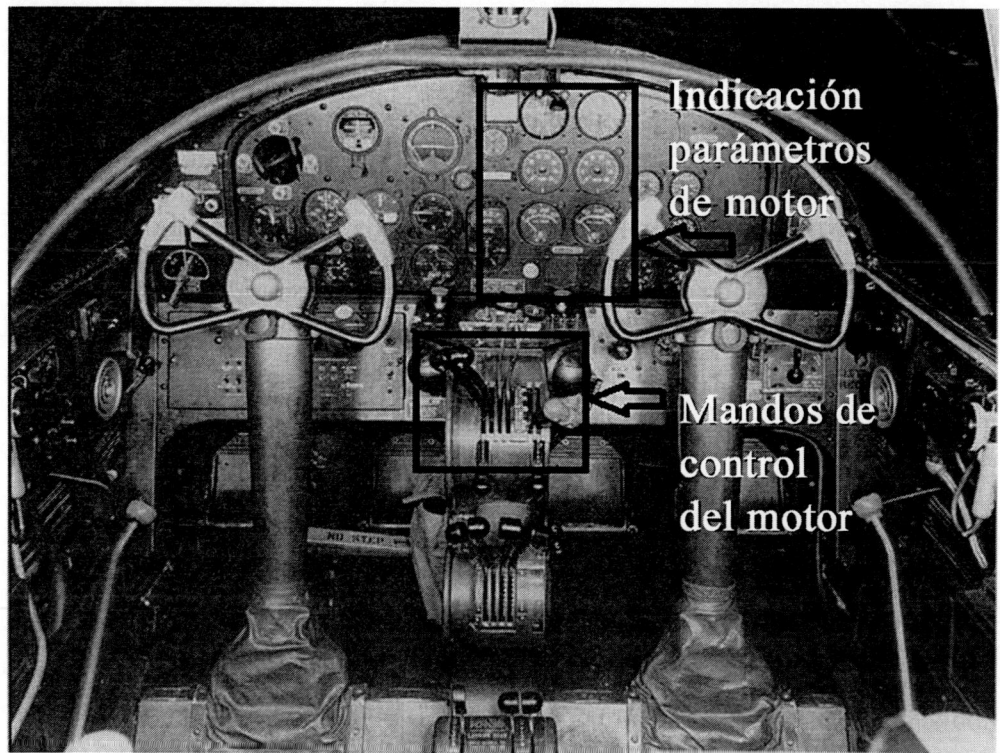

CABINA AÑOS 40 SIGLO XX

Con la evolución tan rápida que tiene esta rama de la técnica aeronáutica rápidamente se van incorporando a las aeronaves nuevos sistemas con nuevos indicadores y controles, que van produciendo unas cabinas que, sin salir de la información analógica, son excesivamente complicadas y así se llega a tener cabinas con tres tripulantes y llenas de indicadores como la que se muestra en la siguiente figura perteneciente al avión anglo-francés Concorde.

CABINA DEL CONCORDE

Con la aparición de la información digital en pantallas de cristal líquido las cabinas sufren una gran transformación y al tener la posibilidad de poder ver varias informaciones sobre la misma pantalla, las cabinas, sin perder la ubicación de la información, se simplifican, en la figura siguiente se muestra una cabina de un Airbus A-320, con la mayoría de la información en pantallas de cristal líquido, conservando la información en las mismas zonas.

*Cortesía de Airbus

Indicación de motor

Controles del motor

CABINA DE AIRBUS

En la actualidad, en la aviación comercial la mayoría de los aviones son manejados por dos pilotos que tienen acceso desde sus asientos a todos los mandos de control de todos los sistemas que lleve el avión, así, una ubicación general que se mantiene es: que la información de navegación se mostrará en las pantallas laterales de los paneles frontales, los controles de la navegación automática en la visera del panel frontal, la información de los motores y sistemas en el panel central del frente, las comunicaciones, los mandos de control de los motores, y de los mandos de vuelo secundarios, y las unidades de interfaz de diálogo con los sistemas (MCDU) se encontrarán en el pedestal central. Los paneles de control de la mayoría de los sistemas y parte de los interruptores fusibles de los mismos se encontrarán en el panel del techo de la cabina, quedando el resto de los interruptores fusibles para las paredes posteriores detrás de los asientos de los pilotos. En la figura siguiente se muestra la distribución de paneles de control de los sistemas en el techo de una cabina de mandos.

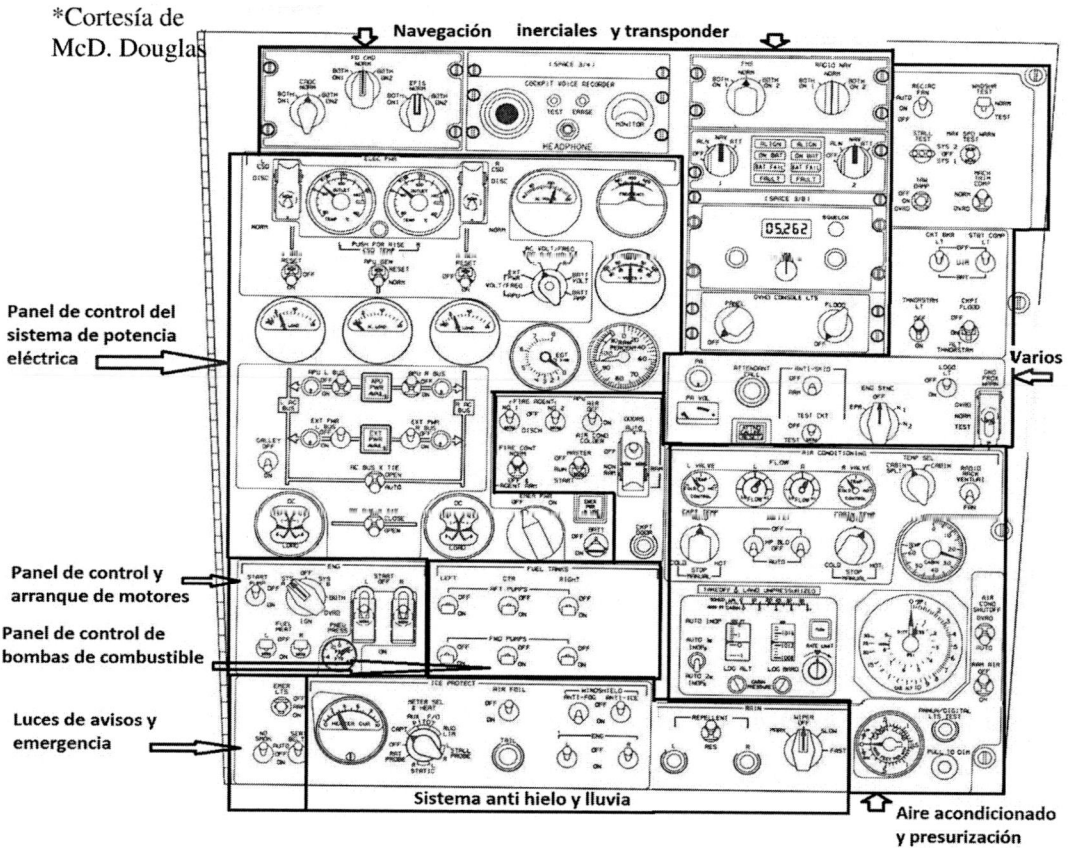

CABINA DE AIRBUS

11.4 AIRE ACONDICIONADO Y PRESURIZACIÓN DE CABINA (ATA 21)

El cometido de este sistema es mantener el interior del fuselaje, principalmente las cabinas de tripulación, de pasajeros y las bodegas donde puedan viajar animales vivos, con una atmósfera controlada tanto en presión como en temperatura y calidad del aire que se respira. En la figura siguiente se muestra uno de los sistemas de aire acondicionado completo, con sus interconexiones con otros sistemas, de un avión de tipo medio, de cabina estanca como son los de la serie Douglas MD.

*Cortesía de McD. Douglas

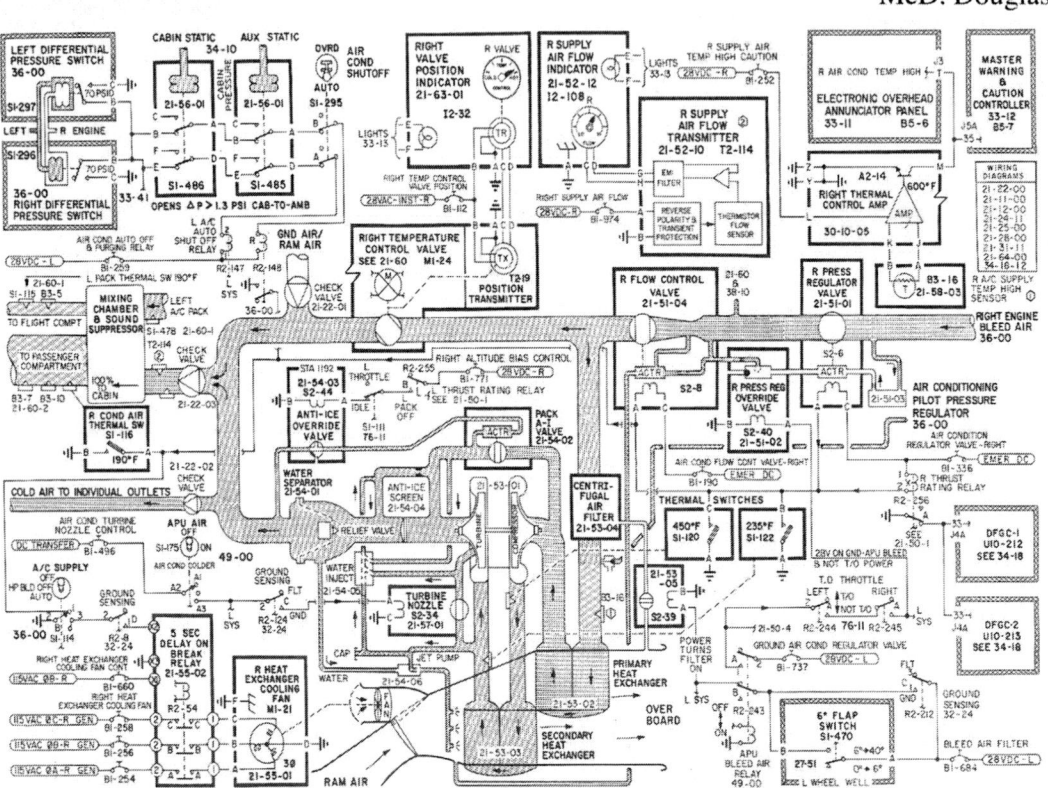

SISTEMA DE AIRE ACONDICIONADO

El camino que realiza el aire desde que se extrae de las etapas medias y altas del motor se puede observar en la figura, como lo primero que se hace es controlarlo en cuanto a la presión por medio de las válvulas de regulación de la presión, de accionamiento neumático y control eléctrico desde el panel de cabina. A continuación pasa por los radiadores de refrigeración, compresor, turbina donde se le extrae la energía calorífica, pasa por un separador de agua donde se le extrae la humedad, y se introduce en la cabina mezclado con aire caliente por una válvula de control de temperatura, de control automático por medio de sensores de temperatura en el interior de la cabina, lo que mantiene la misma a la temperatura que se desee controlando la apertura de las válvulas.

Si se introduce aire en una cabina estanca aumentará la presión, que deberá ser regulada teniendo en cuenta la resistencia del fuselaje, la altitud a la que se quiere volar y la presión que se necesita para respirar normalmente, esa presión diferencial con el exterior se mantiene dejando salir al exterior aire a través de las válvulas de derrame (out-flow), con lo que se mantiene la necesaria renovación de aire de la cabina, una vez alcanzada al altitud elegida y mantenida la presión diferencial dentro de los límites, solo entrará la cantidad necesaria para mantener este equilibrio. En la figura siguiente se muestra un sistema de control de la presurización de un avión Canadair de la serie CRJ-100. En el capítulo 11.4 del tomo I de *Sistemas de aeronaves de turbina* se trata este sistema con todos los detalles de funcionamiento y control.

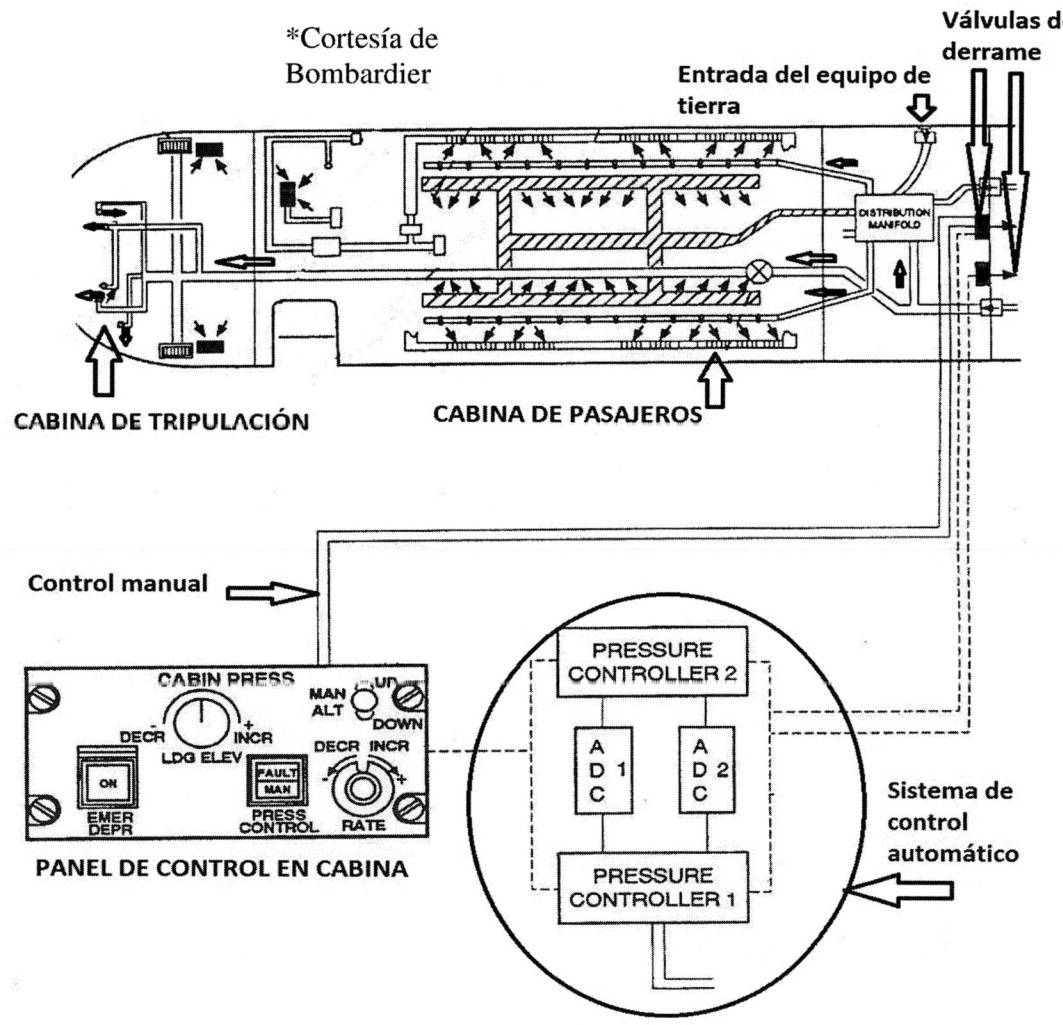

SISTEMA DE PRESURIZACIÓN DEL CRJ-100

11.5 INSTRUMENTACIÓN/AVIÓNICA (ATA 31-22-23 Y 34)

En este apartado se engloban varios sistemas que están relacionados, pero que en los manuales de las aeronaves se tratan por separado, por lo que aquí se tratarán unas explicaciones a modo de presentación, funciones y cometidos básicos de cada sistema, teniendo en cuenta que en el tomo I de los de *Sistemas de aeronaves de turbina* en el capítulo 11.5 se desarrollan los temas con la profundidad y amplitud necesarias.

ATA 31 INSTRUMENTOS

En este apartado se engloban todos los instrumentos que proporcionan información sobre actuaciones y comportamientos a la tripulación de todos los sistemas.

Las informaciones que presentan los instrumentos de forma analógica o de forma digital en pantalla son informaciones que se pueden dividir en dos grandes grupos, **un grupo** para las informaciones de comportamiento y situación de los sistemas, como presiones de los sistemas hidráulicos, de los sistemas neumáticos, de posición de los mandos de vuelo o tren de aterrizaje, de las válvulas de los diferentes sistemas, indicaciones de cantidad de líquidos, etc., y el **otro grupo** es el de los instrumentos de navegación, como altímetros, anemómetros, variómetros o indicadores de viraje entre otros.

Como todos los sistemas, con el tiempo y los avances tecnológicos, este también ha sufrido muchas variaciones, en un principio los instrumentos eran analógicos, sencillos y escasos, en la actualidad, con la aparición de los computadores, las informaciones se pueden ver en unas pantallas de cristal líquido que presentan la información en tiempo real.

Esta información puede ser de varias formas, **permanente** en unos casos, como parámetros de motor, etc., o **cuando ocurre** algo que debe saber el piloto lo manifiesta en la pantalla correspondiente acompañado de señales acústicas para reclamar su atención, a la vez que deja constancia en las memorias de los computadores del evento que haya sucedido.

Hay informaciones sobre anormalidades que ocurren en algunos momentos del vuelo, que, bien por no ser relevantes, o porque no exijan efectuar ningún procedimiento, o porque en esa fase del vuelo no es conveniente, no se presentan en el momento y se muestran más tarde, además de quedar grabadas en las memorias de los computadores para informar de ello una vez terminado el vuelo.

En aviones de la generación actual este sistema tiene la posibilidad de almacenar las averías durante muchos vuelos para poder consultar el comportamiento de los elementos de los diferentes sistemas así monitorizados. También tienen posibilidades de almacenar las averías consideradas poco relevantes (clase 3) para que los servicios de mantenimiento las puedan corregir en un momento en el que no implique ningún retraso en el servicio del avión.

En la figura siguiente se presenta un ejemplo de un panel de instrumentos frontal derecho de un avión Douglas de la serie MD considerado de segunda generación en el que puede observarse la mezcla de instrumentos analógicos y de pantalla.

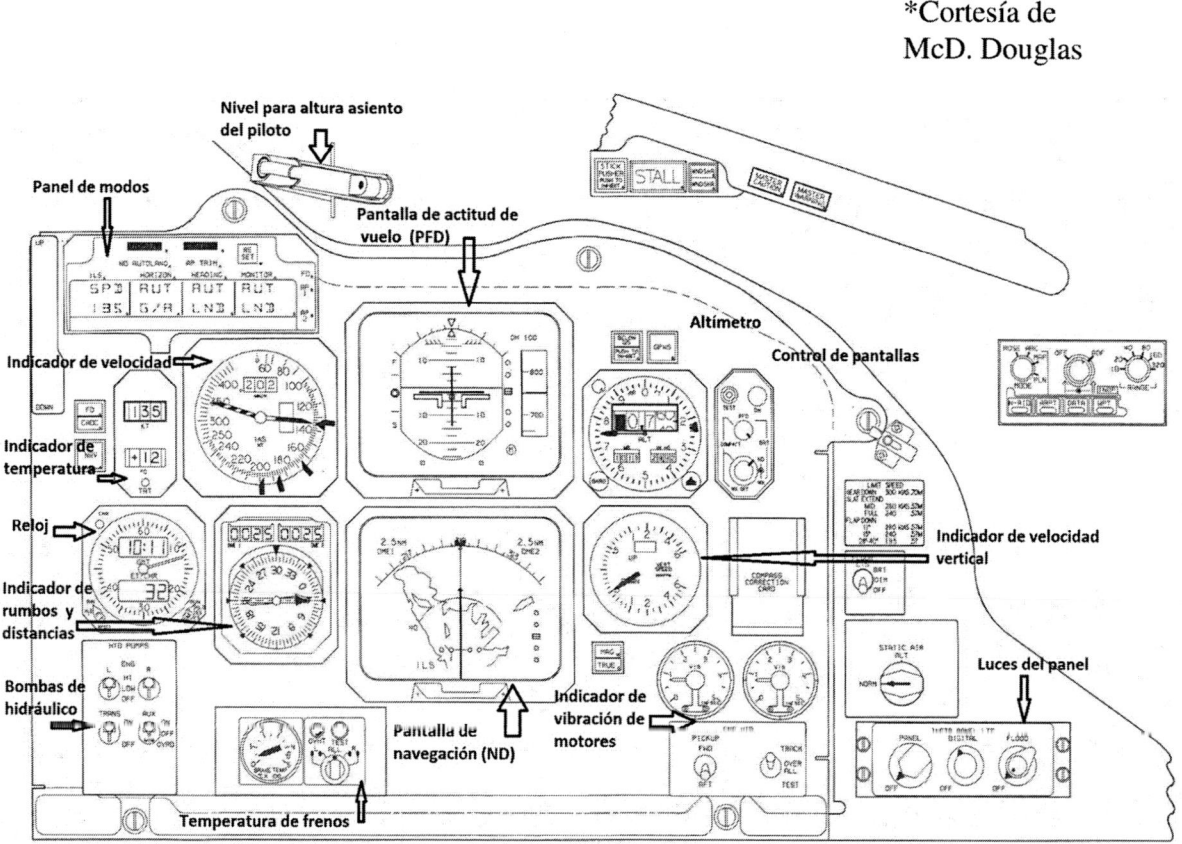

*Cortesía de McD. Douglas

PANEL FRONTAL DERECHO DE INSTRUMENTOS

Otro de los sistemas encuadrados en los instrumentos es el correspondiente a los registradores de voz y de datos de vuelo. El registrador de voz tiene la misión de grabar todos los sonidos del ambiente de la cabina de vuelo y las señales del sistema interfónico de vuelo, mantiene siempre la información de los últimos treinta minutos de vuelo para los análisis que posteriormente fuesen necesarios.

El sistema de registro de datos de vuelo graba los parámetros de vuelo en una cinta (actualmente magnética) que permite una posterior impresión de datos para una posible investigación de avería o accidente. Toda la grabación de datos, tanto mandatarios, que los eligen las autoridades aeronáuticas, como los opcionales, que los elige el operador, se quedan grabados durante un tiempo, depende del fabricante, pero generalmente no menos de las últimas 25 horas de vuelo.

*Cortesía de
McD. Douglas

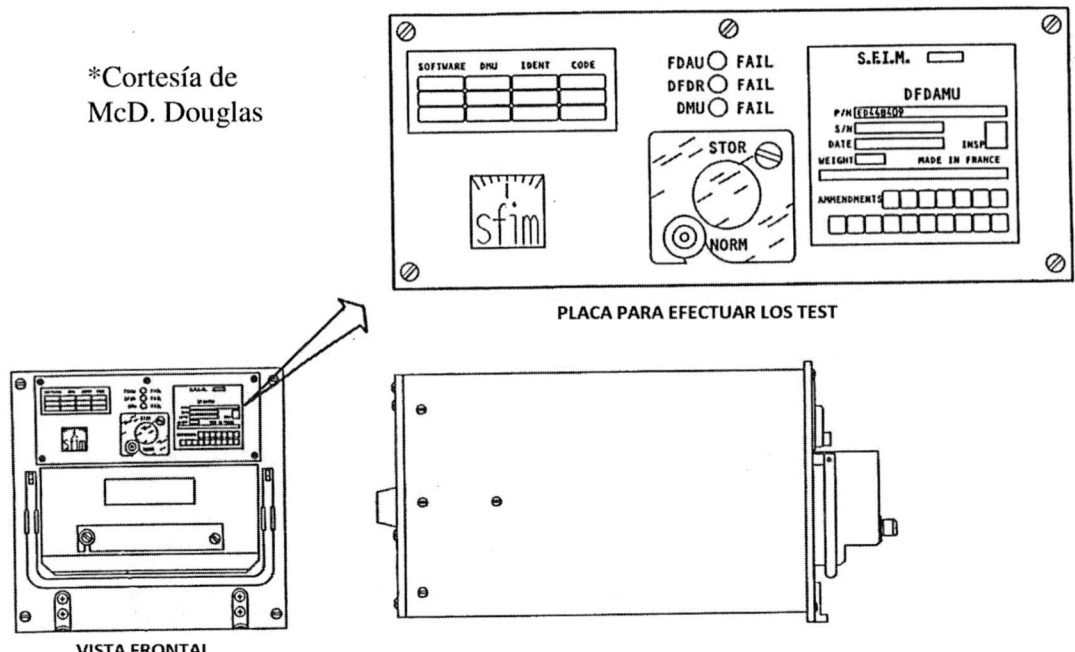

PLACA PARA EFECTUAR LOS TEST

VISTA FRONTAL

EQUIPO GRABADOR DE DATOS DE VUELO (Caja negra)

Entre los instrumentos importantes de información ha sido siempre el reloj uno de ellos, entre otras cosas porque se funciona con la hora solar u hora GMT, para todo el mundo, y es necesario tener el mismo punto de referencia. El reloj era un simple instrumento informativo en aviones antiguos.

Los aviones actuales para casi todos los sistemas llevan incorporados equipos de control mediante computadores, de una u otra clase, pero en todos la base tiempo es fundamental, es por lo que el reloj es un elemento importante y tiene relación con todos los sistemas, son relojes electrónicos, provistos de una base de tiempo de cuarzo controlada por microprocesadores, están alimentados eléctricamente desde las barras calientes de las baterías principales.

Entre los instrumentos analógicos que se instalan en la cabina como instrumentos para casos extremos, está la brújula de reserva o "brújula de bitácora", es una brújula convencional, magnética, que se instala en el compartimento de vuelo procurando que no existan en su inmediata cercanía piezas o elementos de materiales férricos que la puedan falsear, generalmente se instala en el marco central entre los cristales frontales de la cabina, y los tornillos de esa zona son especiales, de material antimagnético, por lo que se deberá tener especial cuidado cuando se efectúen operaciones de mantenimiento en esas zonas.

Este instrumento es utilizado como referencia de rumbo en caso de una pérdida total de potencia eléctrica del avión, y también como referencia en caso de discrepancia con los rumbos indicados por los sistemas primarios. El elemento magnético es esférico con grabaciones de rumbo, alojado en una carcasa hermética no magnética llena de un líquido que sirve para amortiguar movimientos rápidos y evitar oscilaciones, en el frontal lleva los tornillos de ajuste de compensación para su calaje cuando se instala a bordo.

En la figura siguiente se muestran unos dibujos de una brújula magnética convencional.

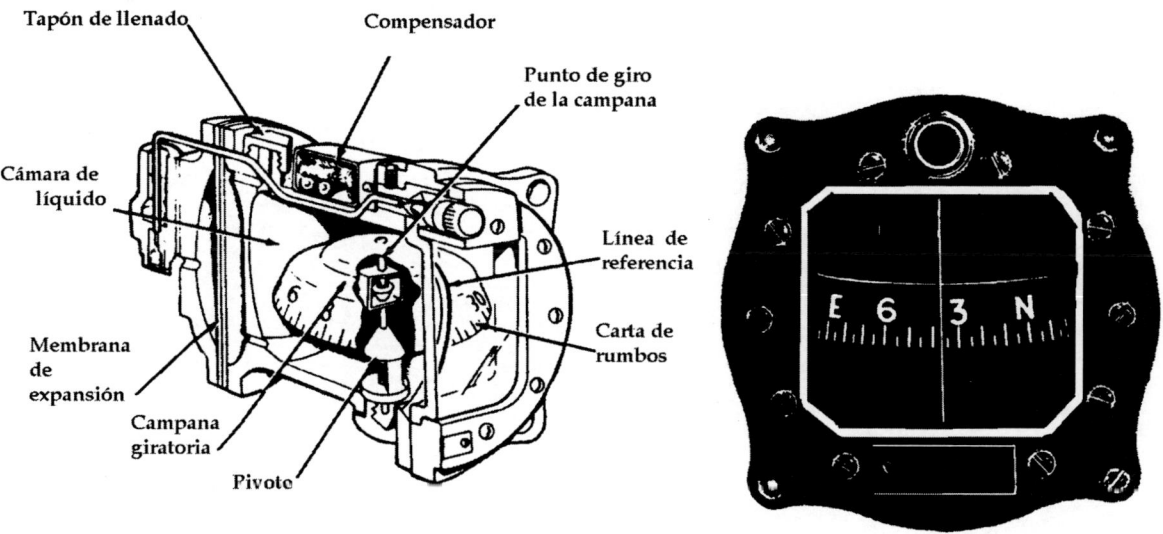

BRÚJULA MAGNÉTICA

En los aviones de tecnología actual considerados de tercera generación o de información por pantallas, en cumplimiento de la legislación vigente se instalan instrumentos analógicos para caso de emergencia, un horizonte artificial, un altímetro, una brújula de reserva, un indicador de rumbo y distancia y un indicador de velocidad.

El horizonte de emergencia es de alimentación eléctrica desde barras consideradas seguras (standby o las de emergencia), tiene un giróscopo eléctrico de tres fases alimentadas y monitoreadas por un inversor estático.

El anemómetro neumático mide la velocidad como función diferencial entre la señal de presión del pitot y la señal de presión de ambiente (estática), la presión estática es aplicada a una cápsula en cuyo interior hay una membrana que responde a las variaciones de presión del pitot, que varía con la velocidad, el movimiento de la membrana se transmite a la aguja indicadora por medio de engranajes.

145

En cuanto al altímetro neumático, recibe señal de presión estática directamente desde el sistema alternativo a una cámara con una cápsula aneroide que se dilata y contrae cuando la presión varía, este movimiento es transmitido a la aguja indicadora mediante engranajes.

El indicador magnético de radio y distancia proporciona indicación de rumbo, de distancia (DME) y marcaciones de VOR y ADF. En la figura siguiente se muestra un panel frontal de cabina con los instrumentos de emergencia más comunes.

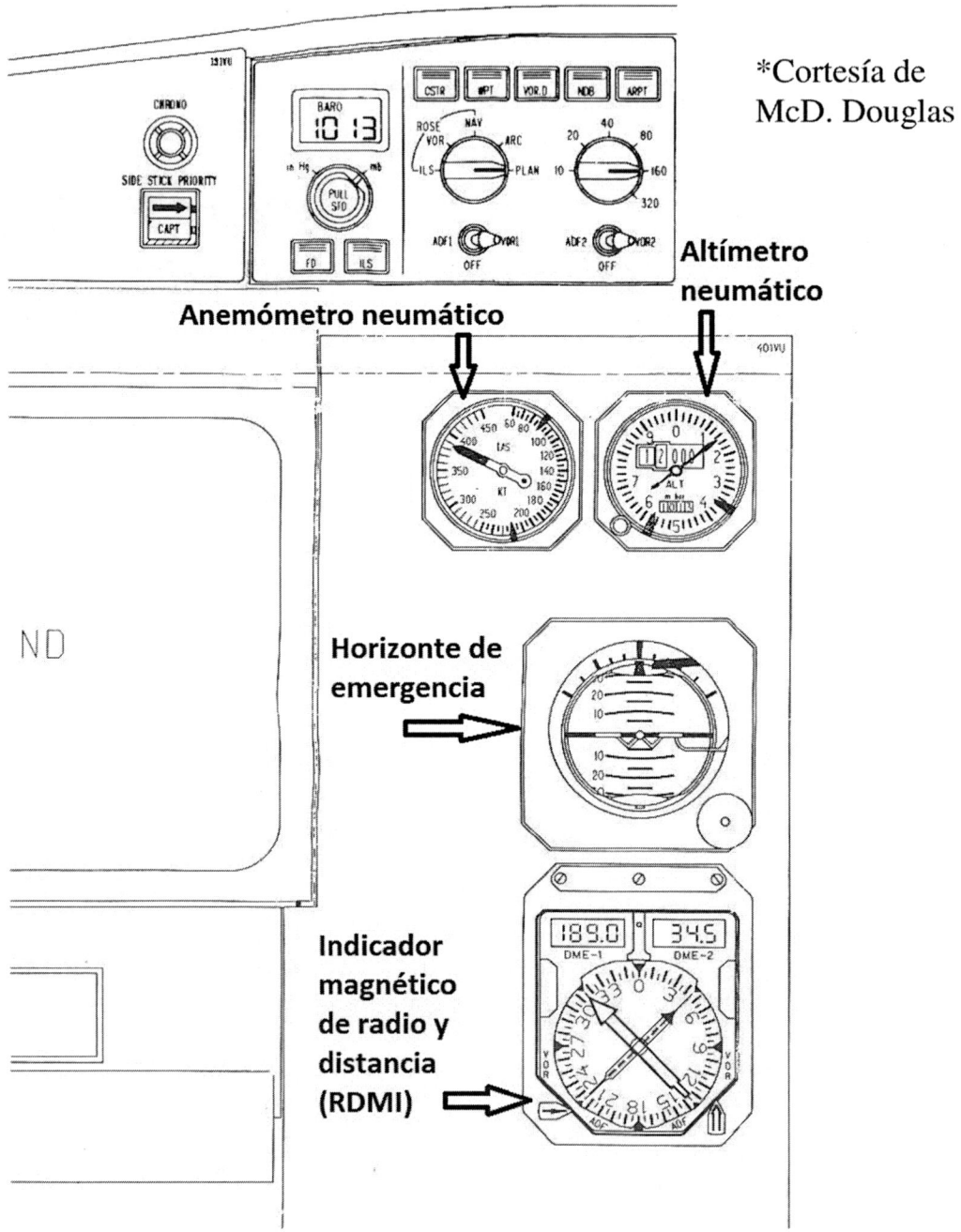

INSTRUMENTOS DE EMERGENCIA

ATA 22 PILOTO AUTOMÁTICO

Se llama piloto automático al conjunto de elementos que forman un sistema capaz de controlar el vuelo de una aeronave alrededor de sus tres ejes, tomando como patrón los datos de altitud, rumbo, compensación y actitud que se le programen, al objeto de reducir el trabajo de los pilotos, permitiéndoles dedicar más atención a otras labores como el seguimiento de la navegación, la atención a las comunicaciones y el comportamiento de todo el resto de los sistemas y planta de potencia de a bordo.

El sistema de piloto automático tiene tres partes principales: el panel de control, los computadores de confección de las órdenes de mando y los elementos actuadores, que normalmente, en las aeronaves actuales, son los mismos que actúan a instancias de las órdenes del piloto en el vuelo manual; también hay modalidades en aviones de mando a las superficies de control, por cables de acero, en los que las señales de mando las introduce en el sistema de cables mediante un servo con motor eléctrico.

En la generalidad de los pilotos automáticos actuales, los aviones tienen sus bases de datos en los computadores gestores de vuelo, y la operación comienza cuando a través de la unidad de entrada de datos se introducen los correspondientes al vuelo que realizar. Efectuado el despegue y en la fase del vuelo correspondiente se conecta el piloto automático en el panel de control, generalmente situado en el frontal de la visera antideslumbrante.

A los computadores de mandos de vuelo ya les llegan los datos del vuelo que se ha programado, y los correspondientes a la situación real que el avión tiene en ese momento establecen las diferencias y elaboran y envían las órdenes correspondientes a las servoválvulas de los sistemas hidráulicos y a los servoactuadores de los mandos de control del vuelo para que los sitúen en la posición conveniente para alcanzar la posición que fue programada y el seguimiento de la misma durante el vuelo.

Si por cualquier causa, atmosférica o voluntaria, por parte del piloto el avión se desvía de la posición programada, los computadores vuelven a elaborar nuevas órdenes para mover los mandos de vuelo y devolver el avión a la posición programada o a la nueva posición que el piloto haya elegido.

Esta es en rasgos generales, tanto la filosofía como la actuación de los pilotos automáticos. En aeronaves actuales que efectúan vuelos de muchas horas de duración, se les dota hasta de tres pilotos automáticos independientes, que, alimentados por varios sistemas hidráulicos, garantizan que en caso de fallo nunca se quede la aeronave sin la posibilidad de que sea gobernada automáticamente. En la figura siguiente se muestra un diagrama bloque con los componentes de un sistema de piloto automático y el orden de actuación.

147

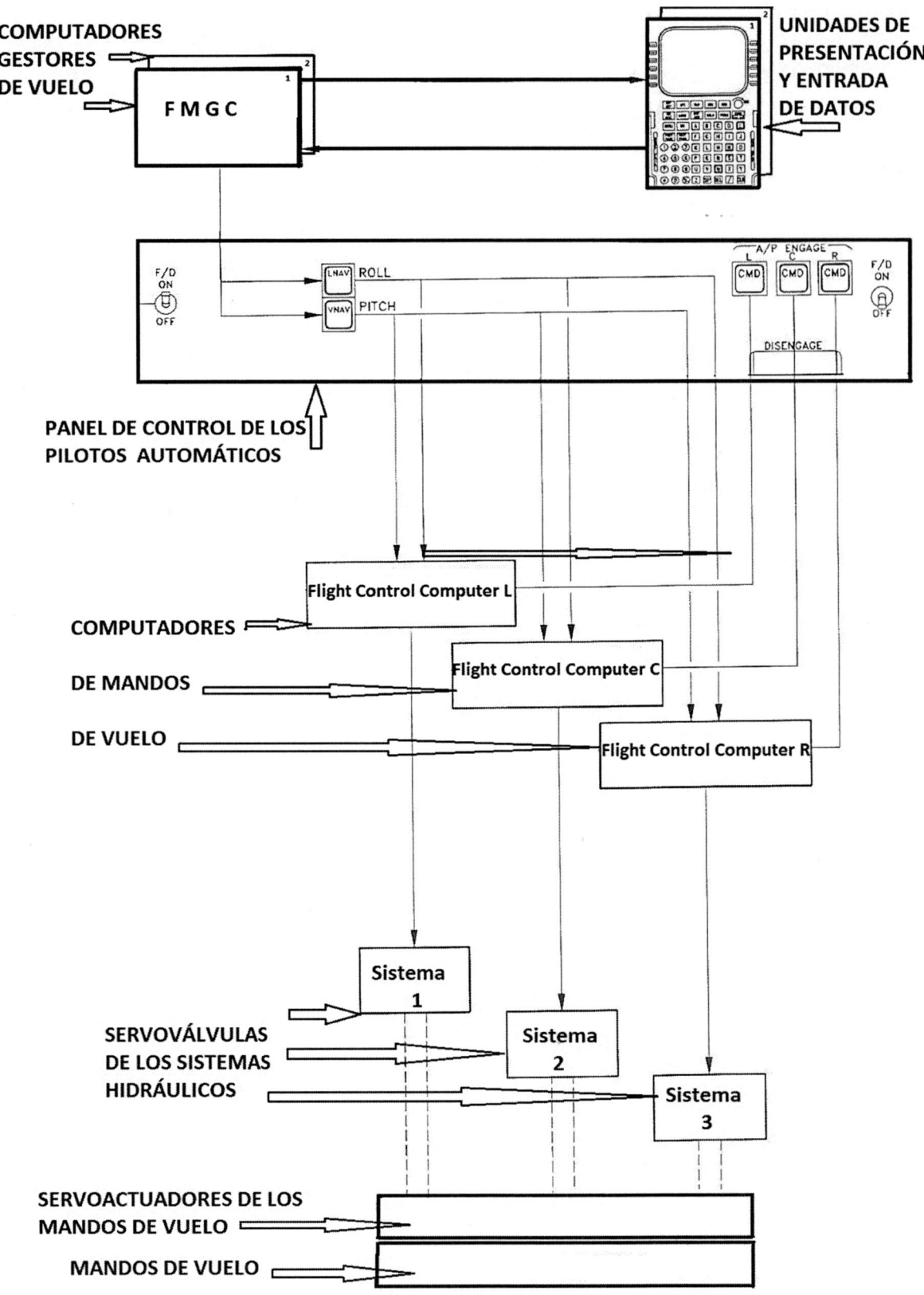

COMPUTADORES GESTORES DE VUELO — F M G C

UNIDADES DE PRESENTACIÓN Y ENTRADA DE DATOS

PANEL DE CONTROL DE LOS PILOTOS AUTOMÁTICOS

F/D ON OFF — LNAV ROLL — VNAV PITCH — A/P ENGAGE L C R — CMD CMD CMD — F/D ON OFF — DISENGAGE

Flight Control Computer L

Flight Control Computer C

Flight Control Computer R

COMPUTADORES DE MANDOS DE VUELO

Sistema 1

Sistema 2

Sistema 3

SERVOVÁLVULAS DE LOS SISTEMAS HIDRÁULICOS

SERVOACTUADORES DE LOS MANDOS DE VUELO

MANDOS DE VUELO

DIAGRAMA BLOQUE DE UN PILOTO AUTOMÁTICO (3 CANALES)

En el mismo capítulo que el control automático de los mandos de control del vuelo, y bastante interconectado, se encuentra el control automático de los gases de los motores, que tiene por objeto suministrar la potencia necesaria en cada momento del vuelo.

Los computadores de gestión toman los datos que necesiten de las informaciones que para ese vuelo introduce el piloto a través de las unidades de presentación y entrada; una vez activado el sistema en el panel de control, y seleccionado el modo de empuje en el panel selector, el ordenador gestor de empuje, mediante los servos de actuación, sitúa los mandos de gases en la posición conveniente para suministrar a los motores el combustible necesario para cumplir con las condiciones del vuelo que se ha programado. En la figura siguiente se muestra un diagrama bloque de los componentes de un sistema de control automático de gases típico.

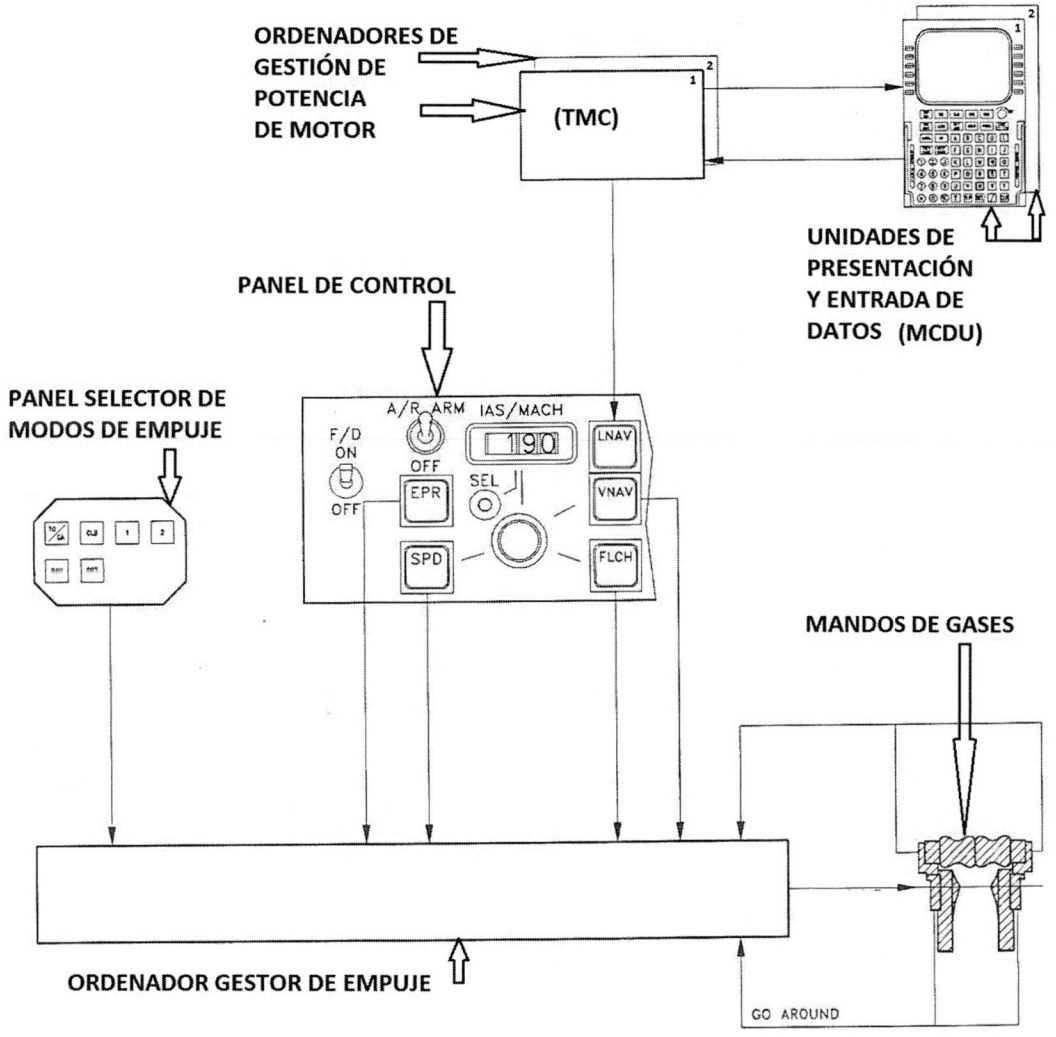

SISTEMA AUTOMÁTICO DE CONTROL DE GASES

ATA 23 COMUNICACIONES

El sistema de comunicaciones de una aeronave comprende dos grandes áreas, las comunicaciones internas y las comunicaciones externas.

Las comunicaciones internas comprenden los sistemas de:
Interfono de vuelo.
Interfono de servicio.
Alertas acústicas, avisos a los pasajeros, entretenimiento de imagen y sonido.
Llamada a la tripulación desde tierra.

Las comunicaciones externas comprenden los sistemas de:
Comunicaciones en (HF).
Comunicaciones en (VHF).
Llamada selectiva (SELCAL).
Comunicaciones automáticas de datos (ACARS).

En la figura siguiente se muestra un diagrama de un típico sistema de comunicaciones completo.

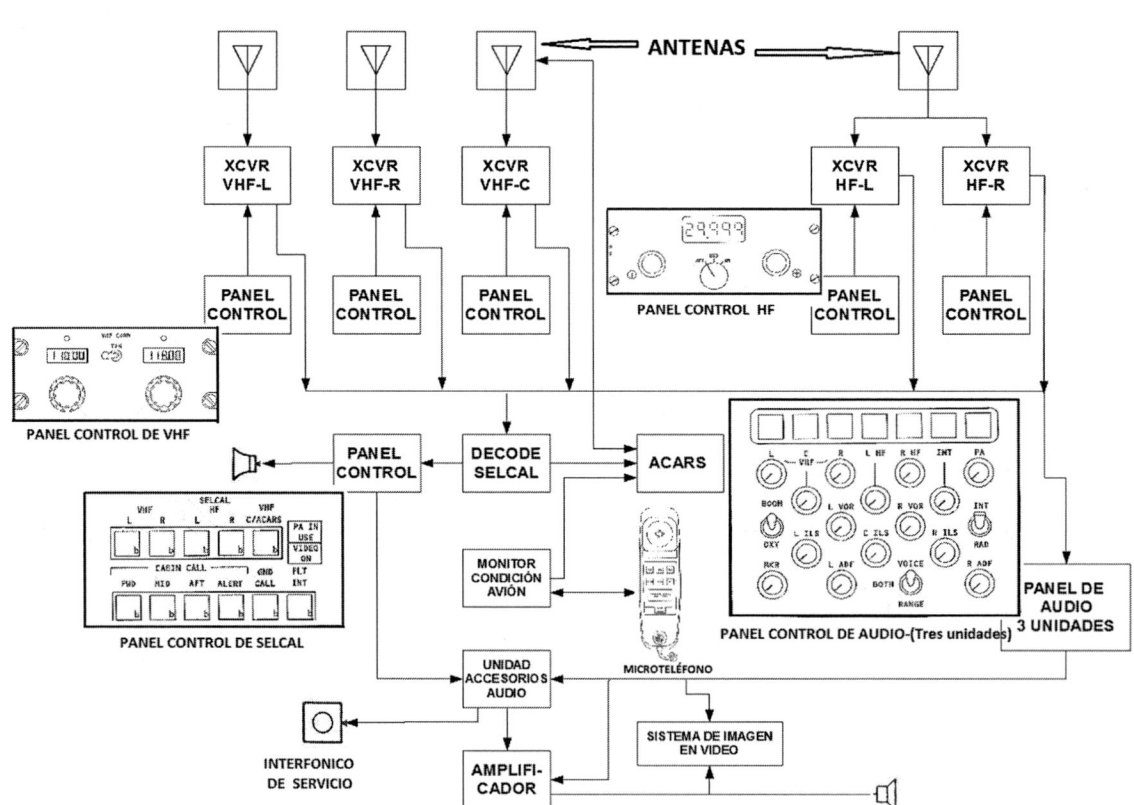

SISTEMA DE COMUNICACIONES

INTERFÓNICOS DE VUELO

Con el sistema interfónico de vuelo se permite al piloto comunicación hablada y escucha, con las estaciones de control de tierra, con otros aviones, con los otros miembros de la tripulación tanto técnica como auxiliar, con los sistemas monitores de navegación, así como interconexiones con los registradores de voz o comunicación directa con el puesto de tierra utilizado como ayuda al arranque de motores.

Para todas estas funciones utiliza algunas de las funciones de los paneles de control de audio en la cabina de mandos y las diferentes unidades que están ubicadas en los diferentes puestos de auxiliares en la cabina de pasajeros.

Como componentes generales están los micrófonos, los interruptores (ptt) de los volantes de mando de alabeo para poder hablar con las máscaras de oxígeno puestas o con los auriculares con micrófono, las unidades transceptoras y receptoras de las comunicaciones.

INTERFÓNICOS DE SERVICIO

Es un sistema que tiene como objetivo la comunicación entre la cabina de mandos y los diferentes puntos en todo el avión, como estación de repostado de combustible, motores o compartimentos de accesorios; se utiliza preferentemente en operaciones de mantenimiento.

ALERTAS ACÚSTICAS Y AVISOS A LOS PASAJEROS

Se utiliza por parte de la tripulación para informar a los pasajeros sobre lo que considere la tripulación, o para ordenar las acciones que correspondan en caso de emergencia, se utilizan los mismos equipos y medios, solo que en el panel de control de audio se utiliza la función que corresponda entre las múltiples posibilidades que tiene.

ENTRETENIMIENTO DE LOS PASAJEROS

Este sistema se utiliza para un servicio de entretenimiento a los pasajeros por medio de imágenes o música tanto ambiental como individual desde cada asiento de pasajeros, consta de unidades de vídeo en el soporte actual DVD, aunque el soporte va cambiando según van apareciendo en el mercado otros elementos de almacenaje de información o imagen, para el audio se utiliza el sistema de altavoces general de la cabina.

Las comunicaciones externas son las que se utilizan para hablar y recibir desde el avión con unidades de tierra o con otras aeronaves. Las comunicaciones se efectúan a través de ondas de alta frecuencia (HF), de muy alta frecuencia (VHF) para llamada al piloto desde estación de tierra (SELCAL) o transmisiones automáticas a las estaciones de tierra (ACARS).

COMUNICACIONES EN HF

Se utilizan para comunicaciones de largo alcance de avión a tierra o viceversa, y para comunicaciones aire-aire de un avión a otro, generalmente se utiliza para el control del tráfico aéreo. Para cortas distancias utiliza la onda directa, pero para conseguir largas distancias depende de la refracción entre una capa ionizada de la atmósfera y la superficie de la tierra.

Los elementos de que se compone el sistema son un panel de control, un transceptor, un acoplador de antena y una antena, y funciones englobadas en el sistema interfónico de vuelo.

Hay zonas en las que la cobertura es poca o mala porque depende de algo tan importante como la propagación de la onda celeste y esta a su vez varía por varias causas entre otras, la hora del día porque la capa ionizada es variable; con la altura del avión, porque la interacción entre la tierra y la atmósfera es variable; por causa de la frecuencia, que es la que controla los posibles ángulos de refracción, la señal sufre deformaciones y cortes que provocan la mala o nula cobertura.

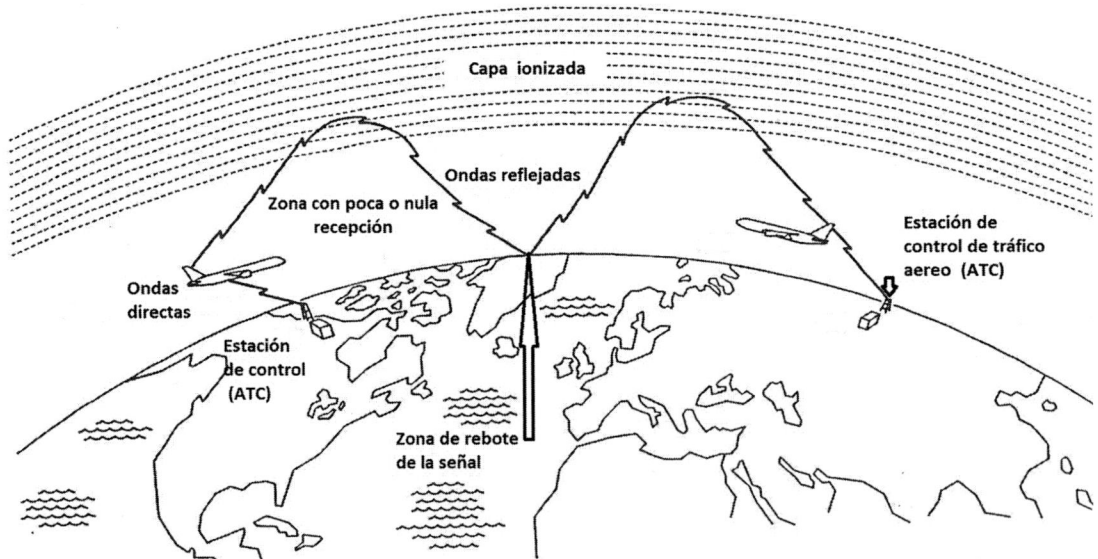

COMUNICACIONES EN ALTA FRECUENCIA (HF)

COMUNICACIONES EN MUY ALTA FRECUENCIA (VHF)

Este sistema proporciona comunicaciones aire-aire, tierra-aire-tierra, de corto alcance, tiene básicamente tres utilidades, una principal, que es el control del tráfico, y otras alternativas para sistemas como el ACARS o similares y las comunicaciones en las frecuencias de la compañía operadora.

Los componentes exclusivos son los paneles de comunicaciones, los transceptores y la antena, utilizando uno de ellos también para las comunicaciones del ACARS y el SELCAL, y para emitir y recibir, los altavoces y micrófonos del sistema interfónico de vuelo. En la figura siguiente se muestra un diagrama bloque del sistema n.º 3 de las comunicaciones de los Boeing 737 y 757.

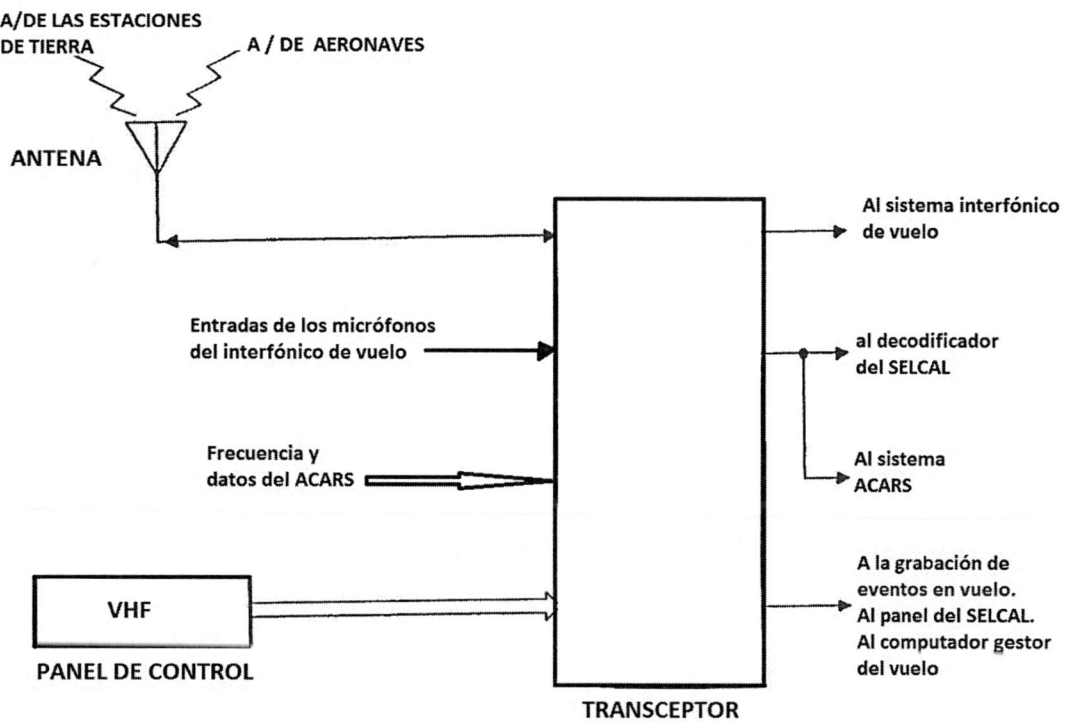

COMUNICACIONES DE MUY ALTA FRECUENCIA (VHF)

SISTEMA DE SELCAL

El sistema SELCAL es un sistema de llamada selectiva para alertar a la tripulación de que una estación de tierra desea que se pongan en contacto, permitiendo no estar controlando la frecuencia asignada durante todo el vuelo.

Cada aeronave tiene en su documentación y en el decodificador del sistema un código propio, cuando la estación de tierra llama a un avión determinado en una frecuencia asignada, transmite cuatro tonos de audio, que modulan en amplitud a

153

la portadora, que serán coincidentes con el código SELCAL asignado, bien por el sistema HF, o el VHF en la frecuencia asignada; el decodificador, cuando reconozca que es su señal, activará la unidad del sistema de avisos que producirá los tonos correspondientes y encenderá la luz apropiada en el panel de control. El reasiento tanto del decodificador como de la luz de aviso se hace manualmente desde el panel, y el piloto seleccionará la frecuencia prevista y se pondrá en contacto con la estación que le llama. En la figura siguiente se muestra un diagrama bloque de un sistema típico de SELCAL.

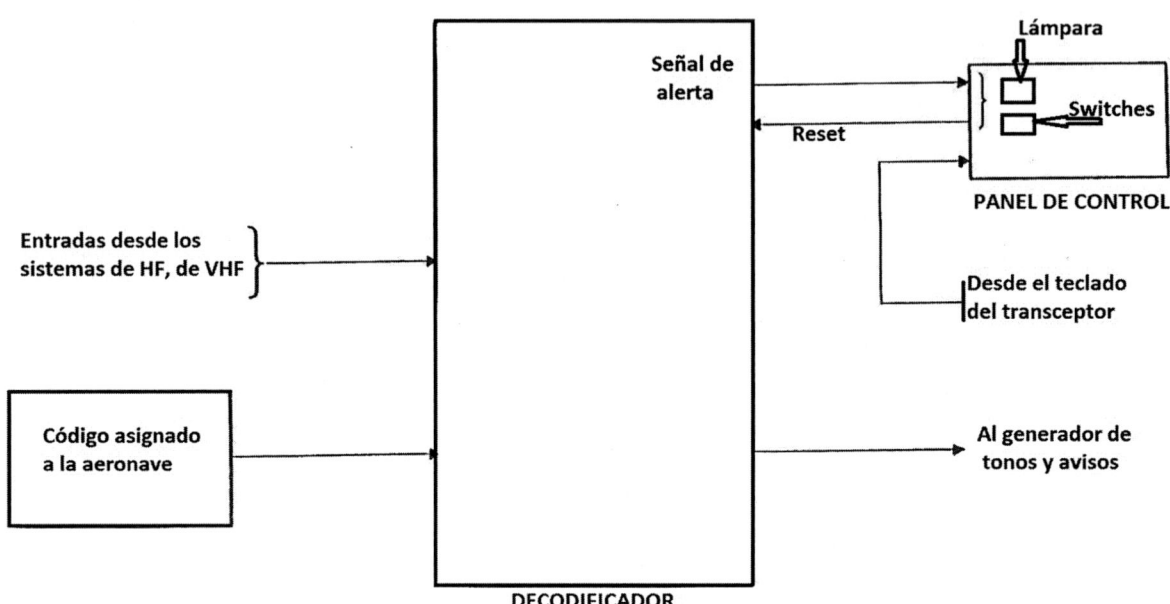

SISTEMA DE LLAMADA SELECTIVA (SELCAL)

SISTEMA ACARS (ARINC COMMUNICATIONS ADDRESING AND REPORTING SYSTEM)

Este sistema amplía la capacidad de comunicación entre las aeronaves y las estaciones en tierra de la compañía operadora, por lo que si bien las aeronaves van tendentes a tener este u otro sistema similar, no está instalado en todos los aviones.

Es un sistema de comunicación de datos en alta velocidad, controlados por computador, en lenguaje de buses de datos, ARINC u otro similar, que a través de una estación de VHF de las que hay en todo el mundo, transmite la señal a una central de unión y de allí a las instalaciones de la compañía operadora.

Este sistema se utiliza para transmitir datos sobre cumplimiento de horario en las rutas, horas de despegue y aterrizaje, demoras, combustible cargado o necesario, transmisión de la hoja de carga y centrado, datos de comportamiento de los sistemas que se ha monitorizado a instancias del operador, como temperaturas de zonas de motor, generadores eléctricos, sistemas hidráulicos, etc., también para comunicaciones telefónicas entre el avión y los circuitos telefónicos de tierra. Esta transmisión se hace automáticamente en muchos casos.

Para comunicaciones orales las llamadas pueden iniciarse desde el avión o desde tierra, una vez asignada la frecuencia ARINC, la transmisión se efectúa por medio de técnicas normales de comunicación en VHF, una vez terminada, el sistema revierte automáticamente al modo de transmisión-recepción de datos.

Las frecuencias asignadas, 131.475 MHz para Canadá, 131.550 para los Estados Unidos y 131.725 para Europa, son diferentes y si se producen cambios serán comunicado a todos los usuarios para incluirlos en sus manuales y equipos.

Asociada al ACARS y a otros varios sistemas se instala una impresora al objeto de poder tener información escrita permanente de lo que se pueda recibir. Existen impresoras de varios tipos, de hojas de papel normal o de rollo de papel, como la que se presenta en la figura siguiente, generalmente se ubica en el pedestal central de mandos de la cabina.

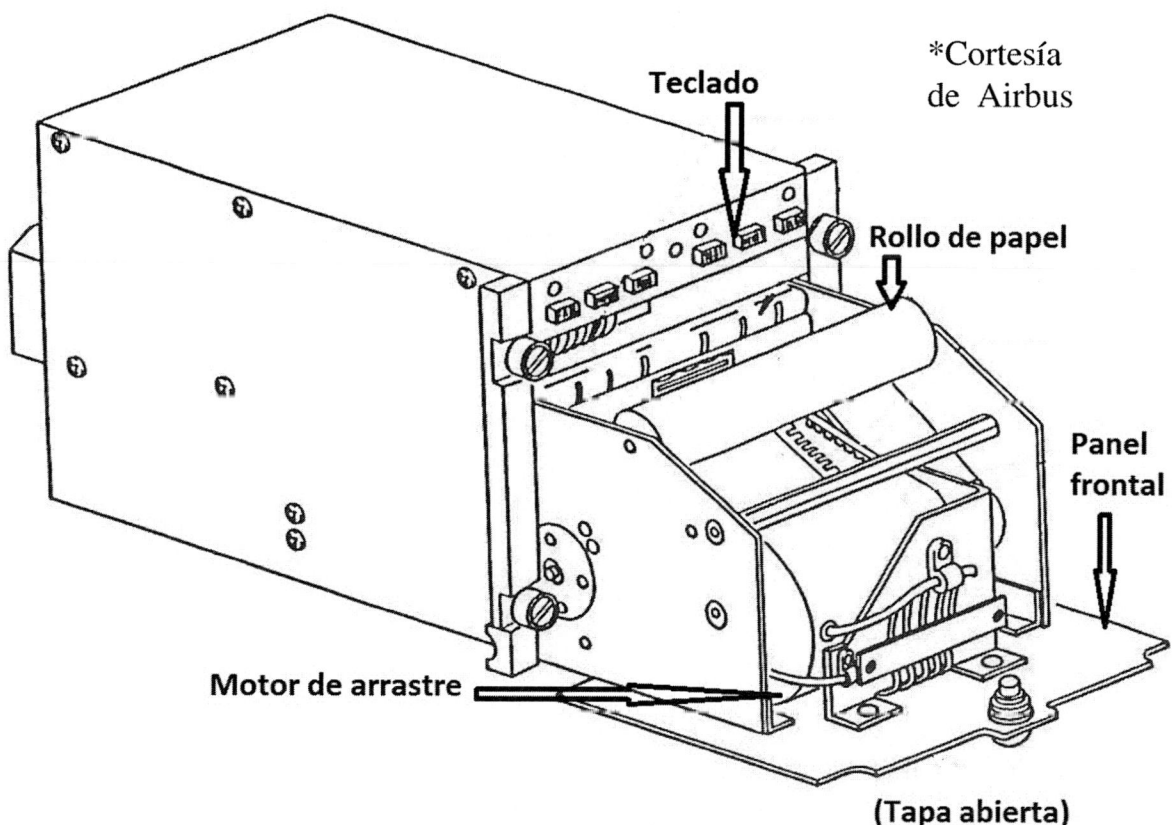

IMPRESORA DE A BORDO

ATA 34 NAVEGACIÓN

Una vez que en los aviones primeros se van incorporando sistemas y avances se va haciendo más necesaria la división de los sistemas, en principio independientes, y la información y datos de todos ellos ocupaba más espacio en la cabina, con lo que se empiezan a reagrupar, dándoles a los indicadores varias funciones a cada uno, tendencia que se sigue utilizando y más, si cabe, aún en las aeronaves de la última generación, donde la filosofía es "cabina oscura", o sea, que si todo va según lo programado no se presentan las indicaciones más que a demanda del piloto, y presentando solo los datos más importantes.

En cuanto a la navegación, en principio los instrumentos necesarios que indicaban el rumbo, la altitud o la velocidad eran neumáticos, tomando las señales de presión dinámica de los pitots, las de presión estática del ambiente y las de posición y mantenimiento de la aeronave mediante giróscopos que también eran neumáticos.

En lo que se llama la segunda generación ya aparecen los instrumentos eléctricos, como el que se presenta en la siguiente figura en la que se muestra un instrumento de navegación mixto, utilizando la presión neumática para datos como la presión barométrica o datos de actuación eléctrica como la altitud en pies en presentación numérica.

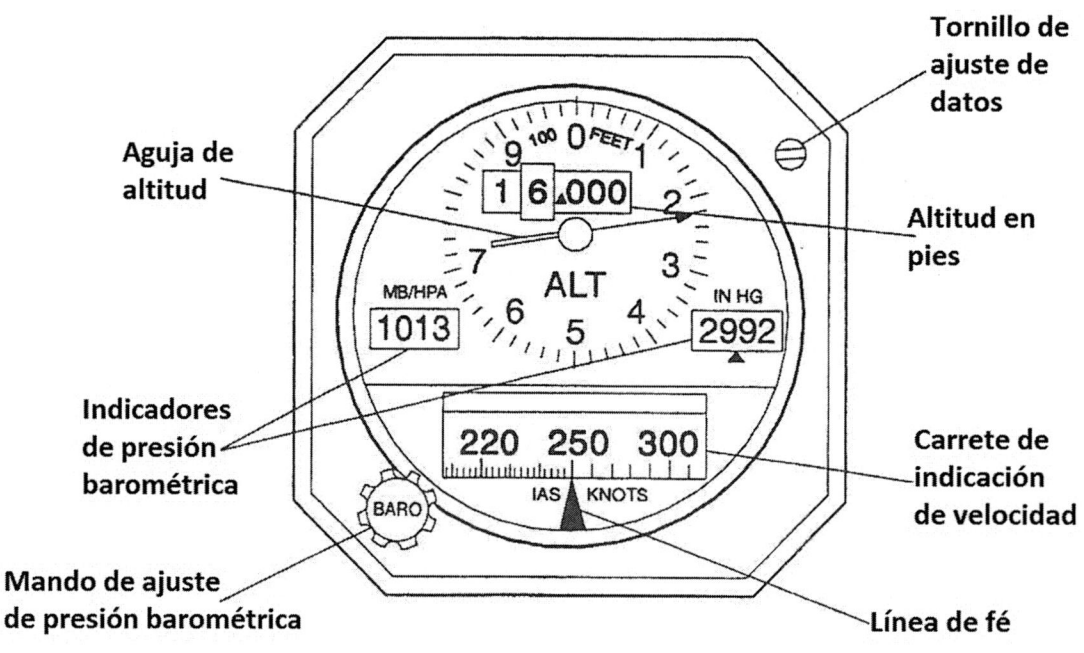

ALTÍMETRO MIXTO (eléctrico y neumático)

156

En aeronaves de la generación actual, donde las indicaciones las producen los computadores como resultado de los datos que recogen de los sensores o transmisores correspondientes, aunque sean de funcionamiento eléctrico y electrónico, utilizan los datos procedentes de los pitot y de la presión estática de las tomas de estática en el fuselaje, traducidos por medio de sensores y enviados a los computadores que necesiten utilizar esas señales para presentarlas en las pantallas; pero a los instrumentos considerados para casos de emergencia las señales neumáticas llegan directamente. En la figura siguiente se muestra un diagrama bloque de un sistema de navegación de un avión de la generación actual como es el Airbus A-340, donde se puede ver la cantidad de ordenadores que componen este sistema.

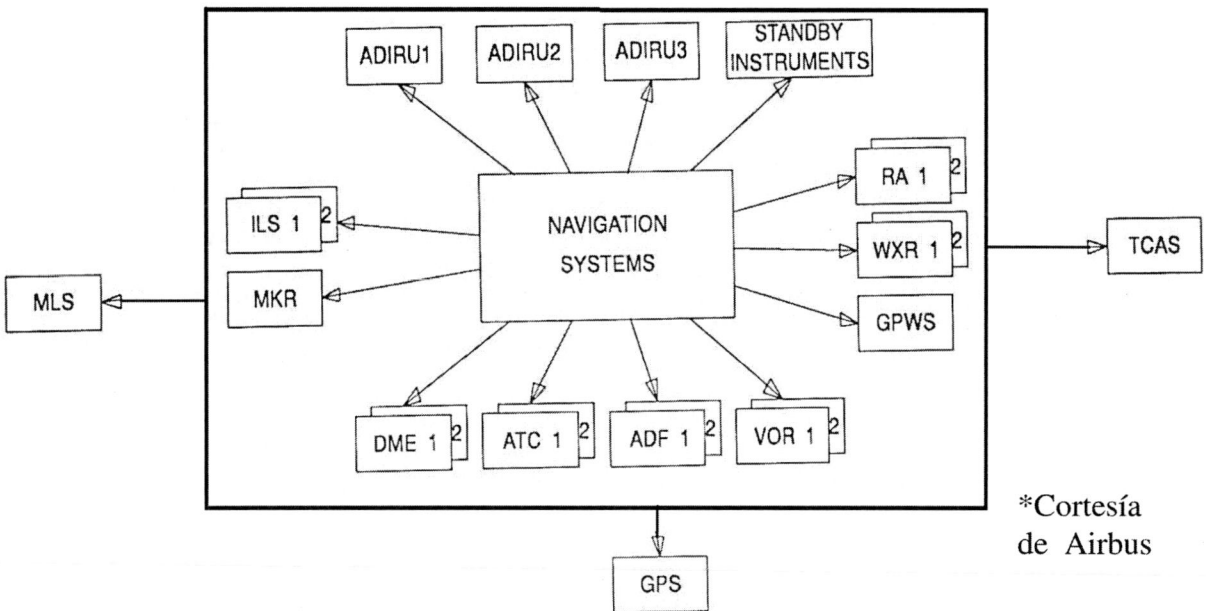

*Cortesía de Airbus

SISTEMA DE NAVEGACIÓN

Todo el sistema cada fabricante lo organiza en varios grupos generales más o menos parecidos, como:

GRUPO DE DATOS DE AIRE Y REFERENCIA INERCIAL

Este grupo comprende los elementos necesarios para proporcionar la altitud barométrica, la temperatura del aire, el ángulo de ataque, la velocidad con respecto al aire y el n.º de Mach, además de la referencia inercial para el rumbo, la posición, la altitud, la velocidad vertical inercial, las aceleraciones y la velocidad con respecto a la tierra.

157

GRUPO DE SISTEMAS DE NAVEGACIÓN DE RESERVA (STANDBY)

Este grupo lo componen los instrumentos que por prescripción legal y, en algunos casos, alguno más que el fabricante o el operador desee instalar, para casos en los que la fiabilidad de los instrumentos electrónicos por degradación o pérdida total de energía ofrezca información dudosa, parcial o nula, además de servir como comprobación fehaciente de que todos los instrumentos funcionan sin discrepancias de información, el grupo consta de altímetro barométrico con la información en pies y/o en metros, o en casos en dos instrumentos separados, anemómetro convencional, horizonte artificial con giróscopo de masa, una brújula de reserva. En la figura siguiente se presenta un ejemplo de los indicadores correspondientes al sistema de navegación de reserva.

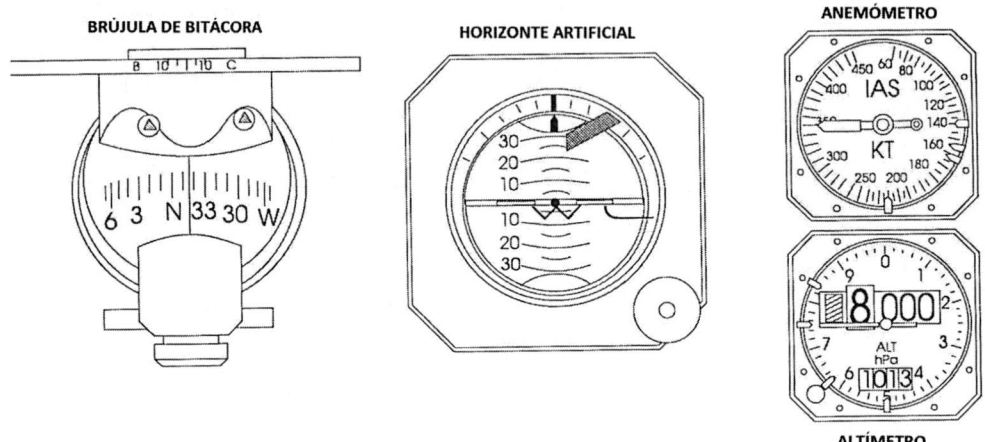

INSTRUMENTOS DE NAVEGACIÓN STANDBY

GRUPO DE SISTEMAS PARA LA AYUDA AL ATERRIZAJE (MLS)

Aquí se incluyen básicamente los medios para proporcionar la posición del avión durante las fases de aproximación y aterrizaje con respecto de una trayectoria predeterminada, y en los aviones que tienen la posibilidad de aterrizaje automático, las señales de microondas de los sensores correspondientes.

GRUPO DE DETERMINACIÓN DE LA POSICIÓN DEPENDIENTE DE OTROS O DE LAS SEÑALES COMPARTIDAS CON OTROS SISTEMAS

Aquí se agrupan sistemas como:

El DME (Distance Measuring Equipment), que informa de la distancia entre el avión y una estación en tierra.

El ATC (Air Traffic Control), que permite al avión ser localizado por los equipos de las estaciones de tierra o por otros aviones que tengan equipos capaces de ello como el TCAS.

El ADF (Automatic Direction Finder). Presenta la dirección en la que se encuentra una estación en tierra con respecto al rumbo del avión.

El MKR (Marker Beacon) se utiliza junto con el sistema ILS y marca la posición del avión con respecto de unas radiobalizas en tierra situadas en la trayectoria de aterrizaje.

El VOR (VHF Omnidirectional Range), que proporciona la dirección en la que se encuentra una estación de tierra de VOR con respecto al rumbo del avión y la desviación del avión con respecto del radial seleccionado.

El GPS (Global Position System), que, utilizando las señales de una red de satélites en órbita geoestacionaria y procesándolas, indica en las pantallas de navegación del avión una posición del mismo extremadamente precisa.

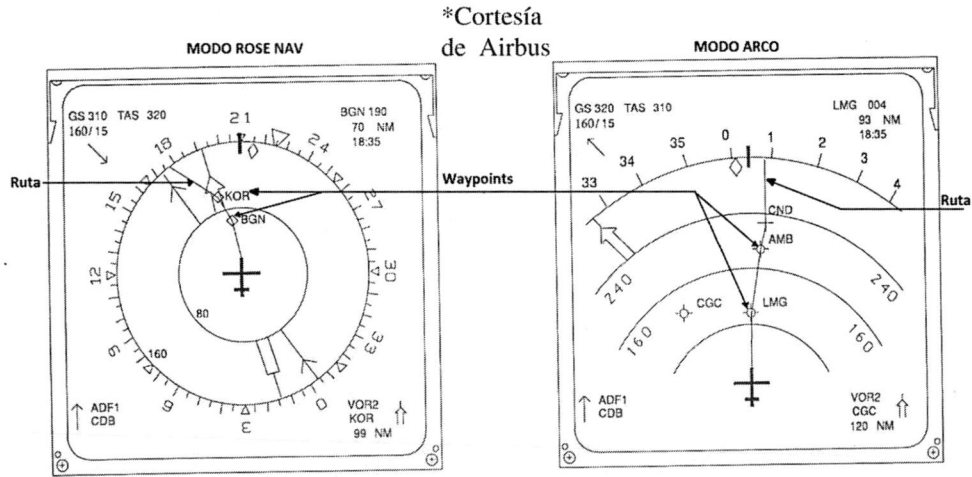

*Cortesía de Airbus

DOS MODOS DE PRESENTACIÓN EN LA PANTALLA DE ND

GRUPO DE DETERMINACIÓN DE LA POSICIÓN DE SISTEMAS INDEPENDIENTES

El RA (Radio Altimeter), radioaltímetro, que es un sistema que proporciona información de la altura a la que se encuentra el avión con gran precisión, dentro de los 2000 a 2500 pies (depende del tipo y modelo) de altura sobre el suelo.

El RADAR (Radio Detecting And Ranging) o comúnmente denominado WXR (Weather Radar System). Es un radar meteorológico que permite la localización de fenómenos atmosféricos como tormentas, turbulencias o información sobre el viento cortante (WINDSHEAR) y su presentación en la pantalla con la información de su intensidad mediante los colores.

159

El GPWS (Ground Proximity Warning System). Este sistema emite en la cabina de pilotos unas señales visibles, luces o letreros, y audibles de voz sintética y sonidos estridentes cuando el avión se encuentra próximo al terreno con una configuración no apropiada.

El TCAS (Traffic Colision Avoidance System). Es un sistema que presenta avisos en las pantallas y emite aviso acústico desde los altavoces de la cabina de mandos cuando el avión se encuentra en una situación en que su posición esté demasiado cerca de algún obstáculo o de otro avión con el que pudiera colisionar.

Todos estos sistemas están conectados entre sí, muchos de ellos mediante cableado para comunicarse mediante buses de datos en lenguaje ARINC, a continuación se muestra un esquema de la interconexión de varios sistemas de radionavegación.

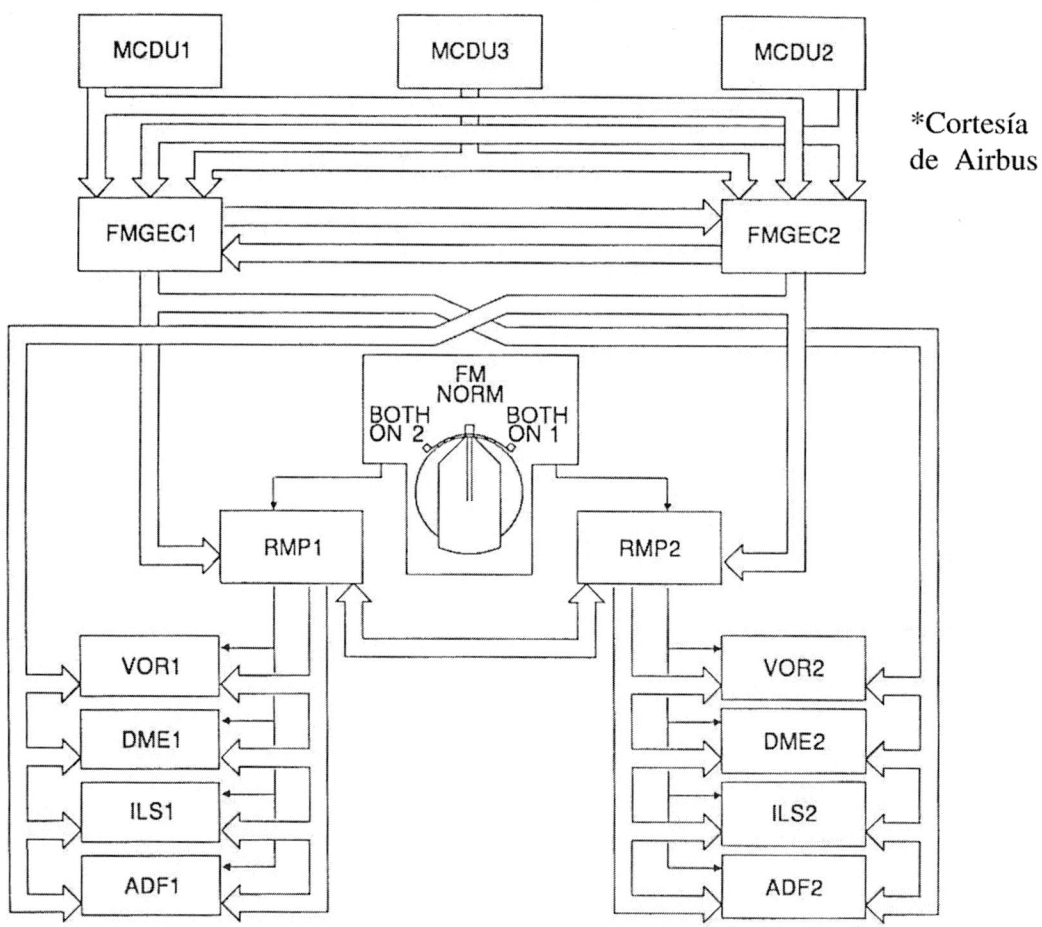

*Cortesía de Airbus

INTERCONEXIONES DE LOS SISTEMAS DE RADIONAVEGACIÓN

160

11.6 SUMINISTRO ELÉCTRICO (ATA 24)

En los principios de la aviación el sistema eléctrico no tenía más utilidad que alimentar las bujías del motor, por lo que era un sistema exclusivo, pero rápidamente va tomando importancia hasta que en la actualidad es uno de los sistemas principales de cualquier aeronave, es un sistema que genera o almacena, controla y distribuye, la energía eléctrica a todos los elementos y sistemas que la necesitan, que son la práctica totalidad de los existentes en cualquier aeronave.

Una aeronave actual generalmente funciona con dos tipos de energía eléctrica, de corriente continua (DC) generalmente de 28 V, procedente de las baterías, que alimentan las barras correspondientes donde tomarán la energía los elementos que funcione con ese tipo de energía.

El otro tipo de corriente que se genera y utiliza es la alterna (CA) de 115 V a 400 ciclos, que es la de mayor consumo, por lo que es considerado sistema principal. La generación de corriente alterna se efectúa en los motores del avión, en el generador de la unidad de potencia auxiliar (APU), desde un equipo de generación exterior en tierra; también hay elementos y situaciones en los que algunos se alimentan de energía alterna procedente de inversores que utilizan para producirla la energía de las baterías.

Cuando el avión está en tierra se debe alimentar si es posible siguiendo un orden de prioridades, así, la primera fuente será la red industrial, la segunda deberá ser un grupo electrógeno movido por motor de combustión interna, y la tercera opción será la unidad de potencia auxiliar (APU).

A fin de tener las baterías debidamente cargadas para el caso de utilización como fuente en posibles situaciones de emergencia, de la red de energía alterna se alimenta un cargador que mantendrá las baterías cargadas en todo momento. Este sistema generalmente de divide en tantas partes principales como generadores tenga en los motores, pero debe tener una red de conexiones que posibilite que desde cualquier generador principal de motor se pueda alimentar cualquier sistema, por lo que la posibilidad de que los sistemas se queden sin alimentación eléctrica es remota.

La tendencia actual a simplificar en todo lo posible cualquier elemento o sistema está llevando en este caso a que varios elementos funcionen con pequeños generadores dedicados exclusivamente a ese elemento, con lo que disminuyen aún más si cabe las posibilidades de que se queden elementos sin alimentación.

En la figura siguiente se presenta un esquema completo AC y DC de un sistema eléctrico de una aeronave de la generación actual Airbus 320, con las fuentes de generación, posibilidades de cruce para alimentar de corriente debidamente controlada tanto en voltaje como en frecuencia, a todas las barras en las que efectuarán las conexiones todos los elementos y sistemas del avión.

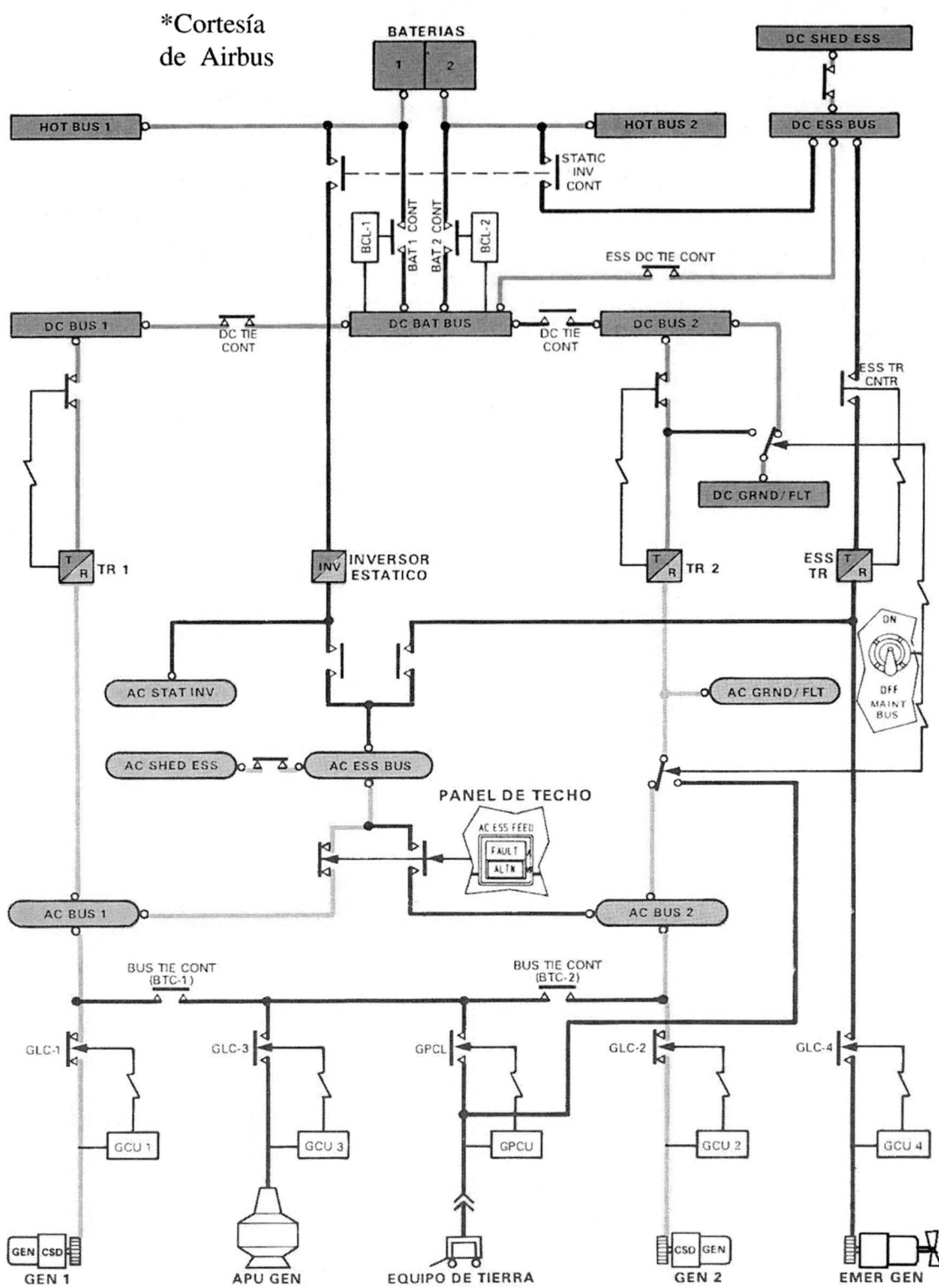

ESQUEMA GENERAL DE UN SISTEMA ELÉCTRICO

Las unidades principales de generación de corriente son los generadores movidos por los motores y el APU, los de los motores a través de las correspondientes tomas de fuerza en la caja de accesorios, que varía de revoluciones según varíe el régimen de revoluciones del motor, por lo que se necesita que entre la toma de fuerza del motor y la entrada al generador se coloque un elemento que permita que las revoluciones por minuto de salida sean las mismas independientemente del régimen a que esté funcionando el motor. Esta unidad es bastante compleja y en cierto modo autónoma, ya que tiene su propio sistema de lubricación y sus propios controles e indicadores, y la tripulación desde la cabina solo la puede desconectar, dejando el generador fuera de servicio, la conexión del generador para volver a prestar servicio se efectuará en tierra cuando se haya subsanado el problema que originó su desconexión.

El generador del APU no necesita esta unidad, ya que normalmente su régimen de giro es estable dentro de unos márgenes pequeños, por lo que tanto la frecuencia como el voltaje se mantienen dentro de las normas establecidas.

Hay fabricantes de motores que instalan generadores con su unidad de velocidad constante incorporada, lo que permite que sea una sola unidad. En la figura siguiente se muestran los dos tipos de generadores.

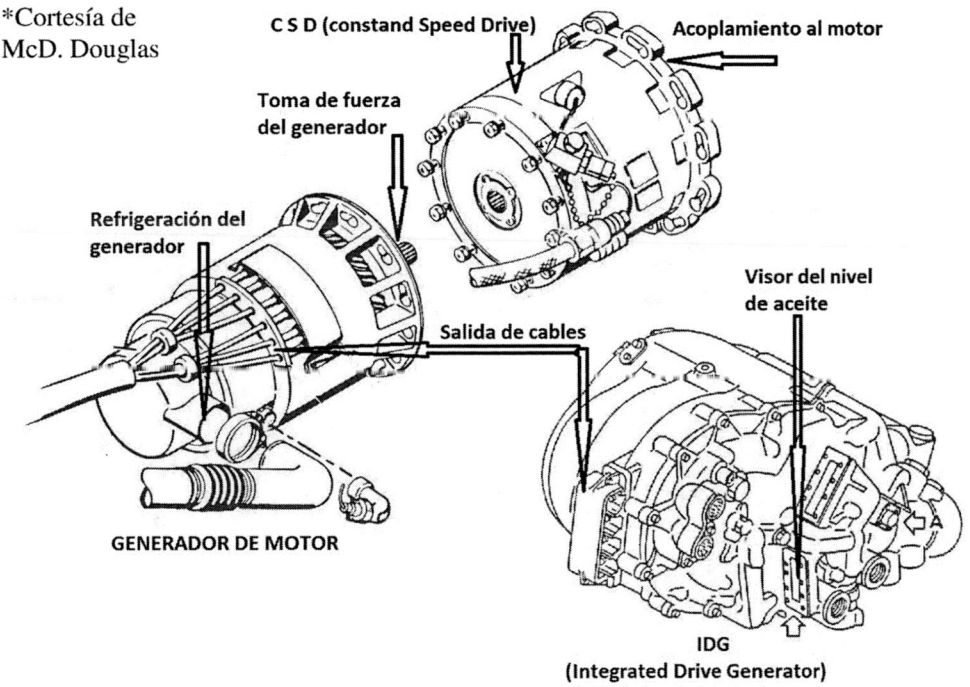

GENERADORES PRINCIPALES DE CORRIENTE ELÉCTRICA

La generación de corriente en caso de avería de los generadores de motor y del APU entrará en una situación de emergencia, entonces se actuará el mecanismo correspondiente y se desplegará el generador de emergencia, que funciona por medio de una hélice de paso variable actuada por la velocidad que lleva el avión y que producirá directamente la energía eléctrica para alimentar los sistemas considerados imprescindibles para la navegación y el aterrizaje, o en otros modelos en los que el generador de emergencia produce energía hidráulica, con la que además de utilizarla para mover los mandos de vuelo para controlar el avión, se utiliza para mover un generador eléctrico que será el que produce la corriente eléctrica para alimentar los sistemas necesarios. Esta opción no está dispuesta en todos los modelos de avión, aunque sí va en la mayoría de los modelos actuales.

En la figura siguiente se muestra un dibujo de los mecanismos componentes de un sistema de generador de emergencia ADG (Air Driven Generator). Otros fabricantes a este sistema lo denominan RAT (Ram Air Turbine).

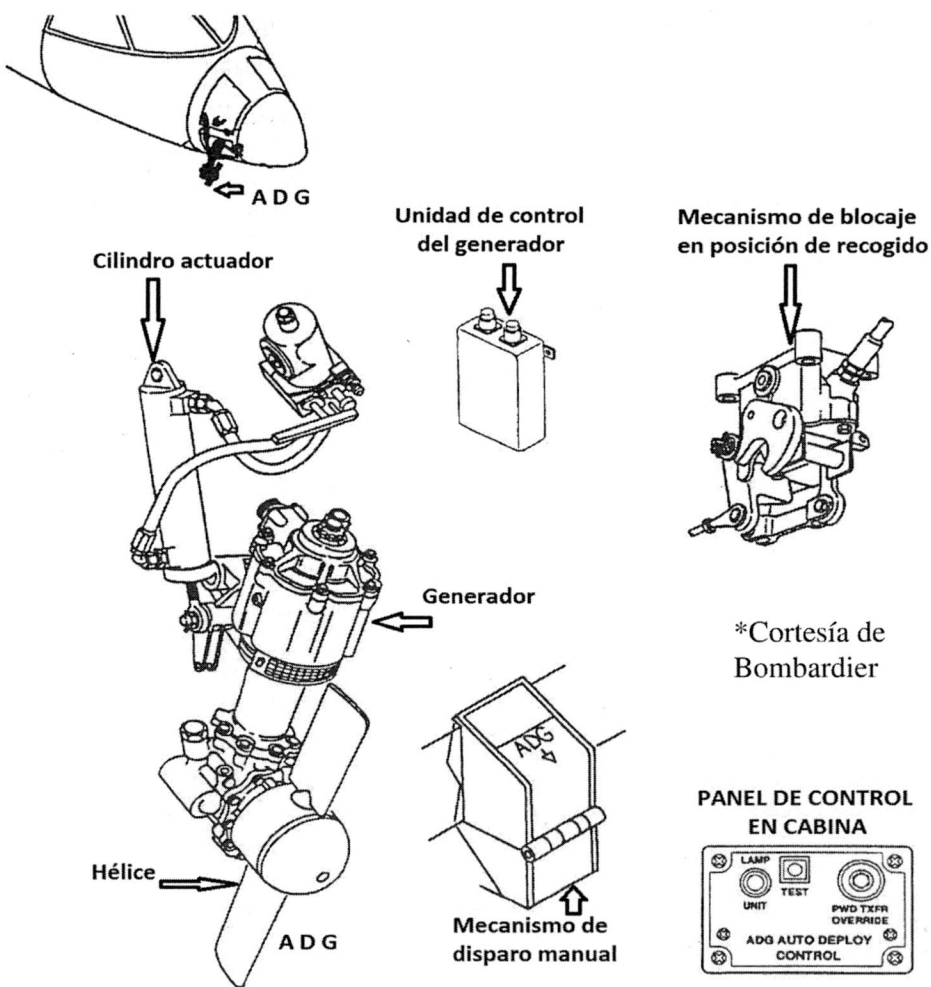

GENERACIÓN DE POTENCIA DE EMERGENCIA

El sistema eléctrico se controla desde un panel en la cabina de pilotaje y la parte de potencia de las cocinas desde un panel en esa zona, también tiene luces indicadoras la estación de conexión de la energía eléctrica exterior. En la figura siguiente se muestran los paneles de control del sistema y el de una estación de conexión de energía procedente del exterior con las luces de estado y los fusibles de protección. En el capítulo 11.6 del tomo segundo de *Sistemas de aeronaves de turbina* se estudia el sistema eléctrico, con todos los elementos y funciones que tienen los sistemas eléctricos de las aeronaves.

*Cortesía de
McD. Douglas

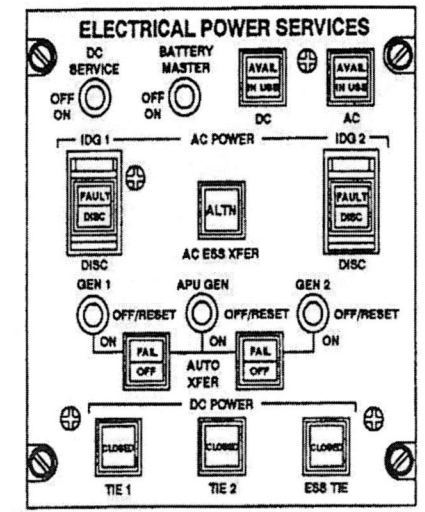

PANEL DE CONTROL EN CABINA DE PILOTOS

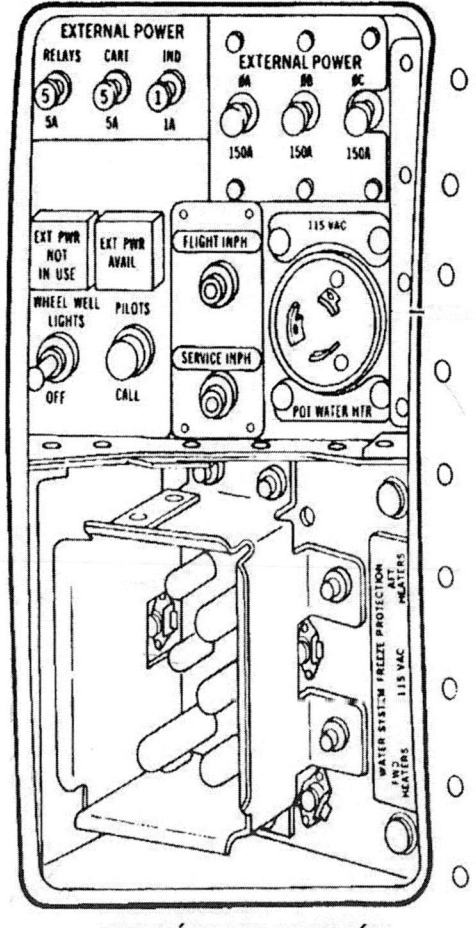

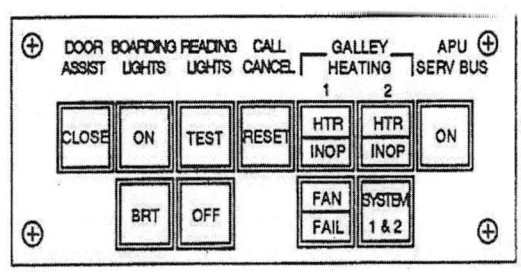

PANEL DE CONTROL EN CABINA DE PASAJEROS

ESTACIÓN PARA CONEXIÓN
DE POTENCIA EXTERIOR

PANELES DE CONTROL DEL SISTEMA ELÉCTRICO

11.7 EQUIPAMIENTO Y ACCESORIOS (ATA 25)

En este capítulo se incluyen todas las partes referentes al mobiliario de las cabinas, tanto de los pilotos como de los pasajeros, la equipación de las bodegas de carga y de los compartimentos de equipos, así como todo lo relacionado con los equipos de emergencia.

En la cabina de pilotos, encuanto al mobiliario, además de los asientos de los pilotos, se colocan uno o dos asientos más, en la mayoría de los casos plegables, para las personas que con o sin misión específica a bordo puedan estar durante el vuelo en la cabina de mandos. Los asientos de los pilotos, además de tener que cumplir con su propia normativa legal, son el resultado de buenos estudios ergonómicos, teniendo en cuenta las muchas horas que se requiere estar en el puesto, los desplazamientos pueden ser con motor eléctrico y manual, o solo manual, se desplazan generalmente en las tres dimensiones, deberán tener cinco puntos de anclaje a la persona mediante cinturones, dos en los laterales, uno en la parte central delantera y dos hombreras que permitirán el desplazamiento del piloto hacia delante si es lento pero lo bloquearán si es rápido, los cinturones se unirán en una única hebilla que deberá ser posible soltar con un solo movimiento.

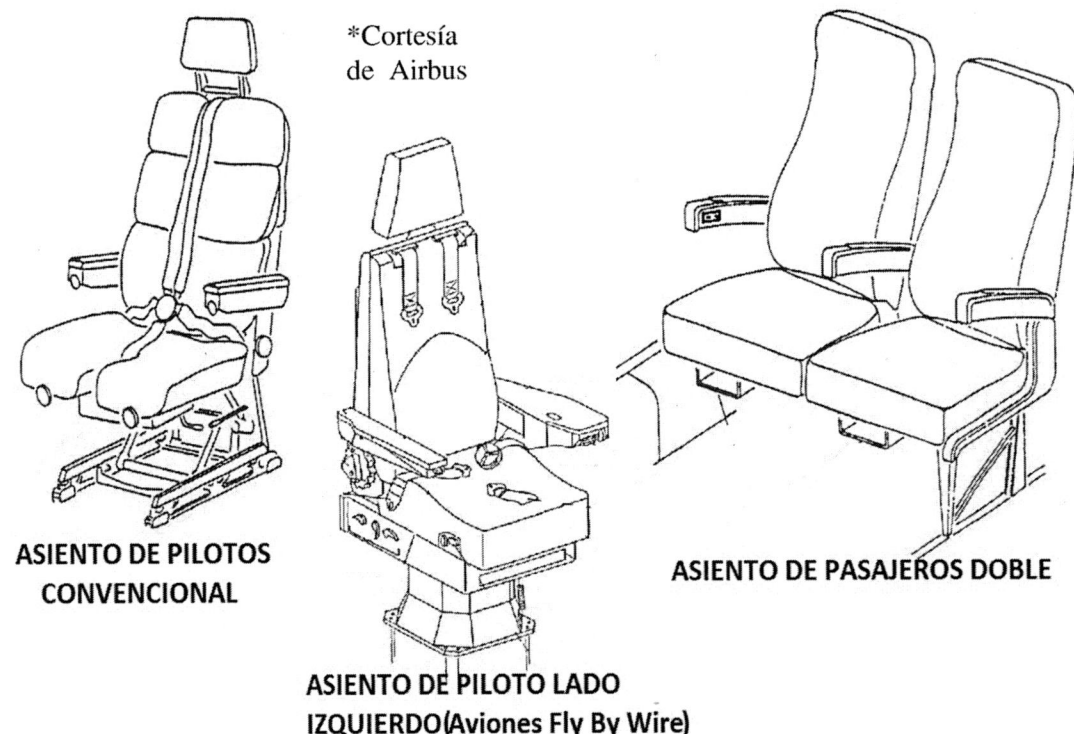

*Cortesía de Airbus

ASIENTO DE PILOTOS CONVENCIONAL

ASIENTO DE PILOTO LADO IZQUIERDO(Aviones Fly By Wire)

ASIENTO DE PASAJEROS DOBLE

ASIENTOS DE PILOTOS Y PASAJEROS

Para los aviones de la generación *fly by wire*, al estar ubicada la palanca de control en las consolas, tienen el apoyabrazos correspondiente más robusto y con varias posiciones regulables, lo que los hace uniposicionales, como se puede observar en la figura anterior.

En lo referente a los asientos de pasajeros, generalmente son banquetas de uno o varios asientos, fijos a los carriles del piso de cabina mediante herrajes con mecanismos diversos de bloqueo, lo que sí se efectúa por parte de todos los constructores es que las posiciones de los carriles son estándares y se pueden variar de pulgada en pulgada, dependiendo de la amplitud que, dentro de los mínimos exigibles por la legislación vigente, la compañía operadora quiera ofrecer a sus pasajeros.

En cuanto a las prestaciones ofrecidas por los asientos varía mucho de unos a otros dependiendo del operador, de la clase o categoría, así, los hay individuales con gran cantidad de prestaciones como entretenimientos y comodidades, o asientos simples que solo ofrecen el respaldo reclinable. En la figura anterior se muestran unos ejemplos de asientos de pilotos y una muestra de un sencillo asiento de pasajeros de dos plazas.

A lo largo de la cabina de pasajeros, y sobre todo en zonas cercanas a las puertas del avión, se instalan unos asientos fijos a los tabiques y al piso con la banqueta plegable donde se sientan los miembros de la tripulación auxiliar de atención a los pasajeros, el número de estos asientos dependerá del tamaño de la aeronave.

En las zonas destinadas a la preparación de servicios de *catering* para los pasajeros, se ubican los soportes necesarios dependiendo del tipo de vuelo que realice el avión, para colocar elementos como cafeteras, hornos, frigoríficos, grifos de agua y piletas así como una serie de estantes en los que se colocan los carros con las comidas preparadas, u otros artículos necesarios para el tipo de vuelo que sea necesario realizar.

Dependiendo del tamaño del avión se ubican uno o varios departamentos para estos menesteres, ya que es común que a diario muchos aviones efectúan vuelos con 400 o más personas a bordo y con una duración de más de 12 o 14 horas, durante las cuales, los servicios de comidas, refrescos y entretenimiento son de vital importancia.

A tal efecto muchos de los alojamientos de los contenedores de comidas tienen en el fondo enchufes eléctricos en los que se conecta el carro de comidas para que conserven la temperatura y poder ser servidas calientes.

En la figura siguiente se presentan unas vistas de la parte frontal de un departamento de cocina.

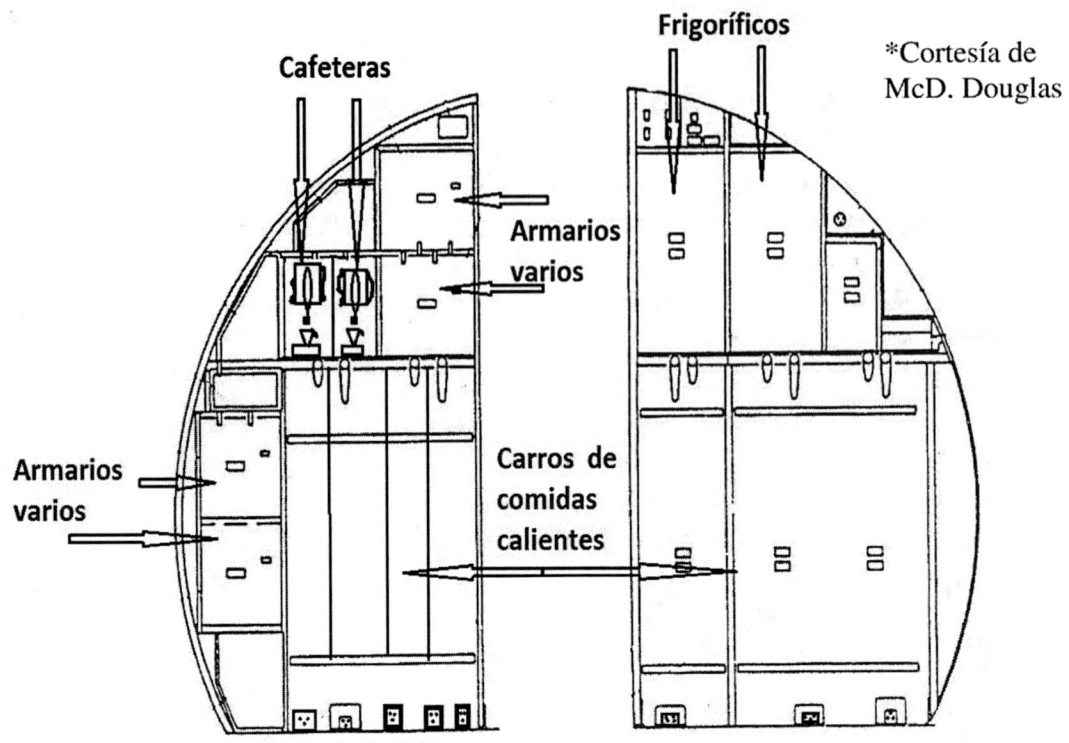

ARMARIOS DE COCINA Y ELECTRODOMÉSTICOS

Los compartimentos de carga generalmente están debajo del piso de la cabina de los pasajeros, salvo en los aviones destinados al transporte de carga en los que además de las bodegas inferiores, la cabina sobre el piso está adaptada para la ubicación de los contenedores de mercancías.

Las bodegas son de varias clases, bien de carga a granel, o preparadas para ubicar los *pallets* o contenedores con la carga o equipajes de los pasajeros. A fin de que durante el vuelo, debido a los movimientos que pueda hacer el avión, la carga no se pueda mover, en las bodegas a granel la carga se fija con redes fijadas mediante herrajes y anillas a los laterales y al piso de la bodega.

En caso de bodegas paletizadas, los contenedores quedan fijados al piso mediante herrajes que se colocan en posición de bloqueo una vez ha alcanzado el contenedor su posición.

En la figura siguiente se presentan varios de los elementos de blocaje de los contenedores al piso de la bodega, las unidades de cierre de umbral, la estación de control y manejo del sistema de arrastre, unidades de blocaje de contenedores y la unidad de arrastre de motor eléctrico, así como el circuito eléctrico y secuencia de operación, ya que mientras no estén los cierres de umbral abiertos manualmente, no es posible arrastrar los contenedores.

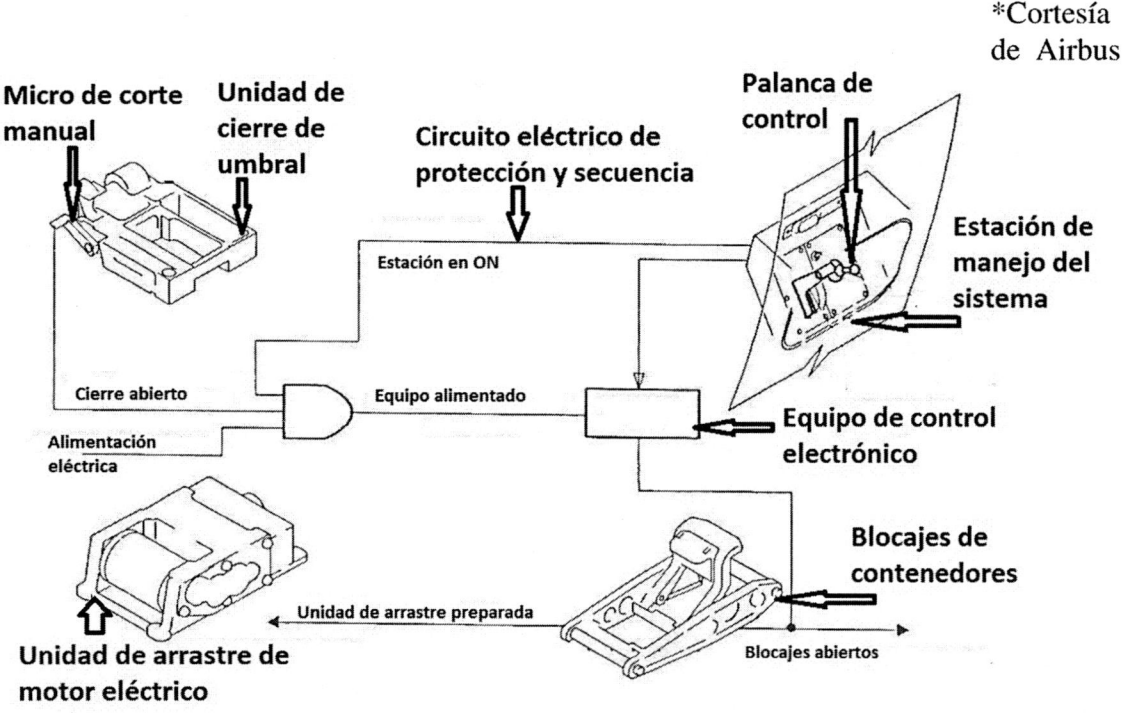

UNIDADES DE BLOCAJE Y ARRASTRE DE CONTENEDORES

El equipo de emergencia consta de todos los elementos que, según la legislación vigente, es necesario dotar a una aeronave para su utilización en caso de una emergencia, las unidades de este equipo están distribuidas convenientemente a lo largo de las cabinas del avión, tanto la de la tripulación como la de los pasajeros, esta distribución estará contemplada en los manuales y se comprueba su existencia antes de cada vuelo.

Los elementos considerados de emergencia son:
Las rampas de deslizamiento y evacuación de las puertas.
Varias botellas de oxígeno portátiles con sus mascarillas correspondientes.
Varios extintores portátiles de freón o halón.
Uno o varios extintores de agua a presión.
Varias linternas con pilas.
Hacha.
Varios megáfonos.
Bolsa con pistola y equipo de señales y bengalas.

Botiquines de emergencia.

Chalecos salvavidas para cada tripulante y pasajeros.

Radiobalizas de señales.

Máscaras antihumo.

Alguna herramienta manual.

En la figura siguiente se muestra la distribución del equipo de emergencia a lo largo de todo el avión.

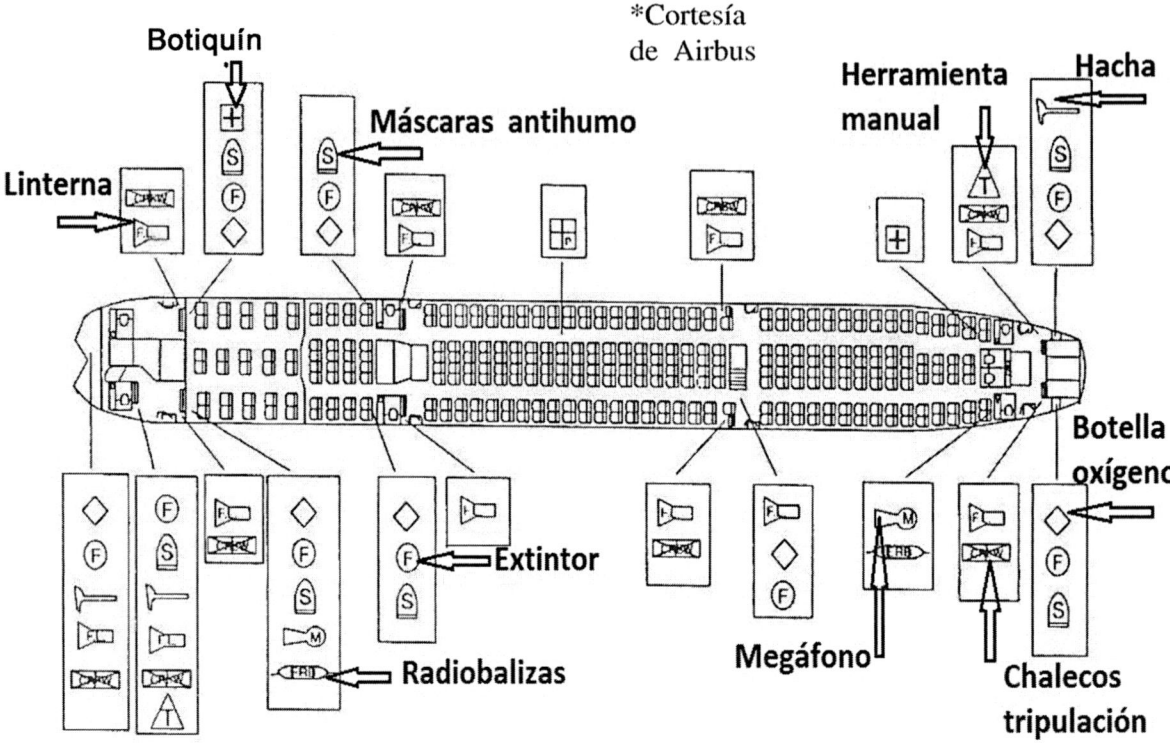

DISTRIBUCIÓN DEL EQUIPO DE EMERGENCIA

En aviones de largo recorrido donde la duración de los vuelos puede sobrepasar las doce o catorce horas, es necesario que la tripulación tenga algún miembro de relevo, por lo que se habilitan algunas zonas para descanso, una cercana a la cabina de mandos con literas, para la tripulación técnica, y otra en la zona media posterior, en la parte inferior del piso, con acceso desde la cabina de pasajeros, para el descanso de la tripulación auxiliar, con unas literas transformables en sofás a voluntad de los usuarios cuando sea necesario. En el capítulo 11.7 (ATA 25 "Equipo y Mobiliario") se trata con profundidad todo lo relacionado con este tema.

11.8 PROTECCIÓN CONTRA INCENDIOS (ATA 26)

Uno de los mayores riesgos para una aeronave es el fuego, o las altas temperaturas que puedan llegar a generarlo. Para protección de este riesgo se instalan sistemas de detección del fuego y también sistemas de extinción. Al objeto de poder tener control y defensa contra el fuego, en las zonas de riesgo como son los motores, el APU, las bodegas, los pylons o las zonas adyacentes por donde circule aire de sangrado de los motores a altas temperaturas, se instala un sistema de detección mediante unos lazos sensores de diferentes tipos que en cuanto la temperatura excede de los límites establecidos para esa zona avisan al piloto de que tal incidente está ocurriendo.

En zonas como las bodegas, se instalan unos detectores de humo que igualmente avisarán para tomar las medidas oportunas según indiquen los procedimientos operativos. En la figura siguiente se muestra un ejemplo de un sistema detector de fuego en los motores y en el APU con los correspondientes paneles de control y luces de aviso.

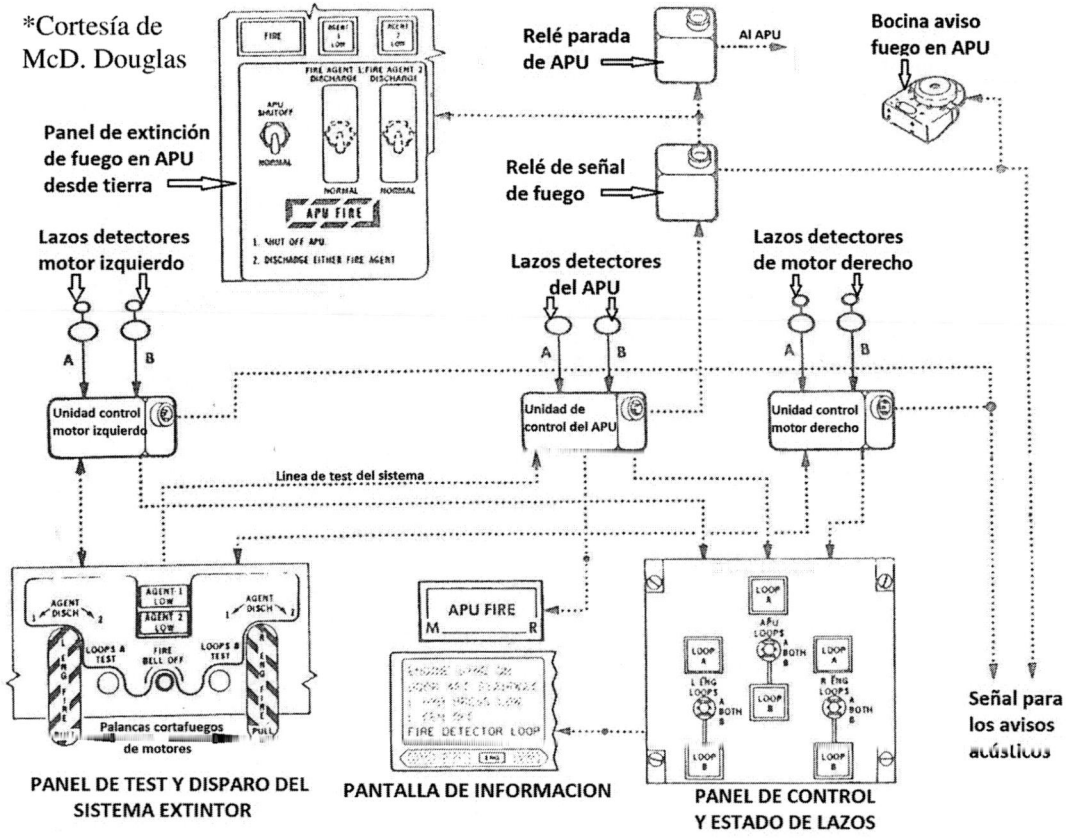

SISTEMA DETECTOR DE INCENDIOS

171

El sistema extintor se compone de botellas de almacenaje del agente extintor, que generalmente es freón o halón, unidad de control eléctrica, que recogerá y distribuirá todas las señales que recibe, panel de control y disparo del extintor, panel de test para comprobar antes de cada arranque de motor o APU y las tuberías correspondientes para que desde cualquier botella extintora se pueda dirigir el agente a cualquier zona de motor o APU.

Una vez que en cualquier zona se ha detectado el riesgo de incendio se deberán seguir los procedimientos establecidos para el caso y si es necesario se activará la descarga del agente extintor almacenado en las botellas disparando desde el panel de control el cartucho que abrirá el paso hasta la zona en la que sea necesario. En la figura siguiente se muestra un diagrama bloque de un sistema de extinción de incendios a los motores de un avión reactor de pequeño tamaño.

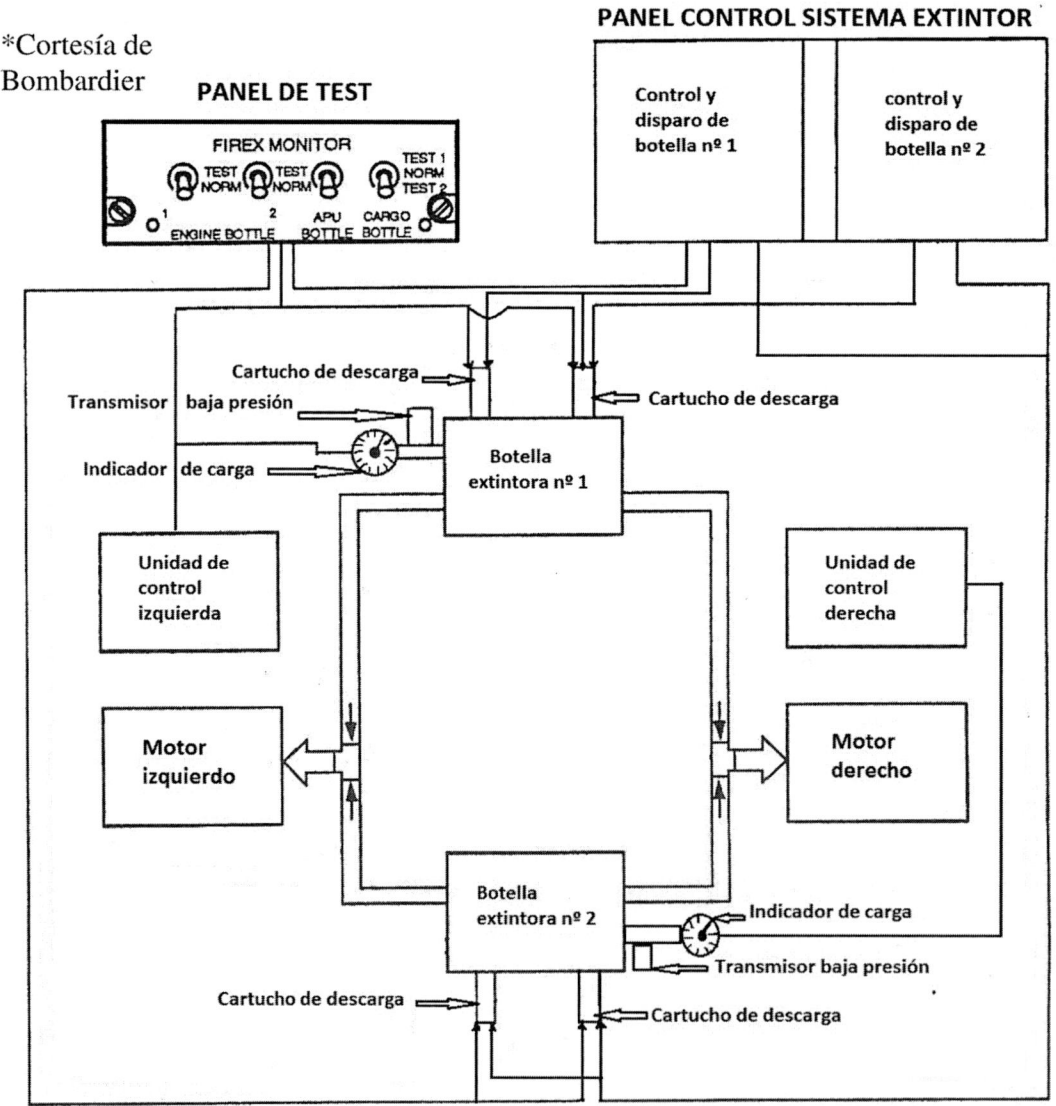

SISTEMA EXTINTOR DE FUEGO A LOS MOTORES

En aviones de gran tamaño que lleven bodegas de las denominadas clase **C** (sin comunicación de aire con el resto del avión, que lleven detector de humos y sistema de extinción), el sistema detector consta de varios detectores del tipo y modelo que el diseñador haya tenido por conveniente que pueden detectar el humo y emitir una señal de aviso a su computador de control, que mediante señales acústicas y luminosas avisa al piloto de la situación. El sistema tiene sus propias botellas de agente extintor, que son controladas desde el panel de la cabina y a través de las instalaciones de tubo correspondientes, el agente extintor puede llegar hasta la bodega que sea necesario.

El agente extintor es generalmente del mismo tipo que el de los motores. Desde el panel de control también puede efectuarse un test a todo el circuito, que se deberá efectuar durante la preparación de cabina antes del arranque de los motores o del primer vuelo que vaya a efectuar una tripulación. Conocida la situación se efectuará el procedimiento que corresponda, que si no corrige el problema terminará con el disparo de la botella extintora. En la figura siguiente se presenta un sistema de extinción de incendios de bodega que el fabricante Airbus instala en varios de sus modelos de última generación.

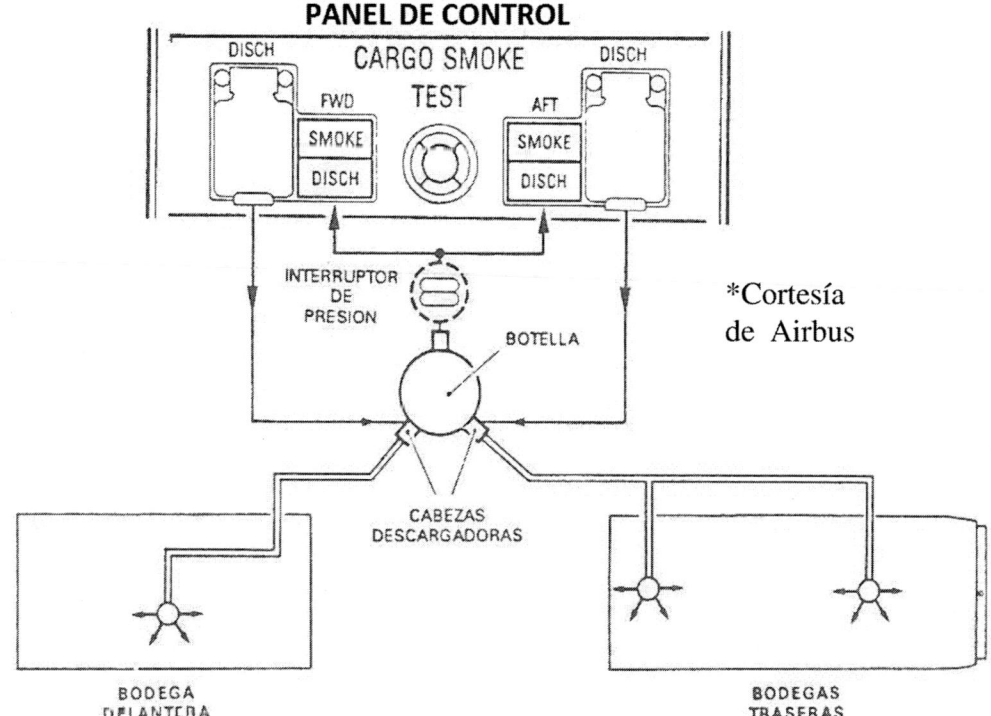

SISTEMA EXTINTOR DE BODEGAS

El sistema contra incendios de una aeronave se completa con un sistema portátil que comprende la instalación como equipo de emergencia de varios extintores manuales convencionales, bien de halón, unos, y de agua otros, al objeto de poder atacar sin riesgo cualquier tipo de fuego, están fijados en los puntos indicados en las cabinas, con fácil acceso por parte de la tripulación.

11.9 MANDOS DE VUELO (ATA 27)

Un avión en el aire tiene que poder ser controlado con respecto a sus tres ejes, que es sobre los que puede desplazarse. Para ello se cuenta con los mandos de vuelo, que permiten todas las maniobras necesarias durante el despegue, el vuelo y el aterrizaje. Los mandos de vuelo de dividen en dos grandes grupos, los **mandos de vuelo primarios**, alerones, timón de profundidad y timón de dirección, junto con sus sistemas de compensación, y los **mandos de vuelo secundarios**, como los flaps, los spoilers, los slats o el estabilizador horizontal cuando es de posición variable. En la figura siguiente se muestra un ejemplo de la posición de los mandos de control de vuelo en un avión.

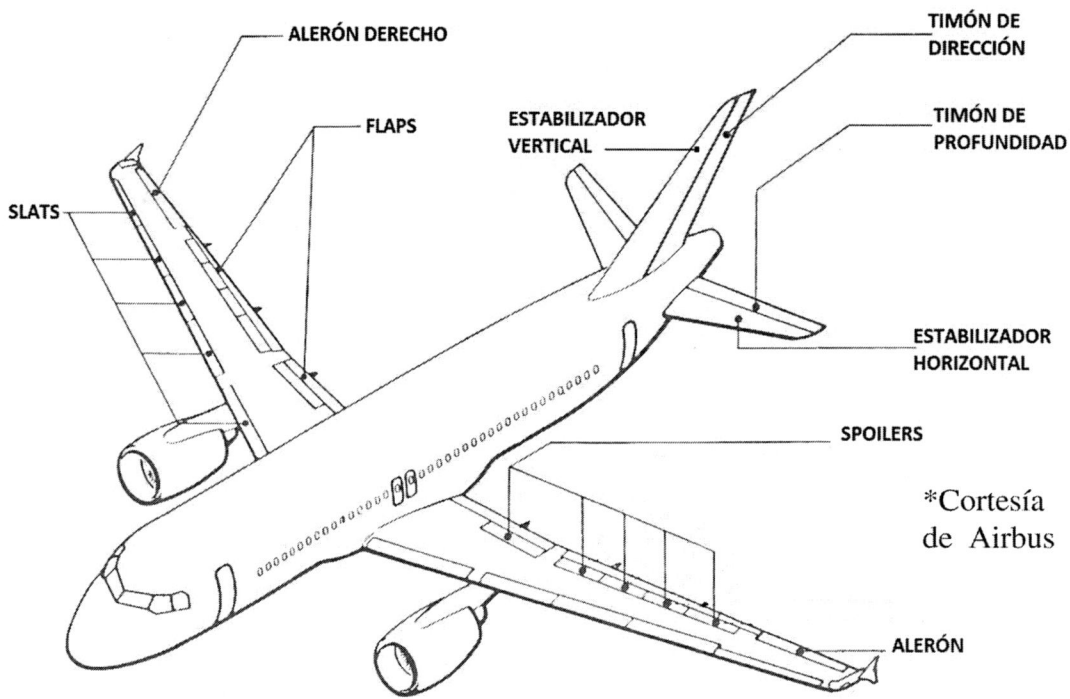

MANDOS DE CONTROL DE VUELO

Los tres movimientos básicos son:

Movimiento lateral o movimiento de roll, alrededor del eje longitudinal o **eje X**, es un movimiento de alabeo que lo produce la deflexión de los alerones, cuando se mueve la palanca o volante de alabeo en la cabina; los alerones que están situados en las partes exteriores del borde de salida de cada ala se mueven en sentido contrario (uno con el borde de salida hacia arriba y el opuesto con el borde de salida hacia abajo), lo que produce el giro alrededor del eje.

Movimiento longitudinal o movimiento de pitch, alrededor del eje transversal o **eje Y**, lo producen los timones de profundidad cuando se mueve hacia atrás, movimiento de encabritado (morro arriba) o hacia delante, movimiento de picado (morro abajo), la palanca o columna de profundidad en la cabina, ese movimiento hace girar sobre sus soportes a los timones subiendo o bajando el borde de salida, las fuerzas aerodinámicas que actúan sobre los timones hacen que el avión gire sobre su eje transversal. Los timones de profundidad están situados en los bordes de salida del estabilizador horizontal, simétricos con el estabilizador vertical.

Movimiento de guiñada o movimiento yaw se genera alrededor del eje vertical o **eje Z** del avión, lo produce el timón de dirección cuando en la cabina se actúan los pedales, ese movimiento hace girar sobre sus soportes al timón de dirección, hacia la derecha si se ha actuado sobre el pedal derecho, o hacia la izquierda si lo que se ha actuado es el pedal izquierdo, las fuerzas aerodinámicas que actúan sobre el timón hacen girar al avión sobre su eje vertical.

En la figura siguiente se presenta un esquema de la ubicación de los mandos de vuelo primarios en una cabina de un avión convencional. Los mandos de vuelo, al ser instintivos, todos los fabricantes los ubican en el mismo lugar de cada cabina.

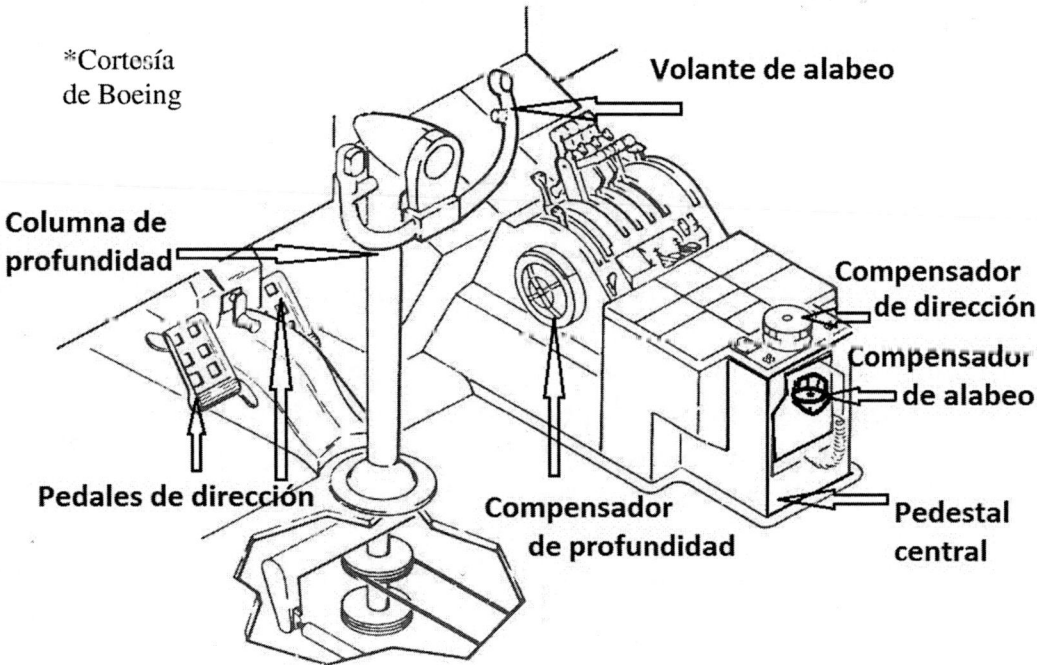

MANDOS DE CONTROL EN CABINA

MANDOS DE VUELO PRIMARIOS

MANDOS DE ALABEO. A este grupo de mandos pertenecen los alerones y sus aletas de compensación y ayuda, son superficies de perfil aerodinámico, que se colocan hacia los extremos de las alas abisagrados al larguero posterior del ala, obedecen a la actuación hacia los lados de la palanca de mandos en la cabina, o al giro del volante de alabeo, si lo que tiene instalados son volantes. En la figura siguiente se muestra un esquema del principio del movimiento de alabeo.

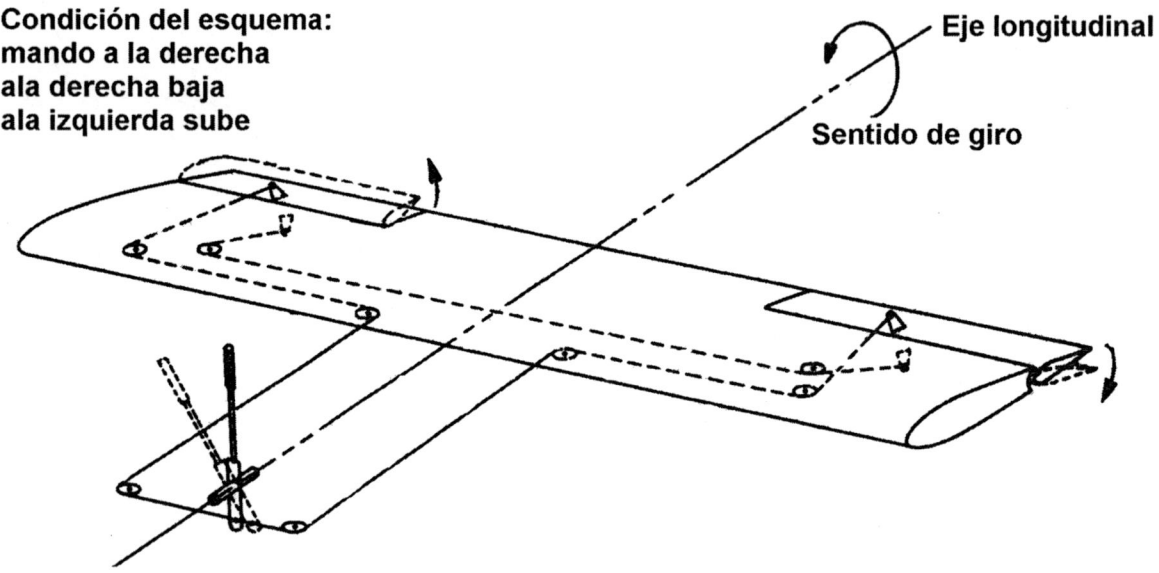

SISTEMA DE ALABEO

MANDOS DE PROFUNDIDAD. Este sistema de mandos lo componen la columna de profundidad en la cabina de vuelo, hay una o dos dependiendo de si está diseñada para un piloto o para dos, sistema de transmisión de la señal de mando hasta los timones, generalmente es por cables de acero trenzado para los aviones convencionales, y mediante cables eléctricos para aviones fly by wire, y timones de profundidad con sus aletas de compensación y ayuda.

Los timones como las aletas son de perfil aerodinámico, están fijados al larguero posterior del estabilizador horizontal, uno a cada lado del estabilizador y timón vertical, mediante soportes con cojinetes de giro, que permiten que el timón suba o baje su borde de salida, cuando se empuja la palanca hacia adelante o se tira de la palanca hacia atrás, con lo que las fuerzas aerodinámicas que actúen sobre ellos producen en el avión un giro sobre el eje transversal, de morro hacia arriba (encabritado), con lo que el avión aumenta la altura de vuelo, o empujando la palanca hacia delante, que producirá que los timones se sitúen con el borde de salida hacia abajo, produciendo las fuerzas aerodinámicas que inciden sobre ellos un giro sobre el eje transversal de morro hacia abajo (picado), con lo que el avión iniciará un descenso de altura de vuelo. En la figura siguiente se muestra un esquema de un sistema de control de profundidad de un avión pequeño y de mandos directos.

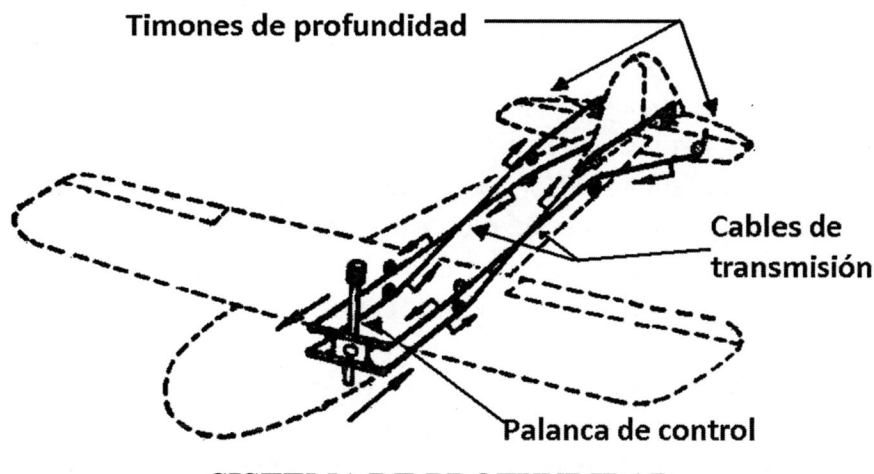

SISTEMA DE PROFUNDIDAD

MANDOS DE DIRECCIÓN. Este sistema se compone de los pedales de mando en la cabina, el sistema de transmisión de la señal hasta el timón y el timón de dirección con su aleta compensadora. El timón de dirección está fijado al larguero posterior del estabilizador vertical mediante soportes que le permiten un giro hacia derecha o izquierda de los grados suficientes para que provoque en el avión el giro del mismo sobre su eje vertical, produciéndose así un movimiento de guiñada, o sea, un cambio de dirección del avión en el sentido de la marcha.

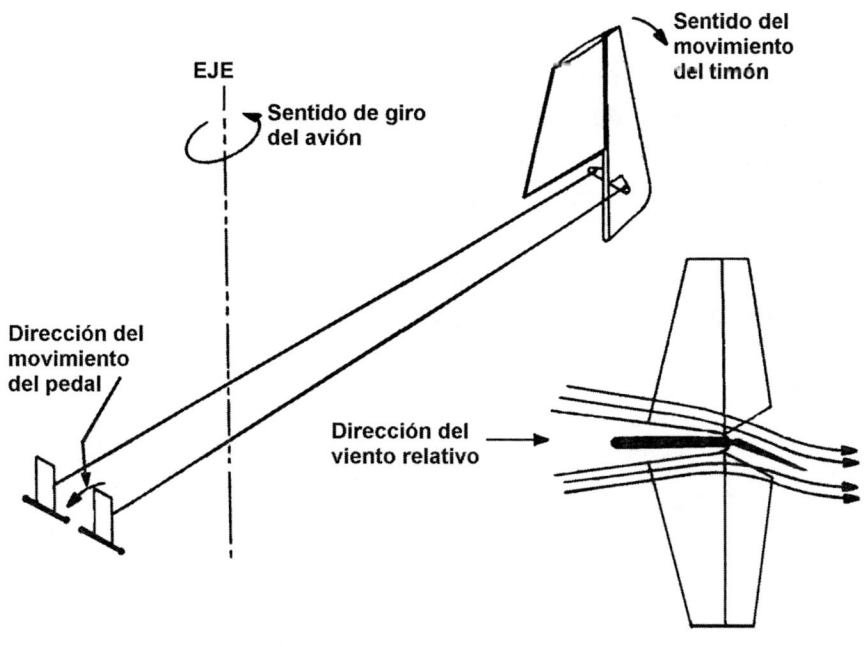

TIMÓN DE DIRECCIÓN

Tanto el timón como la aleta compensadora son se perfil aerodinámico, y la aleta se fija al timón en el larguero posterior mediante soportes que permiten el giro de la misma. El movimiento de la aleta compensadora es contrario al movimiento del timón, para que las fuerzas que inciden sobre ella ayuden a moverse al timón en el sentido deseado.

Si bien ningún mando de vuelo puede girar 360º, ya que es suficiente con unos grados a cada lado de su posición de cero con respecto al ala, para los alerones y a los estabilizadores, para los timones, estos límites están fijados mediante unos topes mecánicos regulables para efectuar los ajustes, pero en aviones de alta velocidad el timón de dirección está limitado en su recorrido de forma progresiva, o sea, que cuanta más velocidad lleve el avión, menos recorrido tendrá el timón, pero será suficiente para alcanzar la nueva posición que se desee. En varios modelos de avión tienen instalados uno o dos sistemas limitadores de recorrido del timón de dirección.

Los sistemas de transmisión de la señal de mando de los aviones de pequeño tamaño y poca velocidad suelen ser mediante cables de acero trenzados, guiados por poleas instaladas a lo largo del recorrido, estos cables tienen los barriletes de empalme para dar la tensión necesaria para que los mandos obedezcan con la precisión y el esfuerzo necesarios. Con el aumento del tamaño y de la velocidad de los aviones se instalan unidades de actuación generalmente alimentadas por los sistemas hidráulicos del avión, que son las que efectúan el esfuerzo mecánico de mover las superficies, pasando el esfuerzo del piloto al necesario para colocar en la posición precisa las válvulas correspondientes. Este tipo de mandos son de control mecánico y accionamiento hidráulico.

Con la llegada de los aviones del tipo fly by wire, los mandos de vuelo continúan siendo actuados por los sistemas hidráulicos, pero el control pasa a ser eléctrico-electrónico, donde el piloto efectúa una maniobra sobre el mando en la cabina dando una orden al computador correspondiente, quien tomando datos de un sinfín de situaciones, como datos de aire, potencia, altitud o situación de las superficies de control, entre otros, fabrica y envía las órdenes a las unidades actuadoras en la magnitud necesaria para conseguir de la mejor manera el movimiento solicitado.

En la figura siguiente se muestra un esquema de comparación entre un sistema convencional y otro del tipo fly by wire, donde se pueden apreciar las ventajas del actual sobre el convencional.

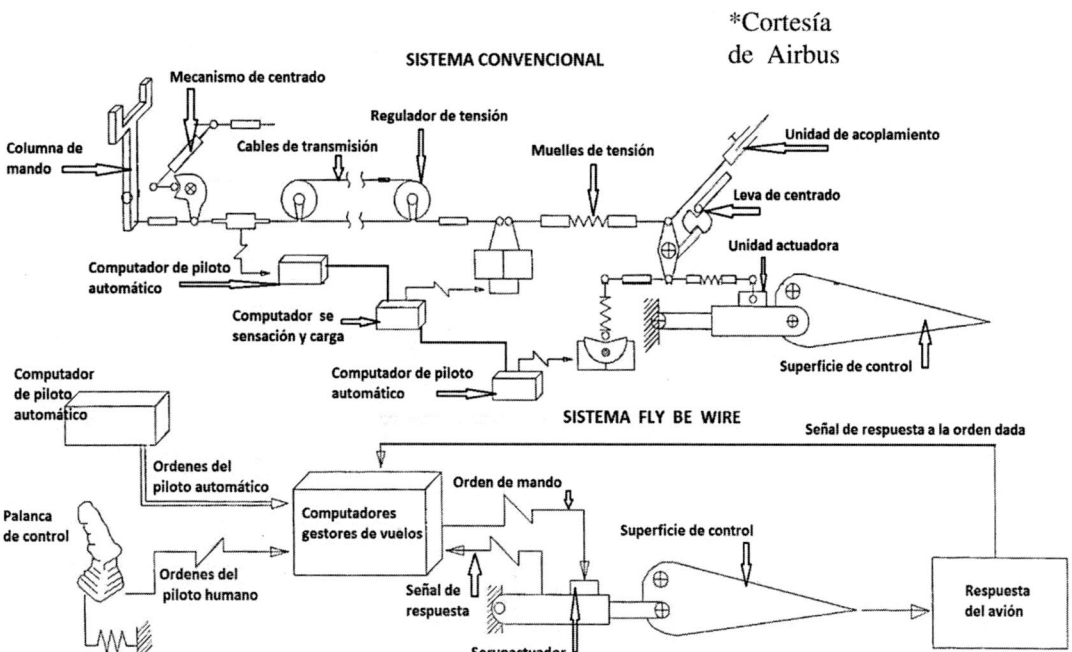

COMPARACIÓN DE UN SISTEMA DE MANDOS DE VUELO
CONVENCIONAL Y UNO DEL TIPO FLY BY WIRE

MANDOS DE VUELO SECUNDARIOS

Los mandos de vuelo secundarios son aquellos que, aunque modifiquen características del avión como la sustentación, velocidad o ayuden a los primarios, etc., no tienen la misión de hacer que el avión gire sobre ninguno de sus tres ejes. Los principales mandos de vuelo secundarios son:

Los flaps y los slats como mecanismos hipersustentadores.
El estabilizador horizontal cuando es de posición variable.
Los spoilers y aerofrenos como mecanismos disruptores y reductores de velocidad.
Elementos canalizadores de la corriente aerodinámica, como fences o vortilones.
Elementos fijadores de la capa límite.

MECANISMOS HIPERSUSTENTADORES

Los mecanismos que aumentan la sustentación, principalmente en el borde de salida del ala, son los flaps de borde de salida, y en el borde de ataque del ala, los flaps de borde de ataque y los slats. Las características, tipos de instalación y velocidades de operación dependen mucho del modelo de avión de que se trate.

Los flaps de borde de ataque se sitúan hacia la parte interior del borde de ataque del ala y los slats hacia la parte exterior, los de borde de salida se sitúan al interior de los alerones. Los fences son unas superficies fijas que se instalan en ciertas partes del avión para canalizar la corriente aerodinámica y que no sufra desviaciones que puedan ser perjudiciales al efectuar ciertas maniobras, en unos casos es una aleta dorsal en la parte superior del fuselaje, o en los bordes de ataque de los slats. Los vortilones son unas superficies que se colocan desde el borde de ataque del ala hasta la mitad del intradós de la misma que canaliza la corriente de aire en esa zona. En la figura siguiente se muestra un dibujo con los mandos de vuelo secundarios señalados.

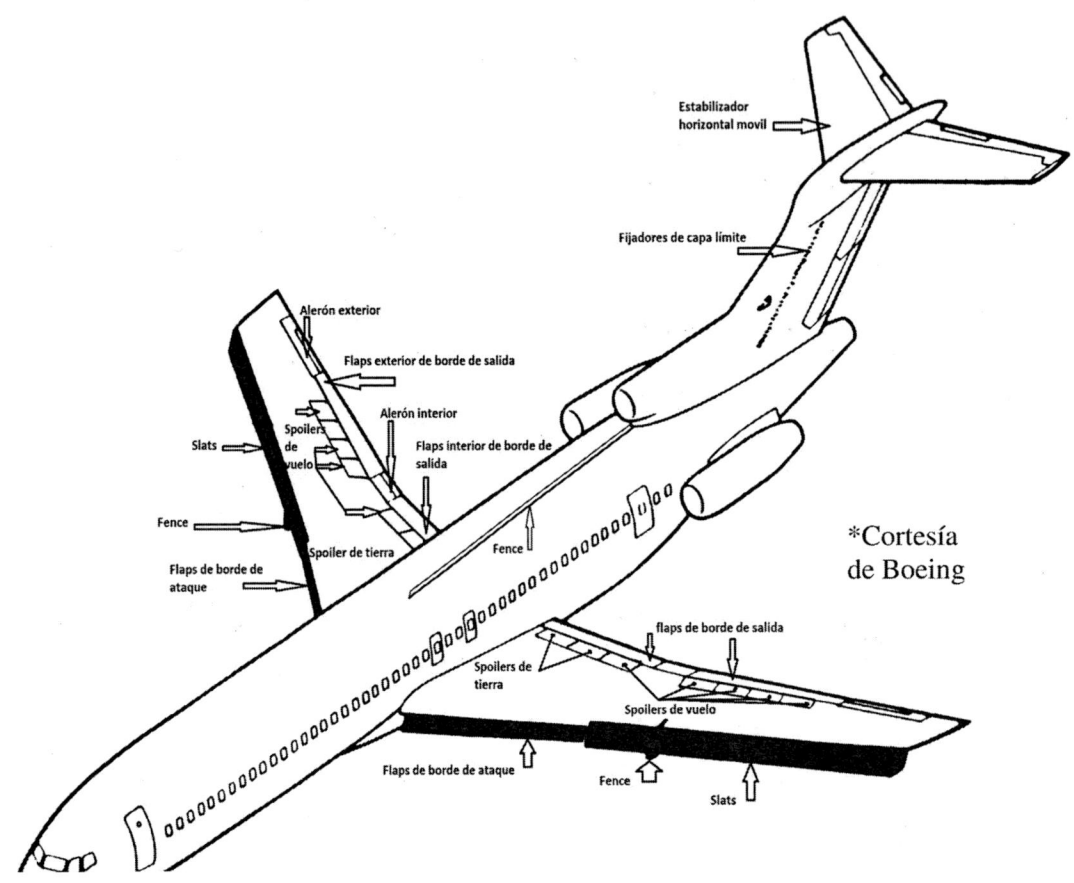

*Cortesía de Boeing

MANDOS DE VUELO SECUNDARIOS

Los mandos de control de las superficies secundarias se ubican en el pedestal central de la cabina de mandos, son palancas que pueden situarse en posición segura en puntos parciales de su recorrido moviéndose por unas guías con ranuras, ya que tanto la extensión como la retracción se realizan según las exigencias del vuelo.

Los flaps y slats se actúan con la misma palanca en casi todos los modelos, salvo algunos fabricantes, como Douglas, que los fabrican con mandos distintos pero unidos por medio de tornillo de actuación manual, sin herramienta, que permite separar si se desea un mando de otro, pero generalmente van unidos. Los mecanismos hipersustentadores del borde de ataque salen durante los primeros grados de recorrido de los flaps de borde de salida, y se recogen cuando los flaps pasan por la misma zona del recorrido. En la siguiente figura se muestra el dibujo de un pedestal central de cabina de un Airbus 320 con la distribución de los mandos secundarios y de compensación.

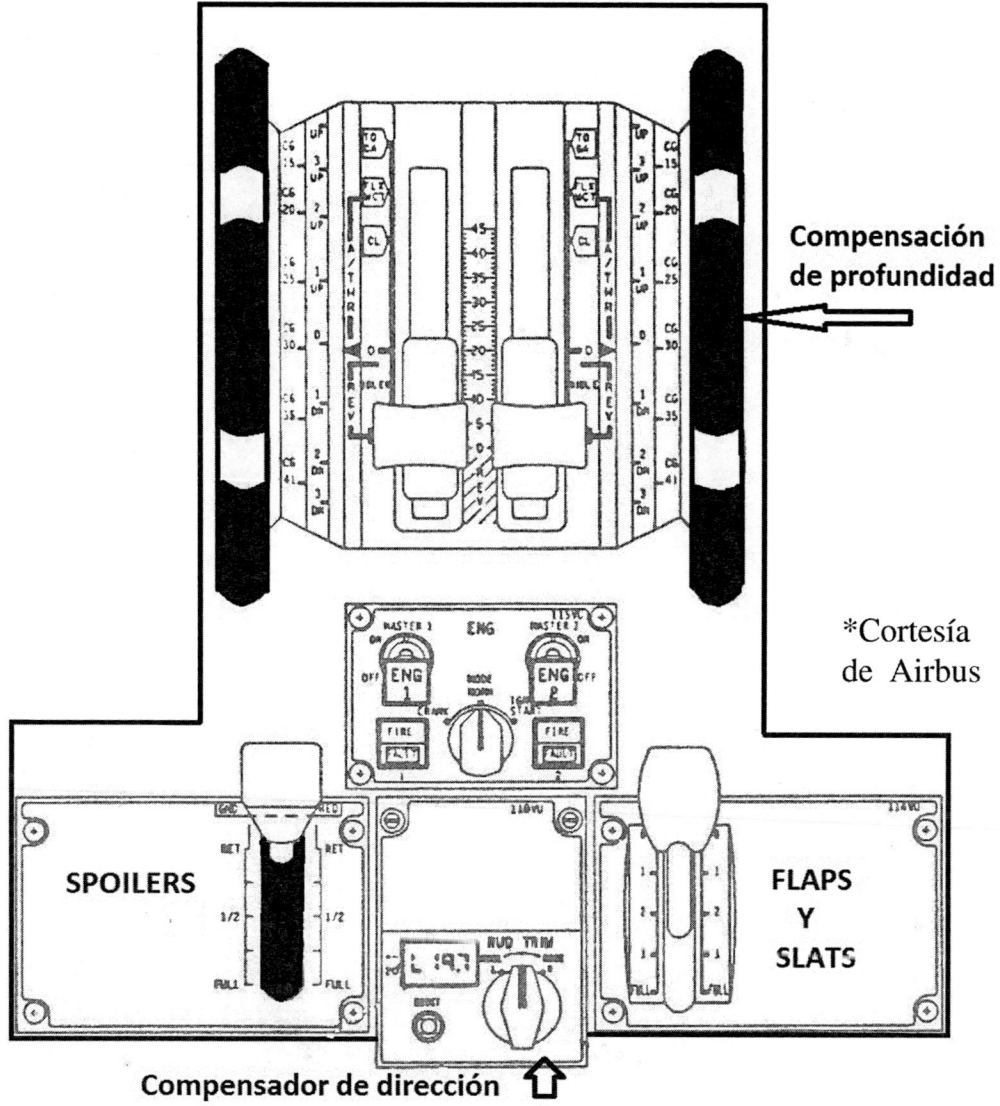

Compensación de profundidad

*Cortesía de Airbus

SPOILERS

FLAPS Y SLATS

Compensador de dirección ⇧

PEDESTAL CENTRAL DE CABINA

Los mandos de flaps y slats utilizan para su movimiento la energía hidráulica de los sistemas del avión, distribuida de forma que a cada mando lo puedan alimentar por lo menos dos sistemas, en previsión de que, si por alguna causa falla un sistema de hidráulico, no se quede sin los mandos.

Los flaps tienen varios tipos, y es el diseñador el que elige el tipo que mejor se adapta a su modelo, los hay de una aleta o de varias, que al salir aumentan la superficie alar y la curvatura del ala, y otros que solo salen por el intradós del ala. Otros actuados por transmisiones mecánicas y husillos con tuerca, o actuados por cilindros hidráulicos, o en aviones pequeños y ligeros en que los flaps se actúan por medio de un motor eléctrico. En el capítulo 11.9 de los de *Sistemas de aeronaves de turbina* se tratan con gran amplitud todos los sistemas de mandos de vuelo, y en el 11.3.2 y 11.3.3 de este libro se presentan los elementos como estructuras y tipos. En la figura siguiente se muestra un ejemplo de slat y otro de flaps de borde de ataque así como la ubicación de las superficies de control en un ala.

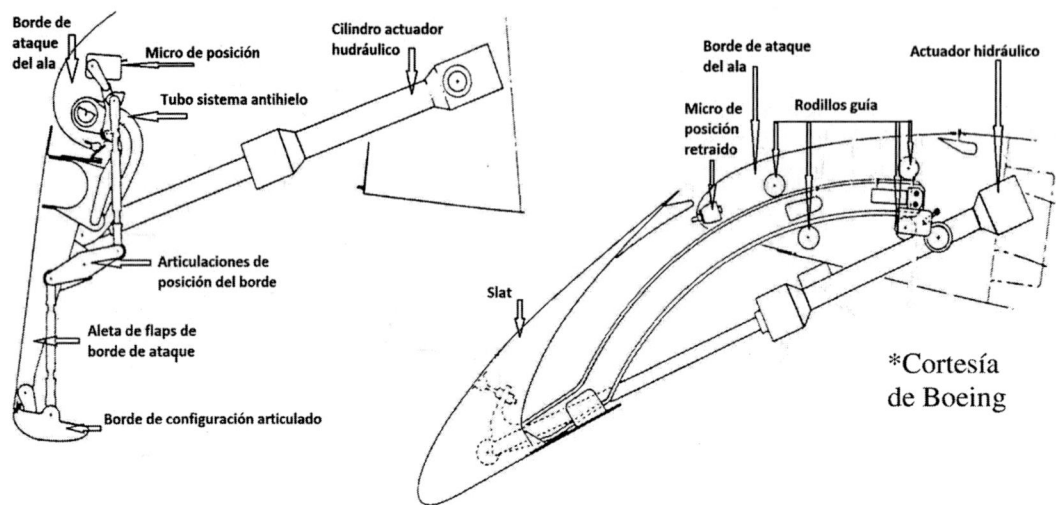

FLAPS DE BORDE DE ATAQUE   **SLATS DE BORDE DE ATAQUE**

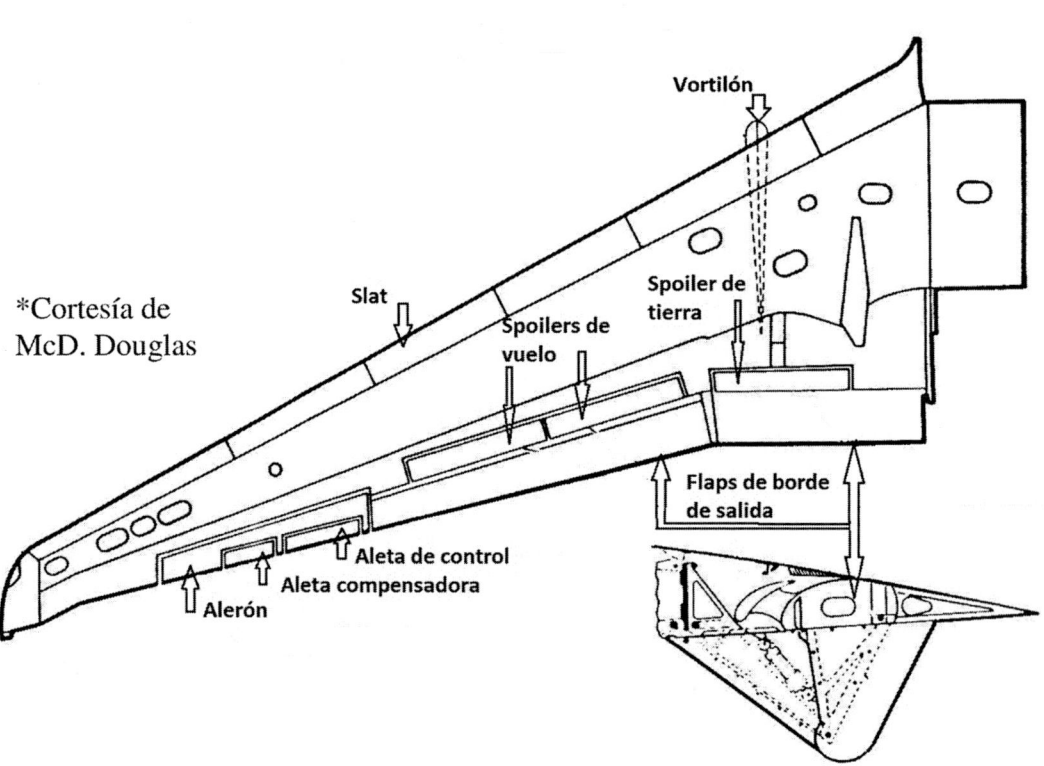

ELEMENTOS DE ALA

En cuanto al estabilizador horizontal, cada avión se controla generalmente por dos formas de entre las varias que se utilizan, **una manual**, desde la cabina mediante cables y poleas que hacen girar el mecanismo de husillo y tuerca que desplazará el estabilizador, **otra forma** es la utilización de motor eléctrico, que a través de una caja de engranajes desmultiplicadora mueve el husillo, en caso de que el tipo de avión no lleve mando manual suele llevar dos motores eléctricos independientes. En aviones de gran tamaño donde el estabilizador horizontal es de gran tamaño y peso, **la forma más normal** es que el husillo sea actuado por motores hidráulicos alimentados por dos o más sistemas de potencia hidráulica del avión.

En la figura siguiente se presenta un sistema de actuación de un estabilizador horizontal mediante motores eléctricos y una caja de engranajes desmultiplicadora.

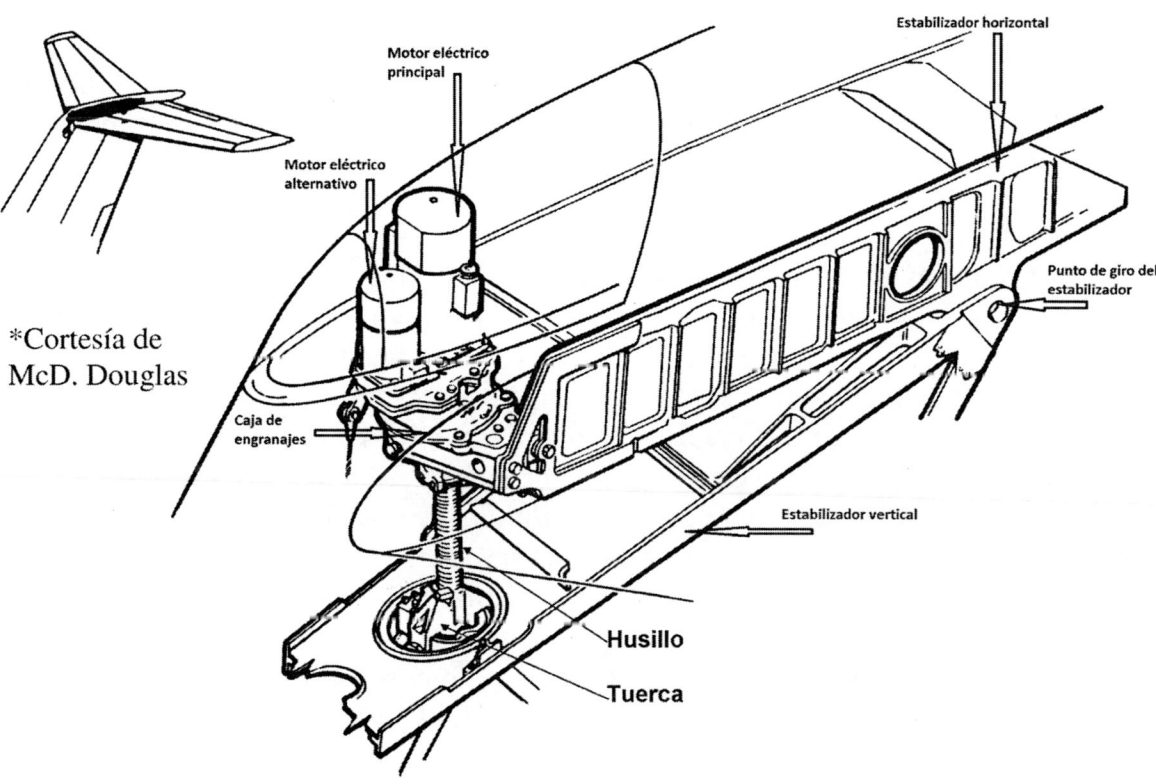

COMPENSACIÓN MEDIANTE
ESTABILIZADOR HORIZONTAL

MECANISMOS DISRUPTORES

Este tipo de mandos son rompedores de la capa límite y por lo tanto disminuyen la sustentación, son los spoilers y los aerofrenos. Los aerofrenos como tales son poco utilizados en la actualidad, y las funciones de aerofrenos se le han incorporado a los spoilers, de forma que cuando se utilizan como aerofrenos solo se extienden parcialmente, son eficaces y no es necesario el sistema de aerofrenos.

Los spoilers son superficies que se ubican en el extradós del ala, aproximadamente sobre el larguero posterior de la misma, salen hacia arriba y adelante, y por lo general tienen tres funciones claramente diferenciadas:
Como ayuda al movimiento de alabeo.
Como freno aerodinámico de vuelo.
Como freno aerodinámico de tierra en el aterrizaje.

El recorrido de los spoilers tiene tres niveles de recorrido, el máximo posible cuando se utilizan como ayuda al aterrizaje, un nivel menor cuando se utilizan como aerofrenos y otro nivel de apertura más pequeño aún cuando se utilizan como ayuda al alabeo.

La función de ayuda al movimiento de alabeo consiste en que cuando se demanda un giro hacia un lado, por ejemplo hacia la izquierda, el alerón de la izquierda sube y el de la derecha baja, produciéndose el par de fuerzas que efectuará el giro, debido a la interconexión de los alerones y los spoilers, en unos casos mecánica, y en los aviones de la tercera generación la interconexión es electrónica, de forma que permitirán que todos o alguno de los spoilers de vuelo del ala izquierda se desplieguen en una cantidad que será proporcional a la cantidad de mando de alabeo que se haya demandado, y los del ala derecha se quedarán retraídos. En el caso de que el giro se demandase sobre la parte derecha ocurrirá lo contrario.

Cuando se les demanda la función de aerofrenos, es necesario por parte del piloto colocar la palanca de control en uno de los fiadores que corresponda según la cantidad de velocidad que desee perder en ese momento, se desplegarán todos los spoilers de vuelo, pero sin sobrepasar su límite máximo.

En el caso de que la utilidad sea como ayuda al aterrizaje se pondrá, por parte del piloto o por parte del sistema automático, la palanca al máximo de su recorrido y se desplegarán la totalidad de los spoilers hasta el máximo de su recorrido físico. La práctica totalidad de los aviones comerciales tienen la posibilidad de que los spoilers para el aterrizaje se desplieguen automáticamente cuando se den las condiciones para ello, y liberar al piloto de esa operación, dado el momento tan crítico en el que es necesaria, así que momentos antes de la toma de tierra el piloto arma el sistema tirando de la palanca hacia arriba y liberándola de su fiador, en el momento en que al control automático le llegan: señal de sistema armado, señal de tierra de los sensores tierra/vuelo, señal de peso sobre rueda del tren principal, señal de giro de rueda por encima de un límite y señal de que los inversores de empuje están montados, emite orden al actuador de disparo automático de la palanca de control, que la llevará al máximo de su recorrido desplegando así los spoilers que ayudarán a que el avión tenga una mayor eficacia en los frenos, que se sumará al freno aerodinámico que producirán desplegados haciendo así que la carrera de aterrizaje sea más corta y con menos desgaste de frenos.

En la figura siguiente se muestra un esquema de spoilers capaz de efectuar las tres funciones descritas, de una generación electromecánica, que llevan instalados varios modelos del fabricante McD. Douglas.

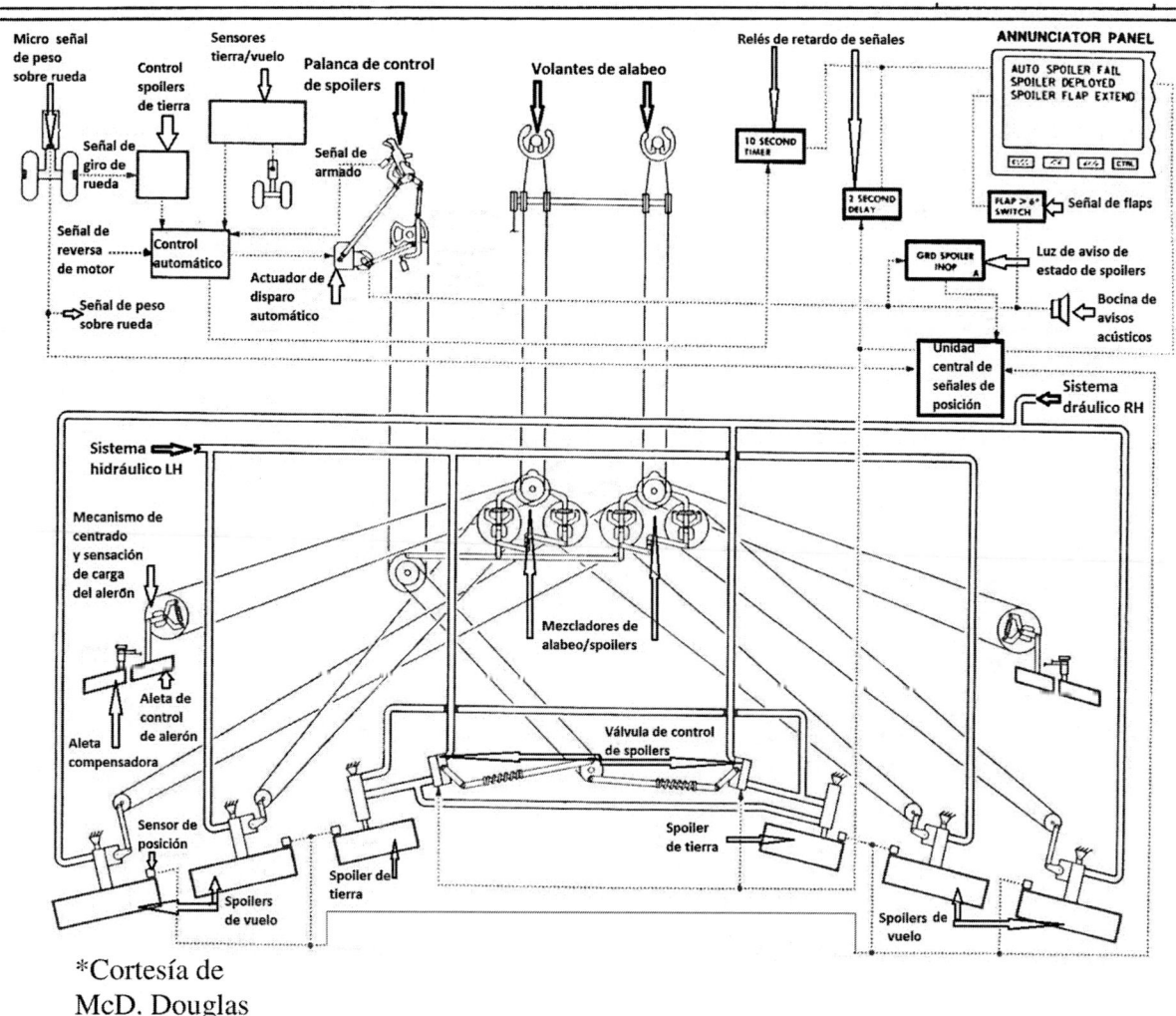

*Cortesía de
McD. Douglas

SISTEMA DE SPOILERS

La indicación de posición y estado de los mandos de vuelo se muestra en la cabina en presentación analógica o electrónica en pantalla, en algún caso ha habido indicación mecánica directa.

La indicación analógica nace en los transmisores de la posición de las superficies, que según van variando su posición van variando el mecanismo interno del transmisor, que alimentado eléctricamente envía una señal al indicador, que la transforma en indicación de una aguja sobre una escala graduada, también se presenta sobre una escala de barras, un puntero que simula la superficie de que se trate, deslizándose de un lado a otro de la escala según se va moviendo la superficie. En este sistema la indicación de estado, o no tiene, o se produce mediante luces ámbar o rojas.

En la figura siguiente se muestra un ejemplo de la indicación de posición de los flaps, y la de posición de los timones de profundidad y de un sistema de timón de dirección de un avión que tiene el timón de dirección dividido en dos partes, una superior y otra inferior, alimentados por dos sistemas hidráulicos diferentes.

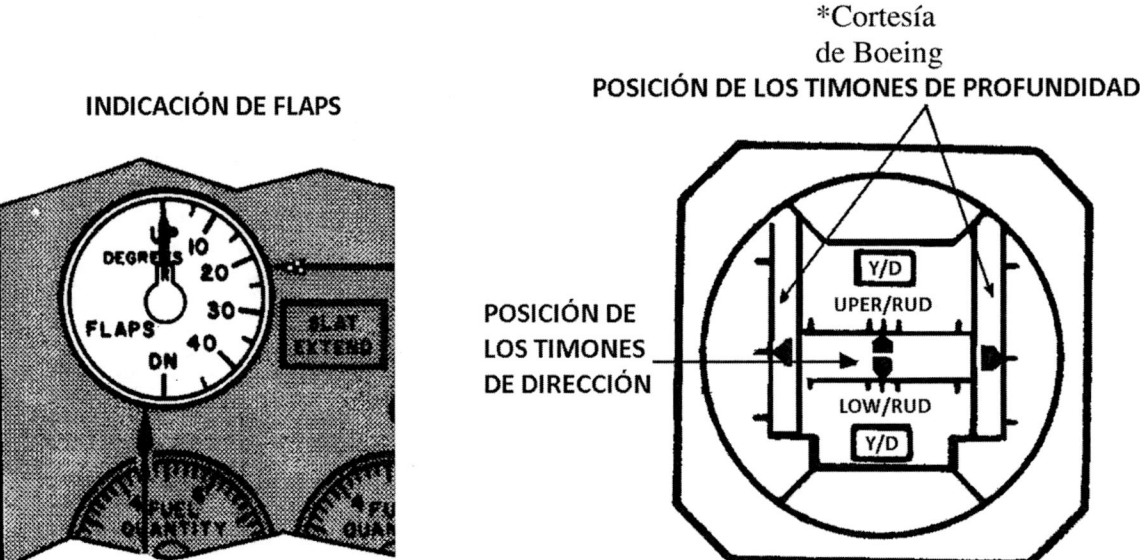

INDICACIONES ANALÓGICAS DE MANDOS DE VUELO

Si la indicación es electrónica presentada sobre pantalla, los transmisores enviarán la señal según se va moviendo la superficie a un computador que generará los símbolos correspondientes a cada punto del movimiento y en la pantalla del EICAS o del ECAM (dependerá del sistema que lleve instalado) se podrá observar cómo se va adquiriendo la nueva posición en tiempo real.

En la figura siguiente se muestra un esquema de la indicación de los mandos de vuelo en la pantalla del ECAM de un Airbus A340. En cuanto a la indicación de estado se produce cuando algún elemento o sistema no está operativo, la indicación cambia de color de verde a ámbar.

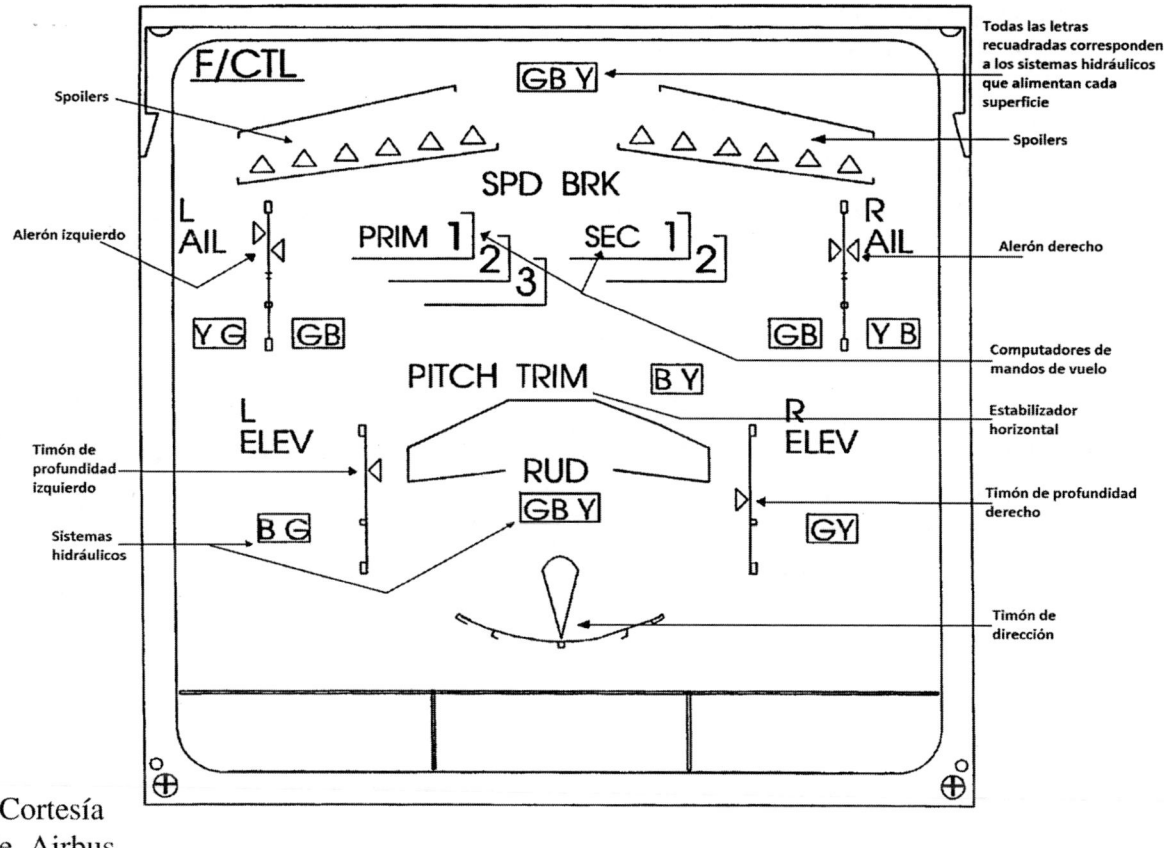

*Cortesía de Airbus

SISTEMA DE SPOILERS

11.10 SISTEMAS DE COMBUSTIBLE (ATA 28)

El sistema de combustible es el sistema encargado de almacenar y entregar el combustible a los motores, así que se le puede definir como el conjunto de elementos, instalaciones, mecanismos e indicadores con que se dota al avión para almacenar la energía en forma de combustible líquido, y suministrarlo al motor, a la presión, cantidad, y tiempo que está diseñado y programado.

Generalmente para que los sistemas tengan un mayor grado de eficiencia y seguridad deben cumplir una serie de requisitos, unos de pura lógica y otros legislativos, los cuales tendrán que tener muy en cuenta los diseñadores y constructores. Entre las principales características se encuentran:

Deberá entregar al motor una cantidad precisa de combustible, limpio y a la presión correcta, para cubrir las demandas de potencia que al motor se le exigen, asegurando esta prestación en todas las fases del vuelo, incluso durante cualquier maniobra por muy violenta, repentina o acelerada que sea.

Además, entre otras prestaciones se deberá tener en cuenta que no tenga riesgo de obstrucción por vapores que pudieran resultar por los cambios de las condiciones climáticas que se produzcan tanto en tierra como en vuelo.

El sistema deberá estar provisto de unas válvulas que permitan cortar el flujo al motor (cortafuegos) con la posibilidad de que también puedan ser accionadas al actuar desde el sistema de protección contra incendios.

Que los motores puedan alimentarse desde cualquier depósito.

Las líneas de transporte de combustible (tuberías) no deberán tener curvas o dobladuras muy ceñidas ni abolladuras acusadas para prevenir la creación de vapores que puedan obturar las líneas.

Los depósitos deberán estar provistos de sumideros en la parte inferior para acumulación de agua u otros productos que se formen con la decantación, así como drenajes al exterior de estos sumideros.

Los depósitos deberán estar ventilados al exterior a fin de que no se formen presiones al repostar combustible, ni depresiones al ir consumiendo y por lo tanto bajar el nivel del depósito.

En el avión, al tener una posición cambiante durante el vuelo y estar sujeto a las consecuencias de las irregularidades físicas de la atmósfera que atraviesa, los depósitos deberán estar provistos de unos deflectores internos, que eviten un cambio brusco de la posición del combustible, acción que causaría una variación rápida del centro de gravedad del avión.

El combustible se almacena en depósitos que en aviones pequeños y sencillos de la aviación general suelen ser desmontables, y en el resto de los aviones comerciales son depósitos integrales que se forman entre los largueros y el revestimiento de las alas, o de la estructura interna del fuselaje, o del estabilizador horizontal en los aviones que lleven depósitos en la cola.

El sistema de combustible, a efectos de su estudio y de la comprensión de sus funciones, se divide en varios apartados con sus correspondientes componentes, según se puede observar en la siguiente figura, donde se presenta un cuadro sinóptico aclaratorio.

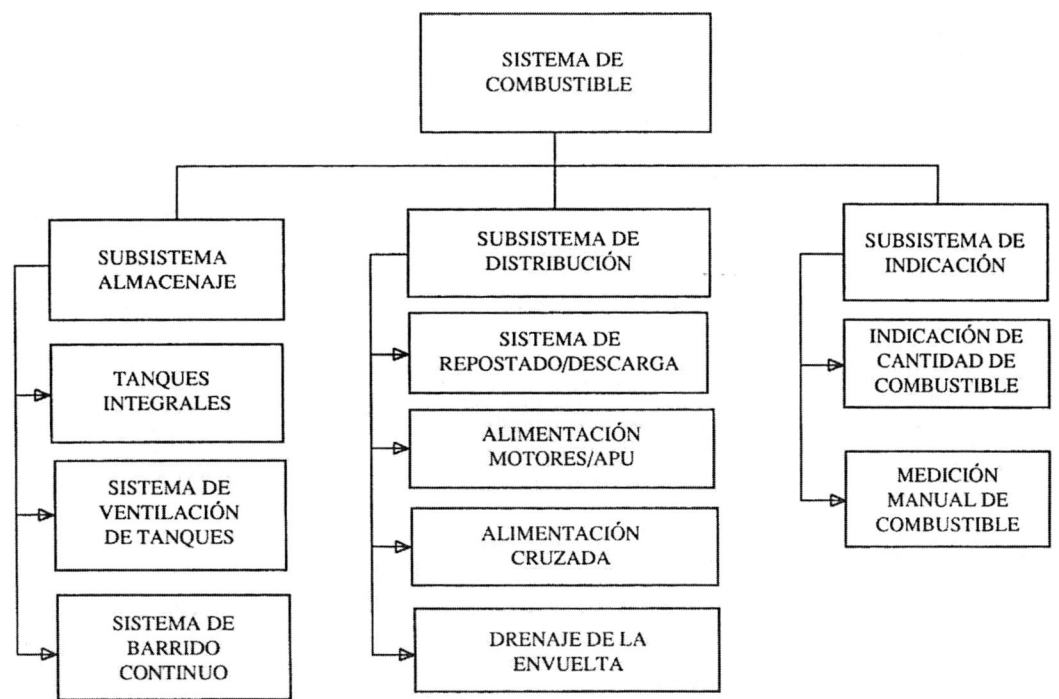

DIAGRAMA DE UN SISTEMA DE COMBUSTIBLE

El combustible que genera sistemas con estas estructuras se almacena en depósitos integrales, que se forman entre los largueros y costillas de las alas, o en el estabilizador horizontal en caso de que el avión lleve esta opción, y de la estructura del fuselaje, colocando los correspondientes tabiques entre la estructura y las cuadernas, formando diferentes cavidades, debidamente selladas con productos apropiados que no se deterioren con el contacto con el combustible.

En el interior de los depósitos se aloja no solo el combustible, sino que también están instalados los elementos de ventilación, los de medición de cantidad y drenaje de los depósitos, las bombas de impulsión y las instalaciones de alimentación a los motores, o de transferencia del combustible entre depósitos, además de las instalaciones de repostado, y en los aviones que tengan esa posibilidad, las instalaciones de lanzamiento rápido del combustible en caso de emergencia.

Generalmente, en un depósito en el extradós de cada ala, se instalan unas aberturas obturadas por un tapón de operación manual, que tiene como finalidad el repostado por gravedad en caso de ser necesario e instalar la ventilación forzada de los depósitos antes de efectuar operaciones de mantenimiento.

En la figura siguiente se muestra una ubicación de los depósitos de combustible de un avión Airbus A340.

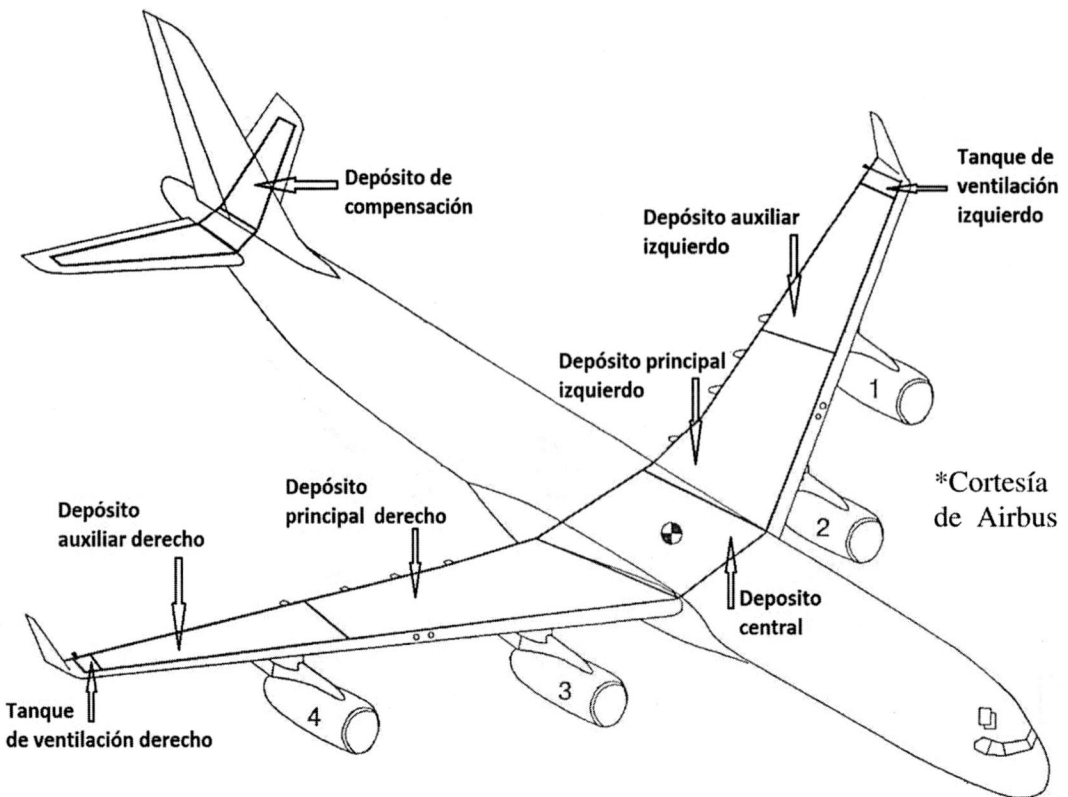

DEPÓSITOS DE COMBUSTIBLE

El subsistema de distribución comprende los elementos necesarios para que el combustible pueda llegar a los motores, desde cualquier depósito hasta cualquier motor, para lo que tiene las correspondientes bombas impulsoras, en unos casos sumergidas y en otros ubicadas en los tabiques, con el motor eléctrico en el exterior, estas bombas son generalmente dos en cada motor, que trabajan en paralelo, salvo en algunos tipos de avión en los que sea necesario que el combustible de un depósito necesite ser consumido en primer lugar, en ese caso, en ese depósito se instalan las bombas en serie; las bombas recogen el combustible del fondo de los depósitos a través de una malla filtradora y lo impulsan por medio de tubos debidamente fijados a la estructura hasta la entrada del motor correspondiente.

En el exterior de los depósitos de ubican una o dos estaciones de repostado, depende mucho del tamaño del avión para que se pueda si es necesario repostar desde dos puntos a fin de reducir el tiempo necesario para el repostado.

En la siguiente figura se muestra un esquema de un sistema de combustible de un Airbus 340 con los circuitos de alimentación a los motores, los de transferencia y el de repostado con la cisterna repostando en tierra alimentando a todos los depósitos a la vez.

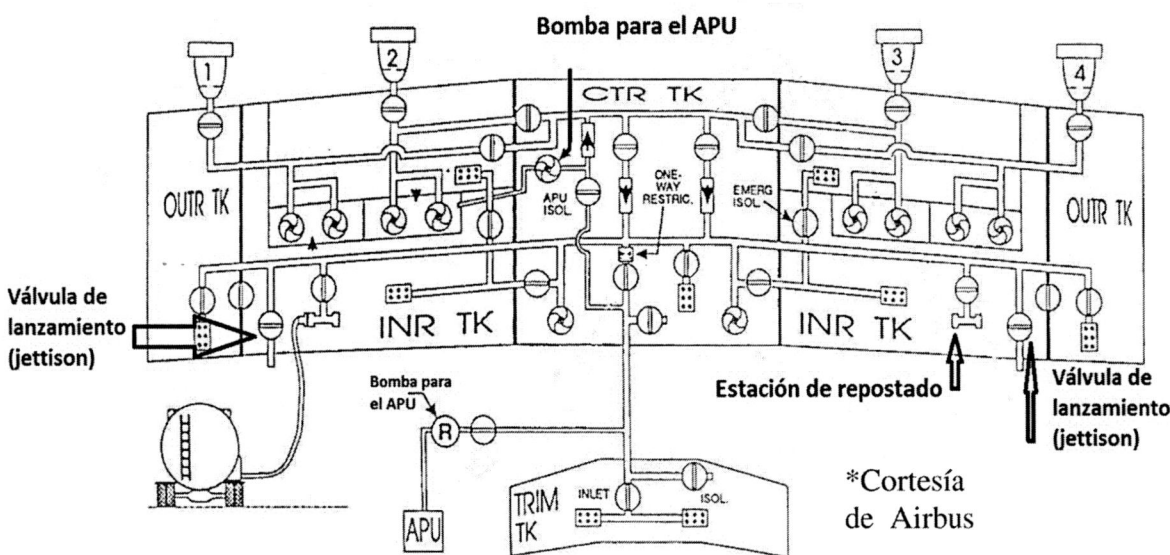

SISTEMA DE REPOSTADO Y ALIMENTACIÓN DE COMBUSTIBLE

Para el control de todas estas operaciones se dispone de las estaciones de repostado en tierra, del panel de control en el techo de la cabina de pilotos y de las pantallas indicadoras del EICAS o del ECAM. En las figuras siguientes se muestra un ejemplo de cada uno de estos paneles

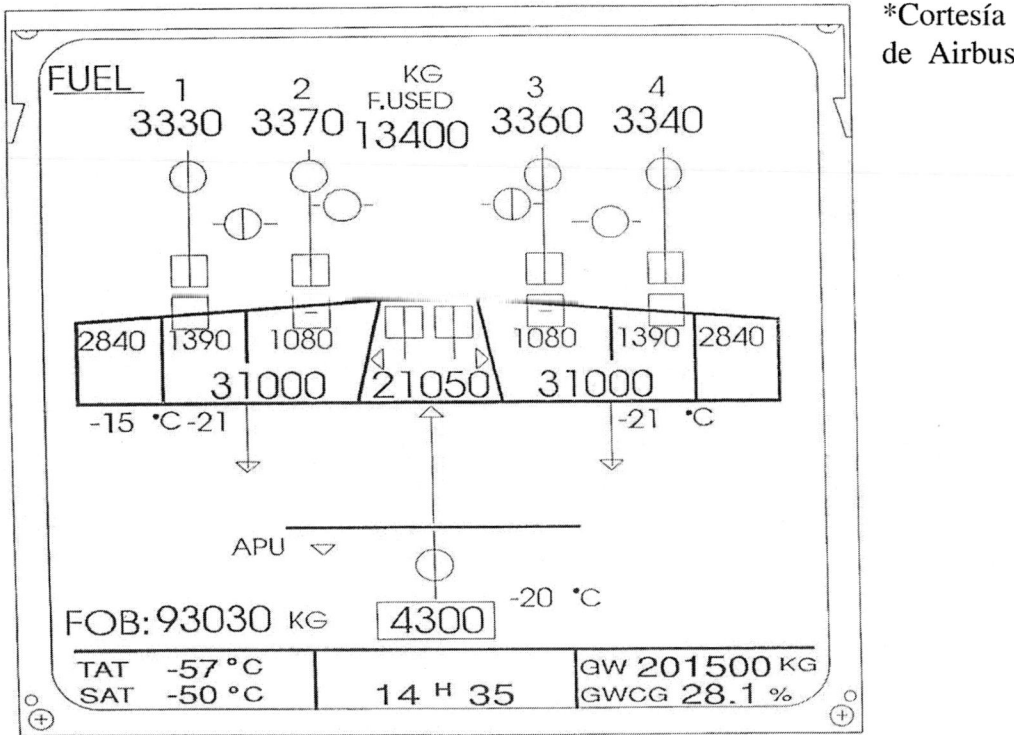

PANTALLA INDICADORA DEL SISTEMA DE COMBUSTIBLE

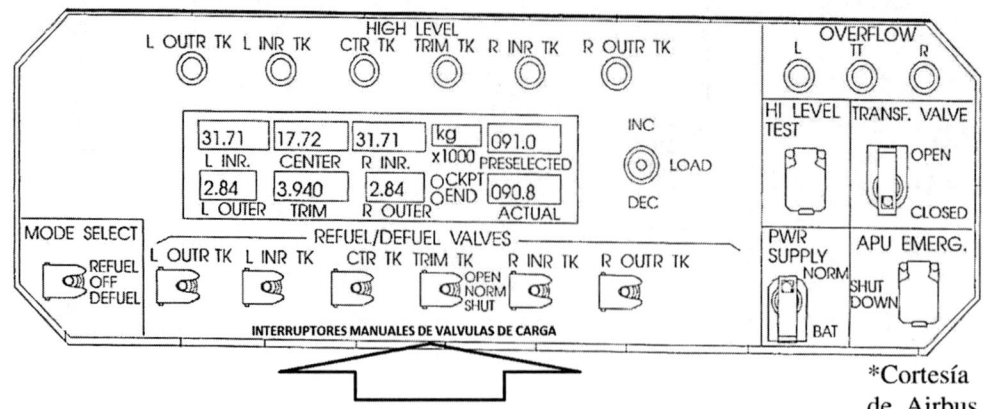

*Cortesía
de Airbus

PANEL DE REPOSTADO DE COMBUSTIBLE

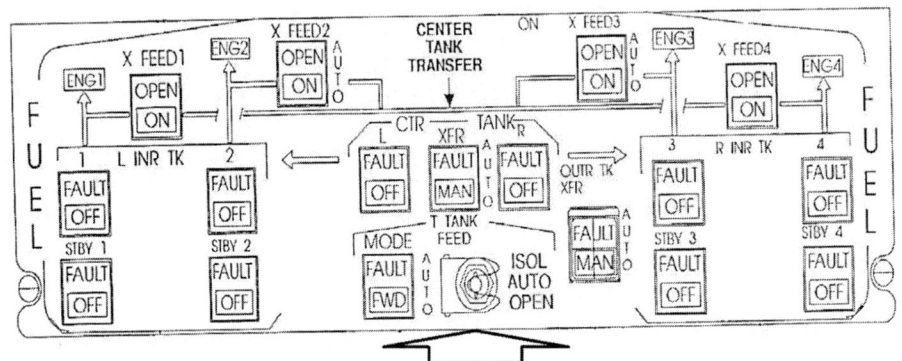

PANEL DE CONTROL DE UN SISTEMA DE COMBUSTIBLE

Desde todos estos puntos de control se pueden ejecutar y controlar todas las operaciones de forma automática o de forma manual, con solo seleccionar las opciones que se deseen, en algunos operadores instalan un panel reducido y repetidor del que tiene en la estación de carga para poder efectuar el control de la operación de repostado desde la cabina de mandos.

La operación de lanzamiento de combustible viene a ser necesaria cuando, por cualquier causa, que puede venir del avión, de sus ocupantes o de otro orden, sea necesario el aterrizaje cuando el peso del avión exceda del máximo autorizado desde el punto de vista de la protección estructural (MTOW: Maximun Take-Off-weight) o el limite (MLW: Maximun Lansing-Weight), se procederá al lanzamiento de combustible al aire, tiene su propio procedimiento de maniobra que efectuará el piloto desde un panel específico con los mandos de las válvulas de lanzamiento, que generalmente están bajo guarda para evitar su activación involuntaria.

11.11 POTENCIA HIDRÁULICA (ATA 29)

El sistema de potencia hidráulica, cuando nos referimos a una aeronave, generalmente es un sistema con el que cuenta la aeronave para ejecutar las órdenes que da el piloto al mando o el piloto automático, de movimiento de cualquier clase de mando de vuelo, tren de aterrizaje, frenos puertas, etc.

Teniendo en cuenta que la hidráulica se ha utilizado desde antiguo, para los estudios sobre el comportamiento del agua, tanto en reposo como en movimiento, hasta para la aplicación actual en todas las ramas de la industria; en la aeronáutica actual se utilizan los sistemas cerrados, que trabajan a altas presiones (entre las 2500 y las 3000 libras por pulgada, p.s.i. *pounds per square inch*) con líquidos que tienen que tener unas propiedades determinadas de viscosidad, porque también tiene que lubricar todos los elementos del sistema, trabajar a diferentes temperaturas al mismo tiempo, como mover un alerón a decenas de grados bajo cero y a la vez mover algún elemento del motor a muchos grados sobre cero.

El líquido tiene que tener un punto de inflamación y de encendido muy elevado para evitar los incendios en caso de pérdida. Básicamente hay tres tipos de líquidos utilizados en la aeronáutica: los que **tienen una base vegetal**, los que **tienen una base mineral**, y los que **tienen una base de fosfatos**.

Los líquidos de base vegetal son una mezcla de aceites vegetales y alcohol, es inflamable, tiene una especificación MIL-H-7644 y en la actualidad prácticamente no se utiliza.

Los líquidos con base mineral son los derivados del petróleo, el más utilizado para las cargas de amortiguadores y algún sistema en aviones pequeños para frenos, tiene el color rojo y se le conoce con la especificación MIL-H-5606, es inflamable, por lo que no se utiliza en los sistemas de presión con movimiento de líquido.

Los líquidos que tienen como base los fosfatos son líquidos creados químicamente, tienen unos colores específicos entre cian y púrpura claro para los Skydrol y un color amarillento para el Hyjet-IV, son líquidos muy resistentes al fuego (hay pruebas de que no alcanzan el punto de inflamación sobrepasados los 5500 ºF, por lo que son los que se utilizan en la actualidad en la práctica totalidad de las aeronaves).

Para el manejo de estos líquidos es necesario guardar todas las precauciones especificadas para ellos, ya que su contacto con la piel produce irritaciones molestas, y en los ojos es necesario lavarlos con agua fresca si accidentalmente se llega a tener contacto, por lo que tanto en las especificaciones del fabricante como en las correspondientes al módulo 9 "Factores humanos" o al capítulo 11.11-2 del tomo III de *Sistemas de aeronaves de turbina*, se reflejan con claridad las precauciones que con su respeto hacen que estos líquidos sean perfectamente utilizables y manejables.

En el siguiente cuadro sinóptico se presenta gráficamente lo que es un sistema hidráulico general, cómo se divide según la función lógica desde el depósito hasta los colectores de presión desde los que se surten los sistemas usuarios.

CUADRO SINÓPTICO DE UN SISTEMA HIDRÁULICO

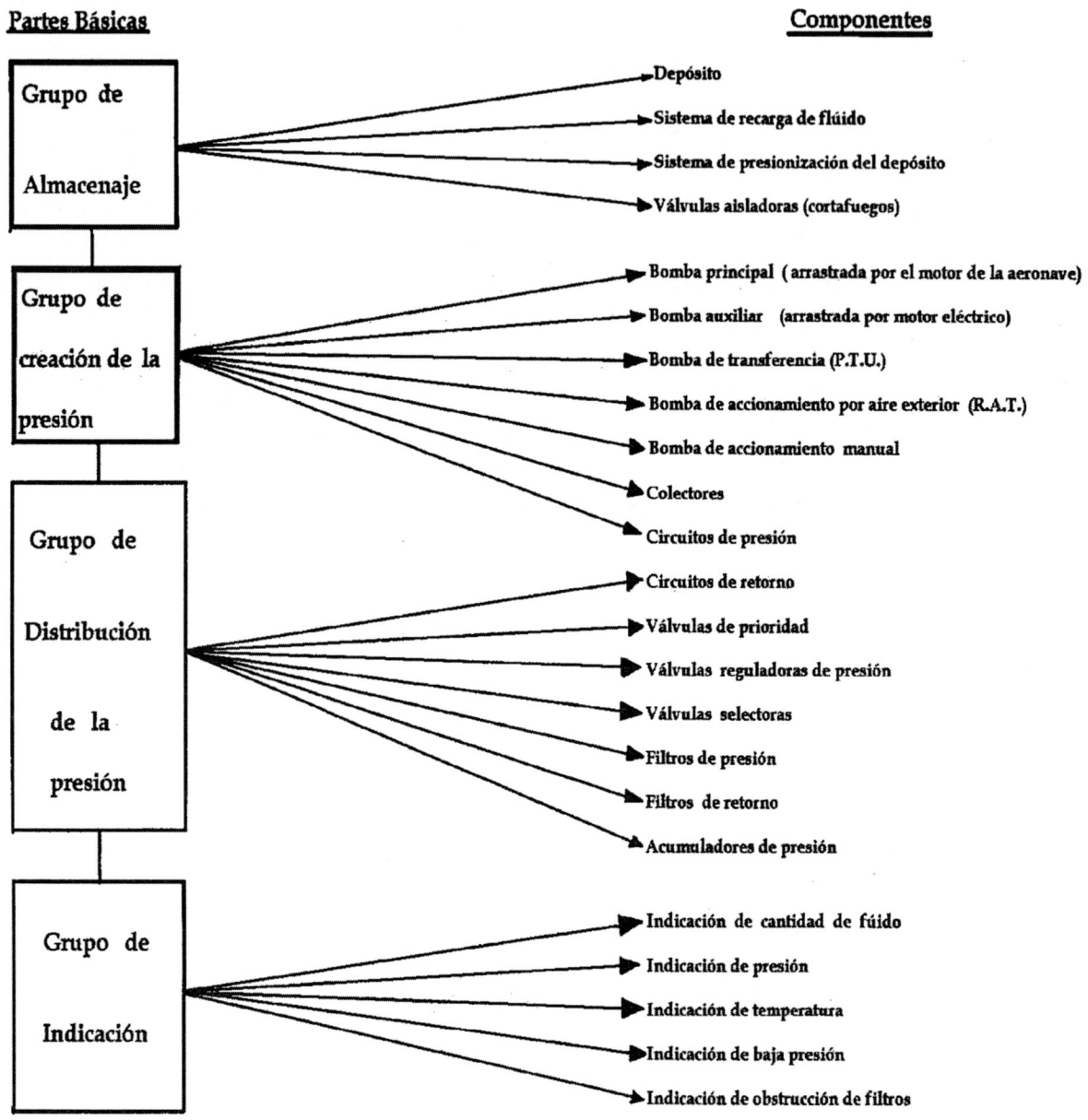

En general, todos los sistemas hidráulicos instalados en los aviones, al tener casi los mismos cometidos, tienen la misma estructura y filosofía, es básicamente un sistema que presuriza un líquido procedente de un depósito, lo controla en presión, temperatura y flujo, lo pone a disposición de los sistemas usuarios, recoge mediante el circuito de retorno el líquido ya utilizado y sin presión y lo envía controlado en temperatura y limpieza mediante filtros al depósito otra vez para volver a ser utilizado.

En la figura siguiente se muestra el esquema de uno de los sistemas hidráulicos que el fabricante McD. Douglas instala en los aviones de la serie MD, con todas las alimentaciones eléctricas, las diferentes bombas para presurizar el sistema, los usuarios que alimenta, el circuito de retorno y todos los componentes como depósito, bombas, válvulas, filtros, acumuladores de presión, transmisores de presión, sensores de temperatura y las conexiones eléctricas y electrónicas con las unidades de control e indicación.

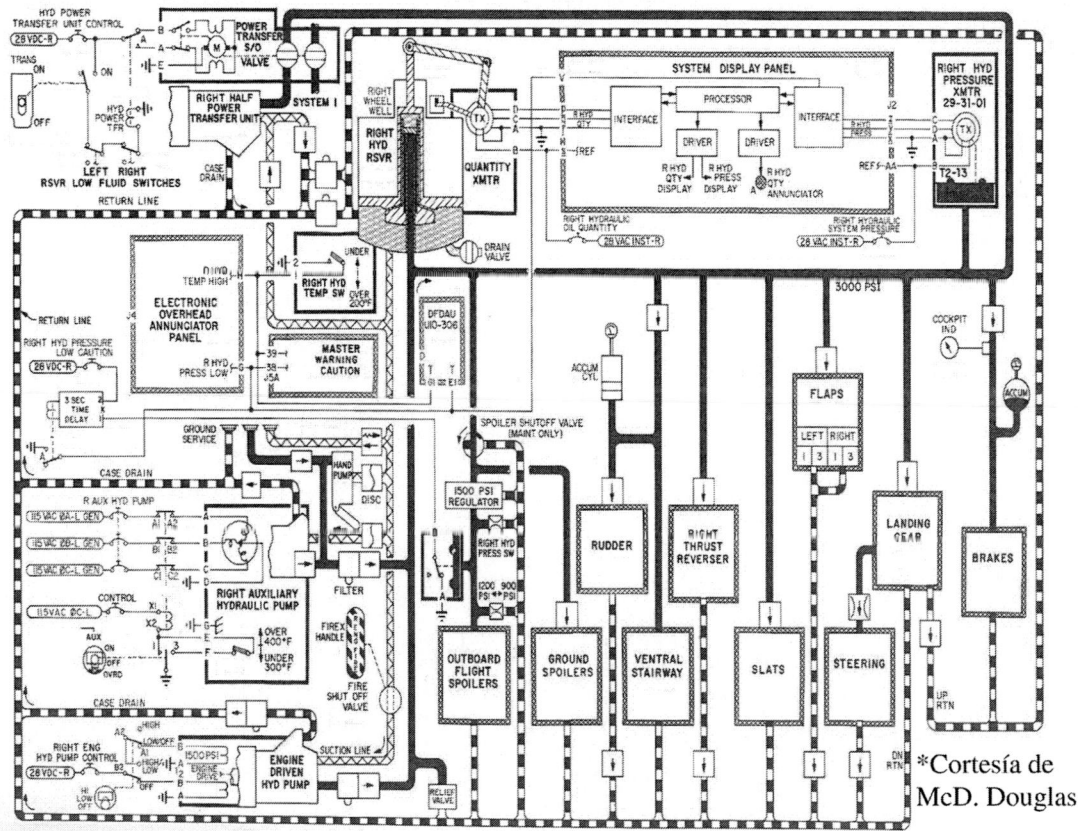

*Cortesía de McD. Douglas

ESQUEMA DE UN SISTEMA HIDRÁULICO

195

El manejo y control del sistema hidráulico se efectúa desde el panel de control de la cabina de mandos y la indicación puede ser analógica o en pantalla. En la figura siguiente se muestra un panel de control y la información que presenta sobre el sistema en la pantalla, además de la que presenta en otra pantalla de las acciones que llevar a cabo en caso de alguna anormalidad.

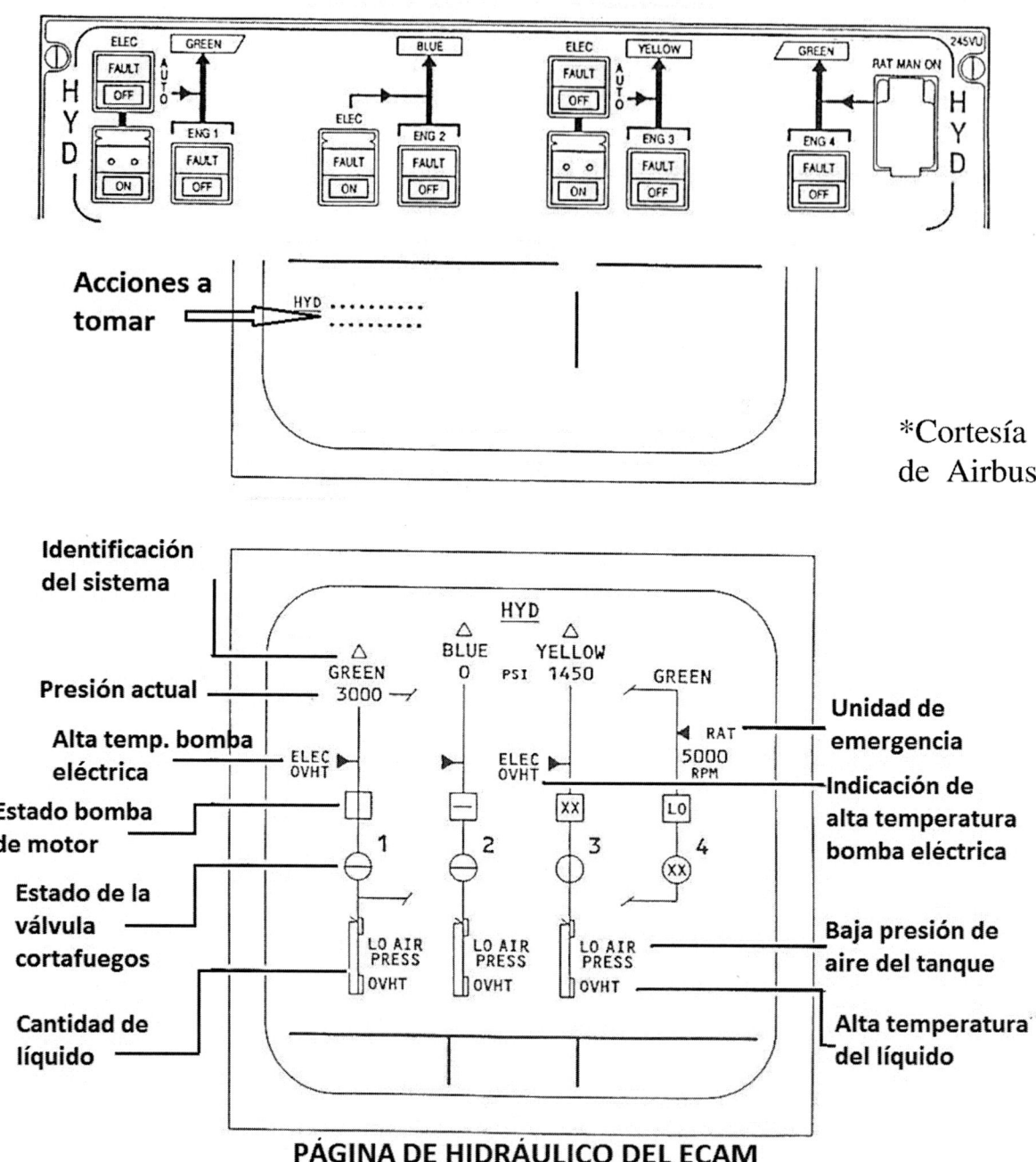

*Cortesía de Airbus

PÁGINA DE HIDRÁULICO DEL ECAM

INDICACIÓN Y CONTROL DE UN SISTEMA HIDRÁULICO

11.12 PROTECCIÓN CONTRA EL HIELO Y LA LLUVIA (ATA 30)

El sistema de protección contra el hielo y la lluvia permite la operación del avión sin restricciones por condiciones de engelamiento y/o lluvia fuerte en la ruta, las partes críticas están protegidas por:

Aire caliente.
Aire a presión.
Calefacción eléctrica.
Riego con productos químicos.
Limpiaparabrisas con repelente de lluvia.

Las zonas son los bordes de ataque de las alas y de los empenajes de cola, las entradas de aire de los motores, los cristales parabrisas de la cabina de pilotos, los sensores, tubos de pitot y tomas de presión estática, los mástiles de drenaje de aguas residuales de las piletas de cocina.

Los sistemas de aire caliente efectúan con aire procedente del sistema neumático del avión abriendo las válvulas correspondientes que controlan la presión, el flujo y la dirección, de forma automática o de forma manual, depende del tipo de sistema. En la figura siguiente se muestra un sistema de protección contra el hielo por aire caliente del sangrado de los motores.

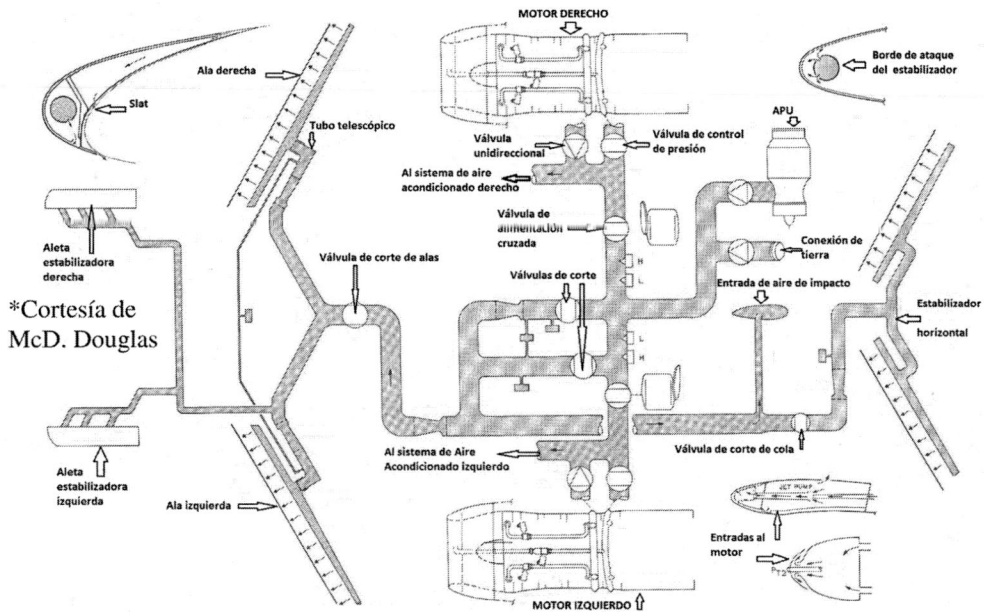

SISTEMA ANTIHIELO NEUMÁTICO

197

El tipo de protección contra el hielo por aire a presión es un sistema bastante utilizado en aviones de media y baja velocidad, tiene un buen nivel de eficacia, su funcionamiento consiste en desprender el hielo una vez que se ha formado, por un ingenioso método de inflar alternativamente unas gomas que se colocan en los bordes de ataque de las alas y de los empenajes de cola, estas gomas tienen en su interior un tubo central y uno a cada lado de lo que compone el borde de ataque.

Cuando se conecta el sistema, una bomba o un sangrado del compresor del motor proporciona el aire a una presión controlada, una válvula de control secuencial generalmente de actuación eléctrica mediante válvulas actuadas por solenoide, efectúa el envío del aire a presión hacia los orificios de salida con la secuencia programada.

Una vez que el avión está entrando en una zona de engelamiento y se comienza a formar hielo en los bordes de ataque, la válvula de secuencia infla el conducto central que rompe la capa de hielo, seguidamente la válvula de secuencia libera la presión del tubo central y comienza a inflar los tubos laterales, con lo que despegan la capa de hielo, el aire de impacto arrastra los trozos de hielo a la atmósfera, y así sucesivamente se irán produciendo secuencias, lo que permitirá que el hielo no se acumule y las superficies no pierdan el perfil aerodinámico.

En la figura siguiente se presenta un esquema de un sistema de protección por aire a presión con la secuencia indicada.

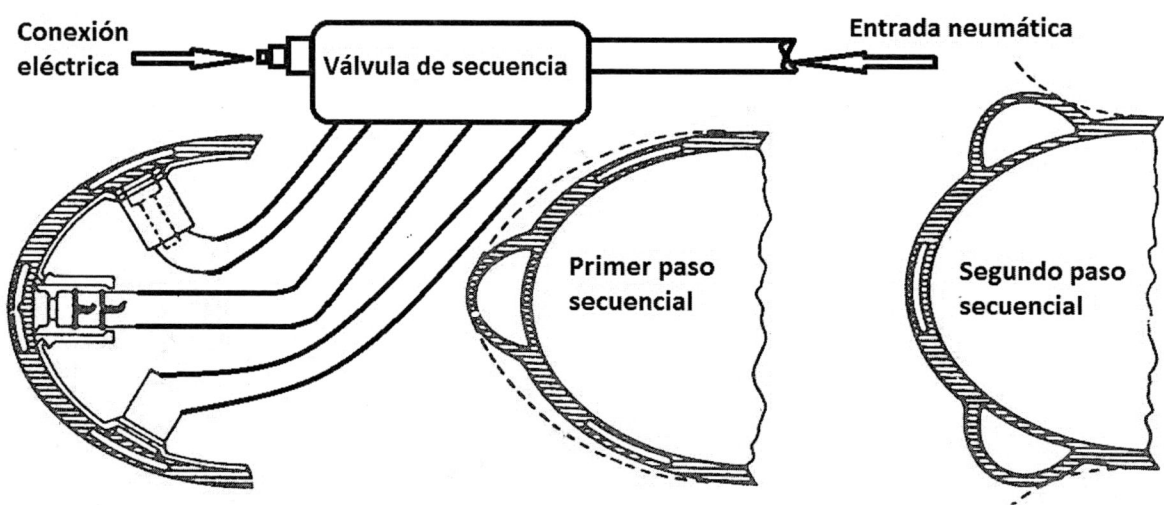

PROTECCIÓN CONTRA EL HIELO POR AIRE A PRESIÓN

La protección contra el hielo por resistencias eléctricas consiste en unas resistencias embebidas en el interior del elemento en el momento de su construcción, o unas mantas eléctricas en las zonas como las tomas estáticas o las estaciones de servicio, conectadas a las barras eléctricas correspondientes, y que generalmente se conectan cuando el avión siente que deja de estar en tierra.

Los elementos protegidos por calefacción eléctrica generalmente son:

Los tubos pitot.

Las tomas de presión estática.

La sonda de temperatura.

Medidor del ángulo de ataque.

Cristales de cabina de pilotos.

Estaciones de carga de agua y servicios de lavabos.

En la figura siguiente se muestran los elementos que tienen protección eléctrica contra el hielo y el panel desde el que se pueden controlar.

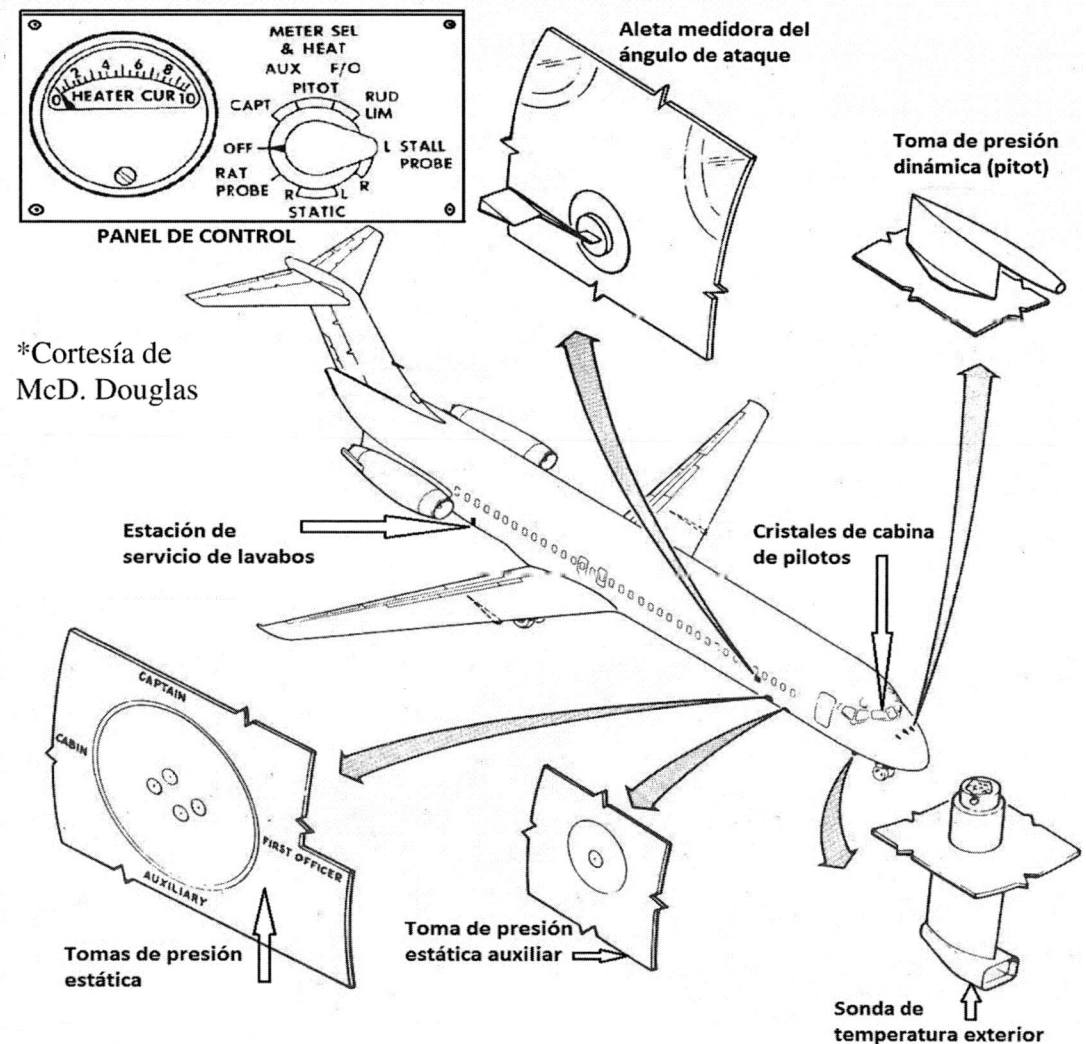

ELEMENTOS CON PROTECCIÓN ANTIHIELO ELÉCTRICO

La protección contra el hielo con productos químicos consiste en que, desde un depósito con productos que tienen como base fundamental el alcohol y la glicerina y mediante alguna bomba, en muchos casos manual, y unos tubos a tal fin, se rocían las zonas de riesgo, como hélices, bordes de ataque y alguna zona más. Es un sistema poco utilizado y solo en avionetas lentas y pequeñas.

Para la protección contra la lluvia los aviones cuentan con limpiaparabrisas convencionales, con motor eléctrico de varias posiciones y controlado desde un panel en la cabina, en muchos casos tienen un sistema de rociado del cristal con un líquido repelente de la lluvia procedente de un depósito a presión obturado por una válvula de solenoide que, al pulsar su botón, abre el paso durante unas décimas de segundo dejando salir un poco de líquido, que se esparce por el cristal y mantiene la protección durante unos minutos. Esta operación no se debe efectuar más que en vuelo y con fuerte lluvia, ya que es un líquido altamente corrosivo para las partes metálicas de la aeronave. En la figura siguiente se muestra un sistema de protección contra la lluvia y un panel de control de un sistema de protección contra el hielo de un Airbus A-320.

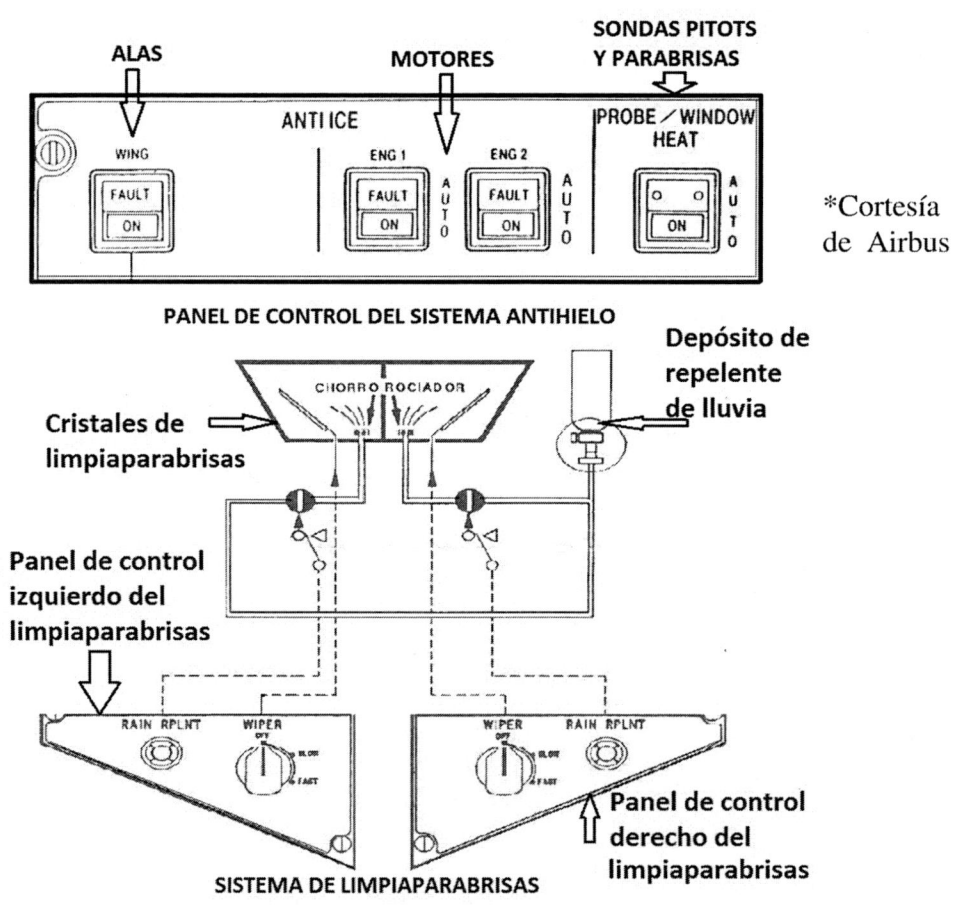

CONTROLES DEL SISTEMA ANTIHIELO

11.13 TREN DE ATERRIZAJE (ATA 32)

Se denomina tren de aterrizaje al conjunto de elementos necesarios para soportar y dirigir una aeronave cuando está en tierra, en caso de aeronaves anfibios se le denomina tren de flotación. El objeto de este capítulo es presentar el tren de aterrizaje de aviones considerados terrestres. A lo largo de la historia el tren de aterrizaje ha pasado por una gran cantidad de modelos y formas, siempre relacionadas con el peso del avión y con las funciones que se le encomendaban.

En un principio, los trenes fueron unos patines que se deslizaban por el suelo, después se acoplaron a la estructura unas ruedas y seguido se empezaron a utilizar los amortiguadores de diferentes tipos para absorber las cargas que producían las irregularidades del terreno de los aeródromos y que no dañasen la estructura. En el módulo 11.13 ("Tren de aterrizaje") del tomo III de los de *Sistemas de aeronaves de turbina* se trata este tema con la debida profusión de detalles.

El haber conseguido que en la mayoría de los aeropuertos del mundo tanto las pistas de aterrizaje como las zonas de rodaje, espera y aparcamiento estén con superficies llanas y duras ha influido mucho en los diseños de los trenes de aterrizaje de los aviones actuales, quedando, salvo para los aviones históricos, los tipos de trenes fijos para los aviones lentos y pequeños de la aviación general y los retráctiles para el resto de los aviones. Con respecto a la forma, prácticamente son de **tren clásico** con tren principal y patín de cola, lo que deja al avión inclinado cuando está en tierra, según se puede observar en el dibujo de la figura siguiente.

TREN DE ATERRIZAJE CLÁSICO

El otro modelo de tren, que es el más utilizado por todos los fabricantes de aviones comerciales, es el **tren triciclo**, retráctil, con dos o más patas de tren principal y una delantera o pata de morro orientable, para poderlo orientar durante su recorrido sobre las pistas, que es el que presenta un avión con el piso horizontal, como se puede observar en la figura siguiente.

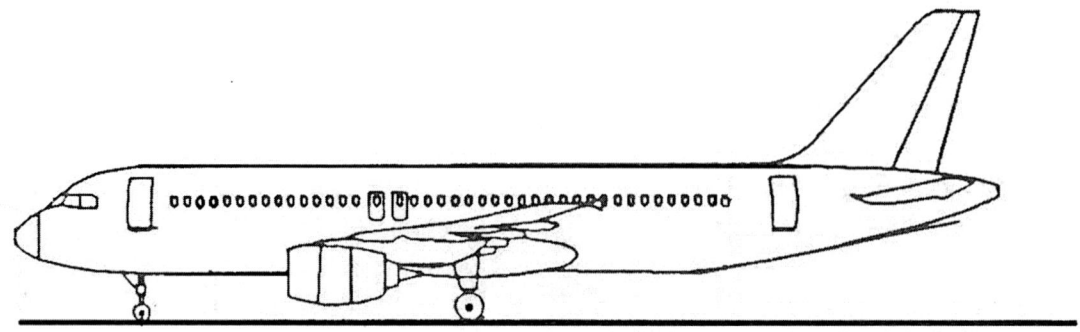

TREN DE ATERRIZAJE TIPO TRICICLO

Los componentes de un sistema de tren de aterrizaje y sus funciones se dividen en partes o subsistemas bien diferenciados como principales:

Estructura y anclaje
Extensión y retracción
Ruedas, frenos y antideslizamiento
Dirección de las ruedas de morro

La estructura de una pata de tren, además de la robustez que según el tamaño de la aeronave se requiere, para soportar tanto su peso como el impacto del aterrizaje, tiene la misión de soportar el amortiguador oleoneumático, los elementos que corresponden a los frenos y las ruedas, las riostras de sujeción, mecanismos de retracción y extensión, tijeras antitorsión o los herrajes de fijación a la estructura.

El número de patas de tren también es variable según el peso y tamaño de la aeronave, el tren principal puede tener dos, tres o cuatro patas, y el tren delantero o "de morro" generalmente tiene una pata, salvo en los grandes aviones de transporte pesado, que tienen dos patas.

En las patas de morro, además del amortiguador, lleva instalados los mecanismos del sistema de dirección de las ruedas, para orientar la aeronave en sus desplazamientos por las pistas y aparcamientos. En algunos aviones, generalmente de carga, en las ruedas de morro también lleva sistema de frenos.

En la siguiente figura se muestra una pata de tren principal de un avión de tamaño medio, entre otros elementos, con las riostras que soportan parte de los esfuerzos laterales, blocajes de la pata extendida, compuerta seguidora o las instalaciones de frenos.

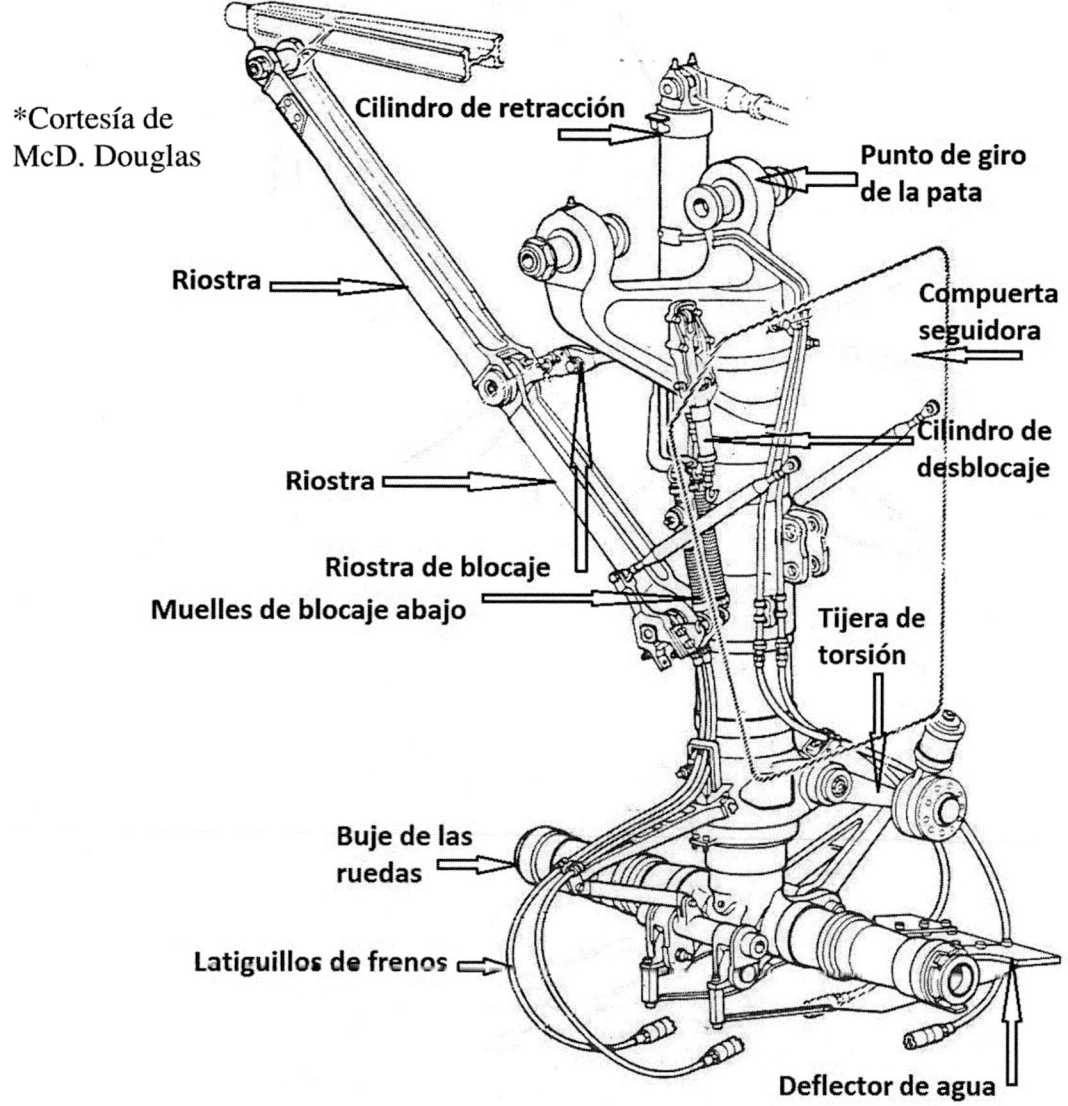

PATA DE TREN PRINCIPAL

Las patas de tren se controlan desde una palanca que normalmente se ubica en el panel frontal de instrumentos de la cabina, entre el panel central y el derecho, desde esta palanca el piloto actúa el sistema, bien directamente mediante cables guiados por poleas, o a través de un computador que, a instancias de la señal de la palanca, fabrica y envía una orden a la unidad electrohidráulica, para que con presión del sistema hidráulico que lo alimente actúen los cilindros de movimiento de la pata en el sentido solicitado por el piloto.

En la figura siguiente se muestra un esquema de un sistema de extensión y retracción de un tren de aterrizaje, con los elementos que componen el sistema tanto de movimiento como de bloqueo de posición y actuación de las compuertas y el sistema de extensión del tren en caso de emergencia.

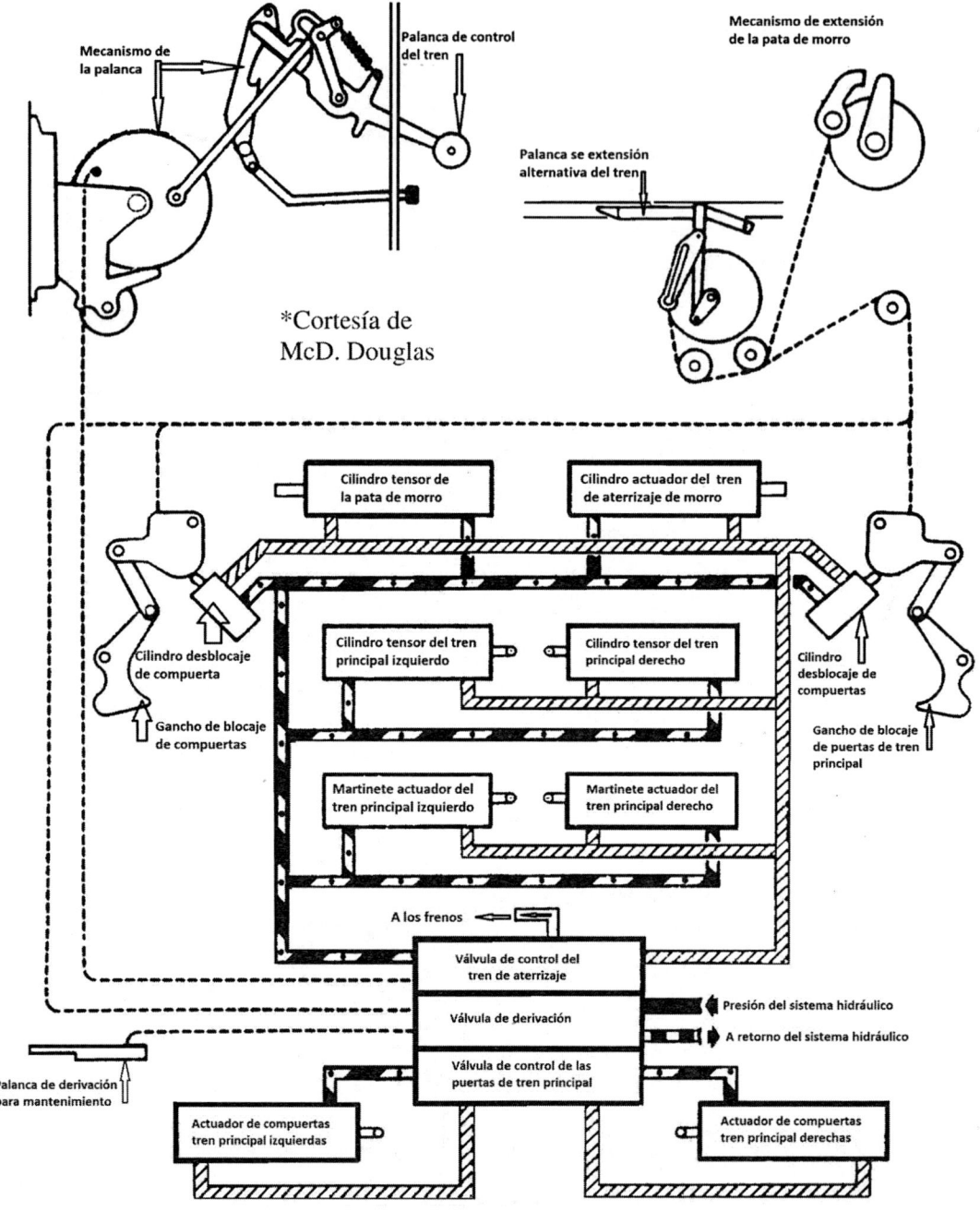

CONTROL Y ACCIONAMIENTO DEL TREN DE ATERRIZAJE

Al objeto de que la aeronave pueda disminuir la carrera de aterrizaje, parar donde sea necesario mantenerse parado en el aparcamiento que corresponda, se coloca en los aviones un sistema de frenos que alimentados por los sistemas hidráulicos, se ubican en los bujes de las ruedas de tren principal. El sistema de frenos consta de elementos como las unidades de frenado, las válvulas de control y los pedales de mandos en la cabina.

Las unidades de frenado son un conjunto de frenos de disco con varios estátores y rotores, montados sobre un cuerpo de estructura que aloja a los pistones hidráulicos, este cuerpo se fija al buje de las ruedas del tren principal. Los discos rotores tienen unas orejetas por las que entran unas guías que van fijas al interior de las llantas de las ruedas, de forma que al rodar arrastran los discos rotores haciéndoles girar.

Cuando se aplica presión a los pistones del cuerpo del conjunto, los pistones oprimen los estatores contra los rotores y se produce el frenado por rozamiento. En la figura siguiente se muestra una pata de tren principal con los conjuntos de frenos de disco.

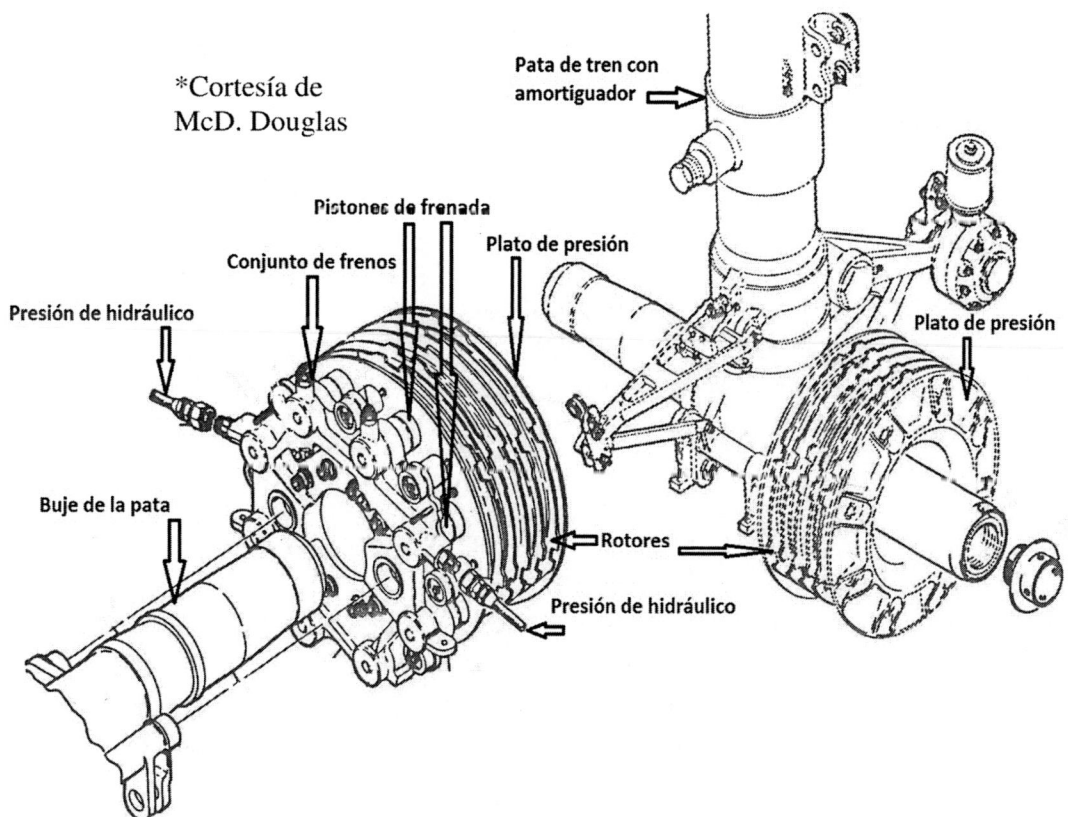

CONJUNTO DE FRENOS DE DISCO

En cuanto al funcionamiento de un sistema de frenos, puede ser de varias formas, o sistemas de control mecánico y accionamiento hidráulico, o de control eléctrico o electrónico y de accionamiento hidráulico. En la actuación del freno en los aterrizajes, las aeronaves de la generación actual tienen la posibilidad de que la actuación sea automática, es decir, una vez seleccionada la intensidad de la frenada es el computador correspondiente el que envía la orden de freno a las válvulas para que actúen progresivamente hasta la parada, liberando así al piloto de esa función para dedicarse a las labores del aterrizaje.

Si el sistema es de control mecánico y accionamiento hidráulico, la acción comienza al pisar los pedales del timón de dirección, los dos a la vez y ejerciendo la fuerza sobre las punteras, que es cuando, a través de los cables y poleas, llega la señal de apertura de paso de la presión hacia los conjuntos de frenos, en la figura siguiente se muestra un sistema de control de frenos de control mecánico.

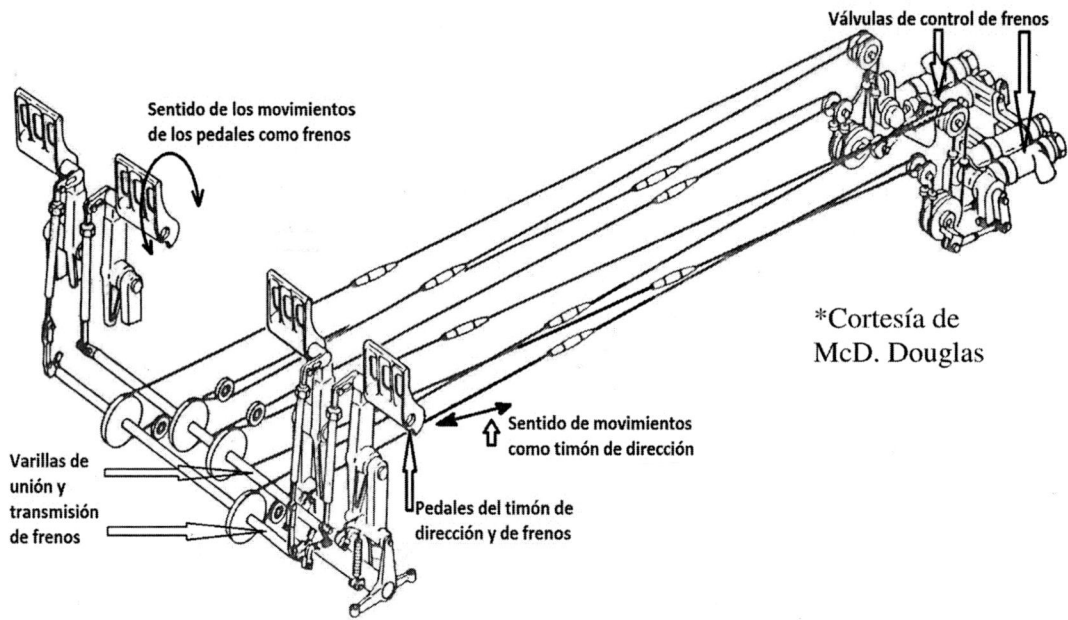

SISTEMA DE CONTROL DE FRENOS

Una vez que las válvulas de control de frenos permiten el paso de presión hacia los conjuntos de discos, los pistones aprisionan los rotores contra los estátores y los platos de presión produciéndose la frenada, que estará protegida contra el bloqueo por el sistema de antideslizamiento que tenga instalado, en el momento en que la unidad de control sienta que una rueda va disminuyendo de revoluciones, la electroválvula correspondiente liberará la presión hacia retorno y la rueda seguirá girando sin riesgo de que pudiera reventar por desgaste irregular.

En la figura siguiente se muestra un circuito de frenos de un avión de cuatro conjuntos de frenos alimentado por dos sistemas hidráulicos, con electroválvulas de control antideslizamiento y acumuladores de presión, para caso de emergencia si por cualquier causa se perdiese la alimentación de algún sistema.

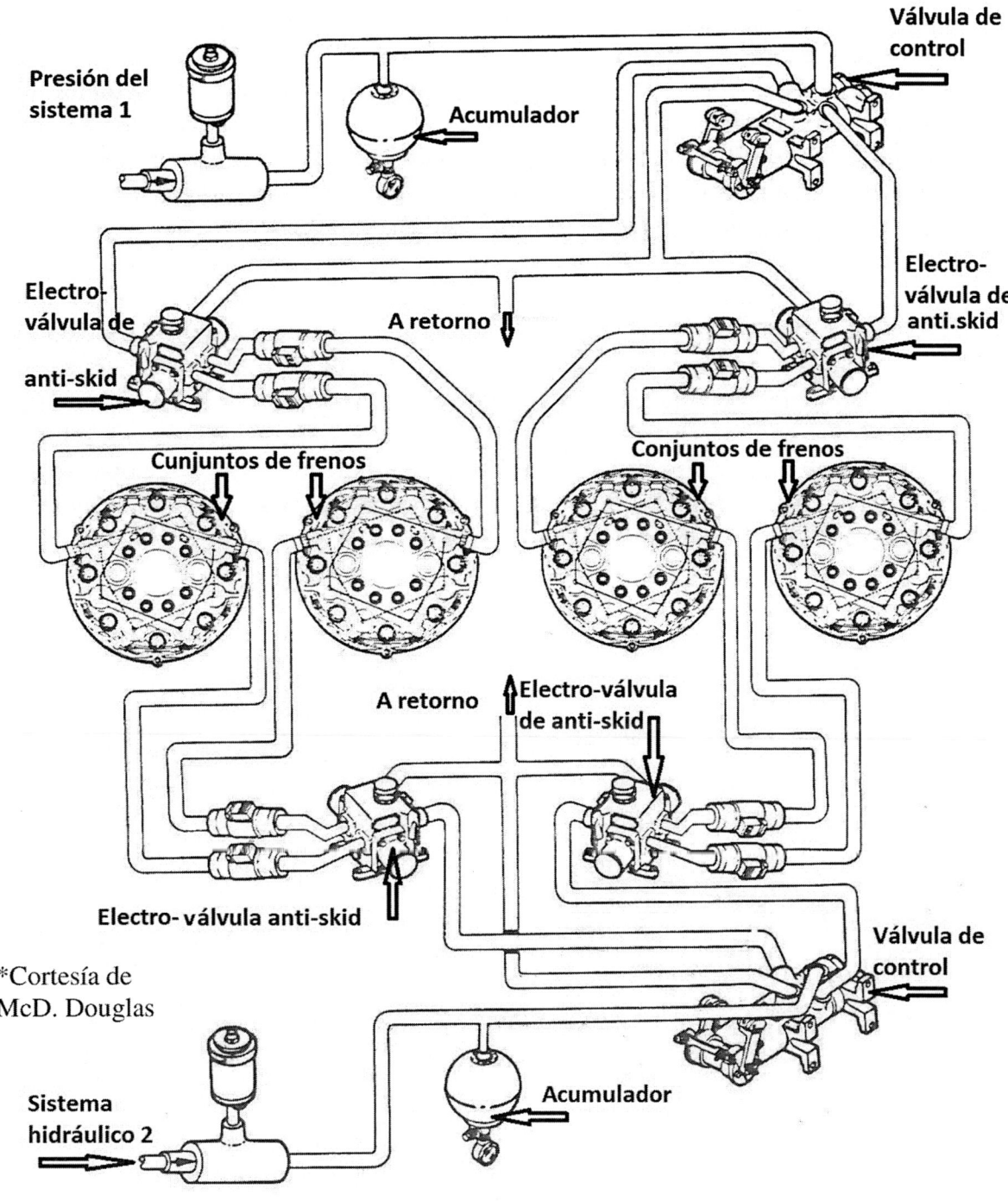

SISTEMAS DE FRENOS

207

Otro subsistema que está ligado al tren de aterrizaje es el formado por los componentes de la dirección de las ruedas de morro, que sirve para orientar el avión en su recorrido por las pistas y aparcamientos de los aeropuertos. Generalmente, es un sistema de control mecánico y accionamiento hidráulico para las aeronaves fabricadas hasta la actualidad. A partir de la aparición del fly by wire, el control empieza a dar cabida a la electrónica, y aunque es el piloto el que en el volante de la cabina demanda un giro de rueda, es el computador el que fabrica y envía la orden a las unidades de actuación hidráulica. Con la aplicación de los sistemas de navegación por satélites, ya se han efectuado pruebas con buen resultado en el sentido de que la torre de control da al avión las coordenadas del punto o pasarela donde le han asignado que aparque, datos que introducirá en el sistema de control de la dirección y será este el que controle el avión por las pistas hasta el punto de aparcamiento.

El sistema de dirección de las ruedas de morro se controla desde uno o dos volantes en la cabina de mandos y mediante un conjunto de mecanismos mezcladores se puede controlar con los pedales del timón de dirección, pero solo en la gama de unos 20 grados como máximo, ya que con este recorrido se cubren la mayoría de los desplazamientos, dejando libre las manos del piloto para controlar otros mandos. En la figura siguiente se muestra un sistema de dirección de control mecánico y accionamiento hidráulico, con los mecanismos mezcladores y de centrado. La actuación hidráulica generalmente es por presión de más de un sistema.

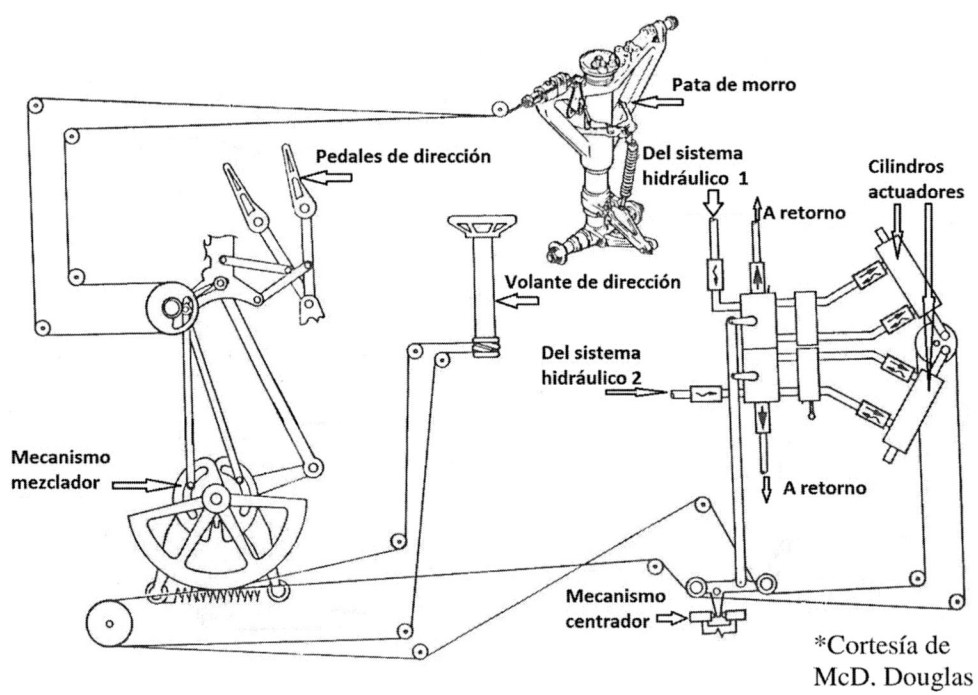

SISTEMA DE DIRECCIÓN DE RUEDAS DE MORRO

En lo referente a la indicación de tren, es muy variada, se informa al piloto de la posición y estado de las patas y compuertas en todo momento, por medio de luces de colores, letreros más luces de colores, o información en la pantalla en la página de tren más las luces de colores, además de señales audibles en los altavoces de la cabina.

Las luces de colores son normalmente una luz para cada pata y otra para las compuertas, que se mantendrán apagadas cuando el tren está recogido, blocado y con las compuertas cerradas. Una vez puesta la palanca de tren en posición de abajo las luces se mantendrán de color ámbar mientras estén efectuando el recorrido, una vez finalizado este, la luz de compuertas se apagará y las luces de pata pasarán a color verde. Toda esta información la dan los diferentes micros mecánicos y de proximidad que están instalados en las articulaciones de las patas, en las compuertas y en las palancas de control; estas señales, o bien informan a la unidad de control y a las luces directamente, o a las luces solamente, dependerá del sistema que esté instalado.

En la figura siguiente se muestra un esquema de un sistema de indicación de tren con luces de aviso de posición.

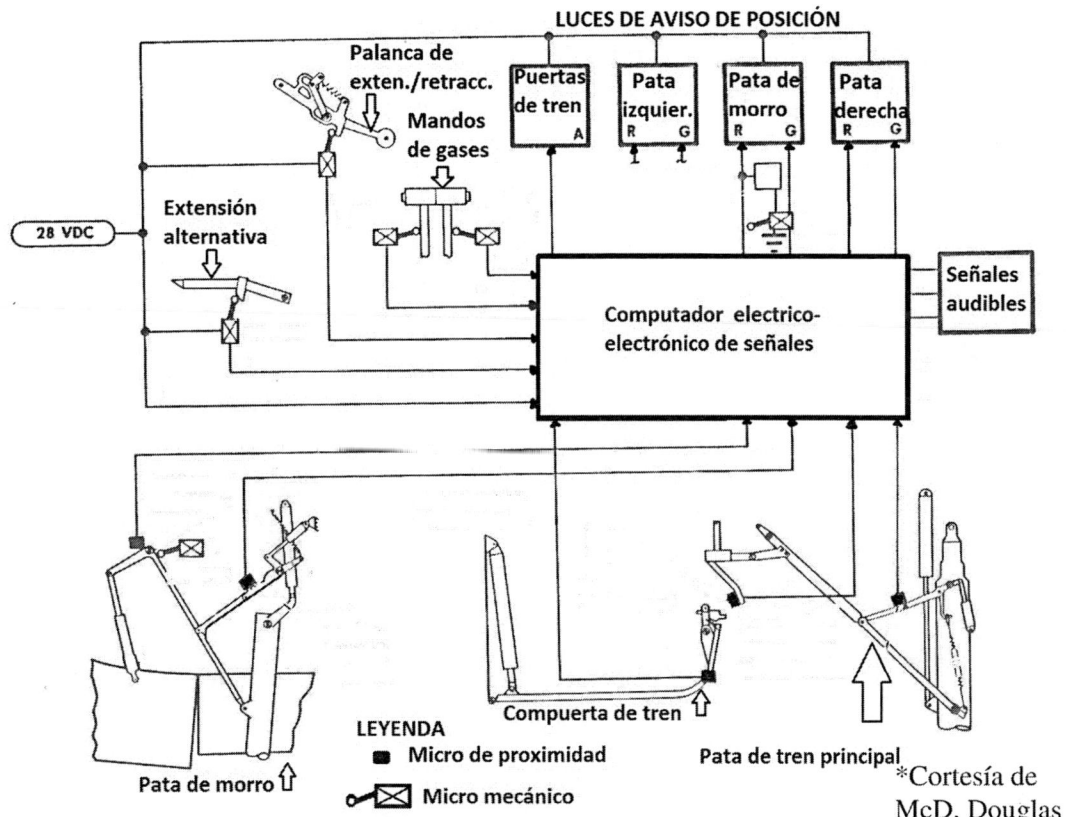

ESQUEMA DE INDICACIÓN DE POSICIÓN DEL TREN

En aeronaves de la generación fly by wire la indicación, además de las luces de posición de las patas, en las pantallas del ECAM ofrece información sobre la presión de las ruedas, sobre la temperatura de los frenos y el estado de las patas, si están blocadas o no, además de la posición de las compuertas.

En la figura siguiente se presenta un ejemplo de la información sobre el tren de aterrizaje de un Airbus A-340 en el panel frontal con las luces de posición y el control automático de frenada, el control de los ventiladores de frenos de cada rueda.

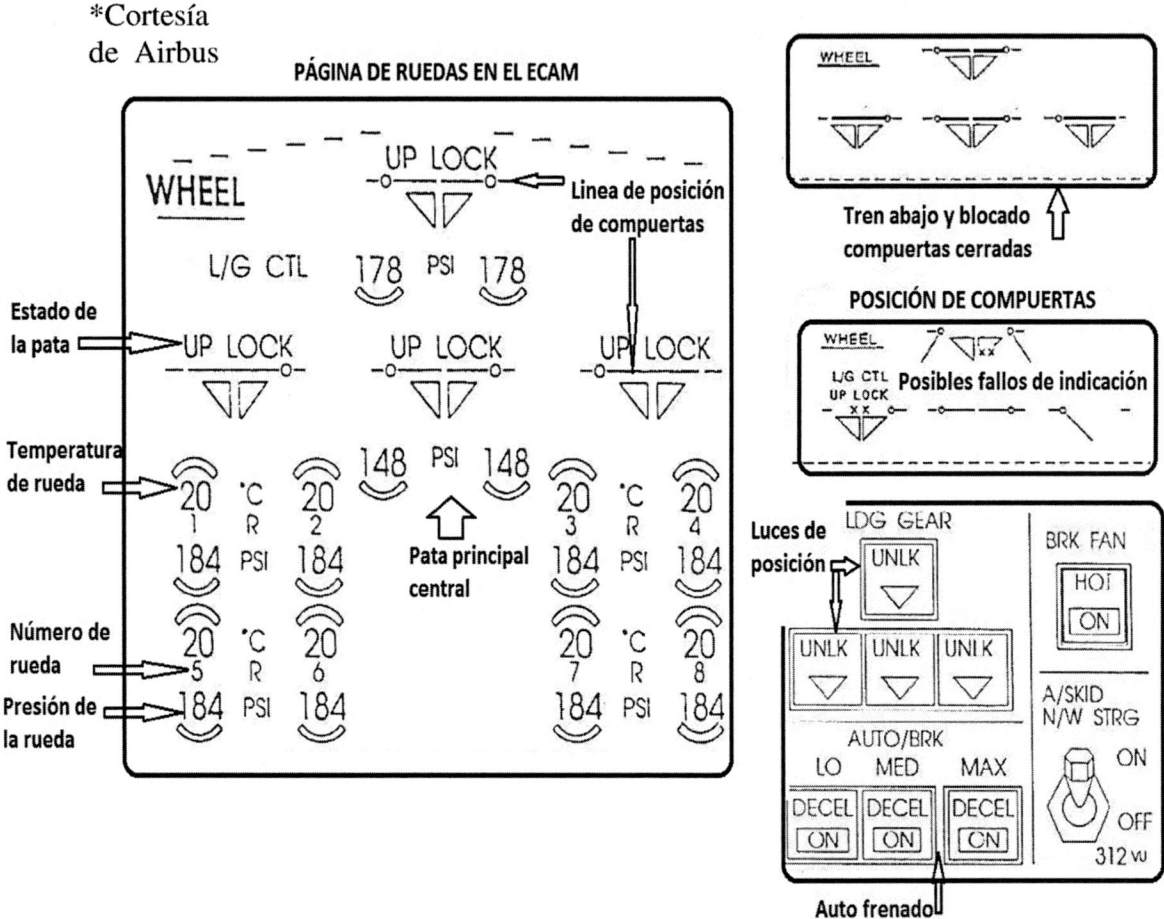

INDICACIONES DE TREN EN PANTALLA

11.14 LUCES (ATA 33)

En el capítulo de "Luces" se agrupan todos los tipos de iluminación de los diferentes lugares o zonas, tanto del exterior como del interior del avión, los sistemas de luces normales y de emergencia.

ILUMINACIÓN EXTERIOR

En la iluminación exterior, todos los aviones tienen prácticamente los mismos tipos de luces, porque son luces exigidas por la normativa, solo que los aviones comerciales además tienen unas luces específicas como las de iluminación de zonas de trabajo en los alrededores de las bodegas. En la figura siguiente se muestra la ubicación de las luces exteriores y el panel de control en la cabina de pilotos.

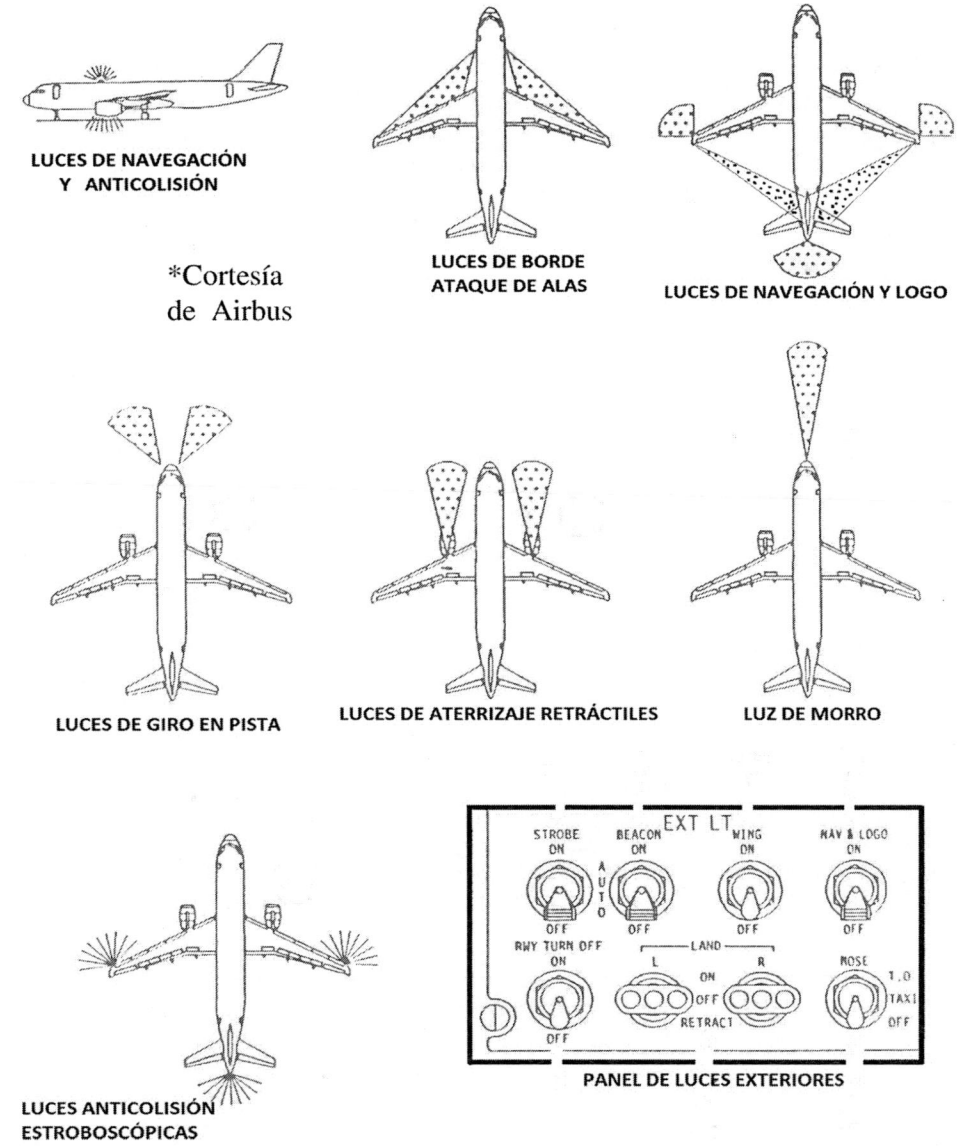

LUCES DE NAVEGACIÓN Y ANTICOLISIÓN

*Cortesía de Airbus

LUCES DE BORDE ATAQUE DE ALAS

LUCES DE NAVEGACIÓN Y LOGO

LUCES DE GIRO EN PISTA

LUCES DE ATERRIZAJE RETRÁCTILES

LUZ DE MORRO

LUCES ANTICOLISIÓN ESTROBOSCÓPICAS

PANEL DE LUCES EXTERIORES

LUCES EXTERIORES

211

ILUMINACIÓN INTERIOR

En cuanto a las luces interiores, es necesario hacer tres grandes apartados, el de las luces de la cabina de pilotos y el de las cabinas de pasajeros, cocinas, aseos y pasillos y el de las bodegas y compartimientos de accesorios. Las luces de la cabina de pilotos están para varios cometidos diferentes, unas como luces de ambiente, que iluminan la totalidad de la cabina y se sitúan en el techo, unas luces orientables, que iluminan los porta-mapas situados en la palanca de profundidad o en las consolas laterales, y las luces integrales, que son las que se sitúan en el interior de los paneles y de los instrumentos que permiten leer las informaciones con el ambiente de la cabina en penumbra, o simplemente durante la noche.

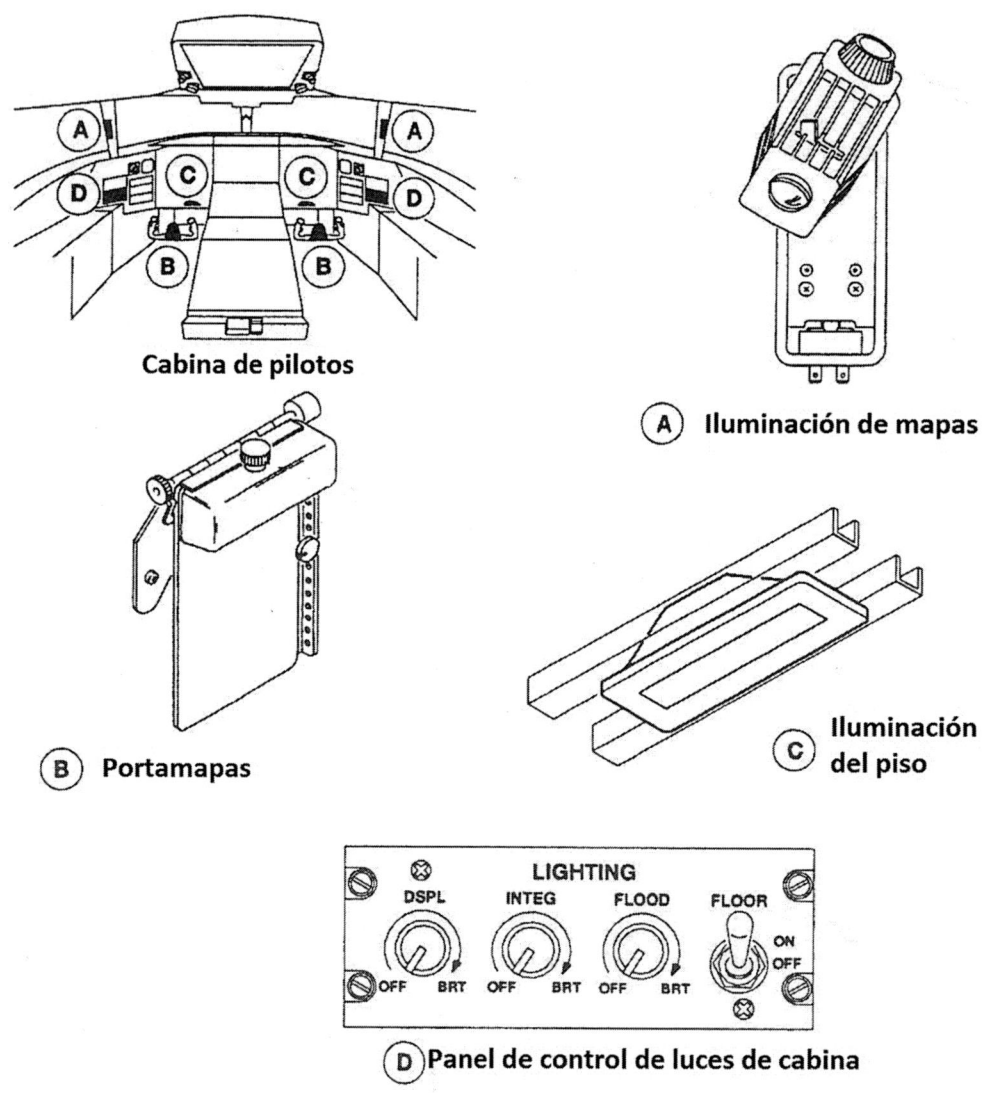

Cabina de pilotos

(A) Iluminación de mapas

(B) Portamapas

(C) Iluminación del piso

(D) Panel de control de luces de cabina

LUCES DE CABINA DE PILOTOS

212

En una parte del cuadro de mandos del techo de la cabina de mandos se ubica el panel de control de la iluminación de los letreros indicadores de la cabina de pasajeros como son los de "ABRÓCHENSE LOS CINTURONES"; "REGRESE A SU ASIENTO"; O "NO FUMAR", que están diseminados a lo largo de la cabina y que se pueden ver desde cualquier lugar en el que se encuentre.

ILUMINACIÓN DE LA CABINA DE PASAJEROS

La iluminación en esta parte del avión varía mucho de uno a otro, por el tamaño y por el diseño que el operador crea más oportuno, toda la iluminación está dividida por zonas, que se controlan desde los puestos de los auxiliares de la cabina. En la cabina de pasajeros generalmente los puntos de luz están en el techo y debajo de los maleteros de los laterales, en estos maleteros van alojadas las unidades de atención al pasajero por filas, donde además de los aireadores individuales y las mascarillas de oxígeno, se encuentran las luces de lectura individuales.

En la figura siguiente se muestran los paneles de control de las luces de la cabina de pasaje en los puestos de auxiliares de un avión CRJ del fabricante Bombardier.

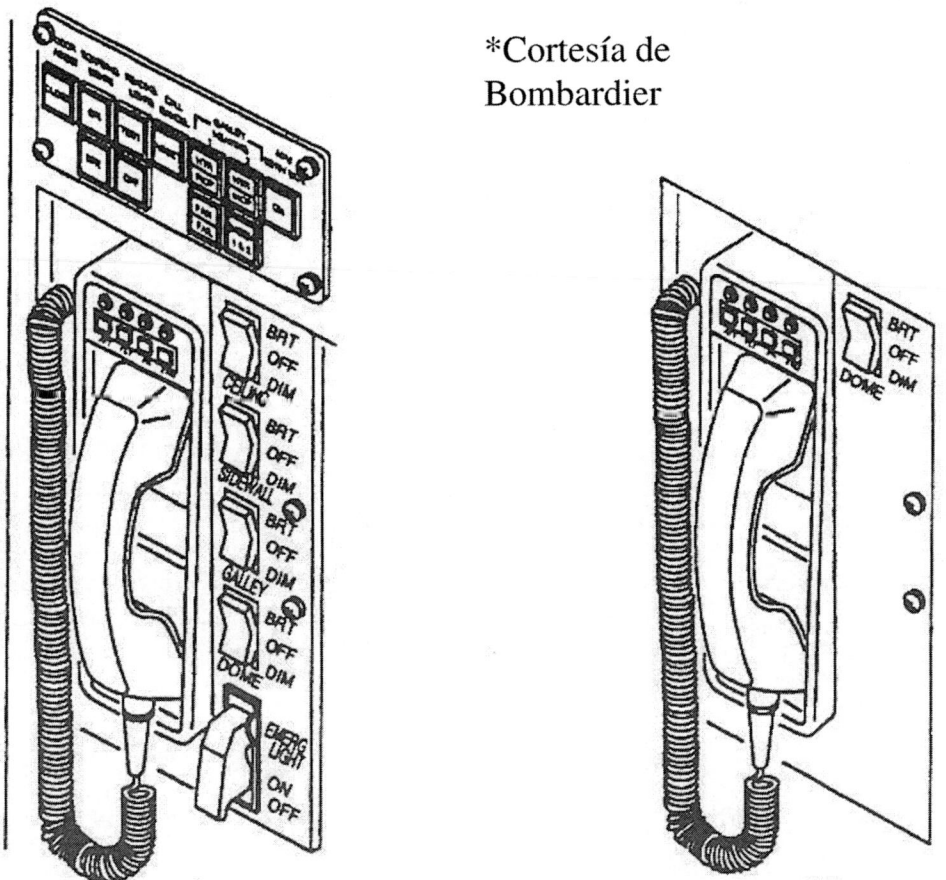

*Cortesía de Bombardier

PANELES DE CONTROL DE LUCES DE CABINA DE PASAJEROS

213

LUCES DE EMERGENCIA

El sistema de luces de emergencia consiste en una serie de luces que se colocan en las salidas y marcando los caminos hacia las salidas de emergencia, que se activan mediante los controles específicos situados en la cabina de mandos y en los puestos de auxiliares. Son luces que, bien se alimentan de las barras esenciales, o de las barras directas de las baterías principales, o tienen sus propias baterías recargables cuando está energizado el avión, para que se mantengan siempre disponibles al máximo de sus posibilidades.

Sobre el suelo de la cabina de pasajeros en los pasillos tienen instaladas unas tiras fluorescentes que, en caso de oscuridad, marcan el camino hacia las salidas de emergencia.

En la figura siguiente se muestra un panel de control de luces de emergencia con un simple esquema de las posibilidades y condiciones de activación como de la alimentación eléctrica.

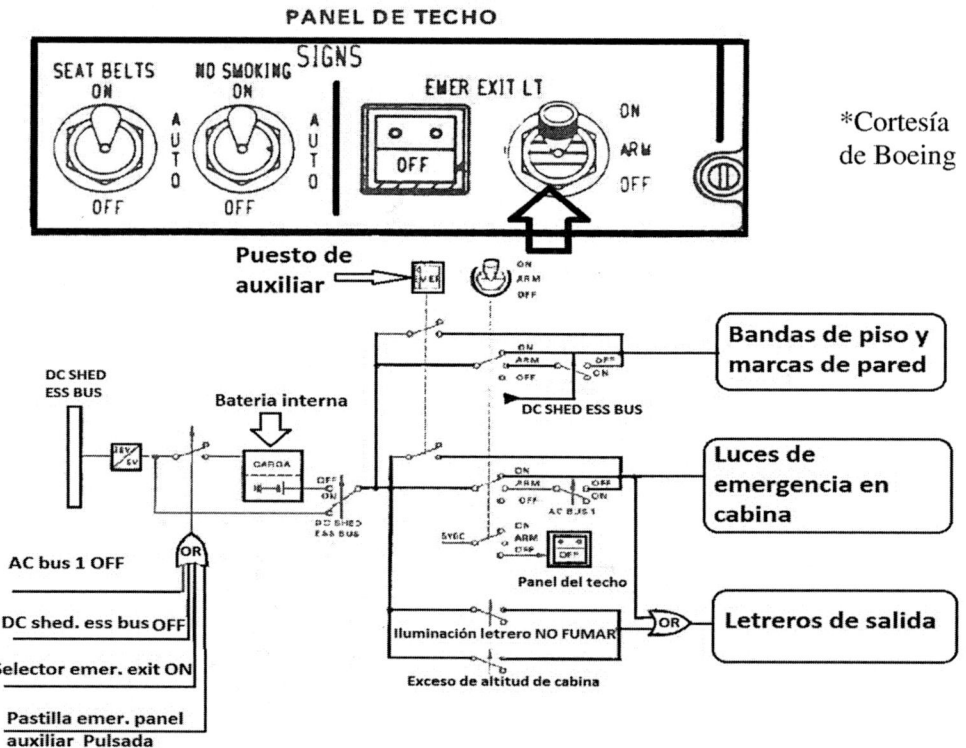

LUCES DE EMERGENCIA

ILUMINACIÓN EN LAS BODEGAS Y COMPARTIMENTOS

La iluminación de las bodegas y compartimentos de accesorios consiste en unos puntos de luz convenientemente situados que se activan en el momento de su utilización mediante interruptor generalmente situado en el panel de maniobras o cercano a la entrada, de fácil acceso para activarlo antes de entrar.

11.15 OXÍGENO (ATA 35)

Cuando los aviones comienzan a volar, cada vez a mayor altura, con cabinas presurizadas y de gran tamaño, se plantea cómo cubrir el riesgo de que, si por cualquier causa la cabina sufriese una despresurización no controlada, o humos u otros gases que por cualquier circunstancia se propagasen por la cabina, poder seguir respirando el tiempo necesario para poder situar la aeronave a una altura suficiente para que se pueda respirar sin ninguna ayuda.

Para cubrir estas posibles necesidades, se instalan en la aeronave dos sistemas de suministro de oxígeno fijos, uno para los ocupantes de la cabina de mandos y otro para la cabina de pasajeros con mascarilla individual para cada persona. También se instala un sistema de oxígeno portátil para utilizar por la tripulación auxiliar y alguna emergencia puntual de algún pasajero.

El sistema de oxígeno para la tripulación consiste en una instalación fija que en una botella acumula oxígeno medicinal a presión y lo suministra a los tripulantes a través de instalaciones de tubos conductores, reguladores de presión, diluidores a demanda y máscaras de suministro individuales, con micrófono incorporado y arnés ajustable a la cabeza para que permita los movimientos normales desde el asiento de cada puesto.

La botella está ubicada, bien en la misma cabina de vuelo, o en algún alojamiento cercano, depende del diseñador, está fijada a la estructura generalmente mediante bridas de tornillo que permiten su rápido desmontaje, al tener la botella una alta presión (entre las 2500 y las 3000 p.s.i.) y la presión de suministro (entre 50 y 100 p.s.i. aproximadamente), la presión del suministro es controlada por un regulador y ya en la máscara por un diluidor que mezclará el oxígeno con aire del exterior a porcentajes relacionados con la altitud del momento. Esta dilución no se efectuará cuando se demande oxígeno al 100 % en caso de humo en cabina.

La máscara está almacenada en un alojamiento cercano a cada asiento con la posibilidad de comprobar su funcionamiento, tiene un arnés neumático que se extiende al coger la máscara y sacarla de su alojamiento pulsando las asas, una vez colocada al soltar las palancas el arnés pierde la presión y queda ajustado a la cabeza.

Este tipo de máscara es el que se está imponiendo prácticamente en todos los aviones, aunque no es extraordinario el encontrarse otros tipos de máscaras con arneses diferentes, pero todos de una fácil y rápida colocación.

En la figura siguiente se presenta un esquema de un sistema de oxígeno de tripulación, además de una unidad de servicio de pasajeros con las mascarillas y una máscara de tripulación.

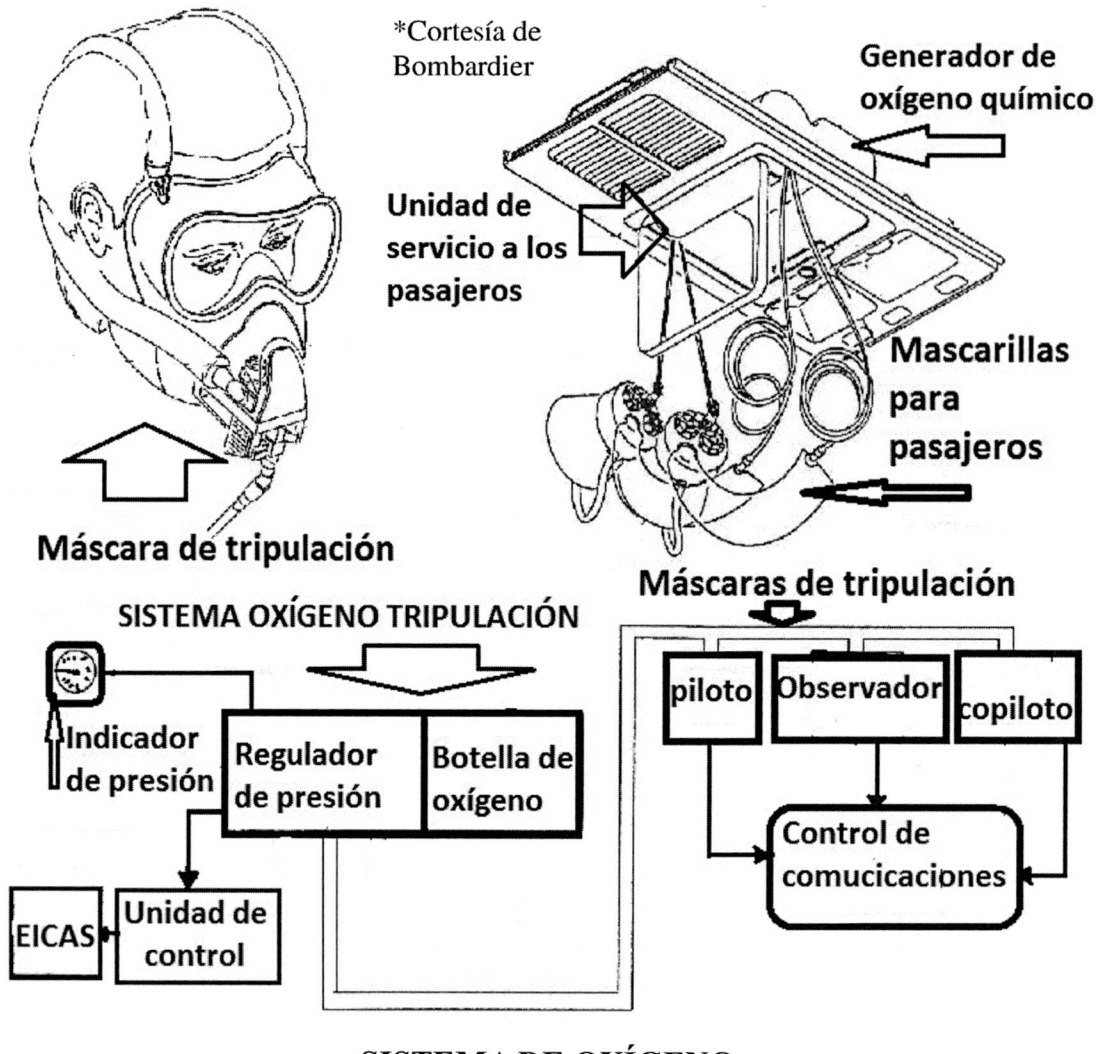

*Cortesía de Bombardier

Generador de oxígeno químico

Unidad de servicio a los pasajeros

Mascarillas para pasajeros

Máscara de tripulación

Máscaras de tripulación

SISTEMA OXÍGENO TRIPULACIÓN

Indicador de presión — Regulador de presión — Botella de oxígeno — piloto — Observador — copiloto — Control de comucicaciones — EICAS — Unidad de control

SISTEMA DE OXÍGENO

Para los pasajeros, el sistema de oxígeno en los aviones antiguos disponía de una o varias botellas, reguladores de presión y un sistema de tubos hasta las filas de asientos de los pasajeros y las mascarillas.

En la actualidad la práctica totalidad de los fabricantes instalan unas unidades de generación de oxígeno químico, una para cada tres o cuatro personas, mediante la combustión interna de una pastilla cónica de clorato sódico y otros aditivos, a través de un mecanismo de percusión de una cápsula de ignición que se activa al colocarse la mascarilla y tirar del pasador de seguridad, comienza la combustión de la pastilla, y el gas que produce es oxígeno, que después de pasar por un filtro interno pasa a las mascarillas individuales de cada pasajero.

La duración de la producción de oxígeno deberá ser de unos quince minutos, tiempo suficiente como para situar a la aeronave a una altitud suficiente para poder respirar normalmente. En la figura siguiente se muestra un esquema de una unidad generadora de oxígeno químico.

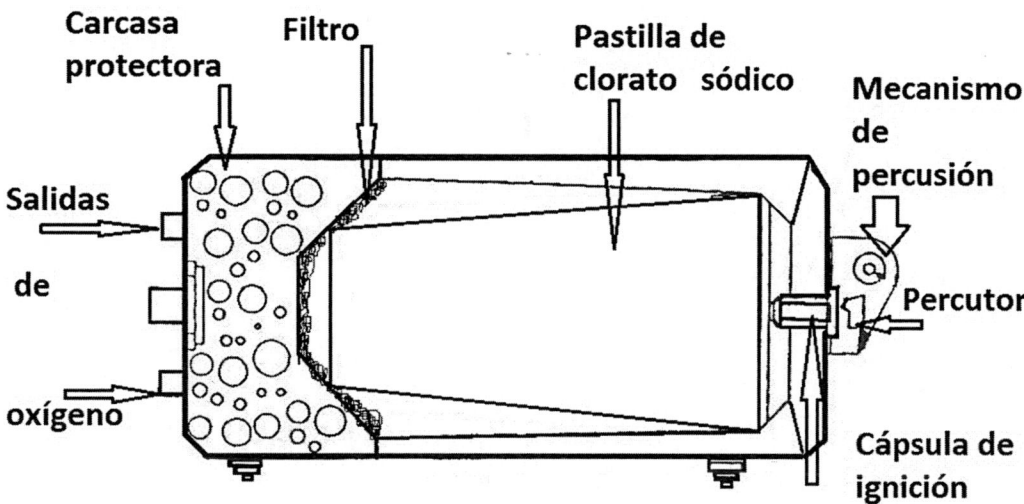

UNIDAD GENERADORA DE OXÍGENO QUÍMICO

El sistema de oxígeno portátil consta de unas botellas con oxígeno medicinal que se sitúan, una en la cabina de vuelo, otras cercanas a los puestos principales de los auxiliares de los pasajeros y otras para la utilización puntual por parte de algún pasajero, que se sitúan generalmente en algún armario en el maletero.

Para las botellas que utilizan los tripulantes, se destinan las máscaras, protegen toda la cabeza (full face), se introduce la cabeza y queda ajustada al cuello mediante un adaptador de silicona elástica, lo que además de permitir respirar el oxígeno protege al usuario contra el humo u otros gases. El tripulante se puede desplazar por la cabina colgándose la botella del arnés. Las botellas destinadas a usos puntuales para los pasajeros tienen incorporadas en una bolsa sujeta a la botella la mascarilla oronasal.

En la figura siguiente se muestra una botella de oxígeno portátil con los elementos que la componen y una máscara "full face" y una mascarilla oronasal.

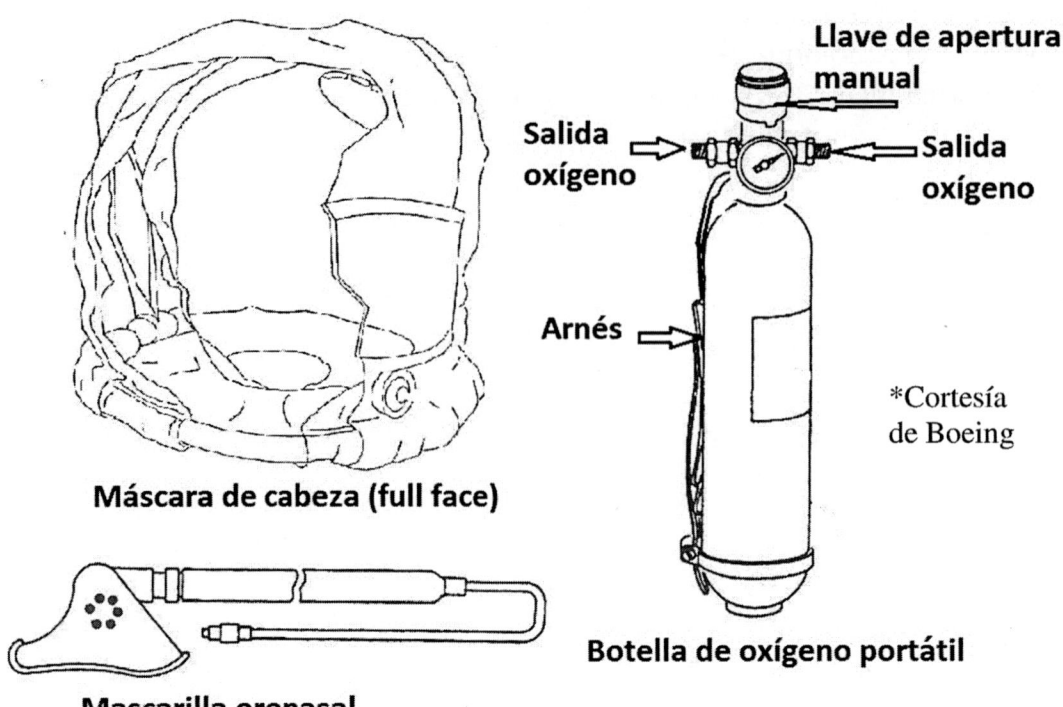

Llave de apertura manual

Salida oxígeno

Salida oxígeno

Arnés

*Cortesía de Boeing

Máscara de cabeza (full face)

Mascarilla oronasal

Botella de oxígeno portátil

BOTELLA Y MÁSCARAS DE OXÍGENO PORTÁTIL

11.16 SISTEMAS NEUMÁTICOS Y DE VACÍO (ATA 36)

El sistema neumático es un sistema que alimenta a los demás sistemas que funcionan con el aire a presión, como el aire acondicionado, el sistema de protección contra el hielo, la puesta en marcha de los motores o la presurización de los depósitos de agua o de hidráulico.

Hay dos tipos de sistemas de neumático, uno de alta presión (por encima de las 2500 p.s.i.), que lo alimenta un compresor arrastrado por el motor, que acumula el aire en unas botellas y después se utiliza para los sistemas, como frenos, en algunos modelos se utiliza para la extensión y retracción del tren de aterrizaje, pero de todas formas no es un sistema que ya en la actualidad se utilice mucho, su uso se reduce a aviones pequeños y con motores de pistón o turbohélices sin sangrado de aire.

En la figura siguiente se presenta un esquema de un sistema neumático de alta presión, con un compresor de dos cilindros y arrastrado mediante una toma de fuerza a la caja de accesorios del motor.

218

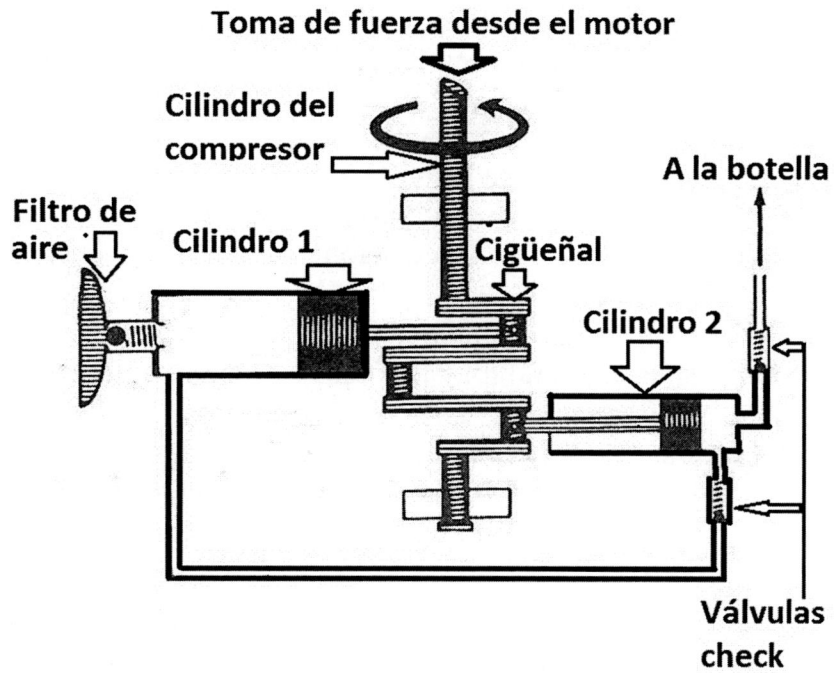

COMPRESOR DE ALTA PRESIÓN

El otro tipo de sistema neumático es el denominado de presión media, trabaja sobre las 40 p.s.i., se utiliza en aeronaves en las que la planta de potencia es a reacción, el aire se sangra de las etapas del compresor, bien sean de las de baja y de alta presión, o de las etapas medias y las de alta, generalmente de dos tipos de etapas, sacando el aire de la etapa más baja mediante aperturas de paso fijo y una válvula unidireccional, que proporcionará la mayoría del caudal necesario, y para cuando los sistemas usuarios demandan más aire se sangra de etapas más altas que están a mayor presión, y se saca mediante una válvula de control de la presión generalmente de control eléctrico mediante solenoides y accionamiento neumático con señales de presión tomadas antes y después de la misma válvula.

El aire que se sangra de las etapas de los compresores de los motores reactores sale a una temperatura demasiado alta para la que necesitan los sistemas usuarios, así que el sistema tiene la posibilidad de un preenfriamiento haciendo pasar el aire a través de un radiador enfriado por aire de impacto del exterior de la aeronave, o por aire de etapas del motor más bajas, como pueden ser las etapas de fan en los grandes motores reactores, también hay diseños en los que, debido a la zona del compresor en la que se efectúa el sangrado de aire, no se necesita que este sea enfriado en el sistema neumático, quedando esa función para el aire acondicionado.

Este sistema se puede alimentar de aire desde tres fuentes de suministro, los motores, desde la unidad de potencia auxiliar (APU) o desde un equipo de tierra; para este equipo las aeronaves tienen situada la correspondiente estación de fácil acceso con la boca de entrada de medida estándar para que pueda ser utilizada en cualquier país y por cualquier equipo neumático de tierra.

El sistema cuenta con las válvulas de aislamiento necesarias para que los sistemas usuarios puedan abastecerse de aire en caso de fallo del sangrado de cualquier motor.

El sistema se controla desde el panel correspondiente en la cabina de mandos mediante la actuación sobre los diversos interruptores que controlan las válvulas, que generalmente son de control eléctrico y actuación neumática convencional.

De una u otra forma este sistema pone a disposición de los sistemas usuarios aire controlado en presión, temperatura y flujo, para poder ser utilizado por estos.

En la siguiente figura se muestra un panel de control de un sistema neumático y un esquema de un sistema de sangrado de un avión de dos motores, con las diferentes fuentes de alimentación y la ubicación de las diferentes válvulas en el sistema.

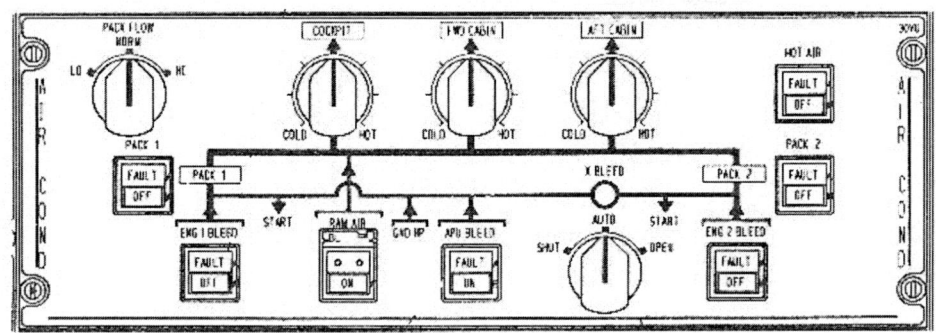

PANEL DE CONTROL DE NEUMÁTICO

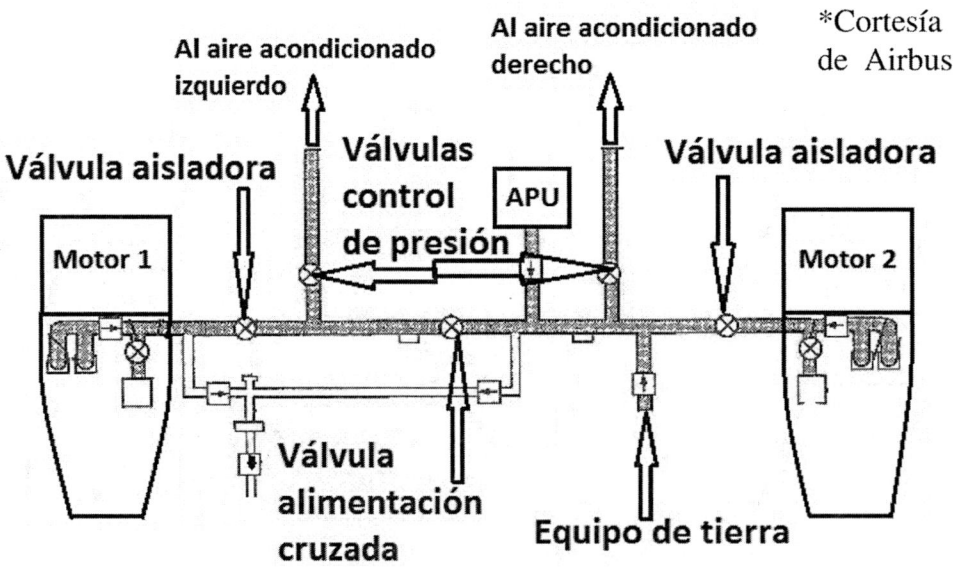

*Cortesía de Airbus

SISTEMA NEUMÁTICO

11.17 AGUAS RESIDUALES (ATA 38)

A lo largo de la historia y según se han ido aumentando tanto el tamaño de las aeronaves como el tiempo de vuelo y el número de personas que conviven dentro de las mismas, se generan unas necesidades tanto fisiológicas como de imagen, para las que son imprescindibles tanto el agua potable como el qué hacer con ella después de haber sido utilizada, así como el almacenaje de los residuos orgánicos hasta que, una vez finalizado el vuelo y llegados al aeropuerto de destino, sean efectuados los servicios de recarga de los depósitos de agua y la extracción de los residuos, lavado de los depósitos, dejándolos dispuestos para emprender otros servicios.

En este capítulo se expone una serie de consideraciones generales a modo de presentación del sistema, quedando para el capítulo 11-17 en el tomo IV de los de *Sistemas de aeronaves de turbina*, el tratamiento en profundidad de todos los elementos que componen todo el sistema.

El sistema se divide en varios subsistemas que forman parte de un conjunto aunque físicamente no estén relacionados, los subsistemas son:

Agua potable.
Aguas residuales.
Residuos y aguas de los inodoros.

El sistema de agua potable consiste en el almacenamiento, distribución y control del agua potable, que se pone a disposición del usuario en los lavabos, en las cocinas y zonas de preparación de los servicios de *catering*, para lo cual se cuenta con uno o varios depósitos dependiendo del tamaño de la aeronave, una red de distribución del agua con tubos hasta los lavabos, hasta las cafeteras y las piletas de las cocinas.

Los depósitos generalmente están ubicados en los túneles debajo del piso de la cabina, están presurizados por aire del sistema neumático, filtrado y controlado en presión para que el agua pueda fluir por los grifos; antes de llegar al grifo se saca una derivación para que, pasando por un calentador eléctrico, pueda proporcionar agua caliente para el lavabo.

El sistema cuenta con las válvulas de carga, de drenaje y equilibrado correspondiente, así como con las estaciones de carga y drenaje que estarán ubicadas en las estaciones en el exterior del fuselaje. Este sistema se controla de forma manual, excepto en los aviones de la última generación, en que todas las señales tanto de nivel como de presiones las recibe un controlador del sistema y envía la información al panel de control e indicación, que está generalmente ubicado cercano al puesto del sobrecargo, en los pasillos de la zona de trabajo de los auxiliares en la parte delantera del avión.

En la figura siguiente se presenta un sistema completo de agua potable de un avión de la generación actual, como es el Airbus, instalado en varios de sus grandes modelos.

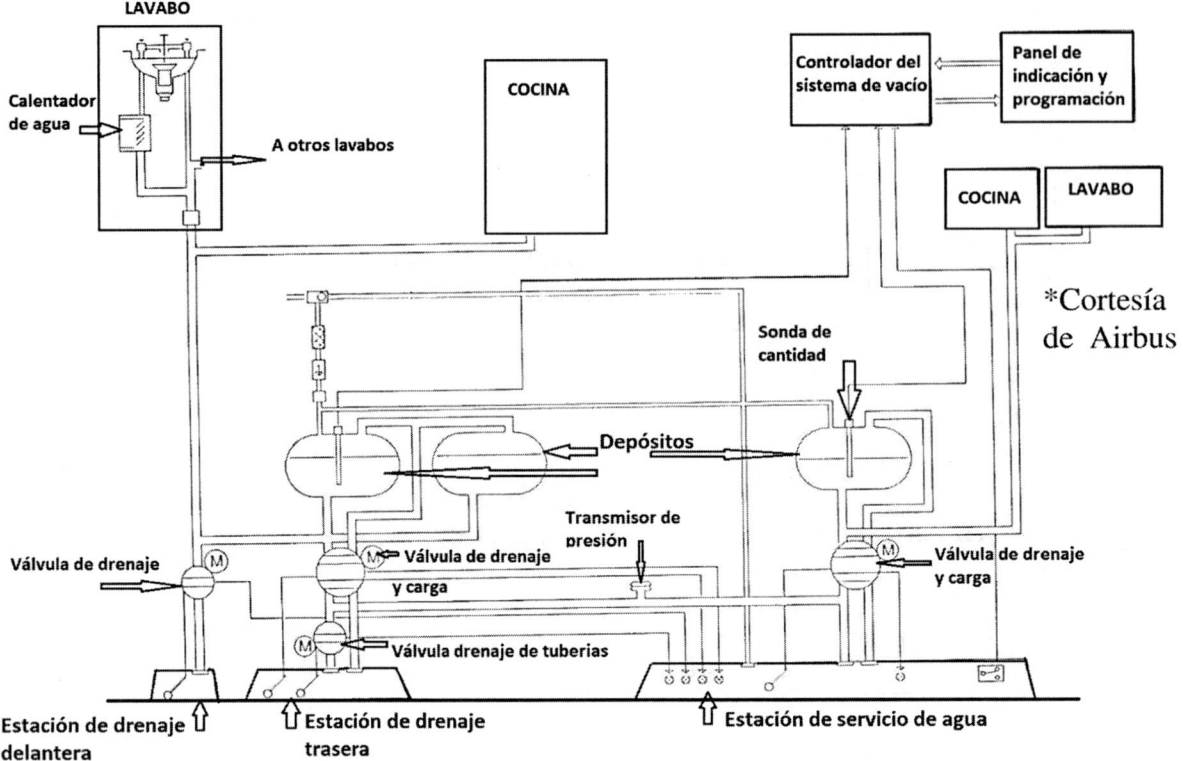

SISTEMA DE AGUA POTABLE

El subsistema de aguas residuales comprende las aguas utilizadas en las piletas de las cocinas y en algún modelo de avión, el agua utilizada en los grifos de los lavabos.

La cantidad de agua utilizada para estos menesteres no suele ser mucha, por lo que en las zonas de trabajo, además de la utilizada en las piletas, se le suman los derrames que pueda haber en los contenedores de comidas, basuras, cafeteras y demás que terminarán en la bandeja del suelo, que tiene un desagüe hacia el exterior mediante un tubo y un mástil con calefacción eléctrica en vuelo, al objeto de que el agua no se congele en su interior y permita su salida, al no tener productos sólidos, y con la velocidad del avión, el agua se difumina en la atmósfera sin que llegue al suelo nada.

En la figura siguiente se muestra un esquema de un desagüe con las tres zonas con posibilidad de llevar las aguas utilizadas al mástil de drenaje. La aeronave que tenga diseñado el desagüe de los lavabos al exterior, generalmente tiene a la salida del lavabo una válvula de flotador convencional al objeto de evitar las pérdidas de presurización de la cabina y el ruido que se forma cuando no se está utilizando el lavabo, funciona cuando se abra el paso para que salga el agua del lavabo, el obturador de la válvula flota en su alojamiento y abre el paso hacia el exterior, cuando ha salido toda el agua el flotador cae y obtura en orificio de salida hacia el mástil quedando cerrada la comunicación hasta que otra vez se utilice y se vuelva a hacer la operación.

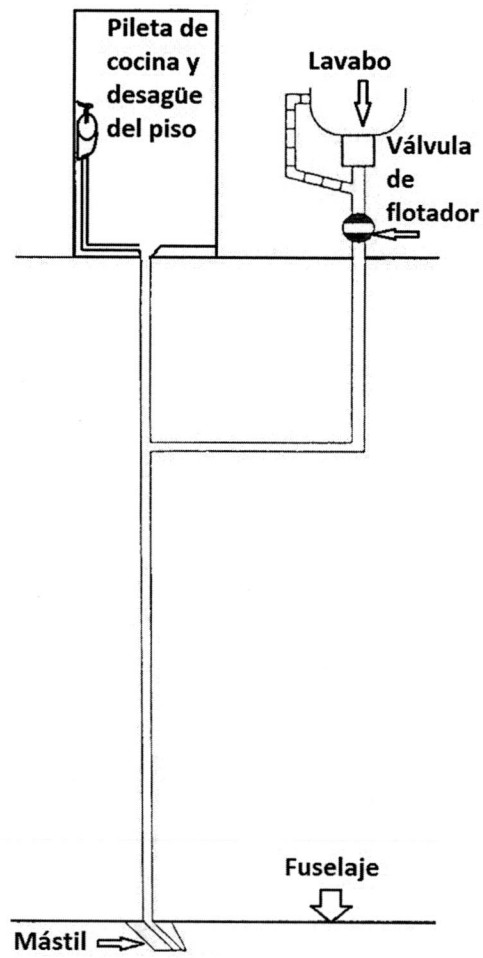

DRENAJE AGUAS RESIDUALES

El subsistema de residuos y aguas de los inodoros tiene dos formas muy diferenciadas de diseño, sistema por gravedad y sistema de recogida por vacío. En el sistema de recogida por gravedad, una vez utilizado el inodoro, por parte del usuario, se pulsa el mando correspondiente y se pone en marcha durante unos segundos una bomba que toma agua y desinfectante del depósito de residuos y a través del aro de rociado se limpia la taza cayendo por gravedad al depósito.

Una vez que ha llegado a tierra la aeronave, son los servicios destinados a tal fin los que con los equipos pertinentes drenan los depósitos, desde las estaciones de drenaje en el exterior, donde se encuentran las bocas de descarga y los mandos de apertura y cierre de las válvulas correspondientes, así como la boca de carga de agua limpia para el depósito.

Una vez que se ha drenado el depósito, se introduce agua en el mismo para el aclarado y se vuelve a sacar.

Cuando el depósito está limpio se le recarga de agua hasta el nivel que corresponda, se le añaden los productos desinfectantes necesarios y queda preparado para ser utilizado en el siguiente vuelo.

El depósito está ubicado en el piso del lavabo, fijado a la estructura del fuselaje, cubierto por el carenado correspondiente, que lo configura con el resto del mobiliario del lavabo.

En la siguiente figura se muestra un depósito de recogida de residuos por gravedad con los elementos necesarios para su funcionamiento.

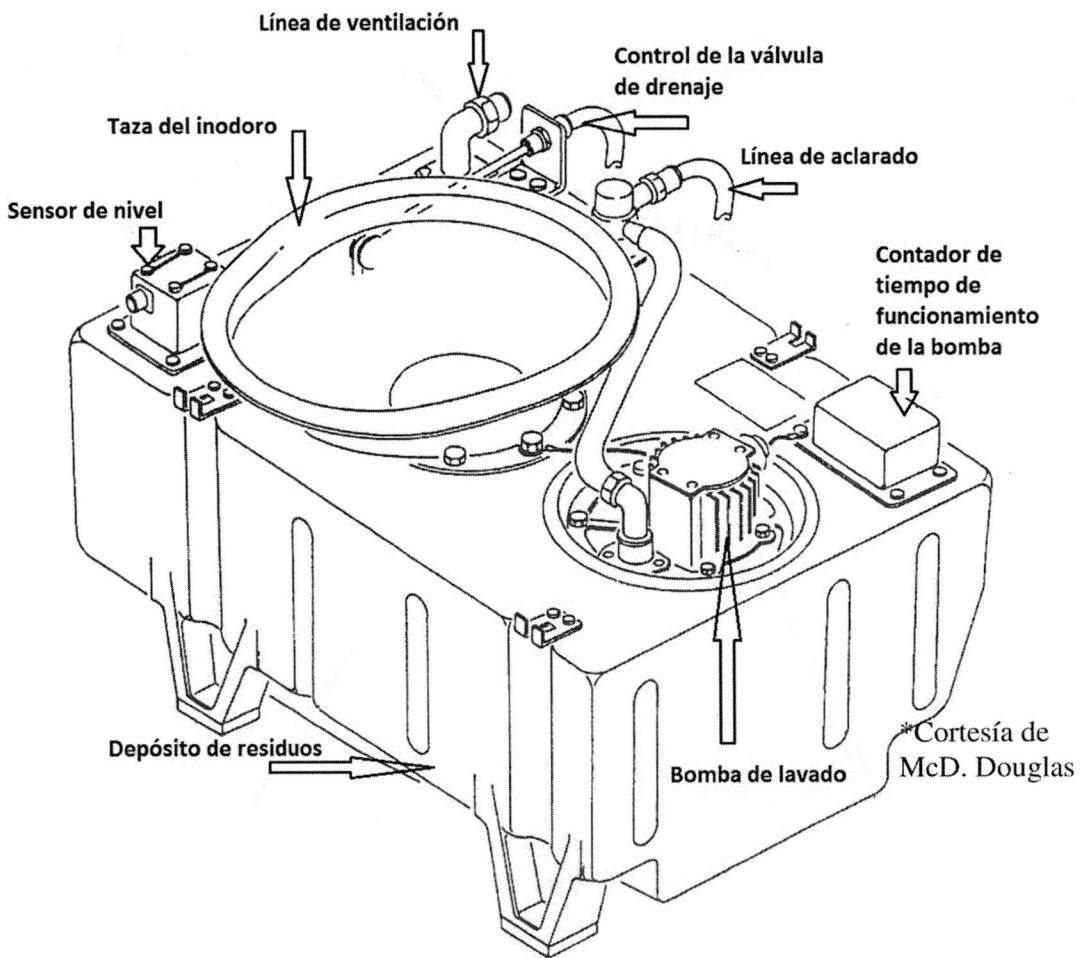

DEPÓSITO DE RESIDUOS POR GRAVEDAD

El sistema de recogida de residuos por vacío es un sistema que se está utilizando en aviones de la última generación, que consiste básicamente en la utilización del vacío para el arrastre hasta el depósito de los residuos producidos en la taza del inodoro. El sistema cuenta con un computador que controla el vacío, una bomba que lo genera, un panel en la cabina desde el que se reciben las indicaciones y se efectúa el control y uno o varios depósitos de residuos, en los que se almacenan durante el vuelo hasta llegar al destino, donde se efectúan los correspondientes servicios de drenaje y lavado para dejarlo preparado para un nuevo vuelo.

La generación del vacío la efectúa una bomba convencional que deja de funcionar cuando a través de las señales correspondientes el computador entiende que la aeronave está volando a una altura en la que la presión diferencial es suficiente para que se encargue de limpiar la taza del inodoro (aproximadamente 16 000 pies).

La taza del inodoro está revestida de un material antiadherente que facilita que, una vez utilizado, se pulse el mando correspondiente, durante unos pocos segundos un poco de agua, procedente del sistema de agua potable, rocíe la taza y el vacío arrastre todo hasta el depósito, volviéndose a cerrar las válvulas de agua y de drenaje quedando limpio el inodoro para otra utilización. En la figura siguiente se muestra un esquema de un sistema de recogida por vacío con varios lavabos y depósitos.

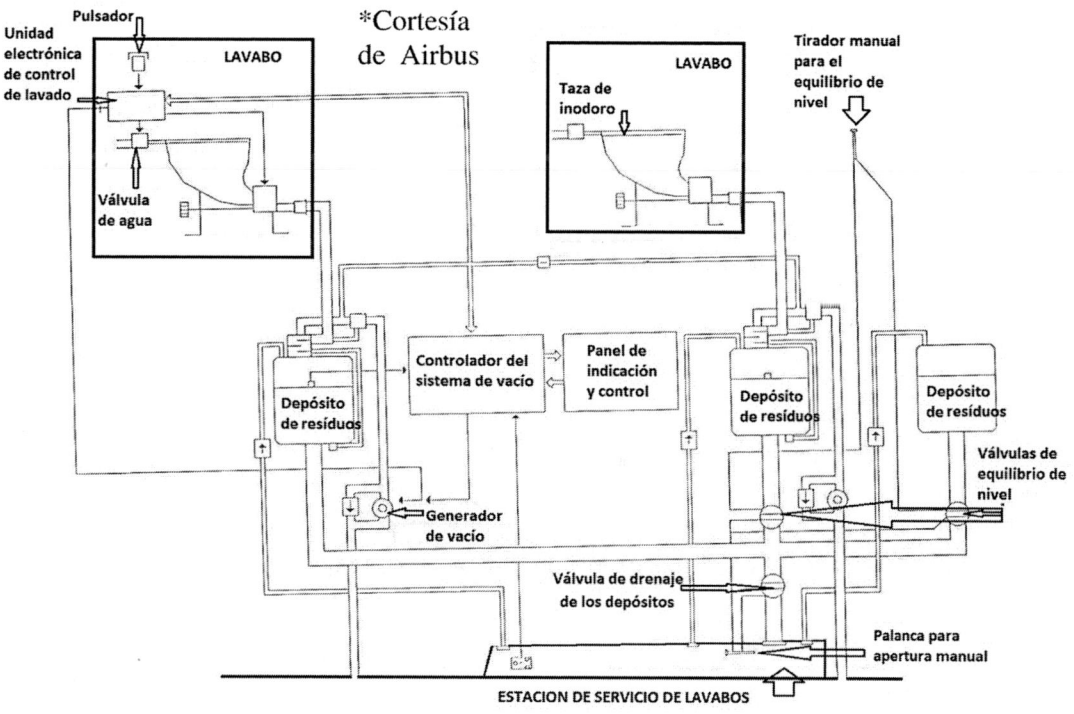

SISTEMA DE RECOGIDA DE RESIDUOS POR VACÍO

11.18 SISTEMAS DE MANTENIMIENTO A BORDO (ATA 45)

Los objetivos de la aviación son siempre los mismos, volar más lejos, más seguro, más cómodo, con menos costos, etc., así, se aumentan los servicios que se prestan cada día en las aeronaves, y se reducen los costos en gran medida en los consumos de combustible y, en otro orden de cosas, también con una disminución del personal técnico a bordo.

Para conseguir todos estos objetivos, las partes que más han contribuido a lograrlos son la aplicación de la informática, de la electrónica y de las computadoras a los sistemas de actuación de las aeronaves, así que en la actualidad no se concibe una aeronave del tipo que sea que no tenga una o varias aplicaciones de estas técnicas, que a su vez también tienen en sí mismas un proceso de avance tecnológico vertiginoso.

Muchos de los cambios básicos no hubiesen sido posibles sin las posibilidades de utilización de medios que permitan tanto el control de las actuaciones de los diferentes sistemas como la monitorización de los mismos, ya sean primarios o secundarios, almacenando los datos, bien sea de comportamiento, o de fallo, para ser presentados a la tripulación en los momentos oportunos dependiendo de la naturaleza de los mismos, o tenerlos almacenados hasta que por parte de los servicios técnicos correspondientes se efectúen tanto los correspondientes análisis como la corrección de los mismos. La capacidad de almacenamiento no solo se ciñe a los surgidos en el último vuelo, sino que almacenan los de decenas de vuelos anteriores (actualmente es común que se puedan conocer datos en los computadores de a bordo de los sesenta a setenta vuelos anteriores).

También existe la posibilidad de que los datos a que nos hemos referido se envíen a las estaciones de tierra vía ACARS, y hay la posibilidad de consultar desde las estaciones de mantenimiento no solo los datos almacenados, sino que en muchos casos se pueden ver en tiempo real, el control sobre los mismos es de tal precisión que permite a los técnicos efectuar un mantenimiento preventivo de tal calidad que hace que las prestaciones de las aeronaves en conjunto sean tan altas que el mantenimiento correctivo tenga unos costos sensiblemente más bajos cada día.

Estos datos se encuentran en las memorias de los propios computadores de cada sistema y en los grabadores de datos de vuelo, teniéndose la posibilidad de imprimir tanto los datos almacenados como los recibidos desde tierra, en papel normal o en papel térmico, mediante las impresoras que las aeronaves llevan a bordo.

Todas estas comunicaciones entre computadores se efectúan mediante lenguajes propios de los computadores, y generalmente en la aeronáutica se utiliza el sistema ARINC 429.

En el caso de los aviones comerciales se sigue manteniendo la tripulación de dos pilotos como medida de seguridad. Aunque con un solo piloto es totalmente posible desarrollar todo el vuelo de forma normal, incluso con todo tipo de emergencias posibles.

La figura actual del piloto irá desapareciendo paulatinamente, transformándose en un "gestor" informático de vuelo. Sus funciones se centrarán en una secuencia programada de comandos a través de un ordenador central, donde estará almacenada toda la actividad del día. Hoy ya es posible hacerlo y se hace con los vehículos espaciales. No obstante, la implantación de dichos sistemas a la aviación comercial todavía está un poco alejada de poder llevarse a cabo, pero la tendencia es en esa dirección.

Por otra parte, la progresiva reducción de los tripulantes técnicos ha ido paralela al aumento de la tecnología de los sistemas de a bordo, y ha sido posible gracias a la utilización de las tecnologías informáticas, que permiten monitorizar tanto los sistemas primarios como los secundarios sin que sea necesario mostrar los datos al piloto en todo momento, y solo cuando los parámetros de funcionamiento se salen de los márgenes calculados para una operación normal son mostrados a la tripulación a la vez que almacenados en las memorias de los ordenadores correspondientes, coloquialmente se denominan "aeronaves de cabina oscura y sin papeles", porque si todo funciona bien, todos los avisos luminosos apagados y los datos se almacenan en las memorias de los computadores.

COMPUTADORES CENTRALES

Los computadores que se instalan en un avión comercial de la generación actual son varias decenas, agrupados en dos grupos básicos, aunque muy conectados entre sí, ya que las señales que los elementos de monitorización emiten no son exclusivas para su sistema, sino que las utilizan varios.

Un grupo que comprende todo lo relacionado con los datos operacionales, como son los sistemas recordadores de datos de vuelo y datos de voz. Las pantallas de presentación de datos, bien del sistema ECAM, o EICAS, (depende del que tenga instalado la aeronave). En este grupo también se encuentran los sistemas de monitorización. Los sistemas de monitorización centralizada de las funciones de los sistemas con sus periféricos compartidos con los sistemas de pruebas, como las MCDU, las impresoras que pasan a papel cuando sea necesario los datos almacenados. El sistema ACARS, que es un sistema de emisión y recepción de datos desde el avión a tierra y viceversa.

El otro grupo es el que comprende los computadores necesarios para efectuar las diferentes pruebas de las funciones de los sistemas, que utilizan los periféricos de la monitorización y las pantallas de la presentación de datos.

En la figura siguiente se muestra un dibujo en el que se señalan los grupos de ordenadores que comprenden los relacionados con los datos operacionales y con los sistemas de monitorización, control y pruebas de funcionamiento de los sistemas, y también varios de los elementos y sistemas comunes.

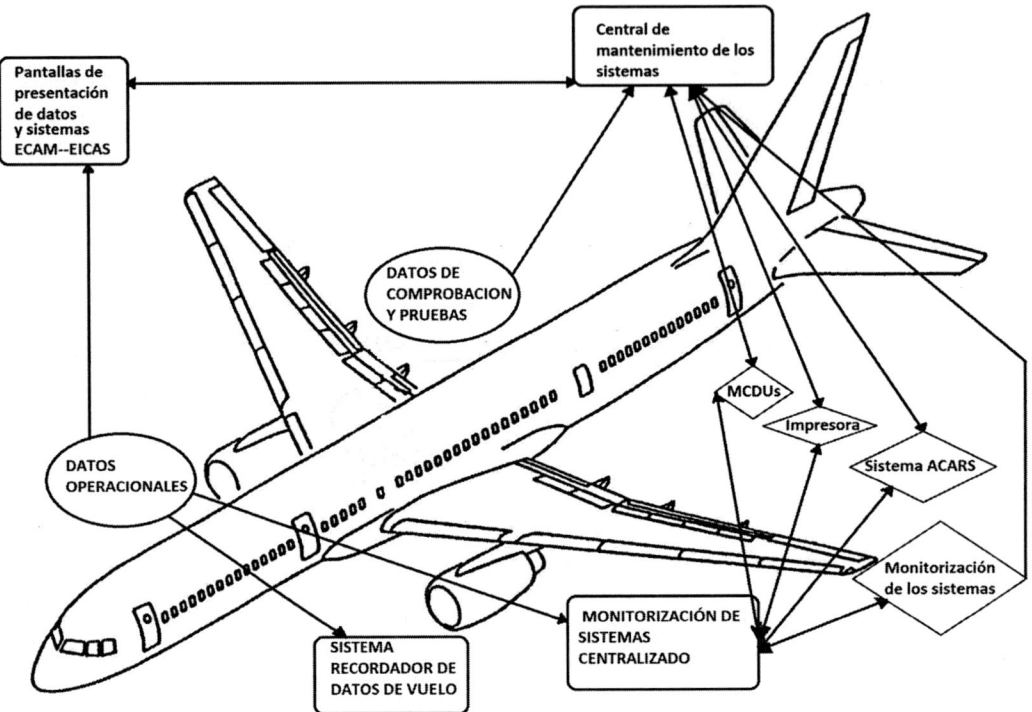

ORDENADORES CENTRALES DE LOS SISTEMAS DE MANTENIMIENTO A BORDO

En cuanto a los tipos de ordenadores, los computadores que en la actualidad se utilizan en las aeronaves se pueden englobar en tres grupos teniendo en cuenta el tipo de hardware que tengan, así, pueden ser: **analógicos, digitales** o **híbridos**. Dentro de estos grupos pueden estar en tareas de monitorización o en tareas de control de los sistemas correspondientes.

Un **computador analógico** u ordenador real es un tipo de computador que utiliza dispositivos electrónicos o mecánicos para modelar el problema que resolver utilizando un tipo de cantidad física para representar otra.

El sistema completo está instrumentado usando un hardware de componentes analógicos como sincros, servos, amplificadores, etc., y para cambiar o restaurar la función del computador analógico solo es necesario cambiar el elemento de señal que corresponda.

Los **computadores digitales** son computadores cuya tecnología básica es el almacenamiento, procesamiento y transmisión de dígitos binarios (bits). Estos computadores utilizan el sistema binario, el cual consta de solo dos dígitos (0,1).

Los computadores digitales resuelven problemas procesando números, letras y/o símbolos que previamente han sido convertidos al código binario. Es una computadora que opera directamente con valores expresados como números discretos.

Estos computadores utilizan entradas de señales digitales (altas y bajas) combinadas con técnicas de procesado digital, para producir señales de salida digitales (altas y bajas), este proceso tiene lugar en los microprocesadores o en la unidad procesadora central. En el software se encuentran los programas e instrucciones de funcionamiento del computador. Estas instrucciones indican al computador cómo procesar la información, y para cambiar este proceso debe cambiarse el software.

Los **computadores híbridos** son computadores que exhiben características de computadores analógicos y computadores digitales. El componente digital normalmente sirve como el controlador y proporciona operaciones lógicas, mientras que el componente analógico sirve normalmente como solucionador de ecuaciones diferenciales. Los circuitos se utilizan como entradas y salidas, mientras que los circuitos digitales se usan normalmente en el procesado del computador.

Los sistemas de computadores híbridos se instalan en las aeronaves cuando algún sistema analógico requiere una intensificación de la programación digital, como el procesado es digital, las fórmulas matemáticas pueden ser fácilmente modificadas mediante la programación. Las entradas y salidas analógicas permiten al computador utilizar también un sistema analógico.

Los computadores híbridos deben ser distinguidos de los sistemas híbridos. Este último puede ser no más que un computador digital equipado con un convertidor analógico-digital en la entrada y/o un convertidor digital-analógico en la salida, con el propósito de convertir las señales analógicas para el procesamiento digital ordinario y viceversa, por ejemplo, para manejar sistemas de control físicos, tales como servomecanismos.

En la figura siguiente se muestra un cuadro con los tipos de computadores que normalmente se utilizan, con los diferentes tipos de señales tanto de entradas como de salidas que pueden utilizar, dependiendo de la función que se le haya definido para cumplir.

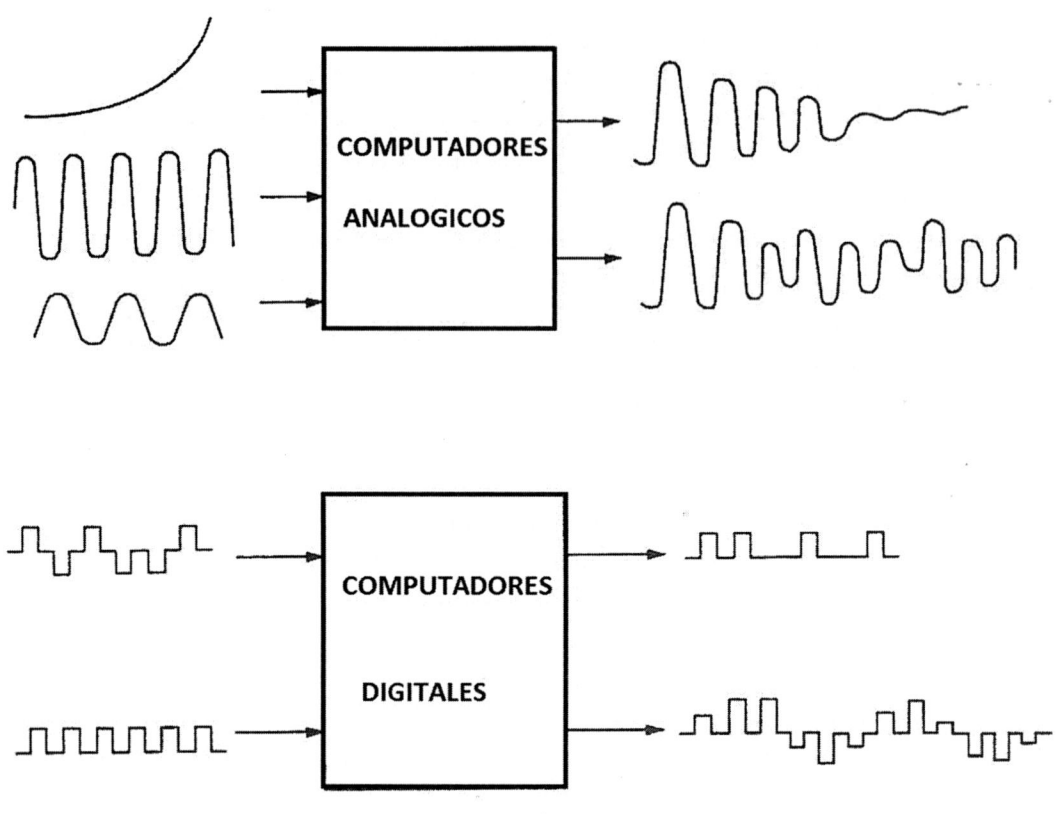

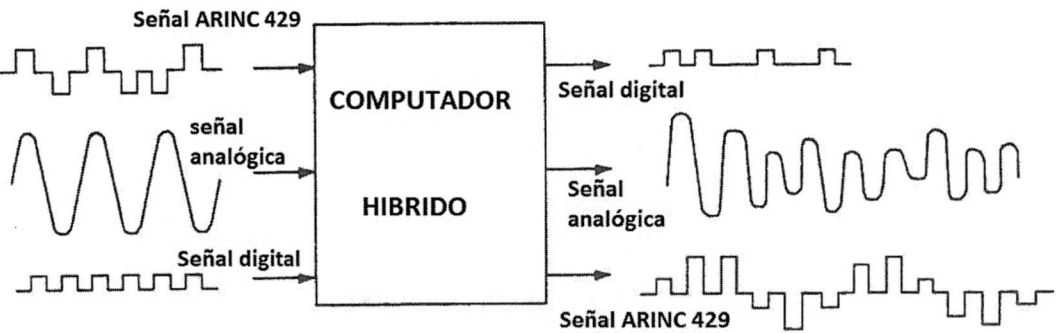

TIPOS DE COMPUTADORES

SISTEMA DE CARGA DE DATOS Y SU IMPRESIÓN EN PAPEL

Con los programas y bases de datos que tienen los computadores en sus memorias, en casos como los planes de vuelo almacenados, pruebas a efectuar, etc., cuando es necesario modificar o actualizar las informaciones de las memorias, generalmente no es necesario más que instalarles los programas nuevos; esto en unos casos se consigue mediante un cargador periférico portátil, mediante un enchufe de conexión y la ayuda de la MCDU, esto obligaba a las compañías operadoras a tener muchos cargadores o actualizar sus bases de datos cuando las aeronaves pasaran por sus bases, procedimientos que no daban resultados, sobre todo a las grandes compañías.

Con el avance de la tecnología, en las aeronaves actuales se instala una disquetera, generalmente de 3,5 pulgadas, o un soporte CD, y solo hace falta introducir el disco con los nuevos datos, mediante un procedimiento a través de la MCDU o de su propio panel quedan actualizadas las bases que corresponda.

Las bases de datos que más se actualizan son las de los planes de vuelo almacenados, que cambian cada 28 días. La información llega, bien directamente en un disco, o en un programa de correo electrónico que se pasa a un disco y se introduce en el avión. Generalmente las aeronaves tienen dos bases de datos, y la posibilidad de efectuar una transferencia de datos desde una a la otra, con lo que el procedimiento de carga se efectúa sobre una base y se puede transferir.

La impresión de datos en papel se produce a través de una impresora de papel térmico en rollo, de varias medidas de ancho, o de papel normalizado tipo holandesa que se sitúa generalmente en el pedestal central. Permite pasar a papel los datos que desde la MCDU se le demanden, como Post Fly Report, los resultados de una prueba o datos de comportamiento de algún elemento. También y si está conectada, vía ACARS puede recibir, de forma automática, notificaciones desde tierra, mensajes de la compañía o el documento de carga y centrado para el vuelo que vaya a efectuar.

La impresora se alimenta con 115 V AC para el motor de arrastre del papel y para el cabezal térmico de impresión, y de 28 V DC para alimentar las luces integrales y las luces de los pulsadores de manejo y control. No son de alto consumo, unos 80 W, y ante un corte prolongado de alimentación pueden mantener un informe en su memoria durante varios minutos.

BIBLIOTECA ELECTRÓNICA DE A BORDO

Los documentos exigidos para una aeronave los determina la autoridad de cada país, generalmente son los mismos, aunque pueden tener alguna variación, normalmente serán:
- Certificado de matrícula de la aeronave.
- Certificado de aeronavegabilidad.
- Libro de vuelo (parte de vuelo).
- Manifiestos de carga y centrado del último vuelo.
- Manual de operaciones de vuelo.
- Manuales de procedimientos normales, anormales, de emergencia.
- Lista de equipo mínimo (MEL).

Los documentos y certificados estarán soportados en papel, pero los manuales pueden ir en papel o en soporte digital. En la actualidad se están incorporando los sistemas en soporte digital, que puede ser portátil, se conoce como "bolsa de vuelo" EFB (Electronic Flight Bag), o instalados a bordo y de acceso mediante su panel correspondiente. También se está poniendo en práctica el parte de vuelo electrónico (Log Book) o diario de a bordo, que básicamente consiste en que el piloto, mediante la MCDU, pasa a un archivo de memoria la avería surgida y los datos de cada vuelo que también a través del sistema ACARS son enviados al centro de control de tierra, que, así, al conocer de antemano la anormalidad, puede ir dando los pasos necesarios para la corrección de la misma con una parada de avión mucho menor.

Los libros electrónicos que sustituyen a los manuales tienen los datos y documentación sobre cartas de navegación, manuales de aeropuertos, cartas de aproximación, libro MEL (Minimun Equipment List), o sea, todo lo relacionado con la operación técnica, y aspectos de navegación y comunicaciones, y los clasifica en tres clases en las FAA en su circular AC 120.76A.

En la actualidad, el medio cuenta con el EFB desarrollado por Boeing para equipar sus modelos, los actuales como producto opcional y como de serie en su modelo 787. Por su parte, Airbus, para sus modelos A350 y A380, introduce un sistema EFB con todas las necesidades para un vuelo, sin tener que consultar ninguna documentación ni información en papel, esta lista de verificación electrónica responde al concepto de Airbus "cabina sin papeles", ya que cuenta con toda la funcionalidad del EFB clase 3 a través de sus propias y grandes pantallas y teclados llamados terminales de información a bordo.

La compañía Panasonic está poniendo en el mercado un EFB llamado Toughbook, que es un portátil muy robusto, pero que da más o menos las prestaciones que los desarrollados por otras compañías. Todos estos equipos están en constante evolución y se les incorporan nuevas prestaciones en cada modelo, y se tiene el objetivo de incorporar el troubleshooting, investigación de averías pero con acceso solo en tierra.

11.19 AVIÓNICA MODULAR INTEGRADA (ATA 42)

Con la incorporación de la electrónica y de los computadores a la gestión y control de los sistemas de las aeronaves, y sobre todo desde la llegada de los aviones llamados "fly by wire", se van modificando las estructuras de los sistemas, de forma que manteniendo las funciones básicas, varían fundamentalmente en la gestión y control de los mismos y en las interconexiones con otros sistemas, a fin de que al ejecutar lo solicitado por el piloto (ya sea humano o automático), los computadores cumplan la orden, pero teniendo en cuenta la información no solo de los elementos de su sistema, sino que se analizan además informaciones de elementos de otros sistemas que puedan estar relacionados.

Como resultado de todas estas variaciones en los sistemas, también incide en la organización de los mismos, apareciendo en la documentación para su conocimiento y manejo capítulos nuevos como es el de la Aviónica Modular Integrada, IMA (Integrated Modular Avionic).

El objetivo fundamental de todos estos avances es el gestionar todos los sistemas de forma que proporcionen a la aeronave más seguridad, más autonomía y más bajo costo económico.

Los sistemas principales, como aire acondicionado, presurización, combustible, energía eléctrica, mandos de vuelo, tren de aterrizaje o piloto automático, tienen su propio gestor del sistema, y en algunos modelos de aeronaves la gestión y el control electrónico de los sistemas considerados menores es agrupada en un solo computador, dependerá del diseño que considere oportuno el fabricante.

En casos de sistemas principales, entre otros, el **tren de aterrizaje** o la **gestión del vuelo**, cuentan, el primero, con una unidad electrónica LGCIU (Landing Gear Control Interface Unit) instalada por duplicado para su control, y el **gestor del vuelo** cuenta con una unidad también instalada por duplicado, como la que generalmente se llama FMGEC (Flight Management and Guidance Envelope Computer). Siempre que un sistema lleve instalados los computadores por duplicado, solo opera uno, manteniéndose el otro activo para que en caso de fallo del primero el otro se haga cargo de las operaciones, informando al piloto y almacenando la avería en el sistema correspondiente, todo ello sin que la operación de la aeronave se resienta lo más mínimo.

La tendencia según se va mejorando tanto la arquitectura como las funciones de los sistemas es que se instalen controladores de partes o funciones del sistema, que están conectadas con el controlador general del sistema, que a su vez está interconectado mediante señales eléctricas convencionales y/o mediante buses de datos generalmente en el sistema ARINC 429, con los computadores controladores de otros sistemas y con los computadores gestores de la operación de la aeronave.

En la figura siguiente se presenta el dibujo de un esquema de controladores de zona y grupos de aire acondicionado con los tipos de señal con que se comunican.

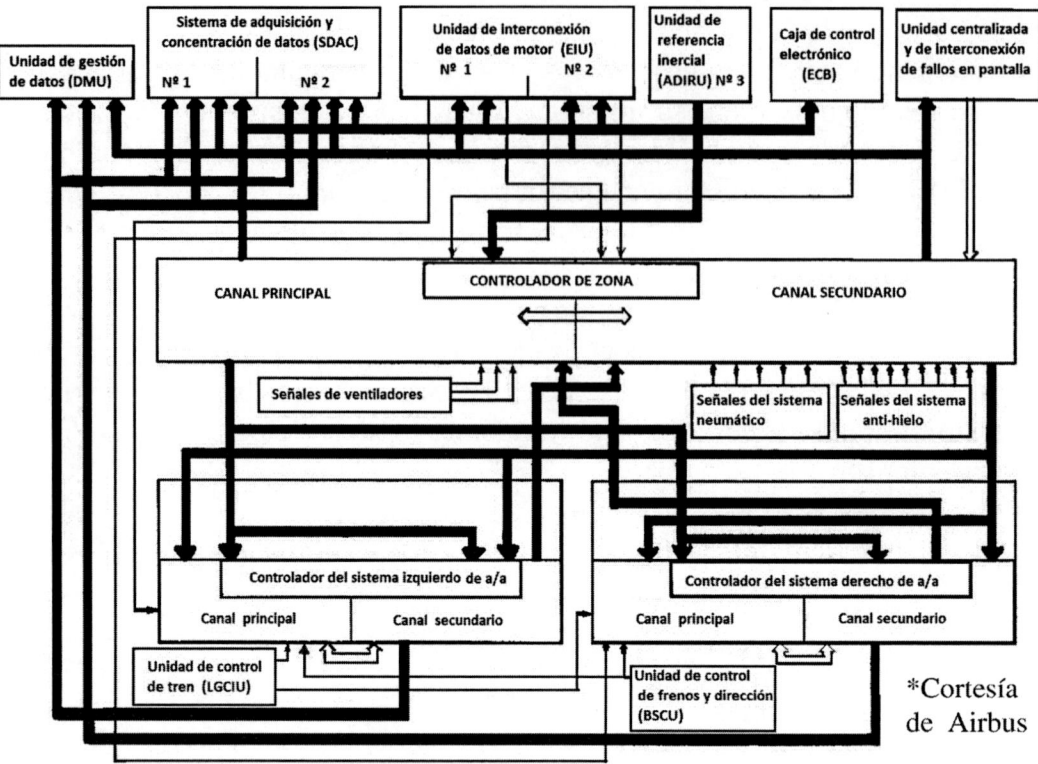

*Cortesía de Airbus

INTERCONEXIONES DE LOS CONTROLADORES DE ZONA Y GRUPOS DE AIRE ACONDICIONADO

También es de resaltar que, si bien en muchos casos los computadores están instalados por duplicado, cada uno generalmente en su interior tiene dos canales iguales que están activos, y en caso de fallo o discrepancia, el otro canal se hace cargo de la operación de la parte del sistema que controle, e informa y almacena el problema, sin que el funcionamiento del sistema sufra ninguna alteración, practicando la misma filosofía de funcionamiento que se aplica a los computadores principales duplicados, lo que proporciona a la aeronave un alto nivel de seguridad y fiabilidad.

A continuación se efectúan unos comentarios sobre algunos de los sistemas principales que complementan lo expuesto dentro de los capítulos correspondientes al módulo 11 "Sistemas de Aeronaves de Turbina" donde se trata cada sistema completo con la amplitud y profundidad necesarias

11.19-1 LA GESTIÓN INTEGRADA DEL AIRE ACONDICIONADO

En este capítulo, que corresponde al aire acondicionado (ver el capítulo 11.4 ATA 21 del tomo I de *Sistemas de aeronaves de turbina*), se expone un ejemplo de los elementos principales de control unificado de las funciones de control del sangrado del aire, del control de la presión de cabina y de la temperatura del aire.

Las aeronaves actuales generalmente llevan dos sistemas de aire acondicionado independientes, pudiendo cada sistema por separado alimentar la aeronave en caso de fallo total de uno. En lo referente al control del sangrado del aire que se le efectúa a los motores para alimentar el sistema de aire acondicionado, el control automático lo efectúa el computador correspondiente con las señales que recibe de los diferentes sensores tanto de presión como de temperatura del aire de sangrado, además de los datos recibidos de los diferentes computadores de los sistemas relacionados, o de las señales de posición de las válvulas del sistema.

Con todas estos datos, el computador fabrica una señal de apertura o cierre de las válvulas que controlan el flujo, de forma que el aire que se extraiga de las etapas del compresor del motor sea el mínimo necesario para cubrir la necesidad, penalizando lo mínimo al motor, con lo que gastará menos combustible, y tendrá una mayor autonomía, además de un costo económico sensiblemente menor.

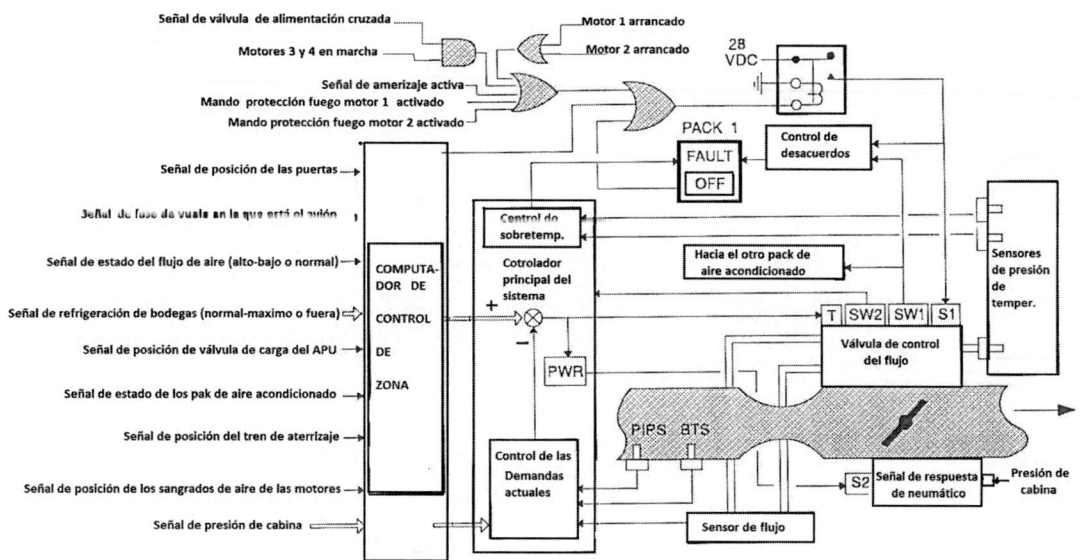

ELEMENTOS DEL CONTROL DE SANGRADO DE AIRE

En la figura anterior se muestra un esquema de la parte de un sistema de aire acondicionado que comprende el control del flujo y donde se puede comprobar la gran cantidad de señales que llegan a los computadores para que la válvula de control del flujo se sitúe en la posición más conveniente.

Si tomamos como ejemplo dentro del mismo sistema al control de la presurización, la filosofía es la misma, conseguir que el aire que sale al exterior sea justo el necesario para que el ambiente de la cabina se mantenga a los niveles de presión y calidad que se necesita.

Para conseguir este objetivo, los fabricantes cada vez van estudiando y analizando todas las posibilidades que va ofreciendo la industria en cada momento para incorporarlos a los sistemas, bien en el momento del diseño, o mediante modificaciones a los ya fabricados, teniendo en cuenta el tiempo que puede pasar desde que se comienza a diseñar un modelo de aeronave hasta que está operativa en el mercado, en ese intervalo el avance de la industria ya ha ofrecido posibilidades de mejora, cuya incorporación a las aeronaves ya fabricadas, es rentable en muchos casos.

Generalmente y para todos los sistemas que tengan la posibilidad de efectuar las funciones de forma automática o manual, en las actuaciones manuales las formas de que la señal de mando llegue al elemento básicamente son dos, o directa mediante cables de acero trenzado y poleas, o, si la actuación es eléctrica, la alimentación al actuador que corresponda vendrá de fuentes distintas a las que alimenten el sistema automático a fin de darle mayores garantías de fiabilidad a la operación.

En la figura siguiente se presenta un sencillo esquema del subsistema de presurización, en el que se puede observar la gran cantidad de señales que intervienen en su control, además de cómo están duplicados los computadores de control, para conseguir que el movimiento de apertura y cierre de la válvula de derrame (out flow) sea el que justamente se necesite en cada momento del vuelo, además de tener otro motor adicional de control manual directo desde el panel de control en la cabina para accionarlo en caso de fallo de las funciones y alternativas automáticas.

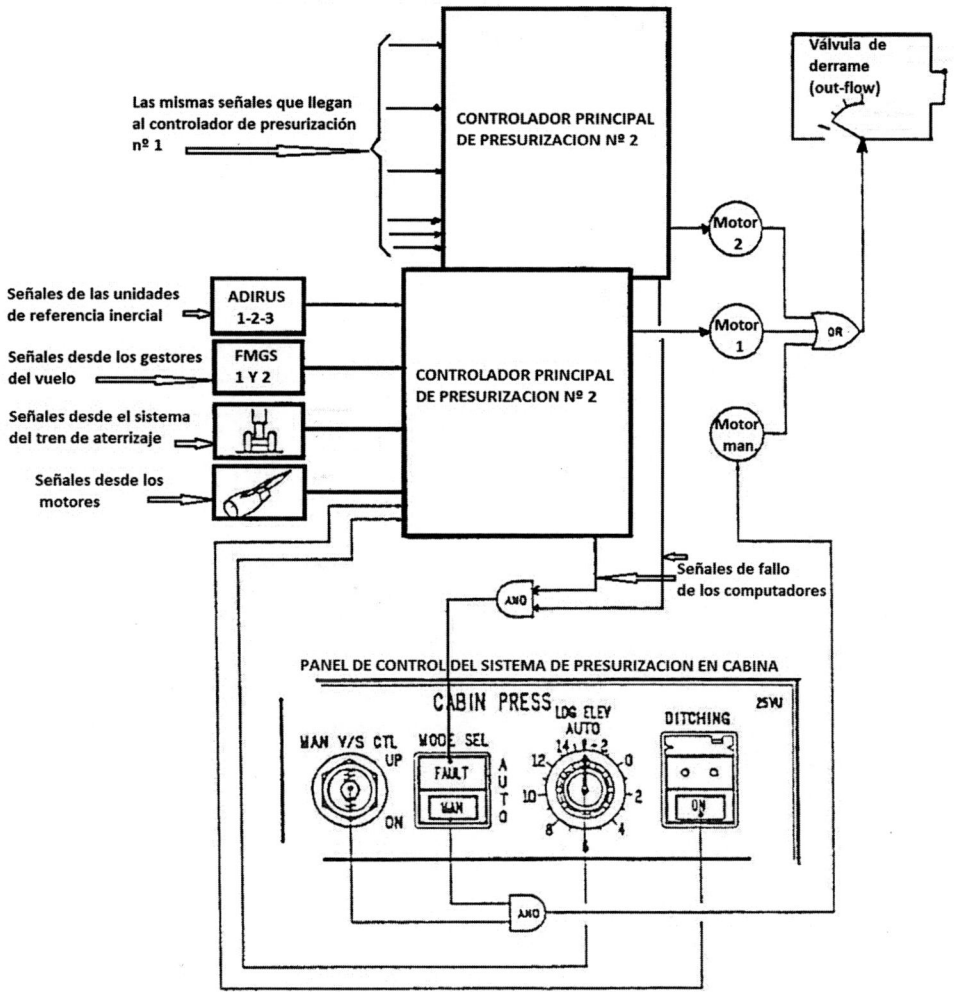

ESQUEMA DE UN SISTEMA DE PRESURIZACIÓN

Otro capítulo importante dentro del sistema se aire acondicionado es el control de la temperatura del mismo, tanto en los diferentes puntos del sistema de ciclo por aire como en las diferentes zonas de la cabina, tanto de tripulación como de pasajeros, bodegas y departamentos donde está instalada la aviónica de a bordo, o la refrigeración de los instrumentos y pantallas de la cabina de pilotos.

En la figura siguiente se muestra un esquema del control de refrigeración de las bodegas, de los estantes y equipos de aviónica, y de los paneles de instrumentos, con el computador de control en automático y las diversas señales que utiliza para regular la refrigeración, además de los diferentes elementos como filtros, ventiladores para forzar el caudal de aire si es necesario, válvulas de corte o de salida de aire al exterior, o señales de presión de diferentes puntos del sistema.

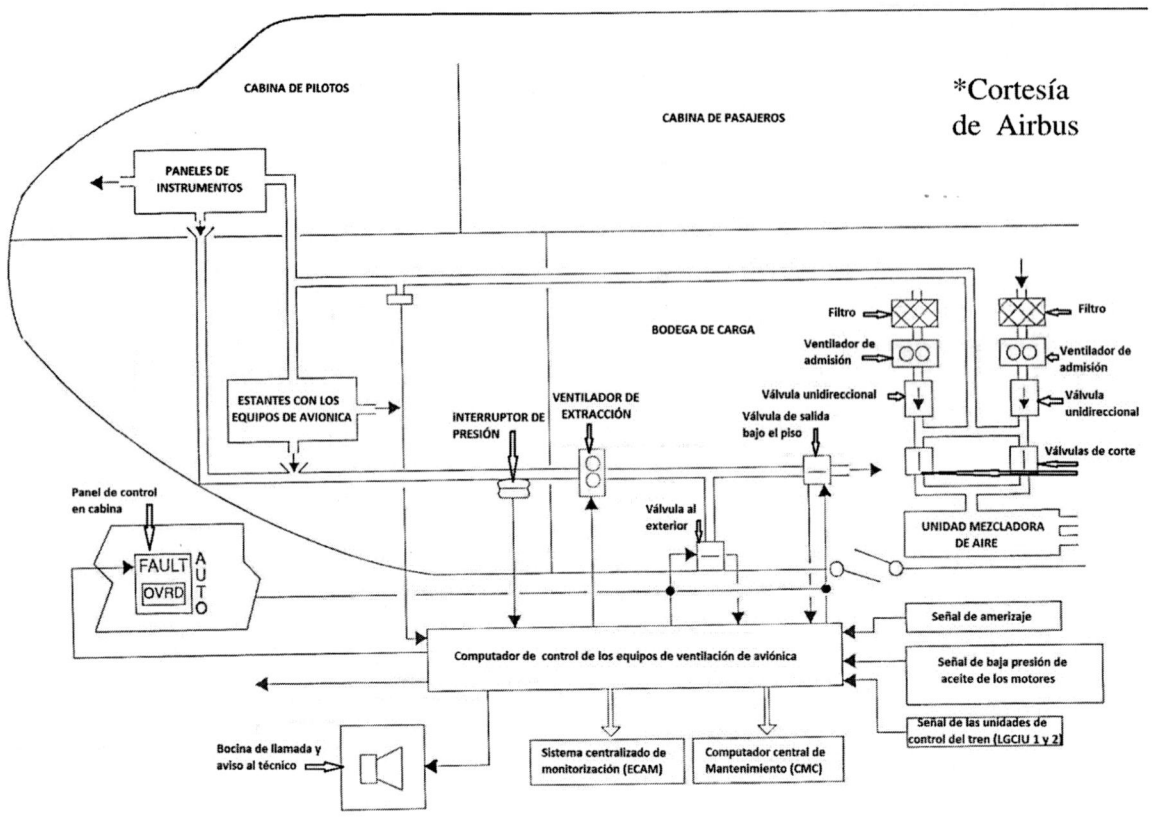

SISTEMA DE CONTROL DE LA VENTILACIÓN

En lo referente al control de temperatura de ambiente de las diferentes zonas, lo efectúan los computadores a demanda de los pilotos abriendo o cerrando las diferentes válvulas de aire frío o caliente procedente de los sistemas de aire acondicionado, para conseguir la temperatura deseada en cada zona.

En la figura siguiente se presenta un dibujo de la página del ECAM correspondiente a la temperatura del aire acondicionado en las diferentes zonas, también presenta la temperatura de los conductos y la posición de las diferentes válvulas.

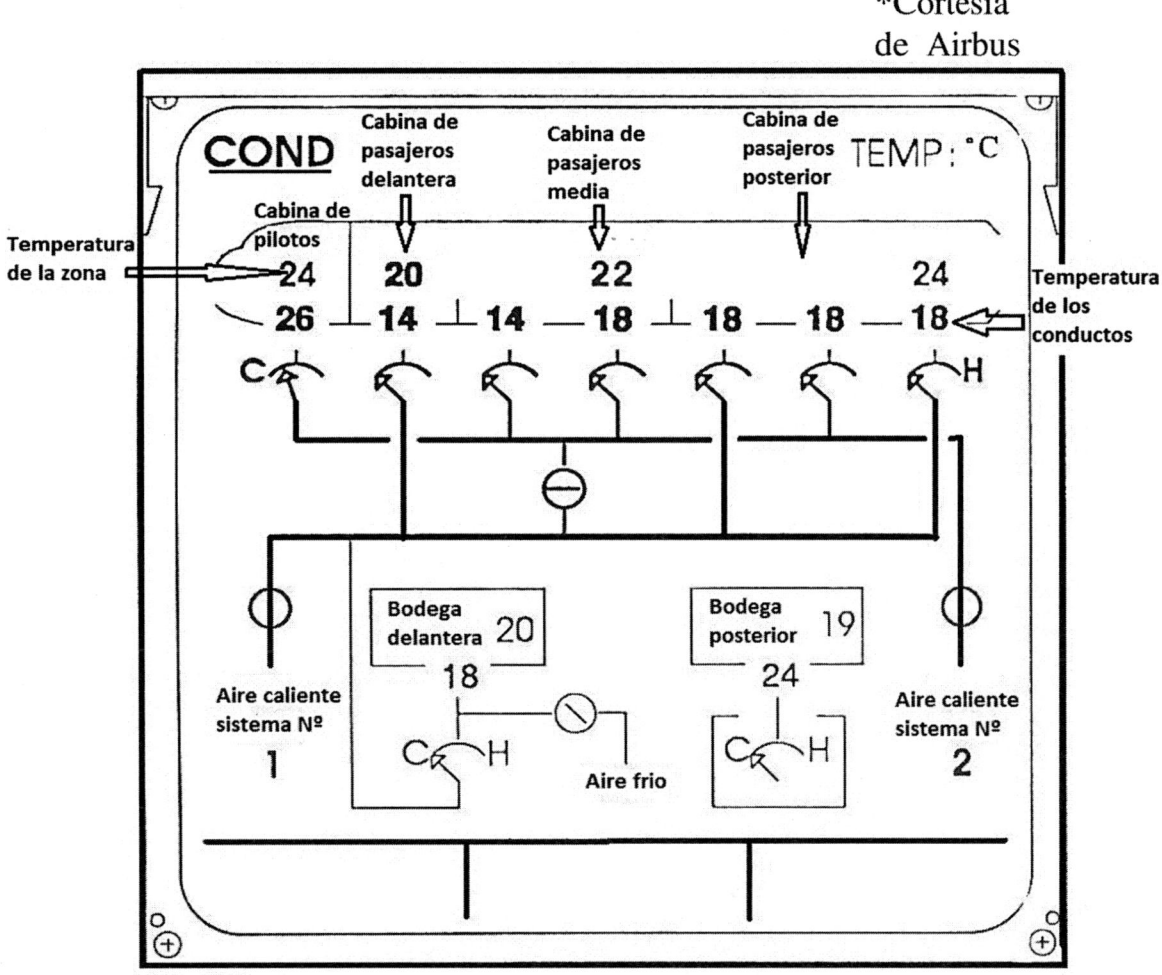

PÁGINAS DE TEMPERATURAS EN EL ECAM

11.19-2 LA GESTIÓN INTEGRADA EN LAS COMUNICACIONES

Con respecto a las comunicaciones tanto externas como internas de una aeronave, la variación de los tipos y medios está evolucionando a una velocidad que hace que, sin perder los objetivos básicos de las comunicaciones, los medios para llevarlos a cabo sí varíen; por una parte, el fabricante, que instala los equipos que cree cumplen mejor con las necesidades, y por otra parte el operador de la aeronave, que a partir del cumplimiento de la legislación vigente proporciona a su aeronave los sistemas y tipos que cree que mejor cumplirán sus objetivos.

No solo inciden en estos sistemas los avances técnicos, sino que el aumento del tráfico aéreo va obligando cada día a incorporar nuevos medios para su control, todo esto genera una variación de los subsistemas de comunicación entre la aeronave y tierra en las dos direcciones, comunicaciones entre aeronaves, etc., que crea la necesidad de equipos que gestionen cada uno su parte del sistema y que además sean controlados por otros equipos que gestionen el conjunto.

La capacidad del espacio aéreo también está limitada por conceptos como: requisitos de separación entre aeronaves, limitación de frecuencias y saturación de las mismas.

Para todo esto se desarrollan nuevos equipos que sirvan como herramienta para los sistemas de seguimiento y control de todo el tráfico aéreo que se genera; estos nuevos métodos de control se basan en conceptos que se denominan conceptos de vigilancia de las comunicaciones de navegación (CNS, Comunication Navigation Survelliance), o sistemas futuros de navegación por el aire (FANS, Future Air Navigation System).

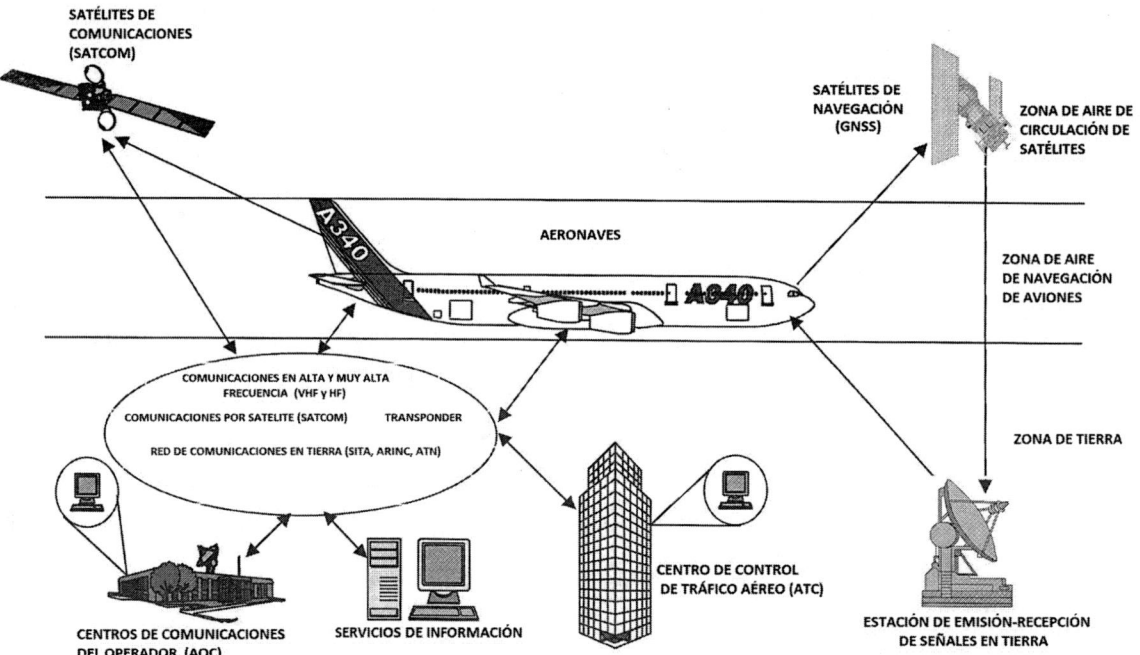

COMUNICACIONES EN AMBAS DIRECCIONES

En el capítulo 11.5 de *Sistemas de aeronaves de turbina* (tomo I) y en el 11.2.7-11-5 de este libro, se tratan todos estos sistemas y necesidades, no obstante a continuación se tratará de complementar los mismos exponiendo las nuevas necesidades y arquitectura de los sistemas en los aviones de la generación actual.

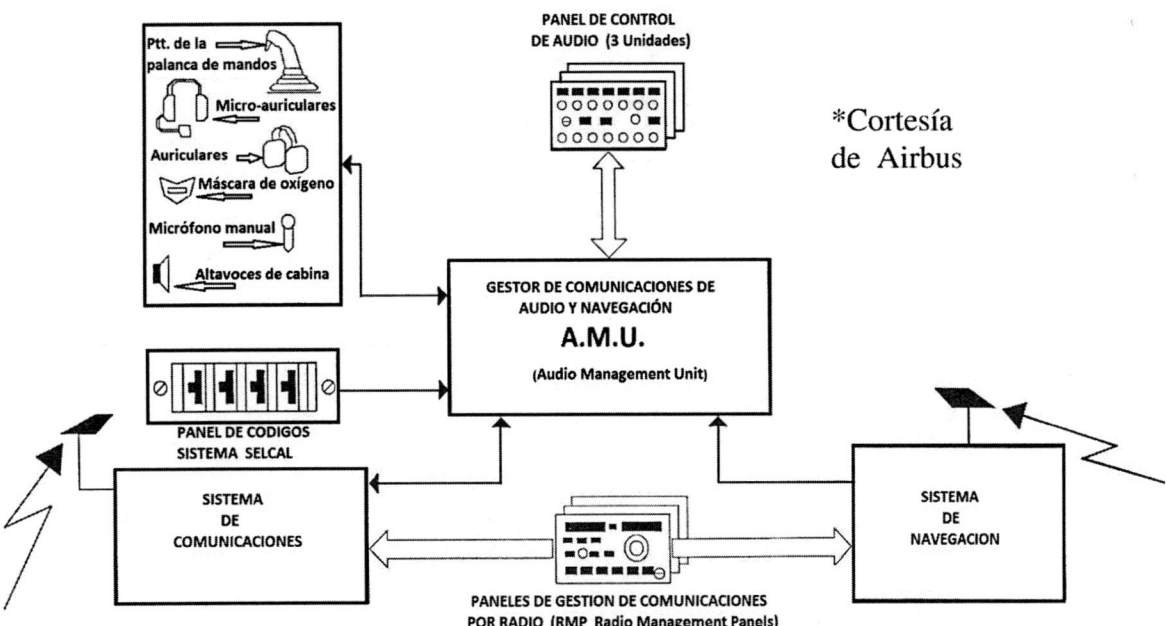

UNIDADES DE GESTIÓN DEL SISTEMA DE COMUNICACIONES

En la figura anterior se muestra la arquitectura de un sistema de comunicaciones de voz y de navegación de un avión actual de la familia Airbus interconectados en una unidad gestora AMU (Audio Management Unit) que se comunican entre sí mediante comunicaciones convencionales y de buses de datos en lenguaje ARINC -429, controla las comunicaciones de todo el sistema

11.19-3 LA GESTIÓN INTEGRADA DE LA ENERGÍA ELÉCTRICA

Uno de los principales sistemas de una aeronave en la actualidad es el de la energía eléctrica, su generación, su distribución y su control, son subsistemas en los que, aplicándoles una buena gestión, se produce un significativo ahorro de energía que permite al final una menor penalización de los elementos de arrastre de los generadores ya sean de los motores o de la unidad de potencia auxiliar (APU).

En el capítulo 11.6 del tomo II de *Sistemas de aeronaves de turbina* y en el 11.2.7 11.6 de este volumen se tratan todas las funciones del sistema, son complementados con los temas que sobre la gestión de esas funciones se tratan en este capítulo.

241

La energía eléctrica que alimenta una aeronave se produce, bien a bordo, mediante generadores arrastrados por los motores a través de la caja de accesorios; por el APU y por las baterías; cuando la aeronave está en tierra con los motores y la unidad de potencia auxiliar (APU) paradas, se puede alimentar desde el exterior mediante un grupo autónomo, o mediante la conexión a la red comercial si la aeronave está en un lugar en el que existe esa posibilidad.

Pero todas estas formas de generar la corriente tanto alterna (AC) como continua (DC) se distribuyen por todos los puntos necesarios de la aeronave y necesitan un control y gestión que ejerza el cumplimiento de todas las condiciones necesarias en cualquier situación que se pueda dar tanto en vuelo como en tierra.

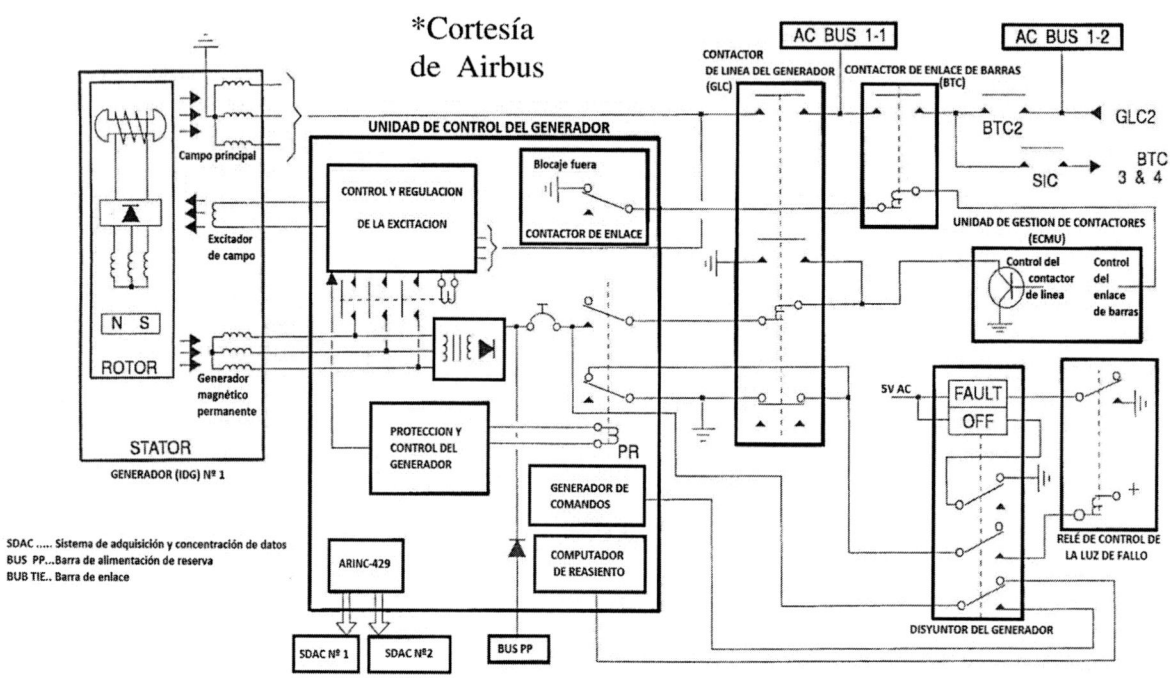

SISTEMA DE GENERACIÓN PRINCIPAL DE ENERGÍA ELÉCTRICA

En la figura anterior se muestra a modo de ejemplo una parte de un sistema de energía eléctrica de corriente alterna, en la que se pueden observar tanto la generación de corriente como de los elementos que permiten su control y los computadores que mediante comunicaciones de buses de datos proporcionan las órdenes necesarias para la buena gestión de la energía eléctrica.

Generalmente, en las aeronaves, al disponer de más de una fuente de generación de energía, es necesario que desde cualquier fuente de generación pueda alimentarse cualquier zona o elemento, para lo cual el sistema dispone de una serie de contactores que, de forma automática, son controlados por una unidad de gestión que se encarga de posicionarlos de forma que en ningún caso ninguna zona de las activadas se quede sin alimentación por causa alguna. En la figura siguiente se muestra un esquema de generación de energía eléctrica de un avión del fabricante Airbus, de cuatro motores, de la generación actual, en el que se muestran los elementos de generación, sus unidades de control de cada generador y las unidades de gestión de los contactores ECMU (Electrical Contactor Management Unit).

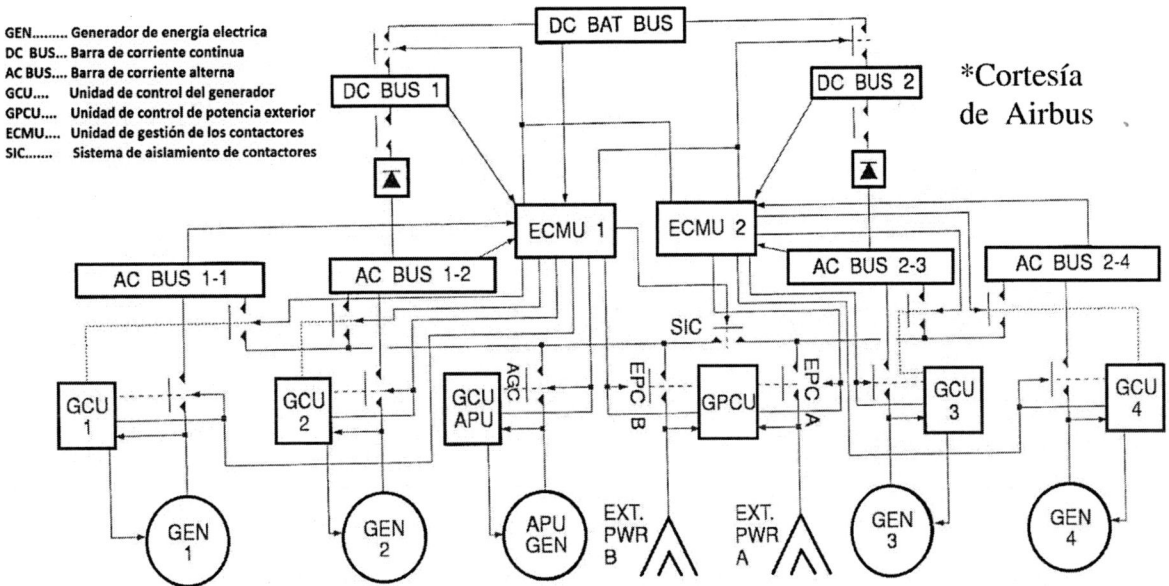

SISTEMA DE GESTIÓN DE LOS CONTACTORES ELÉCTRICOS

Todos los elementos que componen el sistema tienen las líneas de alimentación de corriente protegidas mediante disyuntores de disparo automático que se sitúan en los paneles de la cabina de mandos, debidamente rotulados y agrupados por sistemas, están controlados y monitoreados constantemente por un computador, en el caso que se presenta se denomina CBMU (Circuit Breaker Monitoring Unit), que recibe las señales correspondientes de los disyuntores y de la unidad de tren de aterrizaje que informa de la configuración de la aeronave.

Por otra parte, esta unidad de gestión recibe mediante buses de datos ARINC 429 en una memoria no volátil los datos de programación procedentes de la unidad de carga de datos. La unidad de gestión envía los datos a la unidad central de mantenimiento CMC (Central Maintenance Computer) y al sistema de adquisición y concentración de datos SDAC (Sistem Data Adquisition Concentrator) para que informen al piloto en la pantalla del ECAM correspondiente y archiven el evento en la memoria del CMC, para que cuando corresponda pueda ser corregido por el técnico de mantenimiento.

La memoria no volátil de la unidad monitora CBMU puede ser reprogramada desde la MDDU (Multipurpose Disk Drive Unit) utilizando un disco de 3,5" con la nueva configuración de los disyuntores que haya sido programada. En la figura siguiente se muestra un esquema de los principales elementos del sistema de monitoreo de los disyuntores, también denominados C/B (Circuit Breakers) y de cómo están interconectados entre sí.

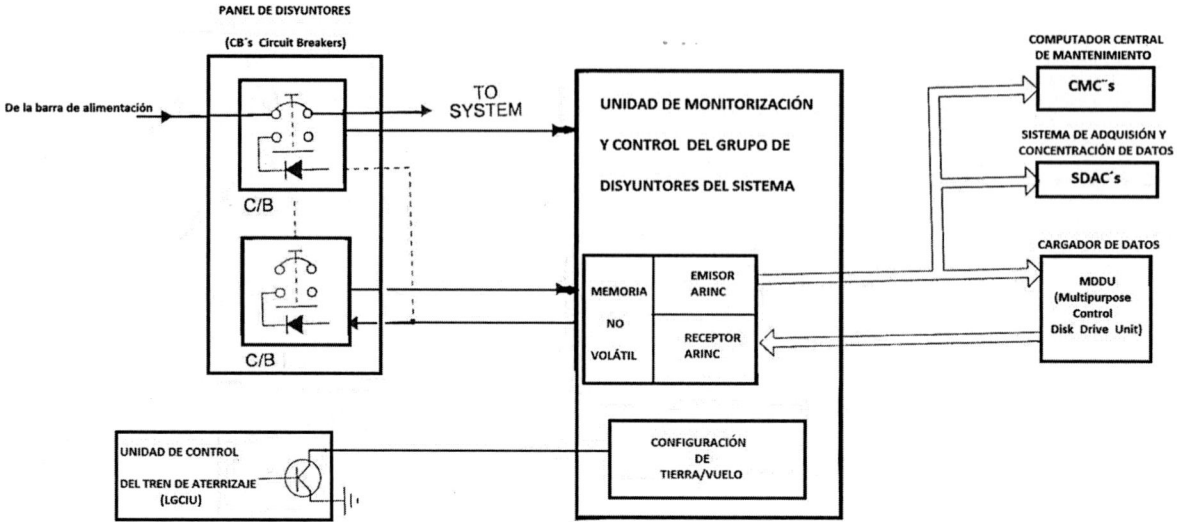

SISTEMA DE SUPERVISIÓN Y CONTROL DE LOS DISYUNTORES

11.19-4 LA GESTIÓN INTEGRADA DEL COMBUSTIBLE

El sistema de combustible comprende el almacenamiento, control y distribución del mismo a los motores, en el capítulo 11.10 del tomo III de *Sistemas de aeronaves de turbinas* y en el 11.2-7-11-10 de este libro se expone todo lo referente a un sistema de combustible, y en este capítulo se complementará profundizando sobre la parte de la gestión del sistema por parte de los correspondientes computadores para, de forma automática y recibiendo información de todos los sistemas que puedan tener relación, fabrica las órdenes que vía buses de datos ARINC -429, o señales discretas convencionales, son enviadas a las diversas unidades de actuación, al objeto de que se puedan efectuar operaciones como la carga de los depósitos o la distribución a los motores en la cantidad y presión más idónea, lo que redundará en un menor consumo y por lo tanto en una mayor autonomía y un menor costo económico de la operación.

En la figura siguiente se muestra un esquema con los computadores de gestión de todas las operaciones automáticas FCMC (Fuel Control and Monitoring Computer) y su relación con los demás calculadores, pertenecientes a una aeronave Airbus de cuatro motores como es el A-340.

Siguiendo la filosofía de que los computadores de los sistemas se instalan cuando menos por duplicado, estando los dos activos, pero uno en ejercicio, o sea, que uno es maestro y otro esclavo, en caso de avería del maestro, automáticamente se intercambian las funciones, en este esquema se observan las entradas de información de los diversos sistemas, además de las señales de comunicación entre los dos computadores FCMC y cómo llega la información de estado del sistema a los computadores CMC (Central Maintenance Computer), que graban las anormalidades y facilitan el análisis de averías de los sistemas con los que tienen comunicación.

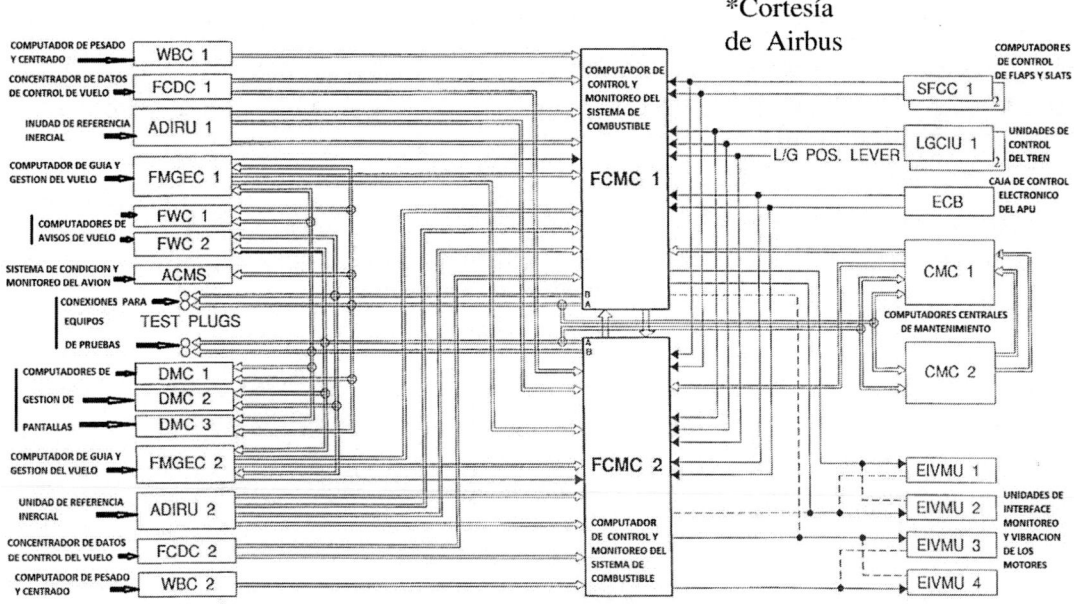

SISTEMA DE GESTIÓN AUTOMÁTICA DEL COMBUSTIBLE

Cada computador de gestión del combustible tiene dos microprocesadores, uno para las funciones de mando y otro para las funciones de comprobación del cumplimiento de las órdenes emitidas a las unidades del sistema.

En el repostado del combustible, de forma automática basta que desde la estación de carga, una vez energizado eléctricamente el panel de carga, se seleccione la cantidad total de combustible que se desee recargar y la unidad de gestión del sistema distribuirá en los depósitos que corresponda, para que el avión esté centrado.

11.19-5 LA GESTIÓN INTEGRADA DEL TREN DE ATERRIZAJE

Desde los aviones llamados de la segunda generación, es decir, desde la década de los años setenta del siglo pasado, el control del tren de aterrizaje va cambiando, si no en su forma y estructura, que siempre estarán en consonancia con el tamaño y peso de la aeronave, sí en cuanto a su control; se han ido incorporando funciones y subsistemas que mejoran las prestaciones y la eficacia de las operaciones.

Para conseguir estas prestaciones, se dota a las aeronaves de un sistema de antideslizamiento de las ruedas sobre la pista durante el aterrizaje, sistema de control automático de la dirección de ruedas de morro, sistema de información de la presión de los neumáticos de las ruedas y de la temperatura de los packs de frenos de cada rueda, y ya en los aviones de la última generación, un sistema de aterrizaje automático con el tipo de frenada preseleccionado o la posibilidad de efectuar pruebas BITE (Built In Test Equipment), simulando la actuación del tren y detectando las anormalidades si las hubiese, sin necesidad de tener que elevar el avión sobre gatos, y con una alta fiabilidad en los resultados.

En el capítulo 11.13 del tomo III de *Sistemas de aeronaves de turbina* y en el capítulo 11.2.7-11-13 de este libro se trata detalladamente el funcionamiento de todos estos sistemas relacionados con el tren, siendo completados con estas explicaciones sobre su gestión por parte de los computadores con las señales de información que necesitan para confeccionar las órdenes necesarias para los elementos de actuación. Se toman como ejemplo las unidades que instala Airbus para estas funciones por ser unas de las más avanzadas y de mucha profusión, teniendo en cuenta que las demás marcas son bastante similares.

El sistema tiene las funciones gestionadas básicamente por dos computadores principales, uno llamado LGCIU (Landing Gear Control Interface Unit), que controla las unidades actuadoras de las patas de tren y sus compuertas, además de controlar la fijación de la posición de la palanca del tren y enviar señales del sistema a los computadores de los otros sistemas que están relacionados.

La LGCIU está instalada por duplicado, las dos están energizadas y activas, pero solo una controla la operación de un ciclo completo, es decir, una retracción y una extensión de tren, pasando a ser la otra unidad la que de forma automática se hace cargo del nuevo ciclo al sacar la palanca de control de tren de la posición de tren abajo, o sea, después de que el avión ha despegado.

En la figura siguiente se muestra un dibujo del sistema de control del tren indicando las señales de entrada a las LGCIU y las órdenes de salida una vez procesadas todas las señales recibidas de los diferentes elementos y sistemas que envían dichas señales, con las que fabrica las órdenes para las unidades actuadoras. Las operaciones de fabricado de las órdenes comienzan con la entrada de petición de operación desde la palanca de control (tren arriba o abajo), siguiendo con las señales de posición de los diferentes sistemas y unidades como las de las unidades de referencia inercial (ADIRUS), señales de la otra LGCIU o las de posición de elementos móviles de las patas, o de blocaje y desblocaje de las riostras de las mismas, así como de los componentes de cierre de las puertas de los alojamientos de las patas.

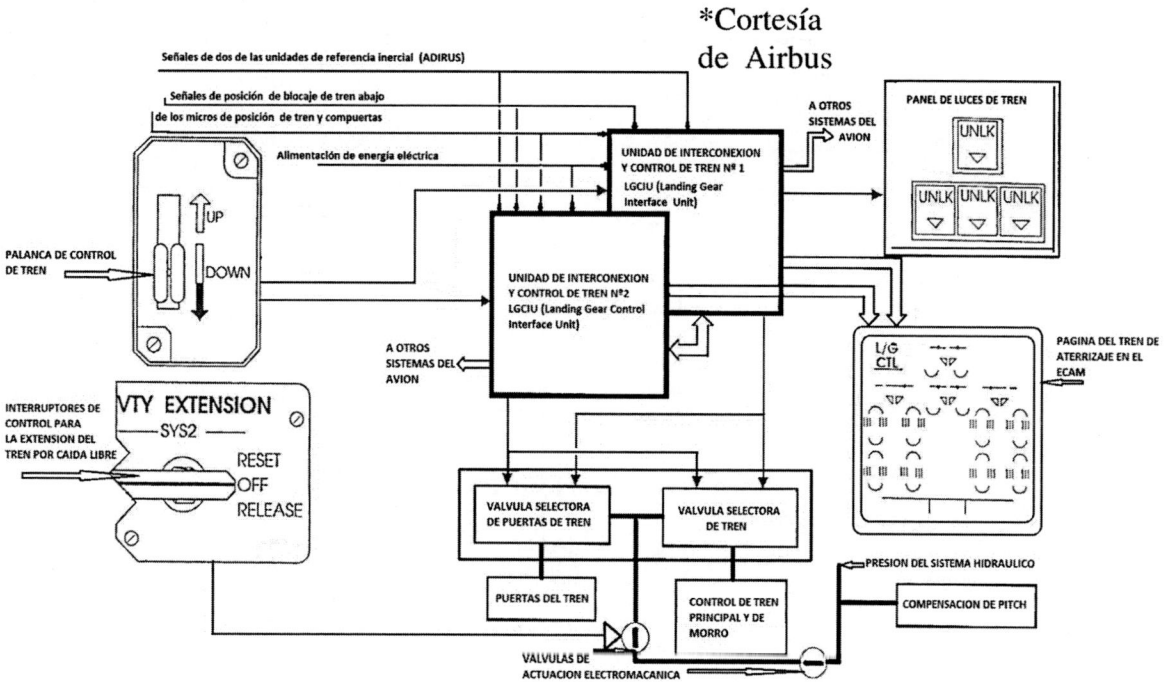

UNIDADES DE GESTIÓN Y ACTUACIÓN DE MANIOBRAS DE TREN

La gestión de las funciones de la otra parte del sistema las ejerce la unidad llamada BSCU (Braking Steering Control Unit); esta unidad controla las operaciones de la frenada automática de los frenos, la dirección de las ruedas de morro, el sistema de antideslizamiento de las ruedas por la pista, la indicación de la presión de los neumáticos y la de la temperatura de los conjuntos de frenos.

En este sistema esta unidad no se instala por duplicado, pero dispone de dos canales distintos que también proporcionan una gran fiabilidad, sin dejar de tener en cuenta que las fases del vuelo en las que esta unidad ejerce sus funciones son fases en las que el avión está en tierra.

En la figura siguiente se muestra un esquema con las unidades de las que recibe señales y datos la BSCU con los que confecciona las órdenes correspondientes para ejercer las funciones programadas.

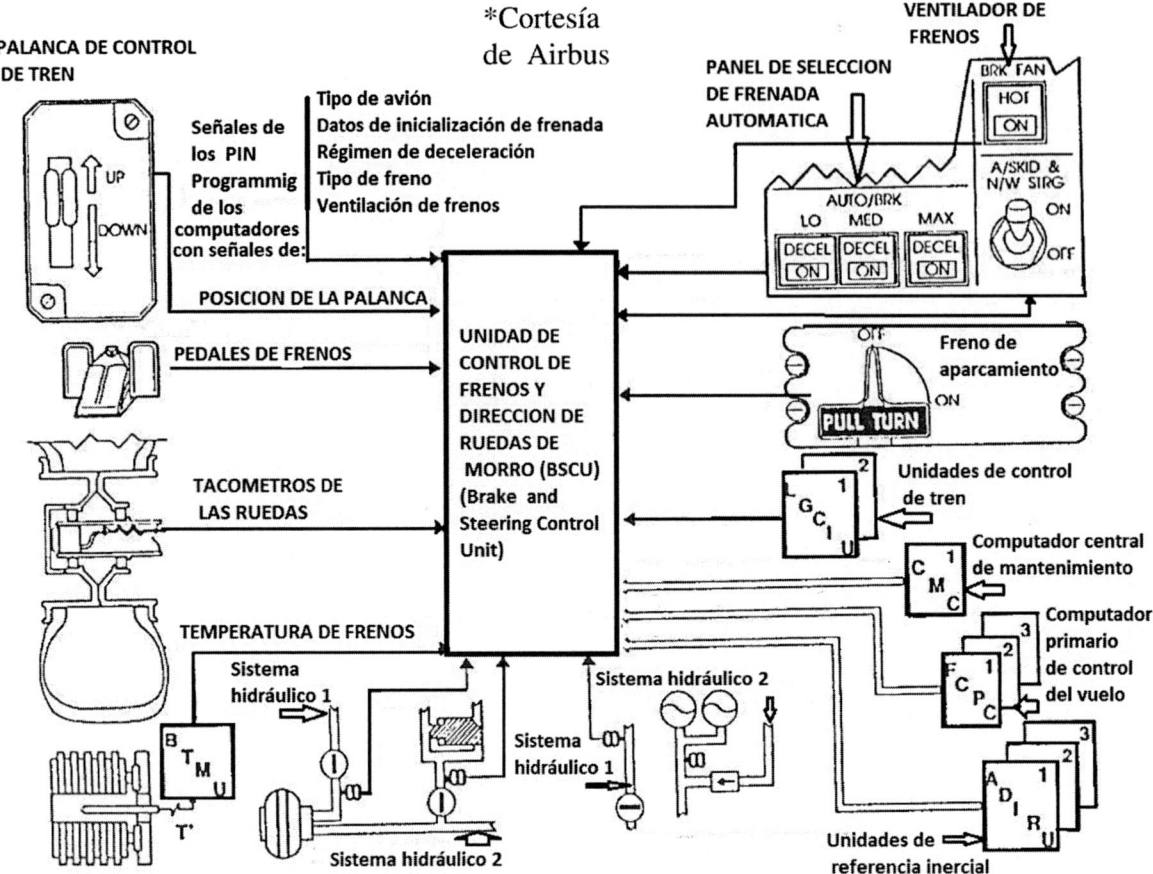

SEÑALES DE ENTRADA A LA UNIDAD DE CONTROL DE FRENOS Y DIRECIÓN DE RUEDAS DE MORRO

Una vez que la BSCU ha confeccionado las órdenes correspondientes, las envía a las unidades de actuación, además de informar de las mismas a los diferentes computadores de los sistemas que según está programado utilizan esta información para confeccionar sus órdenes correspondientes.

En la figura siguiente se presenta un esquema de las órdenes y de las informaciones de salida de la BSCU tanto en forma de señales convencionales como mediante buses de datos en lenguaje ARINC 429.

Todas estas funciones pueden ser probadas por el sistema centralizado de fallos CFDS (Centralized Fault Display Ssystem) desde las unidades MCDU en la cabina de mandos, desde cualquiera de las dos o tres unidades instaladas se accede al sistema de tren, y continuando el procedimiento, se llega a la página correspondiente a la BSCU, desde donde se pueden efectuar las diversas comprobaciones y pruebas funcionales de varios sistemas y elementos de actuación LRU (Line Replaceable Unit), además de almacenar en su memoria las anormalidades que pudieran existir, la capacidad de almacenaje se remonta a los 60 fallos y según van entrando anormalidades nuevas se van borrando las más antiguas.

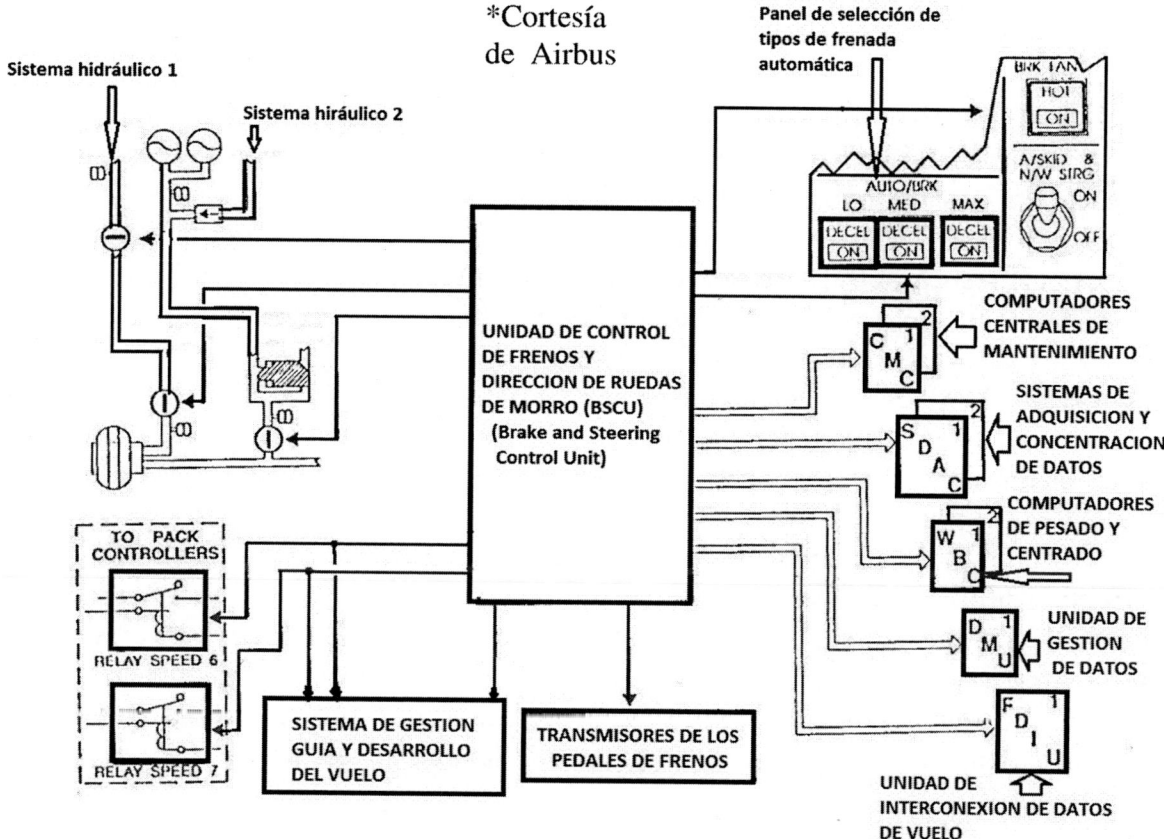

SEÑALES DE SALIDA DE LA UNIDAD DE CONTROL DE FRENOS Y DIRECCIÓN DE LAS RUEDAS DE MORRO

11.20 SISTEMAS DE CABINA (ATA 44)

A la vez que han ido avanzando en tecnología y funciones, han ido modificándose los sistemas de control de las aeronaves, también en los aviones que se dedican al transporte de personas en el interior del fuselaje, están en constante variación tanto en el mobiliario como en los sistemas de comunicación a los pasajeros, en los sistemas de comunicación entre las cabinas de pilotaje y las de los pasajeros, las comunicaciones vuelo-tierra-vuelo de los pasajeros o los sistemas de entretenimiento de los pasajeros tanto de imagen como de sonido.

Todas estas variaciones y prestaciones generalmente dependen de la decisión que tome el operador, de las rutas a las que vaya a ser destinado y de las clases de prestaciones que desee ofrecer a sus clientes.

La utilización de todos estos sistemas es muy variada y simultánea, ya que mientras unos pasajeros pueden estar viendo una de las varias películas de cine y escuchar los diálogos en idiomas diferentes, otros pueden estar escuchando cualquiera de los más de diez canales de música, otros estar comunicándose con las estaciones de tierra, a la vez que un tripulante de cabina de pasajeros puede estar hablando con los pilotos mediante el sistema de comunicación entre cabinas, etc. Todo esto hace que los llamados sistemas de cabina adquieran cada vez mayor complejidad, lo que redunda en una separación de funciones con diferentes equipos con sus unidades computadoras de gestión, que a su vez están interconectadas entre sí en muchos casos.

Todos estos sistemas o subsistemas que comprenden el capítulo 11.20 (ATA 46) de la normativa en vigor se tratan en lo referente a su propio funcionamiento como sistemas de comunicaciones en el capítulo 11.5 en el tomo I de los de *Sistemas de aeronaves de turbina*, y en el 11.2.7-11.5 de este libro, completándose todo ello con lo tratado en este capítulo, con las cuestiones que se exponen sobre las diferentes unidades de gestión de cada una de las funciones, por lo que se separan por equipos:

- Servicio de red de cabina.
- Servicio central de cabina.
- Sistema de entretenimiento en vuelo.
- Sistema de comunicación externa.
- Sistema de memoria masiva de la cabina.
- Sistema de control de cabina.

11.20-1 SERVICIO DE RED DE LA CABINA

Este sistema básicamente comprende dos partes: una, las comunicaciones de ida y vuelta utilizando el sistema ACARS (Aircraft o Arinc Comunication Addressing and Reporting System) para servicios de mantenimiento o de operaciones comerciales u operacionales de vuelo de la propia compañía operadora. Este sistema transmite y recibe de forma automática o manual mensajes o informes emitidos desde las estaciones de tierra o desde el avión.

La vía generalmente utilizada es el equipo de comunicaciones de VHF n.º 3 de la aeronave, esta señal es transmitida a través de la red terrestre SITA para Europa, la red ARINC para los Estados Unidos, la red CANADIAN para Canadá y la red JAPANESE para Japón, todas ellas están interconectadas entre sí, por lo que la comunicación puede ser trasmitida a través de cualquier red.

En la figura siguiente se muestra la unidad de gestión del sistema ACARS de a bordo de una aeronave Airbus 340 con los equipos y sistemas con los que se comunica en las dos direcciones, cuyas funciones pueden ser modificadas mediante la unidad de programación de la gestión ACARS MU.

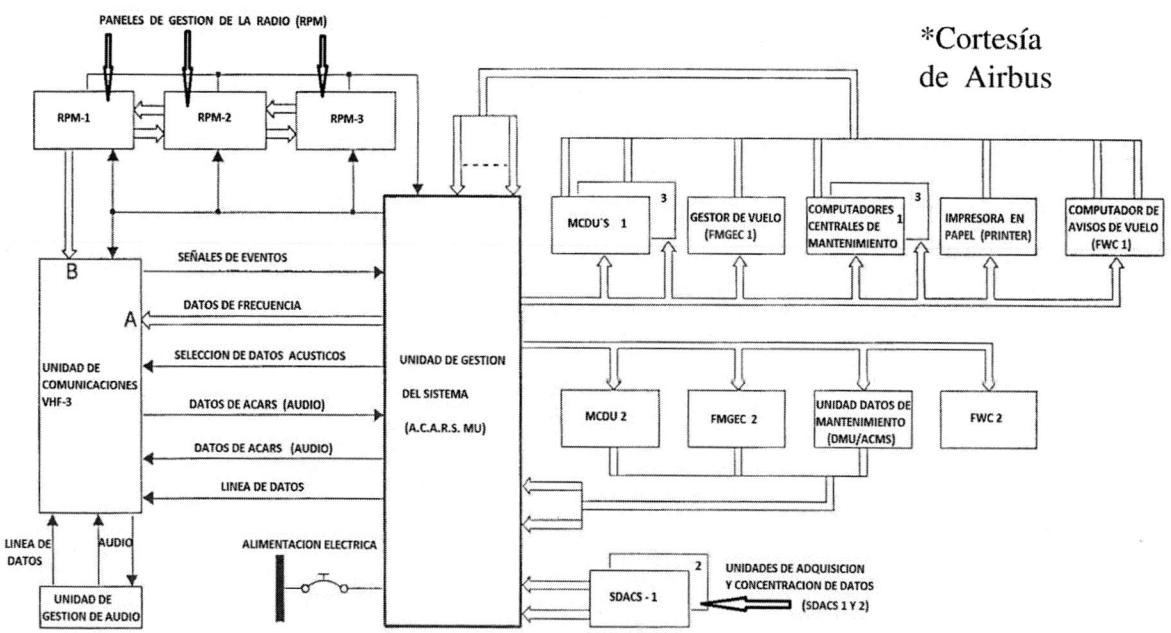

INTERCONEXIONES DE LOS EQUIPOS CON EL SISTEMA ACARS

La otra parte del servicio de red en cabina la proporcionan sistemas del tipo MCS-SATCOM, que proporciona servicio de comunicaciones de ida y vuelta de datos y voz mediante cuatro grupos de equipos.

Los equipos de a bordo o AES (Aircraft Earth Station), que son comunes al ACARS, o las unidades de entrada de datos como las MCDU, o las unidades de referencia inercial entre otras, además de unos sistemas de interfaz estándar CCS (Cabin Comunication System) para los teléfonos de los pasajeros.

Otro grupo es el llamado de segmento espacial, que comprende la red de satélites que, situados en orbitas geosincrónicas, permite la comunicación de datos y voz en las dos direcciones, en la llamada banda L con códigos y capacidades estándar para todo el mundo. En la actualidad existen dos proveedores de estos servicios: la organización INMARSAT (International Maritime Satellite Organization), que cubre todo el mundo y la organización AMSC (American Mobile Satellite Consortium), que junto con la empresa TMI (Telesat Mobile Inc.) proporcionan cobertura en la zona de América del Norte con redes de datos públicas y privadas, aunque este mercado está en constante crecimiento y movimiento.

Otro grupo es el llamado GES (Ground Earth Stations), que están estratégicamente situadas y comprenden los equipos necesarios para comunicarse con los circuitos terrestres y con los aviones a través de la red de satélites. En tierra se utilizan diversas rutas, tanto nacionales de cada país como internacionales a través de redes de enlaces de microondas o cables aéreos o submarinos de fibra óptica, en los que esté instalada, o cables convencionales en otras zonas. El otro grupo comprende los circuitos terrestres de datos y voz tanto públicos como privados de cada país. En la figura siguiente se muestra un dibujo de los equipos y la arquitectura de los sistemas MSC-SATCOM con la relación existente entre unos y otros equipos.

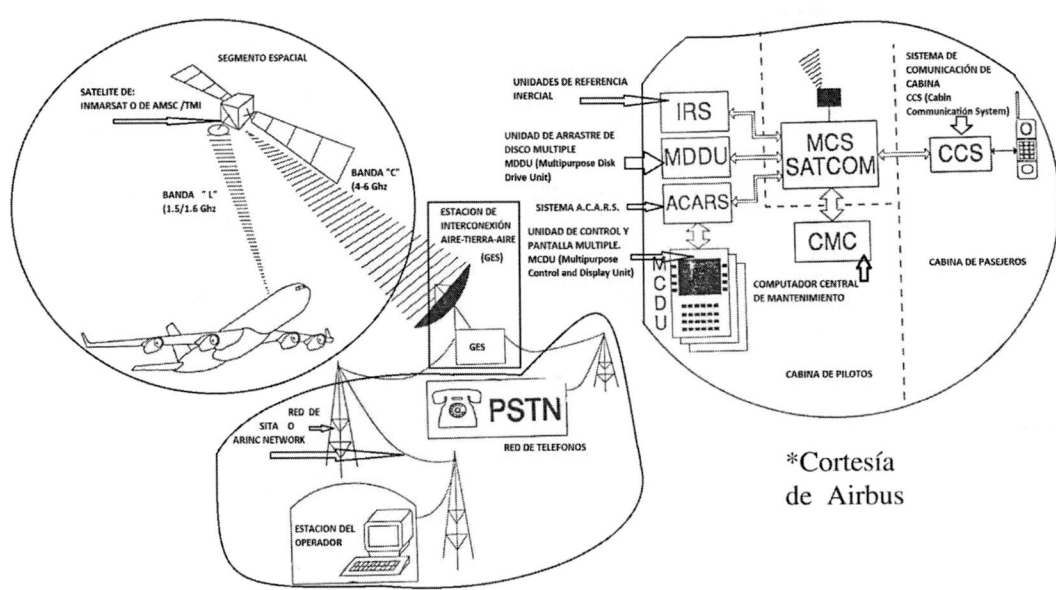

SISTEMA DE COMUNICACIONES MCS-SATCOM

11.20-2 SISTEMA CENTRAL DE LA CABINA

Todas las funciones y prestaciones que van necesitando las ofertas y servicios que por parte del operador se ofrecen a los pasajeros usuarios, sobre todo en aeronaves de largo alcance, ya que los vuelos pueden fácilmente sobrepasar las doce o catorce horas, vuelos durante los cuales se producen necesidades tanto de entretenimiento como de comunicación.

Para todas estas prestaciones se instalan unos sistemas centralizados, bastante similares en todas las marcas de los diversos fabricantes; una de las que tiene mayores posibilidades de funciones es la instalada por Airbus en sus últimos modelos de aeronaves del tipo fly by wire. Esta unidad o sistema se denomina CIDS (Cabin Intercomunication Data System) o también, coloquialmente, sistema central de cabina, está basado en el empleo de microprocesadores en una unidad que se denomina "**Director**", que se instala por duplicado, cuando el sistema está funcionando están las dos unidades activas, una actuando y la otra en espera.

La unidad directora maneja mediante señales discretas o de ARINC 429 la recepción, adaptación y transmisión de los elementos de control, las órdenes de mando o las señales digitalizadas de audio, controla y supervisa los componentes, activa y desactiva las funciones de la cabina de pasajeros y las que corresponden a la cabina de pilotos, además de las autopruebas del mismo equipo y sus periféricos, que son comprobados separadamente cada uno.

Además de las dos unidades directoras el sistema, dispone de varias unidades codificadoras/decodificadoras del tipo **A (DEU-A)** (Decoder/Encoder Unit), que proporcionan la intercomunicación entre las unidades directoras y los sistemas de sonido e imagen a los pasajeros.

También dispone de unidades codificadoras/decodificadoras tipo **B** (DEU-B) para la intercomunicación de datos entre los directores y los sistemas asociados a los puestos de los auxiliares de cabina de pasajeros.

El sistema también consta de un panel de auxiliares delantero desde el que se controlan varios sistemas del CIDS y otro panel cercano al anterior desde el que se puede acceder a los programas de prueba y programación del CIDS, además de contener un módulo de organización de la cabina de pasajeros.

Las funciones son muy diversas y dependen mucho de la marca del fabricante y de las que el operador desee incorporar, así hay:

FUNCIONES PARA PASAJEROS, como avisos luminosos y acústicos, luces de lectura, llamadas a azafatas, control de la iluminación de la cabina, varios canales de música e imagen, demostraciones del equipo de emergencia y entretenimiento, iluminación de emergencia, etc.

FUNCIONES PARA TRIPULANTES, como interfónicos entre los puestos de auxiliares de cabina y con la cabina de pilotos, interfónicos de servicio o la señalización para la evacuación de la aeronave en caso de emergencia.

FUNCIONES DE PRESENTACIÓN Y PRUEBA, como la programación y prueba del propio sistema, presentación de la presión de las rampas de deslizamiento de las puertas, pruebas de luces de emergencia y de las de lectura individual.

FUNCIONES CON OTROS SISTEMAS, como la intercomunicación con los sistemas de FWC, LGCIU, SFCC, entre otros.

Algunas funciones también se pueden controlar desde la cabina de pilotos desde el panel de llamadas, o desde el panel de evacuación, el servicio de interfónicos, los microteléfonos o las luces de abrocharse los cinturones y no fumar.

En la figura siguiente se muestra un esquema de los elementos más importantes y la interconexión que tienen con las unidades directoras del sistema central de cabina.

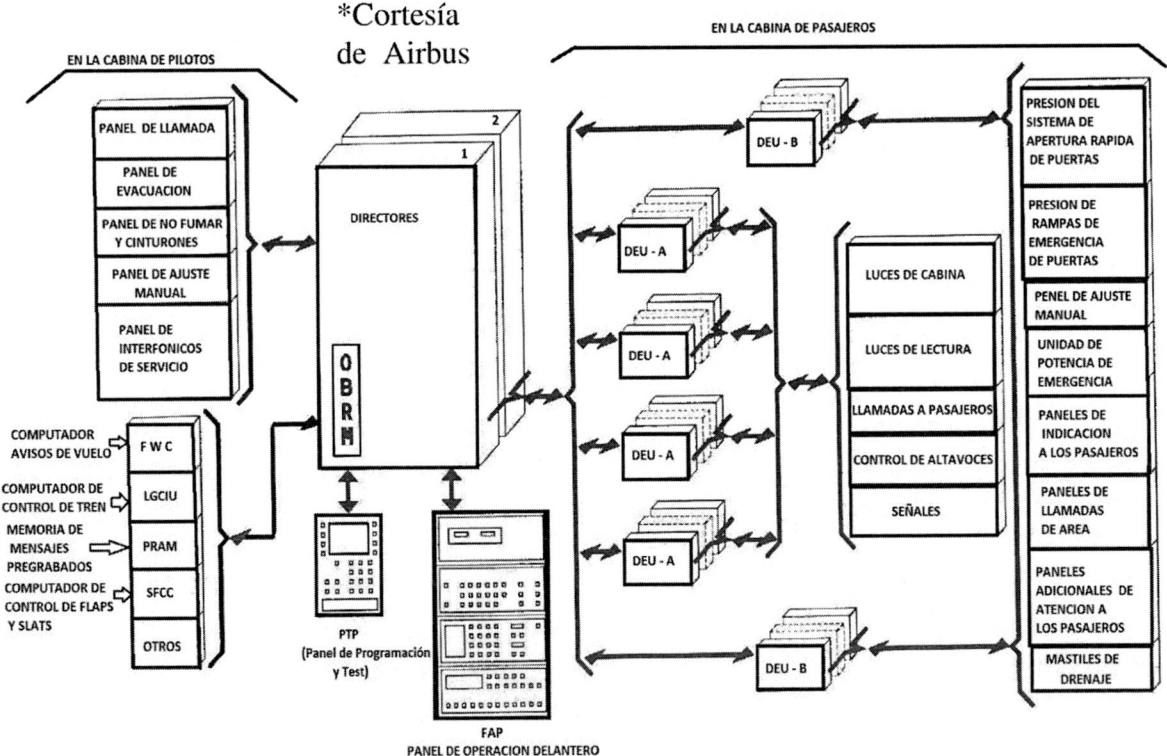

ARQUITECTURA DE UN SISTEMA CENTRAL DE CABINA (CIDS)

11.20-3 SISTEMA DE ENTRETENIMIENTO EN VUELO

Este sistema transmite programas de música en varios canales, imágenes de vídeo con avisos y mensajes, películas o documentales, bien a pantallas comunes a varias filas de pasajeros, o a pantallas individuales en cada asiento. Para el sonido en la emisión de las imágenes tiene la posibilidad de poner a disposición de cada pasajero la banda sonora en varios idiomas.

Otra prestación de este sistema es la llamada música de embarque, que consiste en la emisión de música por todos los altavoces de la cabina como música ambiental. La selección de la banda sonora de las películas o documentales, así como la de los diferentes canales de música la efectúa el propio usuario desde su panel individual, la escucha se efectúa mediante auriculares que se conectan en el propio panel. Desde el panel de control general que maneja el auxiliar de vuelo, al seleccionar la posición "todos los altavoces" todas las unidades de audio quedan con la escucha anulada y se pasa a escuchar por los altavoces comunes y por los auriculares individuales las informaciones que la tripulación tenga que comunicar.

En el diseño de este sistema generalmente es el operador el que decide las prestaciones que quiere incorporar, que dependerán de las rutas a las que vaya a ser destinado, el tiempo de vuelo de esas rutas y las prestaciones de confort que el operador oferte a sus clientes. En la figura siguiente se presenta un diagrama bloque del controlador de un sistema de entretenimiento con las conexiones y prestaciones que generalmente tienen todas las versiones de cualquier fabricante de estos equipos.

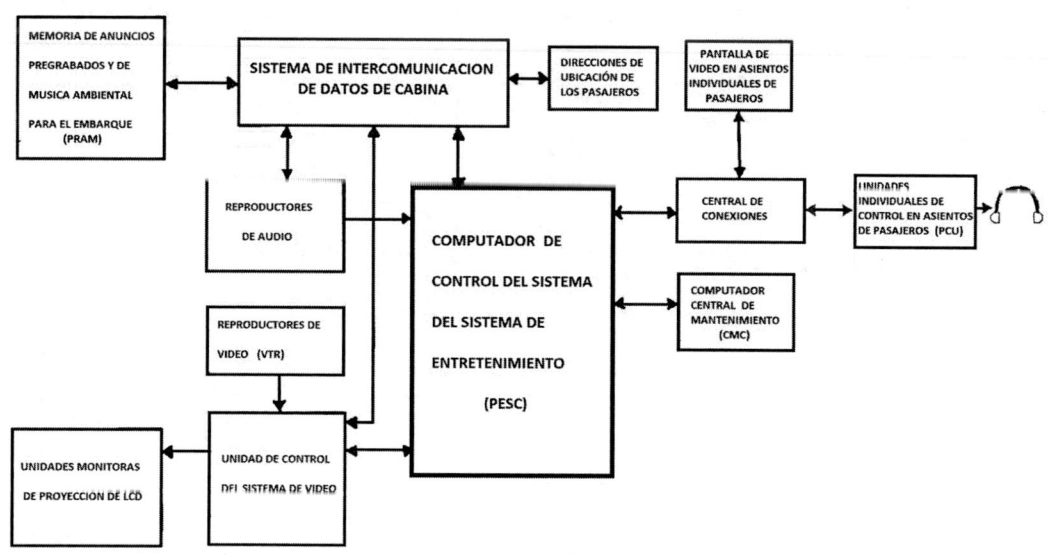

SISTEMA DE ENTRETENIMIENTO DE PASAJEROS

255

11.20-4 SISTEMA DE COMUNICACIÓN EXTERNA

La comunicación externa de una aeronave se puede realizar en sentido de ida y vuelta, es decir, emisión y recepción entre la aeronave y tierra o entre aeronaves. Para comunicación externa se utiliza el sistema HF (High Frequency), que proporciona comunicaciones de voz a larga distancia en la banda de alta frecuencia. El sistema tiene normalmente dos transceptores, dos acopladores de antena y una antena, también tiene asociados varios sistemas o parte de las funciones de otros, como los paneles de control de audio de la cabina de pilotos ACP (Audio Control Panel), la unidad de gestión de audio AMU (Audio Management Unit) o los paneles gestores de la radio RMP (Radio Management Panel); los paneles se sitúan normalmente en el pedestal central de la cabina y la unidad de gestión en un estante del compartimento de equipos.

En la figura siguiente se muestran los equipos de que se compone un sistema de HF y los sistemas con los que se relaciona, además de los paneles desde los que se gestionan las frecuencias y los de control de audio para escuchar la recepción.

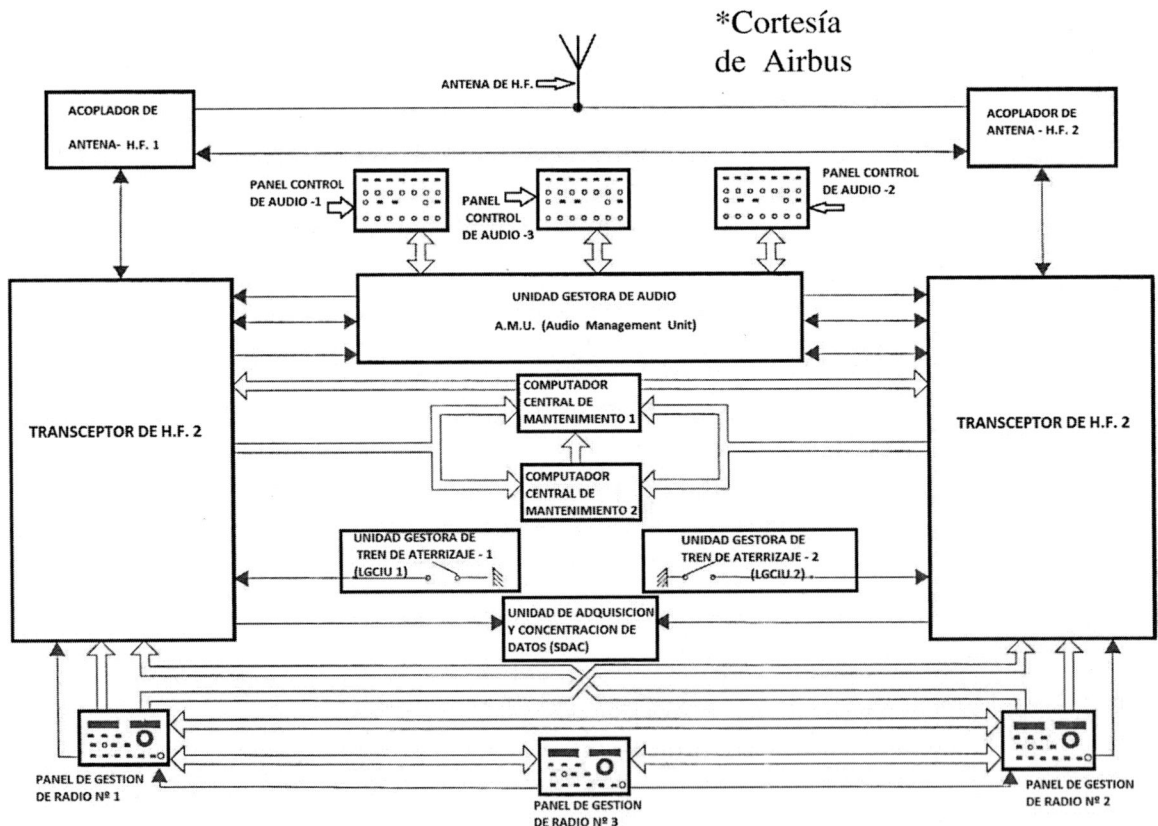

SISTEMA DE COMUNICACIONES HF

También para comunicaciones de voz se utilizan para cortas distancias los sistemas de VHF (Very High Frequency), que trabajan a muy altas frecuencias. Normalmente cada aeronave tiene tres sistemas, por lo tanto, lleva instalados tres transceptores de VHF y tres antenas de cuchilla, teniendo asociados los paneles de los gestores de la radio RMP a los paneles de control de audio y el computador de gestión de audio AMU (Audio Management Unit).

Los transceptores pueden utilizarse para enviar y recibir las señales que utiliza el sistema ACARS, pero generalmente se programan los sistemas 1 y 2 para comunicaciones y el número 3 para el sistema ACARS; para esta selección se utiliza la programación de los conectores del equipo gestor del ACRS o Pin Programming.

En la figura siguiente se muestra un esquema con la arquitectura de un sistema VHF con los equipos asociados y la intercomunicación de unos con otros con las direcciones de entrada y salida de las señales tanto discretas como en buses de datos ARINC.

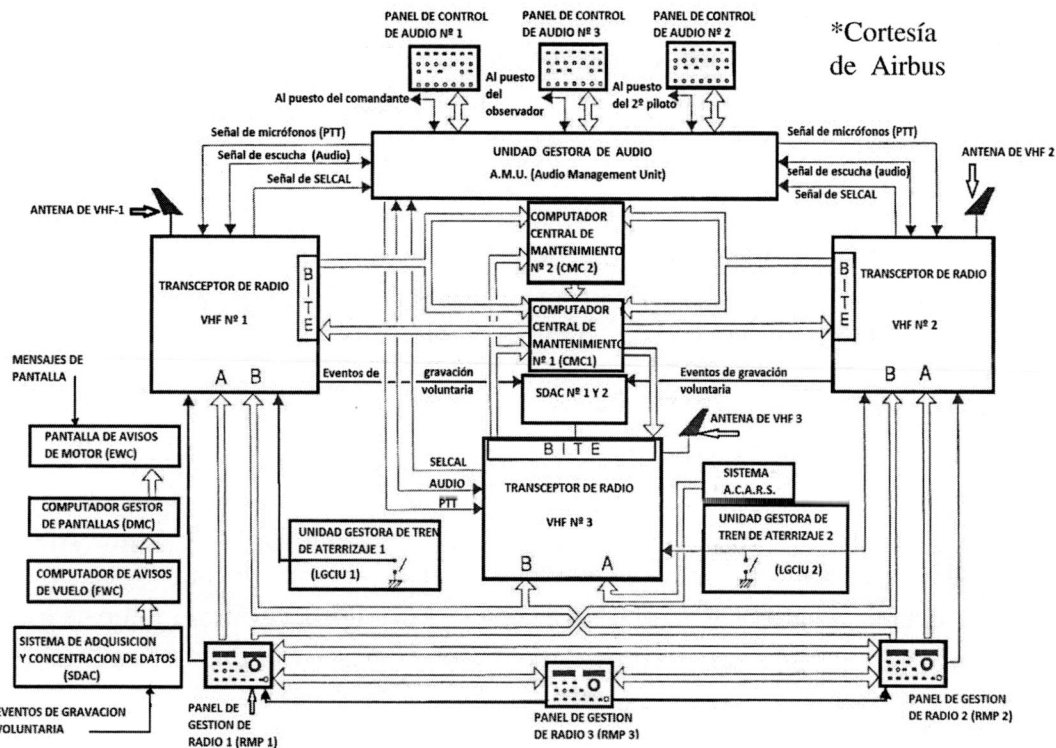

SISTEMAS DE COMUNICACIÓN VHF

11.20-5 SISTEMA DE MEMORIA MASIVA DE LA CABINA

En el diseño de las aeronaves actuales todavía no se diseña un sistema de memoria masiva como tal, sino que cada sistema de los principales tiene sus propios archivos de memoria, aunque interconectados entre sí forman una gran acumulación de memorias de avisos, pregrabados, actuaciones y procedimientos que seguir en caso de averías, etc.

Con respecto a otras muchas funciones de los sistemas tienen normalmente un sistema de adquisición y concentración de datos, SDAC (System Data Adquisition Concentrator), donde acumula información tanto de entrada como de salida de señales de casi todos los sistemas.

Otro sistema que acumula mucha información es el sistema de computadores centrales de mantenimiento CMS (Central Maintenance Computers), que almacena la información de los fallos de todos los sistemas monitorizados durante más de 60 vuelos, además de los procedimientos que seguir en muchos casos, o los datos para efectuar los test y pruebas de elementos y sistemas, datos de identificación de muchas de las unidades y componentes con sus códigos Fin y su número de catálogo (Part Number).

Además de los sistemas referidos, existe otro sistema que tiene computadores con gran cantidad de información acumulada en sus memorias, es el sistema gestor de vuelo FMGC (Flight Management and Guidance Computer), con sus sistemas periféricos; para las bases de datos de la parte del gestor referente a datos de aeropuertos y navegación están duplicadas y se cambian cada 28 días, introduciendo mediante cargadores especiales o discos, generalmente comerciales, los nuevos datos a la vez que se anula la base más antigua.

Generalmente, el procedimiento puede ser pasar la base actual al sistema alternativo o de reserva o sistema **dos**, según el tipo de aeronave, a la vez que se anula la base más antigua, a continuación se introduce en el sistema **uno** la nueva base para los 28 días siguientes, de todas formas se habrá de seguir el procedimiento que se indique para cada aeronave, que, aunque puedan ser similares, no serán intercambiables de una marca con otra.

11.20-6 SISTEMA DE CONTROL DE LA CABINA

Para el control de la cabina de pilotos están los diferentes paneles agrupados por sistemas para el control de los mismos, paneles en los que se colocan los mandos de control de la propia cabina, como luces de ambiente, luces integrales de iluminación de instrumentos, además del panel de control sobre el cierre de la puerta de entrada.

En lo referente al control de la cabina de pasajeros, este se ejerce por parte de la tripulación auxiliar; en la cabina de pasajeros en los tabiques laterales de entrada delantera se encuentran uno o dos paneles de control, desde los cuales se pueden controlar la iluminación de la misma, los avisos normales y de emergencia a los pasajeros, el sistema de entretenimiento tanto de imagen como de sonido, bien por zonas, o en general. En el mismo panel o en otro adyacente se pueden comprobar tanto el estado de las lámparas de lectura como diversas programaciones, o cambios en los sistemas de distribución de la cabina.

En los asientos que a lo largo de la cabina están destinados a los auxiliares de vuelo se encuentra un panel desde el que se pueden efectuar las comunicaciones entre cada uno de ellos y también con la cabina de los pilotos, además de controlar algunas funciones de las luces o del volumen de los altavoces comunes.

11.21 SISTEMAS DE INFORMACIÓN (ATA 46)

Este capítulo sobre sistemas de información consiste en tratar la forma y la conexión de la información, que tiene, que emite y que recibe de cada sistema a fin de tener una visión clara de qué funciones tiene la información en el conjunto general de lo que es la operación aeronáutica, siendo en los capítulos de cada sistema en particular donde se tratan todas y cada una de las misiones que tiene la información dentro de cada sistema, así como las conexiones que con otros sistemas está programado que realicen y compartan la información.

Todo esto completa lo que comprende la operación aeronáutica, que, como se ha podido ver a lo largo de todos estos capítulos anteriores, no solo es el vuelo y sus diez fases correspondientes, sino que tiene partes que, aunque puedan considerarse de apoyo, son tan importantes como cualquiera de las que en otro tiempo fueron consideradas como principales.

No se puede perder de vista que entre los avances de la humanidad, es la aeronáutica una de las áreas donde más pronto se manifiestan, y como contrapartida es donde más pronto desaparecen para dejar lugar en la operación completa a otros medios o técnicas más actuales o acordes con los tiempos. Esto da como resultado que la aeronáutica sea un área del conocimiento humano, o de las prácticas y experiencias, etc., en constante cambio, donde unos medios son rápidamente sustituidos por otros, no porque estos sean deficientes, sino porque los nuevos ejecutan las funciones con más garantías de calidad y a un costo económico sensiblemente inferior.

11.21-1 SISTEMAS DE INFORMACIÓN GENERAL DE LA AERONAVE

En una aeronave actual cada sistema tiene, aparte de unidades de actuación, sus unidades gestoras, que las controlan, además de las que monitorizan cada sistema, son una parte de los elementos de la operación aeronáutica, parte que ha sido profusamente tratada tanto en los capítulos de *Sistemas de aeronaves de turbina* como en todos los que comprenden este volumen.

La otra parte de la operación consiste en la información que almacenan los computadores en las memorias no volátiles y que puede ser consultada por los servicios de mantenimiento, fundamentalmente para dos cometidos: uno, para la corrección de las anormalidades llamadas de clase tres, que son las ocurridas durante los vuelos, que no son presentadas a los pilotos por no ser de importancia y no es necesario efectuar procedimiento alguno en vuelo, y son almacenadas hasta que en las revisiones programadas son solucionadas por los servicios de mantenimiento, la otra función es la utilización de la información almacenada para la investigación de los motivos que pueden producir las averías, información que en muchos casos es transmitida en tiempo real a las estaciones de mantenimiento de la compañía operadora, que podrá corregir lo necesario para que los sistemas o motores sigan prestando servicio en las mejores condiciones, antes de que se produzcan averías de mayor entidad que obliguen a tener que utilizar costosos procedimientos.

Otra parte de la información que tiene gran importancia en la operación es la información que sobre la misma aeronave tienen los computadores en sus memorias no volátiles y que es utilizada por ellos mismos, para la comparación con la información que reciben de los sistemas en tiempo real, para, si las diferencias exceden de lo programado, dar la orden de mostrar en las pantallas las indicaciones correspondientes, también es utilizada en muchos casos para efectuar test y comprobaciones de funcionamiento de los sistemas o unidades. Toda esta información comprende la llamada biblioteca electrónica de a bordo.

A toda esta información se accede desde las unidades MCDU (Multipurpose Control Display Unit), generalmente los fabricantes instalan dos en el pedestal central de la cabina de pilotos, y otra optativa en otro lugar de la cabina para ser utilizada por los servicios de mantenimiento. Estas unidades son el medio de comunicación con todos los sistemas del avión, para la introducción de datos en los sistemas de navegación para efectuar las pruebas de los sistemas o unidades que estén monitorizadas. En aeronaves de la generación actual se instalan en la cabina unos conectores para los ordenadores portátiles donde los servicios de mantenimiento tienen normas y procedimientos que completan la información de a bordo para efectuar las operaciones que procedan.

La otra gran parte de la información es la situada en los manuales tanto de mantenimiento como de operaciones o de reparaciones estructurales SRM (Structural Repair Manual) y demás documentación que forma la biblioteca necesaria. En un principio, esta documentación era de papel y estaba a bordo, incluidos los manuales de mantenimiento; con la aparición de las aeronaves de la tercera generación, la documentación a bordo en papel se limita a los procedimientos de actuación de los pilotos y los mapas de aeropuertos y rutas, aunque está en camino que también esta información o parte de ella quede en las bases de datos de a bordo, como ocurre ya en los últimos modelos de aeronaves fly by wire como el A-380 y similares.

Una vez que los manuales van dejando de utilizar el papel, se van utilizando los diversos soportes electrónicos, como discos de 3,5", después soportes CD y actualmente en DVD o conexión directa mediante los sistemas de Internet con el fabricante, que mediante los procedimientos y claves contratados, el operador tiene acceso desde los puntos geográficos o aeropuertos convenidos a los bancos de datos del fabricante que tiene los manuales actualizados en tiempo real.

Con la tendencia que apuntan tanto el tamaño de las aeronaves como las prestaciones que se ofrecen, en aeronaves como el A-340, el A380 o el B777, el B787 y otros modelos, aparecen empresas que se dedican a fabricar y mantener los sistemas de interiores de las cabinas, sobre todo en el área de la ergonomía y el entretenimiento de los pasajeros, que son opciones cuya instalación generalmente es decisión del operador. Para mantener estos sistemas y elementos se utiliza, bien la documentación en soporte informático, o en conexión con los bancos de datos del fabricante a través de las redes de comunicación actuales, en procedimientos similares a los utilizados para el uso de la biblioteca electrónica del fabricante de la aeronave.

11.2 – 8 (A) – INSTALACIONES DE PROTECCIÓN CONTRA RAYOS

<u>EL RAYO Y LA AERONAVE</u>

A modo de definición más o menos ortodoxa podemos decir que el rayo tiene su origen en la separación de las cargas positivas y negativas en el interior de las nubes.

En el interior de las nubes donde las cargas de distinto signo se encuentran más próximas, se producen fuertes descargas y un gran chorro de electrones parte desde la base de la nube hasta la tierra produciendo en las proximidades de la misma un campo eléctrico de alto voltaje que ocasiona otro canal de carga positiva hacia arriba.

Como la distancia entre los dos canales no es grande, se produce un cortocircuito de una gran intensidad que llamamos rayo, que neutraliza todas las cargas que hay en su camino. Esto es lo que a modo de información general se podría definir como un rayo teniendo en cuenta los estudios y teorías existentes en la actualidad. No obstante, también es de tener en cuenta que cada estudioso de estos fenómenos físicos manifiesta en varias ocasiones puntos de vista diferentes y no exactamente coincidentes.

Lo que sí es de común aceptación es que principalmente existen cuatro clases de rayos con formas y procedencias más o menos definidas:

Rayos negativos, que van de la región negativa de la nube hacia la tierra, tienen muchas ramificaciones hacia abajo.

Rayos positivos, llegan a la tierra desde la región positiva de la nube con pocas ramificaciones hacia abajo.

Rayos negativos, desde la tierra a la nube con pocas ramificaciones hacia arriba y terminan en el área positiva de la nube.

Rayos positivos, de la tierra al área negativa de la nube, tienen bastantes ramificaciones hacia arriba.

En la figura siguiente se muestran unos dibujos representando a los cuatro tipos más comunes de rayos con su procedencia y destino.

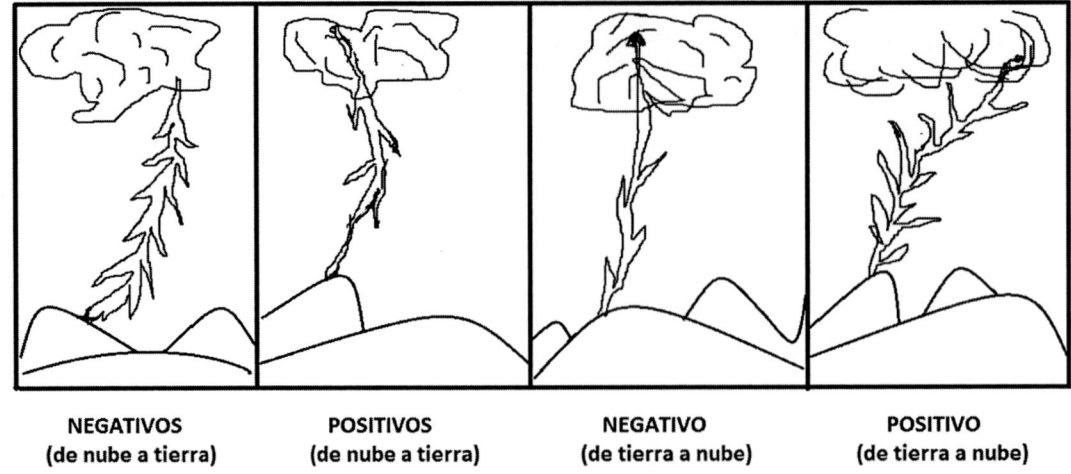

NEGATIVOS	POSITIVOS	NEGATIVO	POSITIVO
(de nube a tierra)	(de nube a tierra)	(de tierra a nube)	(de tierra a nube)

TIPOS DE RAYOS

Sobre estas consideraciones superficiales de lo que es un rayo hay que tener en cuenta que al avión al que le pueda tocar la descarga deberá estar en las proximidades de la nube electrificada donde ocurren lo fenómenos descritos. Por tanto, si la aeronave tiene la carga eléctrica para desencadenar la descarga pasa a transportar la corriente de descarga formando parte del citado canal de electrones.

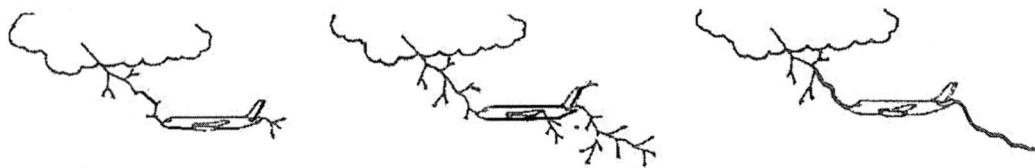

DESCARGAS DE RAYOS A UN AVIÓN

En la figura anterior se muestran dibujos sobre descargas de rayos a un avión en vuelo.

En cuanto a la aeronave, como ya desde el principio se conoce y se teme el riesgo de que pueda impactar un rayo y producirle daños, los diseñadores tienen cada vez más presente el objetivo de conseguir que los modelos que diseñan sean lo más seguros posible, por lo que se construyen dentro de lo posible a imitación de una "jaula de Faraday", consiguiendo una estructura altamente conductora.

Sobre los materiales modernos utilizados en la construcción de las aeronaves cada vez más se utilizan fibras de vidrio, carbono y composites, que, al ser malos conductores de la electricidad, son sometidos a procesos de transformación que les proporcionan el índice de conductibilidad necesario para poder ser utilizados en la estructura de las aeronaves con las garantías necesarias.

Por otra parte, las autoridades aeronáuticas internacionales han desarrollado la normativa que cumplir en los diseños de las aeronaves, para que los índices de conductibilidad sean los necesarios para obtener los correspondientes certificados de aptitud para el vuelo (en Europa está regulado por la Directiva EMC 89/336/EEC, Reglamento [CEE] n.º 3922/91 y varios más relacionados con el asunto).

CLASIFICACIÓN DE ZONAS DE RIESGO

Aunque la aviación no es una rama de la industria excesivamente antigua, sí es un área que está altamente desarrollada y dispone de amplios estudios sobre las aeronaves que proporcionan medios tanto para diseñar como para la fabricación de los diferentes elementos y sistemas con que cuenta una aeronave. Una parte de estos estudios son tendentes a proteger al avión de los efectos de una descarga eléctrica, entre otras cosas a la clasificación de las zonas de riesgo, para poder ubicar cada elemento en la zona de la aeronave más conveniente y resguardada de las consecuencias de un rayo que pueda impactar en la misma. En un avión actual generalmente se divide en cinco zonas diferenciadas.

ZONA 1-A. Estas zonas son las que tienen pocas posibilidades de ser los puntos de salida del rayo, por lo tanto, no son zonas en las que se situarán los descargadores. Son zonas donde normalmente impactará el rayo, como el morro del avión, los bordes de las entradas de aire a los motores o el carenado de los bordes marginales de las alas.

ZONA 2-A Son zonas de barrido del canal de descarga del rayo, comprenden la práctica totalidad del fuselaje con partes interiores del empenaje horizontal, la parte inferior del empenaje vertical, así como la parte central del ala a un lado y a otro del eje del motor, no son zonas para instalar los descargadores.

ZONA 1 B. Es la zona del final del fuselaje, y son zonas por las que tiene muchas posibilidades de salida y en muchos casos de impacto, generalmente se sitúa un descargador estático para facilitar la salida.

ZONA 2-B. Son las zonas de barrido del canal de descarga y por lo tanto zonas donde se instalan los descargadores, son las zonas de los bordes de salida de la parte central del ala y los bordes de salida del motor y de los pylons en los aviones que llevan los motores en las alas.

ZONA 3. Comprenden el resto de las zonas del avión que tienen pocas posibilidades tanto de ser puntos de impacto como de salida de un rayo.

En la figura siguiente se muestra un dibujo de planta y perfil de un avión B-747 con las diferentes zonas de riesgo de colisión y salida de rayos indicadas.

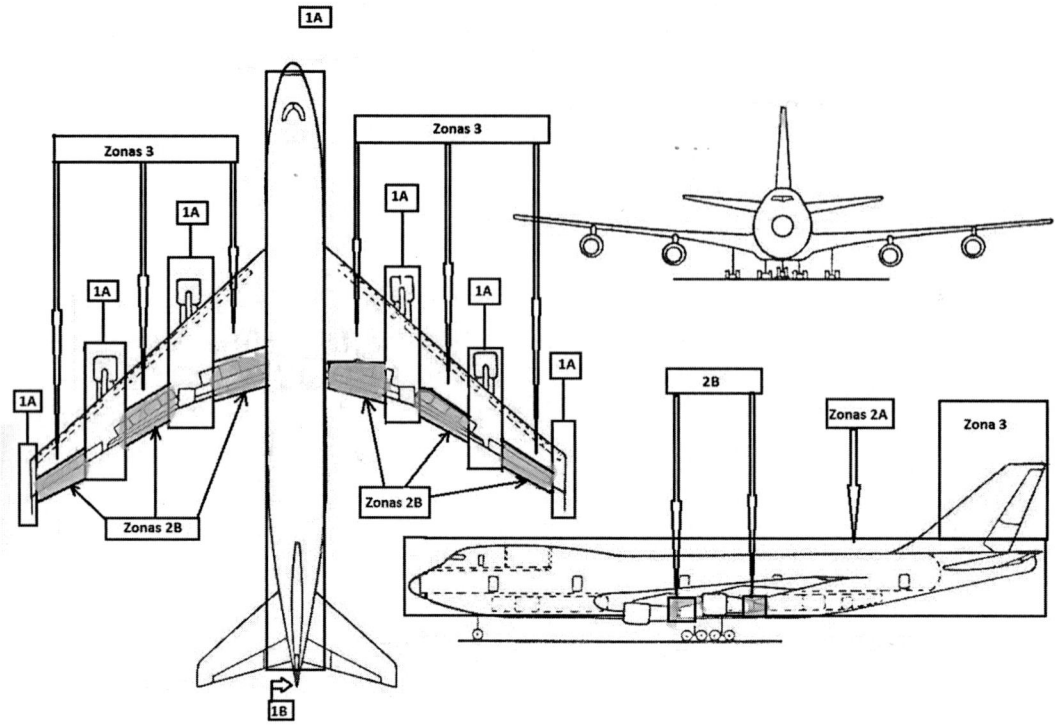

ZONAS DE RIESGO DE IMPACTO Y SALIDA DE RAYOS

<u>DAÑOS PRODUCIDOS POR RAYOS</u>

Aunque, generalmente, el avión, cuando le impacta un rayo, casi pasa a ser un mero conductor de ese canal de energía, muchas veces se producen daños sobre la estructura e instalaciones debido a la disipación de la energía y el paso de la corriente que, aunque no sean de gran envergadura, sí pueden producir desperfectos en el punto de impacto dejando marcas de material que se funde debido a la alta temperatura que alcanza en el momento del impacto, o en el punto de salida donde, en casos, la salida del rayo funde tanto los descargadores estáticos como sus anclajes, arrancando un trozo de material del borde de salida de las alas o de la cola dependiendo de por qué parte haya salido.

Los daños producidos por un rayo en un avión pueden ser clasificados de dos formas básicas: los **daños directos** y los **daños indirectos**.

DAÑOS DIRECTOS. Estos daños principalmente dependen de tres factores: la intensidad del rayo, el tiempo de permanencia del canal de electrones en la aeronave y el tipo de material de la zona de impacto.

La gravedad y amplitud de los daños directos, como queda dicho anteriormente, pueden ir desde unas leves picaduras o agujeros en la superficie del revestimiento, en los bordes de salida de las alas o de las superficies de control del vuelo, hasta daños de mayor calibre en las mismas zonas.

DAÑOS INDIRECTOS. Estos daños son los derivados del campo electromagnético al que ha sido sometido el avión cuando se ha producido la descarga. Afectan a las comunicaciones, a los instrumentos de navegación y demás elementos con circuitos eléctricos y electrónicos, como los instalados en los cada vez más numerosos computadores. Estos daños pueden ser momentáneos si las intensidades de los campos electromagnéticos no sobrepasan ciertos límites, restableciéndose la normalidad en unos segundos. Los daños pueden ser permanentes si las intensidades superan las protecciones instaladas, quedando los circuitos o equipos averiados hasta la corrección de los daños causados.

LA ELECTRICIDAD ESTÁTICA

Cualquier material, con independencia de que esté en estado sólido o líquido, que sea más o menos conductor de electricidad es susceptible de cargarse electrostáticamente. También se conoce que a cualquier material sólido, con solo frotarlo con otras sustancias, es posible comunicarle una carga eléctrica que se acumula en la superficie o cerca de ella, consistente en un exceso de electrones con libertad de movimiento, si se encuentra cargado negativamente, o un defecto de electrones en las mismas zonas que originará iones positivos.

Las cargas electrostáticas se producen por varias causas, siendo las tres más comunes: las producidas por los diferentes materiales cuando rozan (en física se estudia como triboelectricidad); otra causa es la inducción que se produce cuando un cuerpo está cargado y hay otro dentro de su campo, y la tercera causa es la cantidad de carga almacenada por un cuerpo como resultante de su propia capacidad, si esta disminuye, el voltaje aumenta.

Para la clasificación de estas cargas y sus campos electrostáticos se utilizan varios términos, entre los que se encuentran el aumento de la conductividad eléctrica de la superficie y también el aumento de la conductividad de la masa del material o de los cuerpos que lo componen.

En caso de un avión, aunque en lo posible se trate de desviar la ruta, cuando con los medios disponibles, como son servicios de meteorología y equipo de radar a bordo, se detecta una tormenta o zona de riesgo, siempre existe el problema, porque por el rozamiento que tiene en vuelo el avión con los elementos en suspensión en la atmósfera como polvo, lluvia, etc., además del campo eléctrico de las nubes, en todo momento le son inducidas al avión cargas de tipo electrostático que es necesario disipar o descargar a la atmósfera; esto se hace a través de los elementos instalados en la parte del extradós del borde de salida de las alas, en el final del cono de cola y en el borde de salida de los timones de profundidad y dirección, conocidos como masas de descarga estática o descargadores de estática, que son generalmente unas mechas grafitadas o unas varillas de material plástico que tienen en los extremos una especie de puntas fusibles que se fundirán si son de plástico o se deshilachará la mecha cuando el potencial descargado exceda de lo que generalmente se puede producir en un vuelo normal. Las puntas fusibles sirven para evidenciar que ha habido una descarga excesiva si están fundidas, generalmente porque al avión le ha impactado un rayo y necesita que sea cumplimentada la inspección apropiada para estos casos.

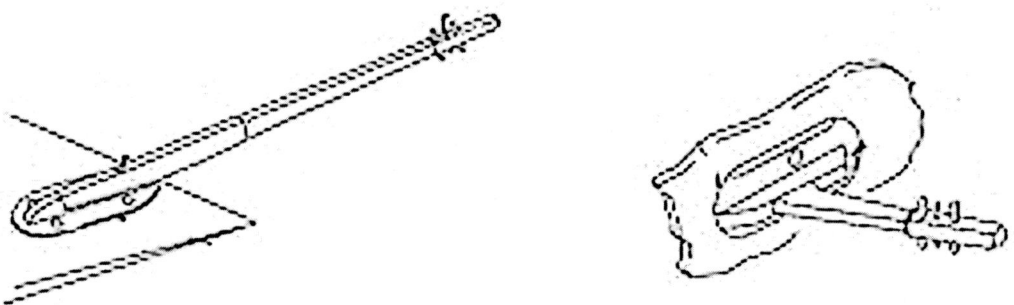

DESCARGADORES

Las cargas estáticas que va adquiriendo el avión según va volando crean una diferencia de potencial entre él y la atmósfera, que produce una descarga tendente a ajustar el potencial del avión al de la atmósfera, esto permite que la carga se disipe casi al mismo tiempo que se produce.

También hay que tener en cuenta que dentro del avión hay muchos elementos y equipos que tienen un potencial diferente o que producen campos propios, por lo que es necesario que todo el avión tenga la máxima continuidad eléctrica posible, para lo cual se instalan unas masas de continuidad entre la estructura, el revestimiento y los diferentes elementos que se instalan a bordo, como equipos de navegación, equipos de los diferentes sistemas que proporcionen a la aeronave una ruta de baja resistencia eléctrica entre todas las partes.

En la figura siguiente se muestran varios tipos de elementos unidos mediante articulaciones, manguitos flexibles no conductores o apoyos antivibración para equipos electrónicos, con sus tiras o cables de unión eléctrica.

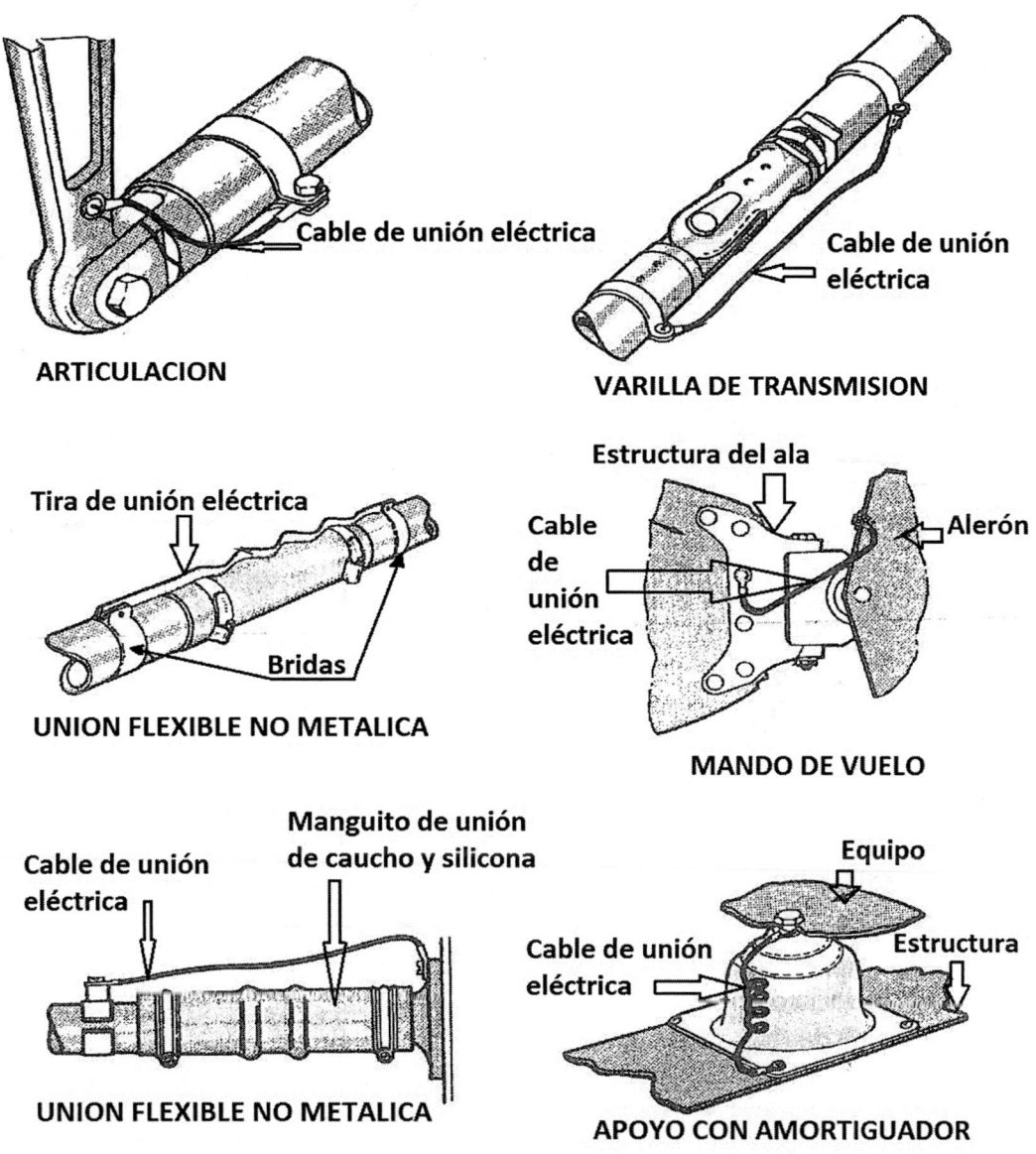

ELEMENTOS Y UNIONES CON CABLE CONDUCTOR

269

PROTECCIÓN FRENTE A LOS DAÑOS DIRECTOS

La solución o paliación de los daños que pueda producir un rayo o una carga electromagnética en una aeronave comienza en su diseño dotándola de las protecciones adecuadas. Estas protecciones tienden a conseguir un avión "equipotencial", es decir, que estén unidas todas las partes y elementos que lo componen mediante unas bandas y cables de masa a la estructura, con lo que se consigue que todas las partes del avión tengan un potencial eléctrico parecido, por lo que en caso de impacto de un rayo los daños directos generalmente son muy leves o simplemente testimoniales, y muy escasamente son daños estructurales en el revestimiento de la zona del impacto o en la de salida, ya que prácticamente es muy difícil conseguir un diseño de una aeronave totalmente equipotencial.

En la construcción de los aviones actuales han entrado de lleno los nuevos materiales compuestos no metálicos, por sus elevadas prestaciones y poco peso, pero difíciles para conseguir que un avión sea equipotencial, porque reduce mucho la efectividad del apantallamiento de la aeronave, ya que este tipo de materiales no son buenos conductores.

Para conseguir conjuntar todas estas condiciones se utilizan básicamente dos formas: **el aislamiento** y el llamado **método conductivo**.

El aislamiento consiste en que en el momento de fabricación o instalación de los componentes se sitúan unas bandas metálicas que se unen a la estructura, que, junto con la conducción que proporciona el material con que se reviste el elemento, consiguen un gran poder dieléctrico, así cuando descarga un rayo en la superficie del revestimiento son las bandas las que conducen la corriente de descarga.

Estas bandas, comúnmente llamadas masas, se sitúan por todos los elementos de una aeronave, deberán ser del grosor y material correspondiente a los elementos que unir a la estructura, a fin de que no se cree una resistencia en el momento de que conduzcan las cargas procedentes del rayo que pueda producir un cortocircuito seguido de un incendio.

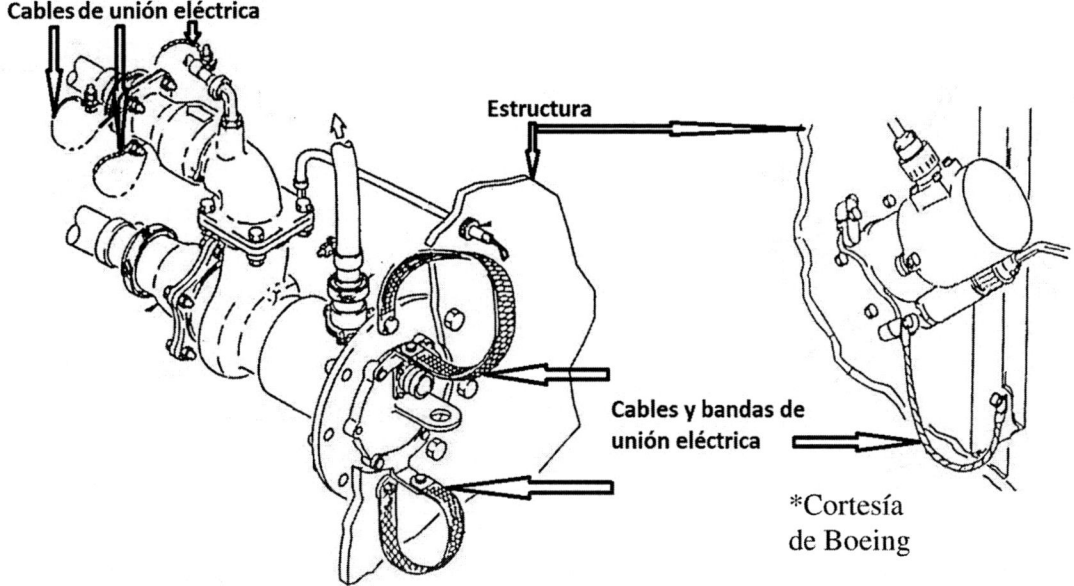

Cables de unión eléctrica

Estructura

Cables y bandas de unión eléctrica

*Cortesía de Boeing

TIPOS DE UNIONES ELÉCTRICAS

En la figura anterior se muestran diferentes tipos de bandas y cables de unión eléctrica de varios elementos a la estructura.

En los materiales compuestos, para que sean conductivos, se utiliza el llamado **método conductivo**, aunque es de una eficacia limitada, se emplean, igual que en el de aislamiento, las bandas o tiras metálicas basándose en la teoría de los circuitos eléctricos en paralelo. Las bandas por las que circula cierta cantidad de corriente eléctrica están en paralelo con la superficie del material, de tal forma que la cantidad de corriente que circula por el elemento de material compuesto se reduzca a un nivel aceptable.

Un ejemplo común y práctico son las bandas que se instalan en las cúpulas de radar en el morro del avión, para las que en muchos modelos, además del aluminio, se utiliza el grafito en su construcción. Estas bandas también producen un efecto pararrayos canalizando la chispa hacia los elementos metálicos de la zona que son más resistentes y mejores conductores.

PROTECCIÓN FRENTE A DAÑOS INDIRECTOS

La descarga de un rayo sobre la aeronave produce tensiones y corrientes eléctricas muy altas a través de la estructura, como medida básica de protección los elementos deben tener una buena conexión eléctrica para conducir la corriente de descarga hacia las zonas de salida más convenientes.

Esta circulación de corriente produce unos efectos negativos en los equipos electrónicos de la aviónica de a bordo, mucho más acusados en las aeronaves que tienen abundancia de materiales compuestos cuya protección es más compleja al ser peores conductores que los materiales metálicos.

En la actualidad la protección electromagnética en estructuras de materiales compuestos consiste en dotarlos de una capa exterior conductora que, además de proteger los equipos contra los daños indirectos como las interferencias electromagnéticas radiadas, ayuda a la protección de los daños directos.

Al metalizar el exterior de las estructuras con capa conductora y apantallar los cables de transporte de la energía eléctrica, se consigue que la aeronave sea una especie de jaula de Faraday en las zonas donde más se necesita la protección de los equipos, que, por otra parte, con los avances de la técnica, son cada día más sensibles y necesitan protecciones cada vez más específicas, como filtros y apantallamientos.

Un apartado importante en el diseño para que una aeronave sea equipotencial es la distribución del cableado eléctrico y de los equipos de potencia eléctrica, como transformadores, etc., sobre todo de los cables que llegan desde los generadores hasta los centros de distribución de la corriente eléctrica. Los cables deberán estar lo suficientemente blindados y apantallados para que no afecten a los equipos los campos magnéticos que se crean por la circulación de la corriente eléctrica, que fácilmente superan en 500 veces la señal que pueden transportar durante su funcionamiento normal.

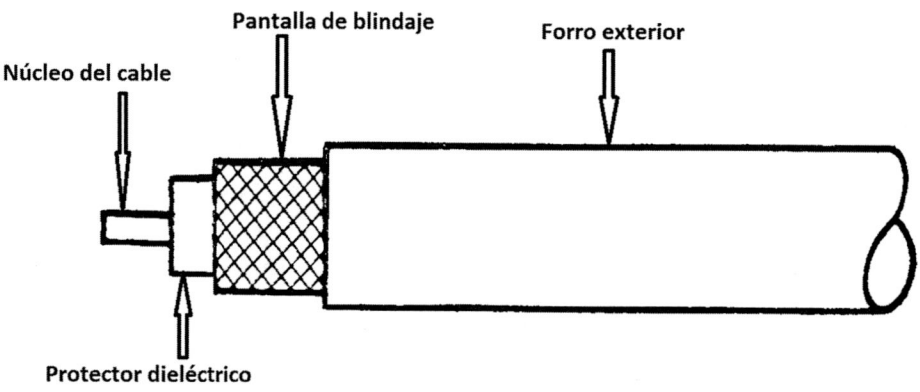

CABLE BLINDADO

En la figura anterior se presenta el dibujo de un cable blindado con los diferentes tipos de apantallamiento protector.

Los equipos de aviónica y sus instalaciones se dotan de pantallas magnéticas y filtros para eliminar los picos y campos magnéticos que se forman cuando impacta un rayo.

PROTECCIÓN ESPECÍFICA DEL SISTEMA DE COMBUSTIBLE

La protección contra los efectos producidos por los rayos va más allá de que los aviones sean lo más equipotenciales posible y sean buenos conductores de electricidad ,y aunque habitualmente son alcanzados por un rayo, fácilmente una vez cada año de media, es muy infrecuente que un accidente aéreo pueda ser atribuido a la acción de un rayo. No ha sido así a lo largo de la historia, ya que allá por 1962 un rayo alcanzó a un Boeing 707 y una chispa incendió un tanque de combustible, con la consiguiente pérdida del avión en el aire.

Esto sirvió de detonante para la instauración de unas normas de seguridad específicas más precisas que las existentes hasta entonces, para la instalación en los aviones de sistemas que aseguren que una chispa no haga explotar los depósitos o los conductos, tanto de transporte de combustible como de la ventilación de los depósitos. Estas precauciones deberán tenerse en cuenta durante el repostado en tierra, para lo que existen las correspondientes normas y procedimientos que cumplir en el desarrollo de esas operaciones. En la figura siguiente se muestra una estación de carga de combustible con el cable de conexión a masa entre el avión y la manguera de repostado.

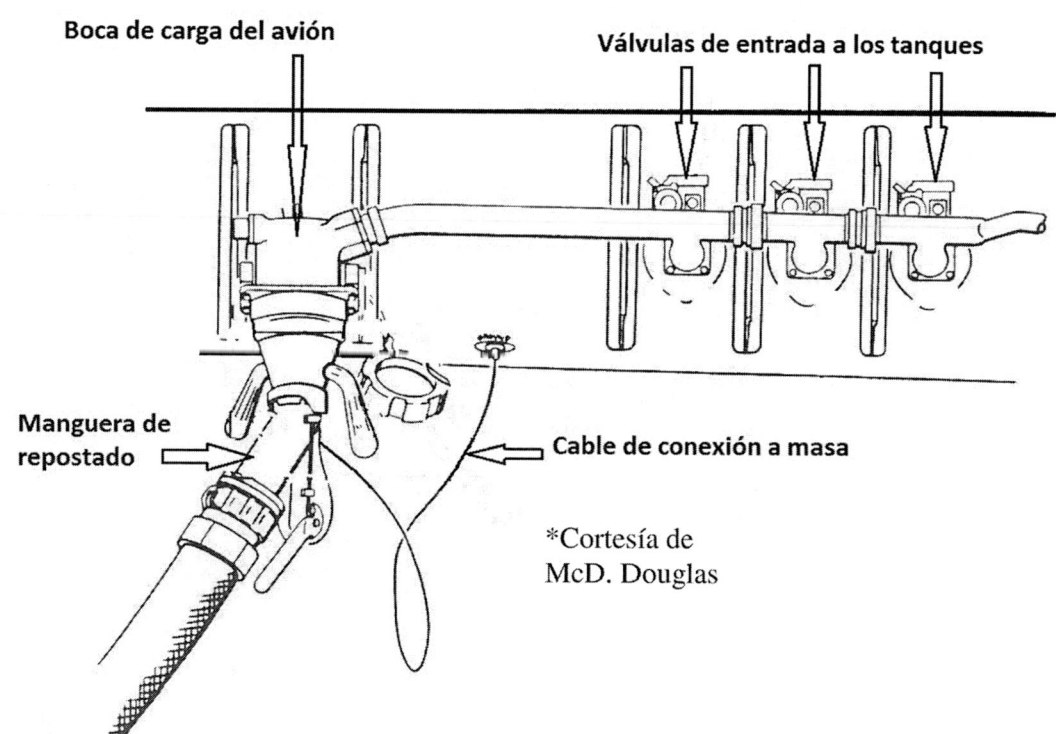

ESTACIÓN DE REPOSTADO DE COMBUSTIBLE

273

Cuando un rayo impacta en una aeronave se produce un riesgo de formación de arcos eléctricos en las uniones de los componentes del interior de los depósitos debido a una diferencia de potencial, arcos que pueden inflamar los vapores del combustible con el consiguiente riesgo de explosión. Para eliminar en lo posible este riesgo, se utilizan dos medidas principales: la utilización de aleaciones de aluminio en depósitos y tuberías con la instalación de cables de masa y bandas de conducción en las uniones de todos los elementos, a fin de no producir resistencias cuando circule la corriente; y la instalación en el sistema de elementos que impidan y detecten si se produce la inflamación.

En la figura siguiente se presenta la forma de unión de una válvula entre tubos y una unión flexible en el interior de un depósito de combustible con los correspondientes cables de conducción eléctrica.

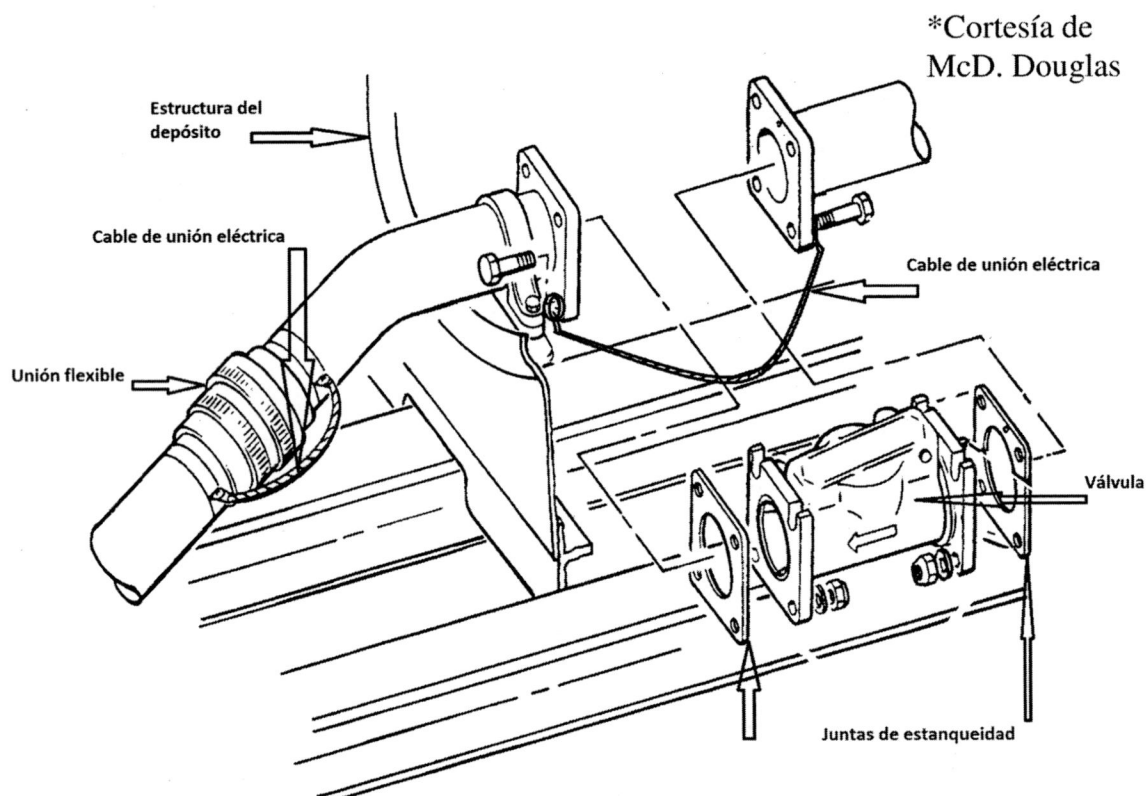

UNIONES EN EL INTERIOR DE UN DEPÓSITO DE COMBUSTIBLE

En las zonas en que hay riesgo de vapores, como son los compartimentos de ventilación de los depósitos de combustible en los extremos de las alas donde desembocan los tubos que llegan desde los depósitos, se instalan varios elementos, entre los que están los que proporcionan protección contra la inflamación de los vapores, consisten en unos filtros apagallamas que impiden que si por cualquier causa en el exterior se produjera la inflamación de los vapores las llamas puedan propagarse al interior del compartimento (ver capítulo 11.10.2 del tomo 3 de *Sistemas de aeronaves de turbina*).

En la figura siguiente se muestra un ejemplo de los filtros apagallamas que se instalan en las salidas de ventilación de los depósitos de combustible de un avión Airbus A-320.

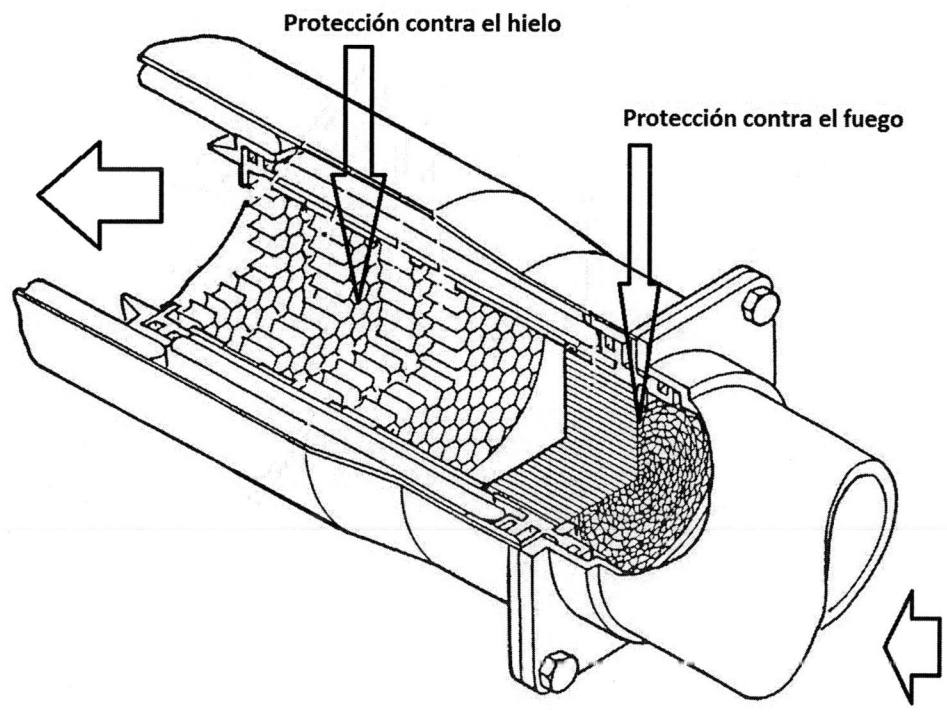

SALIDA DE VENTILACIÓN DE UN DEPÓSITO DE COMBUSTIBLE

Algunos fabricantes como Boeing en los B-747, como sistema optativo, en los compartimentos de ventilación instalan detectores de llamas y medios de extinción de fuego. En cuanto a las precauciones que tener en cuenta durante las operaciones de repostado de combustible, son normas de obligado cumplimiento que pueden ir desde la prohibición del repostado cuando una tormenta está en las cercanías, hasta precauciones como las siguientes:

- Puesta a masa del avión a una toma de tierra.
- Conexión por medio de cable entre el avión y el vehículo cisterna o hidrante utilizado en el repostado.
- Mientras se está repostando no deberá estar ni pasar ningún vehículo con el motor en marcha debajo de las alas ni en las inmediaciones de las salidas de ventilación.
- No desmontar baterías ni utilizar elementos o herramientas que puedan producir chispas.
- No utilizar lámparas de flash fotográficos en las inmediaciones.
- No repostar una aeronave en lugares ni recintos cerrados.
- Los vehículos cisterna deberán situarse de forma que no obstruyan el acceso a la aeronave de vehículos contra incendios, ni obstaculicen su propia salida libre y sin maniobra.

También existen normas específicas tanto para el repostado de combustible con pasajeros a bordo como para las operaciones de embarque y desembarque de pasajeros mientras se efectúan estas operaciones

Estas y otras medidas similares deberán conocerlas y cumplirlas toda persona que ejerza estas funciones.

INSPECCIONES ESPECIALES POR CAÍDA DE RAYO

Una vez que se tiene la sospecha o la certeza de que al avión le ha impactado un rayo es necesario efectuarle una inspección específica que para tal evento está reflejada en los manuales de mantenimiento editados por el fabricante (están dentro del sistema ATA en el capítulo 5, "Inspecciones Especiales").

La cumplimentación de este tipo de inspecciones tiene dos grados de intensidad, en primer lugar, se inspeccionan los elementos indicados en el procedimiento buscando, entre otras, las zonas de impacto, que se distinguen por pequeñas zonas chamuscadas o erosiones en el material de la superficie, bordes de ataque y salida de las alas, estabilizadores y superficies de control de vuelo, por si hubiera algún daño, comprobación de las masas de descarga estática y sus anclajes a la estructura, por si la intensidad del rayo los ha dañado a la salida o fundido algún testigo en las puntas de las masas. También se ha de comprobar que no ha sufrido daños la aviónica de a bordo. De estos resultados deberá quedar evidencia escrita en el diario de a bordo o parte de vuelo.

En el caso de que durante la cumplimentación de la inspección primera se encuentren evidencias de daños, tanto directos como indirectos, es necesario cumplimentar la inspección con el más alto grado de intensidad, en el que, además de lo anterior, se pide la comprobación de los correspondientes sistemas para evidenciar su buen funcionamiento antes de que el avión vuelva a prestar servicio.

11.2.9 (A) – PUESTA A TIERRA DE LA AERONAVE

Para evitar una acumulación de electricidad estática es necesario que el avión, para las operaciones de mantenimiento en tierra y en especial para las operaciones de repostado de combustible, esté derivado a masa de tierra.

Para esta necesidad se utilizan dos formas: una mediante un contacto del avión con la tierra, o por medio de la unión mediante un cable del avión con una toma de tierra habilitada a tal fin en los puntos de aparcamiento donde se efectúen operaciones de mantenimiento.

Una vez que el avión toca tierra, las masas de descarga que normalmente llevan en una o dos patas del tren de aterrizaje rozan con el suelo descargando así el avión ya desde que empieza la carrera de aterrizaje. En la actualidad, sobre todo en los aviones comerciales, la composición del material de los neumáticos de las ruedas permite que tengan cierto nivel de conductividad, con solo rodar por el suelo, el avión se descarga de la electricidad acumulada durante el vuelo.

Cuando en el avión es necesario efectuar operaciones de mantenimiento más o menos duraderas, se conecta a tierra mediante un cable, desde el punto que el fabricante ha destinado para ello al lugar donde se encuentre la toma de tierra en el suelo del hangar o aparcamiento.

Es de tener en cuenta que los cables que se utilicen para todas las conexiones a masa de tierra deberán estar convenientemente forrados de material aislante y tener el grosor necesario para evitar que el paso de corriente pueda calentarlo.

PRECAUCIONES QUE TENER EN CUENTA EN EL ENTORNO DE LA AERONAVE

Cuando un avión llega a un aeropuerto y se estaciona en el lugar indicado comienzan las operaciones de asistencia, que dependerán del tiempo de escala de que se disponga. Estas operaciones consisten en bajada del pasaje, limpieza de cabina, repostaje de combustible y de agua potable, inspección técnica, descarga de equipajes y carga de los que llevará en el próximo vuelo, limpieza de depósitos de residuos y embarque de pasajeros.

La mayoría de estas operaciones se efectúan simultáneamente y muchas necesitan vehículos apropiados, por lo que todos deben estacionarse en el lugar indicado para que unos no impidan que otros ejecuten sus cometidos respetando las normas tanto de seguridad como de circulación interna del aeropuerto. En la figura siguiente se muestra la posición de los equipos de asistencia en rampa de un avión Boeing B-747.

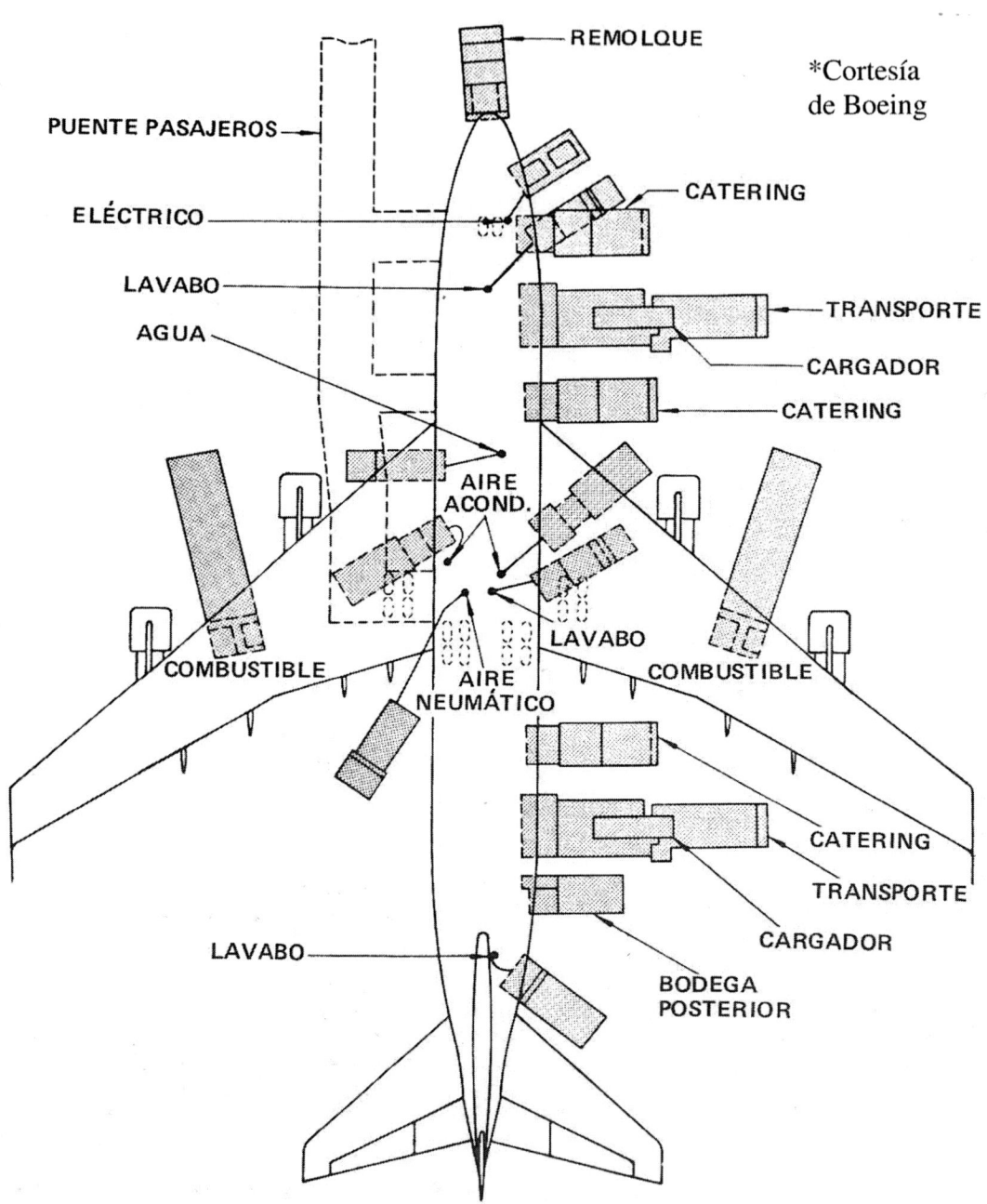

EQUIPOS DE ASISTENCIA AL AVIÓN EN TIERRA

En el entorno de una aeronave estacionada en un aeropuerto, las normas y precauciones están reflejadas en el código de circulación de vehículos, que conoce todo aquel que maneje por un aeropuerto cualquier clase de vehículo, normas de las que todo conductor habrá demostrado conocer mediante examen ante las autoridades aeroportuarias; normas que regulan tanto la velocidad como las preferencias de paso y estacionamientos.

Para las personas que utilizan vehículos cerca del avión, como una norma importante es la precaución de no infligir daños por golpes, ya que el avión es sumamente débil ante los golpes dados desde el exterior, en caso de que por alguna causa se le dé un golpe ineludiblemente se deberá comunicar de inmediato al operador o a los servicios de mantenimiento de la compañía.

11.2. B – 1 – MÉTODOS DE CONSTRUCCIÓN DE FUSELAJE CON REVESTIMIENTO SOMETIDO A ESFUERZOS; CONFORMADORES; LARGUERILLOS; LARGUEROS; MAMPAROS; CUADERNAS; CHAPAS DE REFUERZO; MONTANTES; ANCLAJES; VIGAS; ESTRUCTURAS DEL PISO REFUERZOS; MÉTODOS DE REVESTIMIENTO; PROTECCIÓN ANTICORROSIÓN, ALAS, EMPENAJE Y ANCLAJE DE MOTORES

En este capítulo se desarrollan las definiciones de todos los elementos y operaciones que se desarrollan en la construcción de una aeronave, cómo y para qué se utilizan, etc., a fin de conocer todos los términos empleados en los diferentes módulos a lo largo de toda la formación del técnico de mantenimiento.

En lo referente a los procesos de fabricación, en la rama aeronáutica son de tal amplitud que comprenden varias ramas de la industria y varias profesiones, es por lo que se mencionarán los más afines al objetivo de esta formación.

El proceso de construcción de una aeronave es complejo por la variedad de los elementos que han de instalarse en el interior de su estructura, que generalmente será metálica, unida mediante remachado y atornillado, aunque según se va avanzando en los conocimientos y utilización de los nuevos materiales compuestos, constantemente están variando los métodos de construcción.

En los procesos de fabricación se utiliza la técnica de conjuntos, es decir, que las diferentes partes de una aeronave pueden estar fabricadas en diferentes países y llevadas a la factoría de ensamblaje, se irán montando todas las partes de su estructura y sistemas hasta quedar el avión preparado para efectuar las pruebas necesarias para obtener las pertinentes autorizaciones para efectuar vuelos.

En la construcción de la estructura de los aviones actuales, se utilizan piezas fundidas, piezas forjadas y capas de diferentes materiales y grosores, que una vez mecanizadas en lo necesario se unirán formando la estructura.

En la actualidad, una parte de las aeronaves existentes son las llamadas históricas, en las que se empleaba la madera como material base para su estructura y un revestimiento de tela para cubrirla que, una vez tratada con resinas, da consistencia a la forma, tanto del fuselaje como de las alas o empenajes. Este revestimiento no absorbe las cargas y esfuerzos a los que está sometido un avión en vuelo, por lo que se llaman revestimiento "no trabajando", que no es objeto de este capítulo (ver módulo 6.3-2 "Estructuras de madera").

FUSELAJE CON REVESTIMIENTO SOMETIDO A ESFUERZOS

El fuselaje, es junto con las alas y la cola, un elemento principal en la estructura de un avión. A este tipo de fuselaje, como absorbe cargas y esfuerzos, se le llama revestimiento "trabajando". El método de construcción es generalmente en los aviones actuales el remachado del revestimiento metálico a las cuadernas y a los largueros. Algunos fabricantes como Fokker en su modelo F-100 han colocado intercaladas con las cuadernas remachadas unas cuadernas pegadas con adhesivos, que si bien soportan aceptablemente los esfuerzos, hacen un fuselaje sumamente débil a los golpes leves dados desde el exterior, ya que en esa zona el adhesivo puede dañarse y no ser muy perceptible desde el exterior, lo que debilita la resistencia.

El fuselaje, al ser un elemento de gran tamaño con respecto al avión, y ser la pieza central que une las alas, la cola, tren de aterrizaje, y en casos los motores, está sometido a esfuerzos de diversa índole y de variada intensidad, así como a la apertura de huecos para ventanillas, puertas y diversos registros para las estaciones de servicios, es por lo que además del refuerzo de cuadernas y largueros, el revestimiento será más grueso, de material apropiado y estará reforzado en aquellas zonas para que soporte bien los esfuerzos.

En modelos en los que los motores estén fijados al fuselaje, para el revestimiento de esas zonas se utilizan materiales con aleaciones de titanio, más resistentes al esfuerzo y a las temperaturas. En el capítulo 11.3-1 de este libro se tratan con amplitud los tipos y formas de fuselajes.

CONFORMADORES

Se llama conformadores a los moldes que se utilizan en las factorías de construcción, como herramienta para construir todo o parte de cualquier elemento estructural a fin de que sean todas las secciones iguales, para que en las factorías de montaje puedan ensamblar bien al mantener las mismas medidas. En la figura siguiente se muestran varios tipos de conformadores tanto de madera como metálicos.

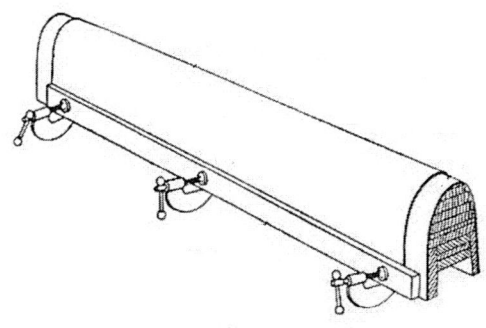

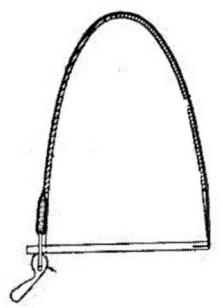

CONFORMADOR DE BORDES DE ATAQUE DE MADERA

*Cortesía de Airbus

CONFORMADOR DE UNA SECCIÓN DE FUSELAJE

CONFORMADOR DE UN REVESTIMIENTO DE ALA

CONFORMADORES

281

LARGUERILLOS Y LARGUEROS

Los largueros y los larguerillos son los elementos que unen entre sí a las cuadernas dando forma al fuselaje y sirviendo de soporte al recubrimiento. Tienen perfil de varios tipos según el diseño y la zona.

En la figura siguiente se muestra un dibujo con varios perfiles de larguerillos.

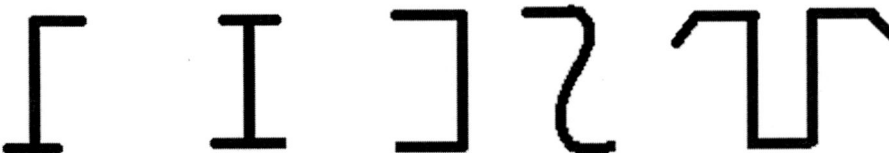

TIPOS DE PERFILES DE LARGUEROS

En la construcción de la estructura de las alas también se utilizan los largueros, pero aquí son los que dan al ala la consistencia, la forma y la unión de todas las costillas formando el revestimiento del ala. Entre el larguero anterior y el posterior, se forma un cajón que convenientemente sellado forma en muchos aviones el depósito de combustible. En el capítulo 11.3-2 de este libro de detalla la estructura de las alas y las funciones que tienen en la aeronave. Los larguerillos son los que unen todas las costillas a lo largo del ala dándole forma y transmitiendo las cargas a las que está sometido. En la figura siguiente se muestra la estructura de un ala con los largueros y costillas.

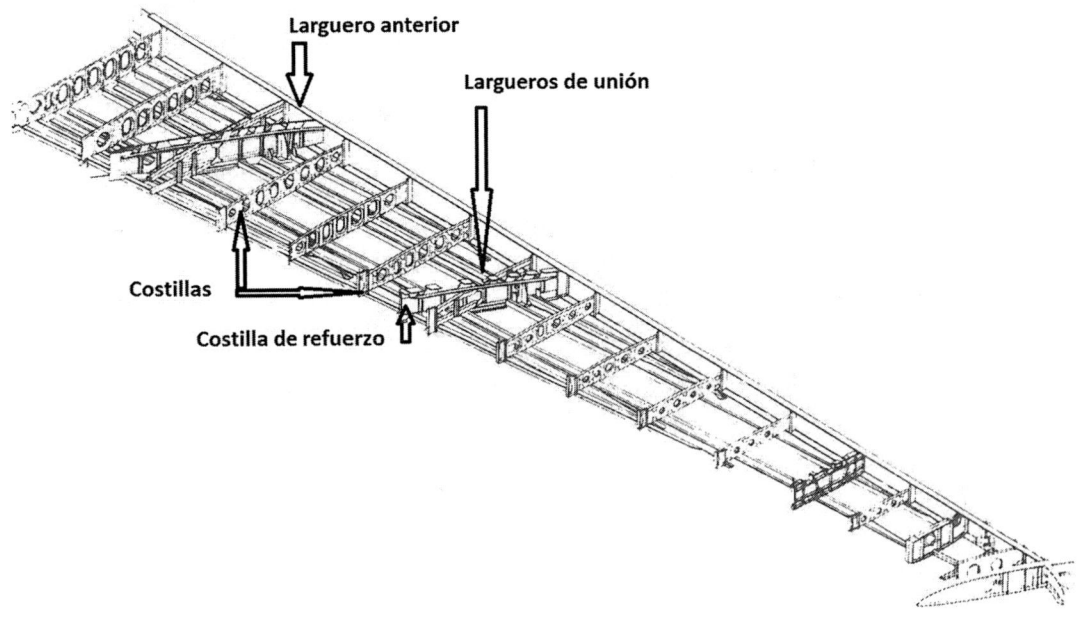

LARGUEROS EN LA ESTRUCTURA DE UN ALA

MAMPAROS

Se entiende como mamparo a todo tabique de separación de zonas en el interior del fuselaje de un avión como los que conforman el perímetro de las bodegas, o los que puedan separar diversos compartimientos de accesorios, generalmente son de fibras sintéticas o panel de abeja y no forman parte de la estructura principal. En los aviones presurizados, a fin de mantenerlos estancos y que puedan soportar la carga de la presurización, es necesario obturar el fuselaje mediante un mamparo reforzado, remachado y sellado al revestimiento del fuselaje en la parte delantera de la cabina de mandos, y otro de las mismas características en la parte posterior del fuselaje que delimitará la zona presurizada, se les denomina mamparos de presión.

En caso de que el avión disponga de la posibilidad de acceso al interior mediante escalera, el mamparo de presión posterior tendrá el hueco de una puerta, que será de estructura reforzada y que, una vez cerrada y bloqueada, forma parte del mamparo de presión y resistirá los esfuerzos a los que será sometida la estructura. En la figura siguiente se muestra un mamparo posterior de un avión con escalera posterior central como es el Boeing B-727.

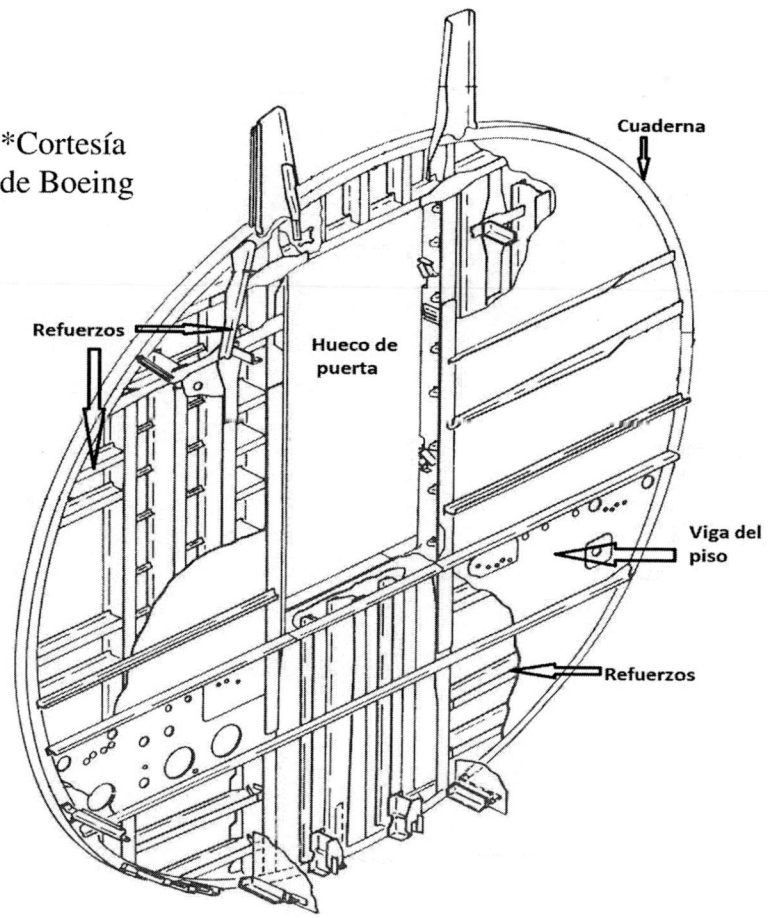

MAMPARO DE PRESIÓN POSTERIOR

283

CUADERNAS

Las cuadernas son los elementos transversales en las estructuras monocasco y semimonocasco del fuselaje de un avión, están unidas al revestimiento por medio de remaches, le dan forma y transmiten esfuerzos, son de dos clases, principales o maestras y auxiliares, las maestras son dobles y están colocadas en los puntos donde se tienen que soportar más esfuerzos, como en las zonas del encastre de las alas, zonas de soporte de motor si está instalado en el fuselaje, o zonas del encastre del tren de aterrizaje.

Las cuadernas son de varias piezas unidas por remaches, que forman un aro y están unidas entre sí longitudinalmente por los largueros. En la figura siguiente se muestra un avión con el fuselaje sin recubrimiento y mostrando las cuadernas.

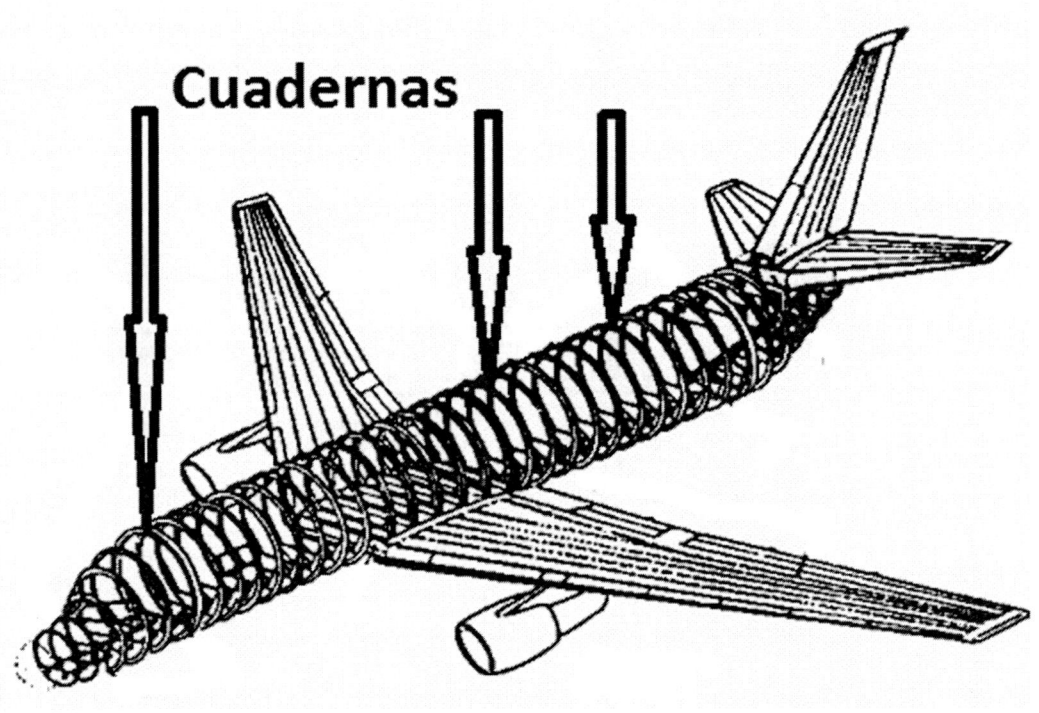

CUADERNAS

CHAPAS DE REFUERZO

Son trozos de chapa generalmente de la misma que el revestimiento y que se colocan junto con larguerillos y marcos adicionales, por la parte interior del mismo, para reforzar zonas que tienen huecos en el revestimiento, como puertas, ventanillas, registro de las estaciones de servicios, etc., al objeto de asegurar una distribución adecuada de las cargas del fuselaje alrededor de las aberturas, compensando la disminución de la resistencia que se le hace al revestimiento al practicarle los huecos para las puertas, ventanillas u otros huecos.

En la estructura también se refuerza cualquier zona en la que vayan a ser instalados elementos cuyo peso o sus funciones puedan producir vibraciones o esfuerzos que pongan en situación de riesgo de deformación o rotura de la estructura. En la figura siguiente se muestra un ejemplo de los refuerzos que se instalan en el fuselaje de un avión de cabina presurizada, en las ventanillas de la cabina de pasajeros.

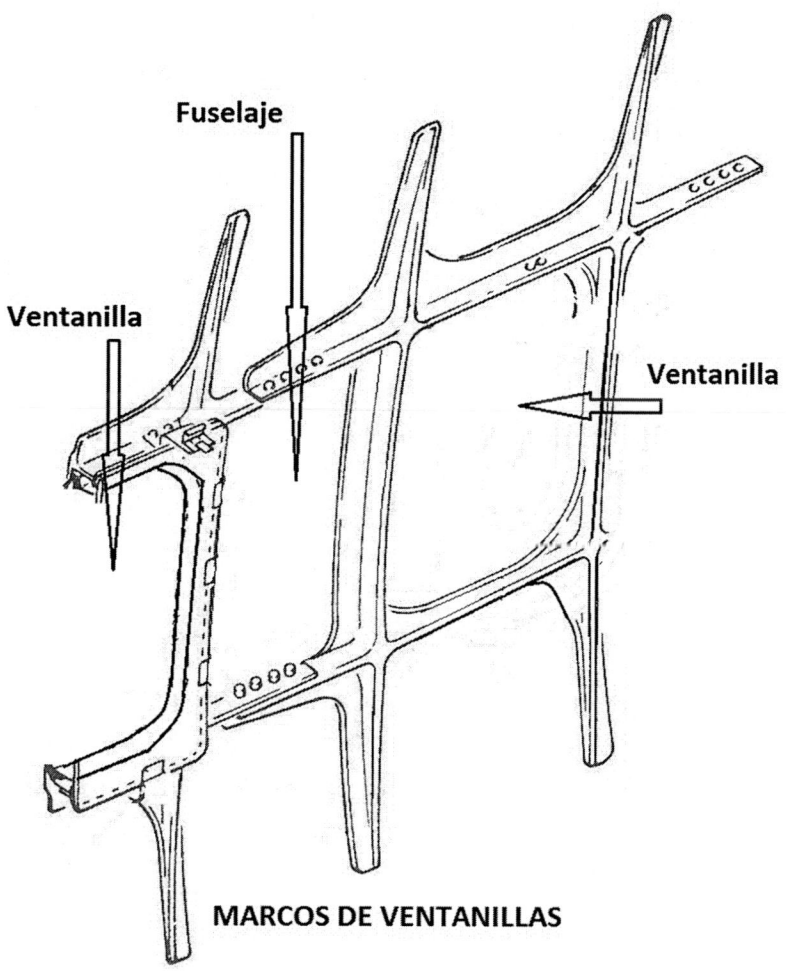

REFUERZOS EN EL FUSELAJE

MONTANTES

Los montantes son unas barras metálicas empleadas en la construcción de aviones ligeros, para soportar los esfuerzos de compresión y que junto con los tirantes y herrajes unen entre sí los diversos elementos de que se compone un avión.

En aviones biplanos que llevan las alas unidas entre sí y al fuselaje mediante arriostramiento del que forman parte los montantes, también se instalan para soportar esfuerzos en las patas de tren de aterrizaje. En la figura siguiente se muestra un avión biplano con montantes en las alas.

MONTANTES DE ALA

ANCLAJES

En toda la estructura, tanto principal como auxiliar, para fijar y asegurar los elementos, y que formen una estructura sólida y capaz de transmitir, distribuir y resistir las cargas a las que va a estar sometida la aeronave durante toda su vida de trabajo, hay zonas que necesitan ser reforzadas de diversas maneras. Una zona muy reforzada es la que comprende el encastre de las alas con el fuselaje, donde se forma un cajón formado por las primeras costillas de la raíz del ala, los largueros y las vigas, fijado a las cuadernas maestras une toda la estructura.

Esta zona, en la mayoría de los modelos de avión, también lleva remachados y atornillados los herrajes de la fijación de las patas del tren de aterrizaje o los carriles soporte interior de los flaps, en estos herrajes, que son de forja y mecanizados, están los alojamientos de los cojinetes de giro de las patas de tren. En modelos en los que la planta de potencia está en el fuselaje, esa zona estará convenientemente reforzada en la unión de los pylons a las cuadernas y largueros.

En la figura siguiente se muestra una vista seccionada de uno de los herrajes de fijación de un ala al fuselaje de un avión Boeing B-737 con el pasador de fijación y el manguito y los tornillos de retención. También se presenta el cajón de unión de las alas al fuselaje con los correspondientes refuerzos.

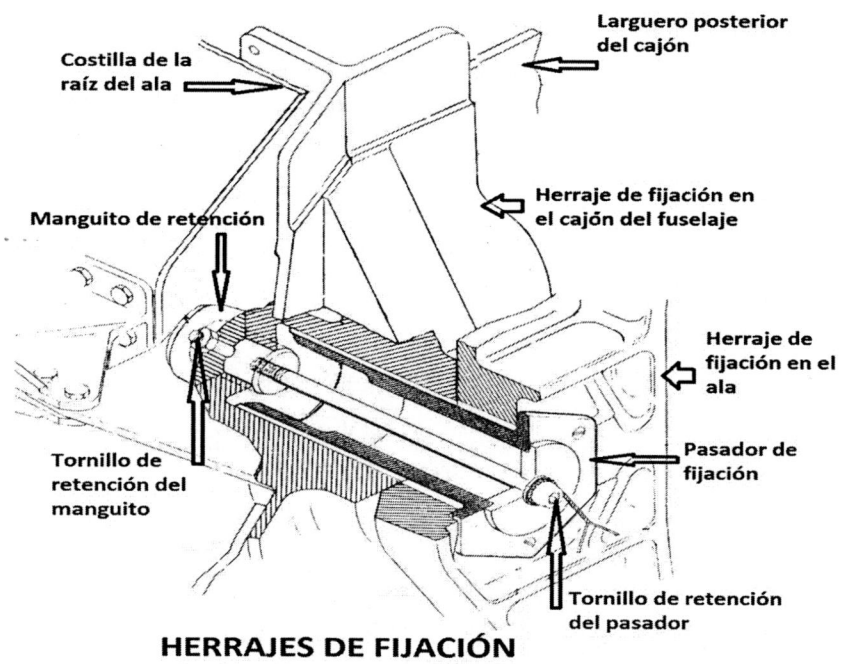

Costilla de la raíz del ala

Larguero posterior del cajón

Manguito de retención

Herraje de fijación en el cajón del fuselaje

Herraje de fijación en el ala

Tornillo de retención del manguito

Pasador de fijación

Tornillo de retención del pasador

HERRAJES DE FIJACIÓN

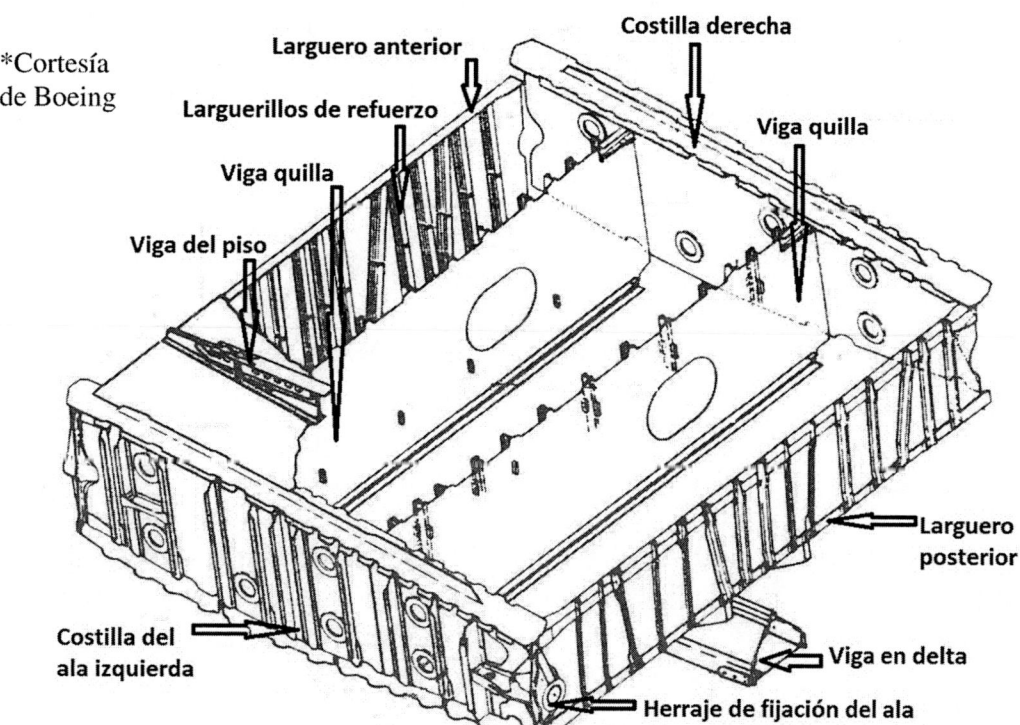

*Cortesía de Boeing

Larguero anterior

Costilla derecha

Larguerillos de refuerzo

Viga quilla

Viga quilla

Viga del piso

Larguero posterior

Costilla del ala izquierda

Viga en delta

Herraje de fijación del ala

CAJÓN CENTRAL DEL ENCASTRE DE LAS ALAS

En las zonas de las alas y sobre los largueros anterior y posterior están fijados mediante remaches y tornillos todos los herrajes necesarios para la fijación de los mandos de control de vuelo y de sus mecanismos de actuación y control, así como los de sujeción del tren de aterrizaje y sus compuertas. La fijación a la estructura del ala es como todos los herrajes del avión, mediante remaches y tornillos.

En la figura siguiente se muestra la estructura de la parte posterior de un ala, la parte del encastre con el fuselaje.

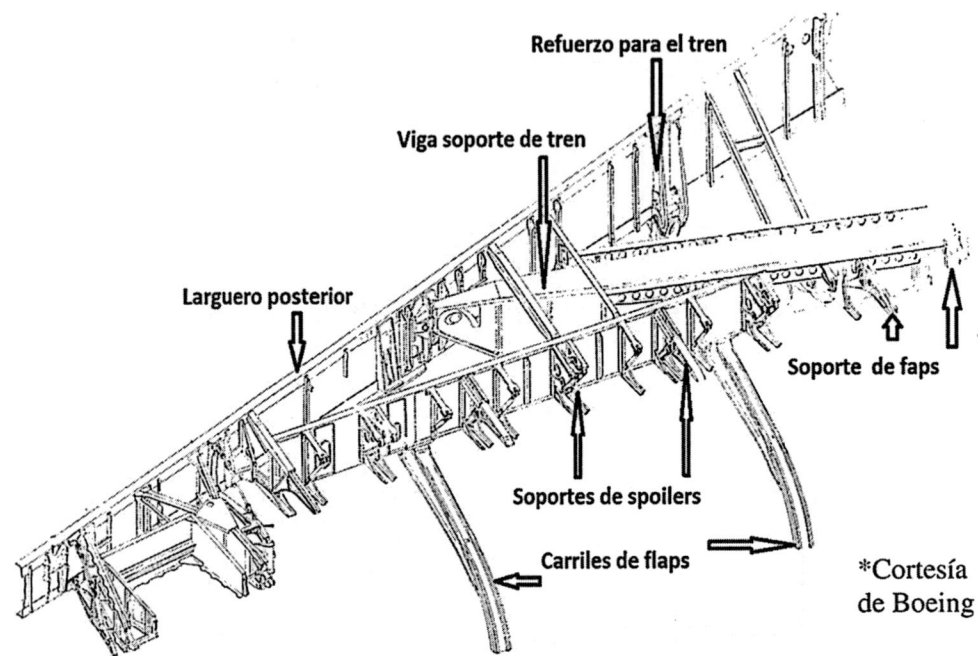

HERRAJES Y REFUERZOS PARA ANCLAJES

<u>VIGAS</u>

Las vigas son la parte de la estructura principal de una aeronave, se sitúan en las zonas de unión o que van a estar sometidas a esfuerzos fuertes y continuos, como son las zonas del encastre y unión de las alas o del tren de aterrizaje.

Si las vigas son de sujeción del tren de aterrizaje o de otros elementos de mucho esfuerzo son de material forjado y mecanizado, en la figura anterior se puede ver una viga en la estructura de un ala.

ESTRUCTURAS DEL PISO, REFUERZOS

Los elementos de refuerzo que van a soportar el piso de la cabina de pasajeros o carga y de las bodegas son de un perfil similar a los largueros, pero con un alma de mayor tamaño, suelen estar construidas del mismo material que los largueros (aluminio 2024 y 7075), y sobre ellas van fijados tanto los carriles de sujeción de los asientos de pasajeros y tripulación, el resto de mobiliario de la cabina, como los herrajes de sujeción de la carga.

La colocación de estos refuerzos es longitudinal y transversal, unos al aire y otros apoyados en las cuadernas, y junto con los larguerillos forman una estructura resistente que transmite y absorbe bien las cargas. Sobre esta estructura se instalan los paneles y alfombras del piso, o los paneles de fibra o metálicos de las bodegas. En las bodegas que tienen instalados mecanismos de arrastre para los contenedores, el piso es metálico, con los alojamientos y fijaciones a la estructura que se necesitan para alojar los elementos de fijación y blocaje de los contenedores

MÉTODOS DE REVESTIMIENTO

En aviones de revestimiento metálico, éste en general es de chapa de aluminio y del grosor apropiado en cada zona, en las zonas que tienen que soportar mayor esfuerzo, como las de tren de aterrizaje, y temperatura, como las cercanas a los motores, el material empleado es de aleaciones con alto contenido en titanio y en acero, que soportan mejor estos esfuerzos.

La fijación del revestimiento a las cuadernas, a los largueros y a las costillas generalmente se efectúa por medio de remaches, pero en algunos modelos de avión y en zonas de no mucho esfuerzo, se utilizan adhesivos intercalando las cuadernas remachadas con las pegadas.

Con la utilización de los nuevos materiales compuestos como la fibra de vidrio y los compuestos de carbono, utilizados en zonas como los bordes de ataque de elementos que no lleven calefacción, bordes de salida de alas o revestimientos de mandos de vuelo, revestimientos de departamentos o bodegas, etc., que son elementos que generalmente van atornillados a la estructura; se hace necesario tener unos criterios de inspección y reparación específicos que en muchos casos es más aconsejable el cambio del elemento para ser reparado en el taller que efectuar la reparación a bordo en el caso de que presenten daños.

PROTECCIÓN ANTICORROSIÓN

La corrosión dentro de los programas de formación de un técnico de mantenimiento de aeronaves es ampliamente tratada tanto en el módulo 6.4 como en el 11.17-4, baste decir aquí que la corrosión es un fenómeno de muy diferentes tipos, que deteriora los materiales por muy diversas causas, y que para protegerlos contra ella básicamente se utilizan tres formas:

- La protección mediante recubrimientos de la superficie de los elementos.
- La modificación de la composición y fabricación de los materiales.
- La aplicación de métodos de protección galvánica.

La protección mediante recubrimientos y la protección galvánica, además de los tratados en el siguiente capítulo 11.2-2B (cromado, anodizado y pintura), en varios elementos como los cables de acero trenzado de los diversos mandos, como los de control del motor o mandos de vuelo, es necesario, para protegerlos de la corrosión, una vez regulada su tensión de funcionamiento, impregnarlos de alguno de los líquidos más o menos densos que tiene la industria y que estarán reflejados en el manual de mantenimiento del fabricante.

En otros casos, como pueden ser los amortiguadores de tren de aterrizaje, la mejor forma de mantenerlos protegidos es la limpieza de los émbolos con un paño impregnado en aceite del empleado para la carga del amortiguador (MIL H-5606) o similar.

Las protecciones por la variación en la composición de los materiales se consiguen mediante la variación de las proporciones de los distintos componentes de una aleación, como la cantidad de cromo y níquel en los aceros, donde la presencia del cromo origina una película superficial de cromato que protege la superficie metálica.

En cuanto a la corrosión intergranular en los aluminios, puede producirse durante los procesos de tratamiento térmico y enfriado por inmersión de forma incorrecta, perdiendo los granos su cohesión y la pieza o elemento en cuestión, disminuir su índice de resistencia. Esta corrosión es altamente peligrosa debido a los daños que produce y a las dificultades que tiene su localización.

En cuanto a las protecciones contra la corrosión mediante la composición de materiales, el área del mantenimiento no tiene muchas funciones, ya que son más propias del diseñador y del fabricante, salvo la de comunicar si en alguna zona o elemento aparece una corrosión no controlada o prevista.

ALAS

Las alas son la principal superficie de sustentación con que cuenta un avión, van unidas al resto de la estructura sobre la parte central del fuselaje, tienen diversas formas, perfiles y uniones a la estructura, que definen en muchos casos el tipo de avión; así, en la forma, entre otras, pueden ser **rectangulares**, en **delta**, en **flecha, elíptica**, etc., o **alta**, **baja** o **media** según esté unida al fuselaje, **arriostradas** si los soportes de unión con el fuselaje son externos **y cantilever** si los elementos que van a resistir todas las cargas están en el interior del revestimiento, este puede ser de tela barnizada, que no soporta cargas, o metálico remachado a la estructura, y se denomina "revestimiento trabajando".

Los materiales utilizados son muy diferentes y van con el tipo de avión, así, los ligeros antiguos utilizaban madera y el revestimiento de tela, con cables y tiras metálicas en el interior que ayudan a soportar las cargas, en los de estructura metálica se utiliza básicamente el aluminio de diversas clases y aleaciones.

Los elementos básicos del ala son los largueros frontal y posterior, las costillas, los largueros y el revestimiento, en la figura siguiente se muestra una estructura interna de un ala de construcción metálica de un avión ligero.

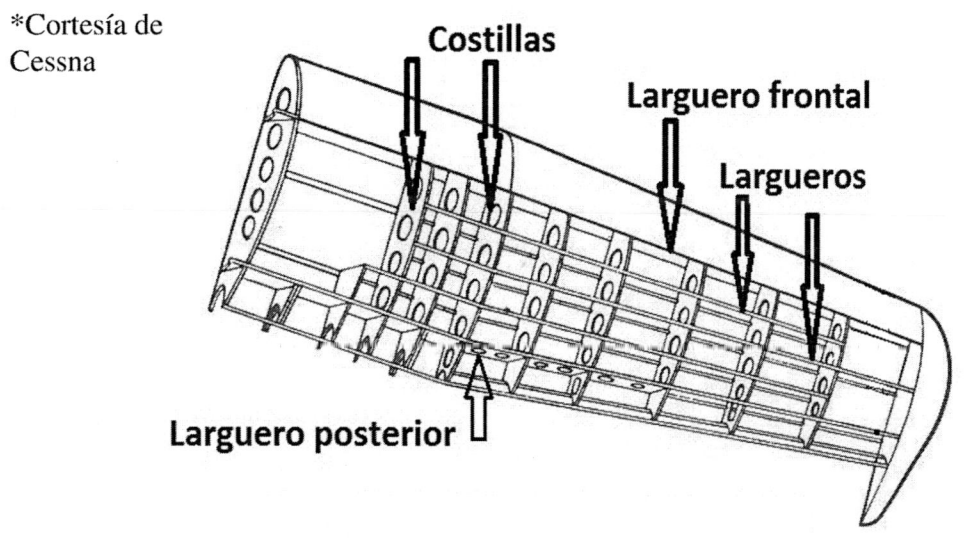

ESTRUCTURA DE UN ALA

El destino para el que se va a utilizar el avión es el que marca el tipo de ala que se va a fabricar, así, con respecto a la velocidad, las alas serán más rectangulares cuanto menos sea la velocidad, y en los aviones de alta velocidad las alas serán en flecha con más o menos grados con respecto del eje longitudinal del avión.

Otros factores que tienen influencia en la elección del tipo de ala en un avión son el equipo que deba ir alojado en ella, el cableado, las conducciones hidráulicas, eléctricas, neumáticas o mecánicas que deban ir fijadas a ella, los depósitos de combustible, el peso, las técnicas de fabricación, además de los tipos de materiales que la industria ofrece, y los costes económicos son entre otros de menor importancia los detalles a tener en cuenta por el diseñador a la hora de elegir el tipo y la posición del ala. En el capítulo 11.3-2 y en el módulo 11.9 ("Mandos de vuelo") se tratan con detalle las formas de planta y perfil de las alas así como los sistemas, funciones y elementos que generalmente llevan las alas de una aeronave.

<u>EMPENAJE</u>

El empenaje es el conjunto de los elementos de la estructura de la cola formado por el estabilizador vertical con el timón de dirección y el estabilizador horizontal con los timones de profundidad. En lo referente a la posición de los estabilizadores verticales aunque generalmente llevan uno alineado con el eje longitudinal, existen aviones de gran tamaño que llevan dos o tres. En cuanto al empenaje horizontal, como va a cada lado del vertical, lo componen dos unidades simétricas, una a cada lado, que se mueven a la vez con la columna o palanca de profundidad desde la cabina.

En diseños de cola en **V**, el empenaje de cola se compone de dos estabilizadores con sus timones, colocados sobre la parte posterior del fuselaje con el ángulo de inclinación necesario para que puedan ejercer a la vez el control sobre la profundidad y la dirección. En la figura siguiente se presentan cuatro tipos de empenajes de cola de entre los muchos existentes.

EMPENAJES

Entre las consideraciones importantes para escoger el tipo de empenaje están el número y localización de los motores que va a llevar, la posición del centro de gravedad y de compensación, así como varios requerimientos de estabilidad y control.

Estructuralmente los estabilizadores tienen una construcción similar a las alas, con los largueros posteriores más robustos, porque al llevar fijados los soportes de los timones, el centro de presión está en la parte posterior del perfil. En aviones de gran tamaño y de la última generación como el Airbus A340 y el A380, a fin de darle mayor autonomía y ayudarle en el control de cabeceo, en las partes centrales del estabilizador horizontal, a cada lado del timón de dirección, se han habilitado depósitos de combustible entre los largueros anterior y posterior y el revestimiento.

En el capítulo 11.3-2 y en el módulo 11.9 ("Mandos de vuelo") se expone lo referente al empenaje de cola con gran profusión de datos y detalles.

ANCLAJE DE MOTORES

La unión de la planta de potencia con la estructura del avión depende mucho de dónde se haya decidido su instalación, en la parte delantera del fuselaje si es monomotor; en la parte posterior del fuselaje si tiene dos, tres y hasta cuatro motores, o en las alas, generalmente en la parte delantera del intradós, aunque hay modelos de pequeño o mediano tamaño, básicamente ligados a funciones anfibias o específicas, que instalan los motores en el extradós del ala.

Independientemente de la zona en que estén instalados, la estructura en la misma deberá estar lo suficientemente reforzada para resistir los esfuerzos, de empuje y resistencia, el calor, soportar el peso y las vibraciones que se originan, además, en cuanto a la forma, deberá tener huecos para pasar en uno y otro sentido las instalaciones de control del motor, y las de los sistemas de combustible, neumático, eléctricas, hidráulicas y de los sistemas de extinción.

Para cumplir todas estas necesidades se han diseñado varios tipos de montajes que unen el motor a la estructura, de entre los más comunes están la estructura de **bancada** de tubos soldados, y la de placas metálicas forjadas y mecanizadas con un revestimiento metálico, llamados **góndolas o pylons**.

Para los motores de explosión y los turbohélice, que tienen que tener espacio libre para la hélice, es muy utilizada la bancada o soporte de tubos soldados, fijada a la estructura, mediante tornillos y amortiguadores de vibración, bien a la parte delantera del fuselaje en los aviones que tienen un motor, o en los bordes de ataque de cada ala si tienen dos o más motores. En los motores de explosión, en particular, son origen de muchas vibraciones que fatigan la estructura, por lo que se colocan, para absorberlas, amortiguadores entre la estructura y la bancada y entre esta y el motor, para que no se vean afectadas ni una ni otra.

293

En la figura siguiente se muestra la bancada de anclaje de un motor turbohélice en el borde de ataque de un ala de un avión del fabricante Fokker, con los capós de configuración abiertos.

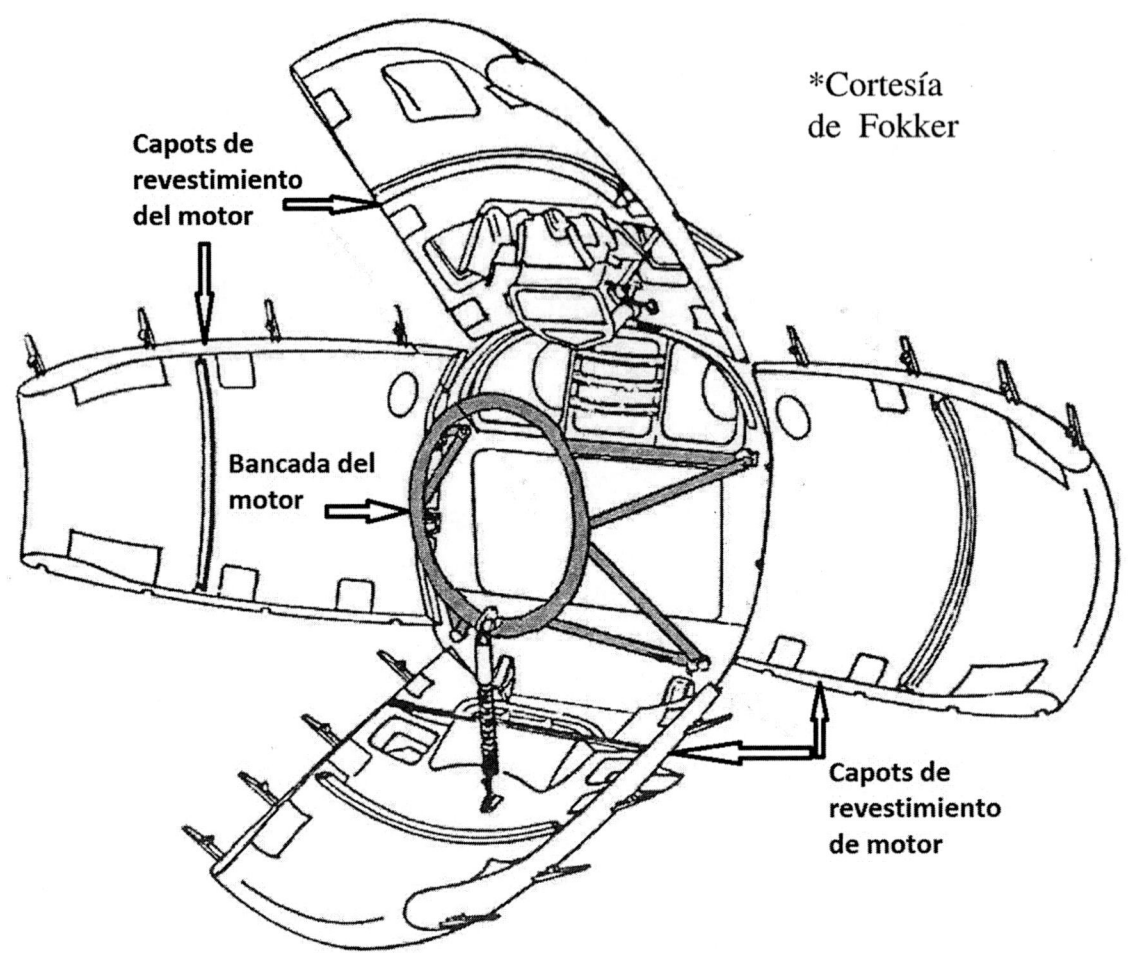

BANCADA DE FIJACIÓN DEL MOTOR

Si el anclaje del motor a la estructura es mediante góndolas o pylons, el tipo de armado de láminas metálicas y piezas de forja mecanizadas, unidas mediante remaches y tornillos, es muy utilizado en los motores a reacción, ya que no es necesario el espacio de la hélice permitiendo que total o parcialmente los motores estén bajo las alas.

Cuando se sitúan los motores en la proximidad de una estructura que pueda ser afectada por el calor que desprende el motor o de los gases de escape, aparece el riesgo de incendios o recalentamiento de la estructura, por lo que deberá estar lo más aislada posible, así que se coloca una placa de materiales apropiados que tengan alta resistencia al calor y a la llama. En la estructura interna se le dota de huecos por los que pasan las tuberías de combustible de neumático, eléctricas, hidráulicas o las conducciones del sistema de extinción de incendios, todas ellas con juntas de ajuste al cruzar las placas cortafuegos y las de refuerzo al objeto de que las zonas estén lo más estancas y aisladas posible. Cuando los motores están en el ala, la unión del soporte con la estructura también está convenientemente reforzada tanto en los largueros y costillas como en el revestimiento.

En el capítulo 11.3.1-2 se trata en profundidad el anclaje y estructura de las góndolas y voladizos. En la figura siguiente se muestra en unos dibujos los correspondientes elementos de anclaje y zonas de placas cortafuegos señalados.

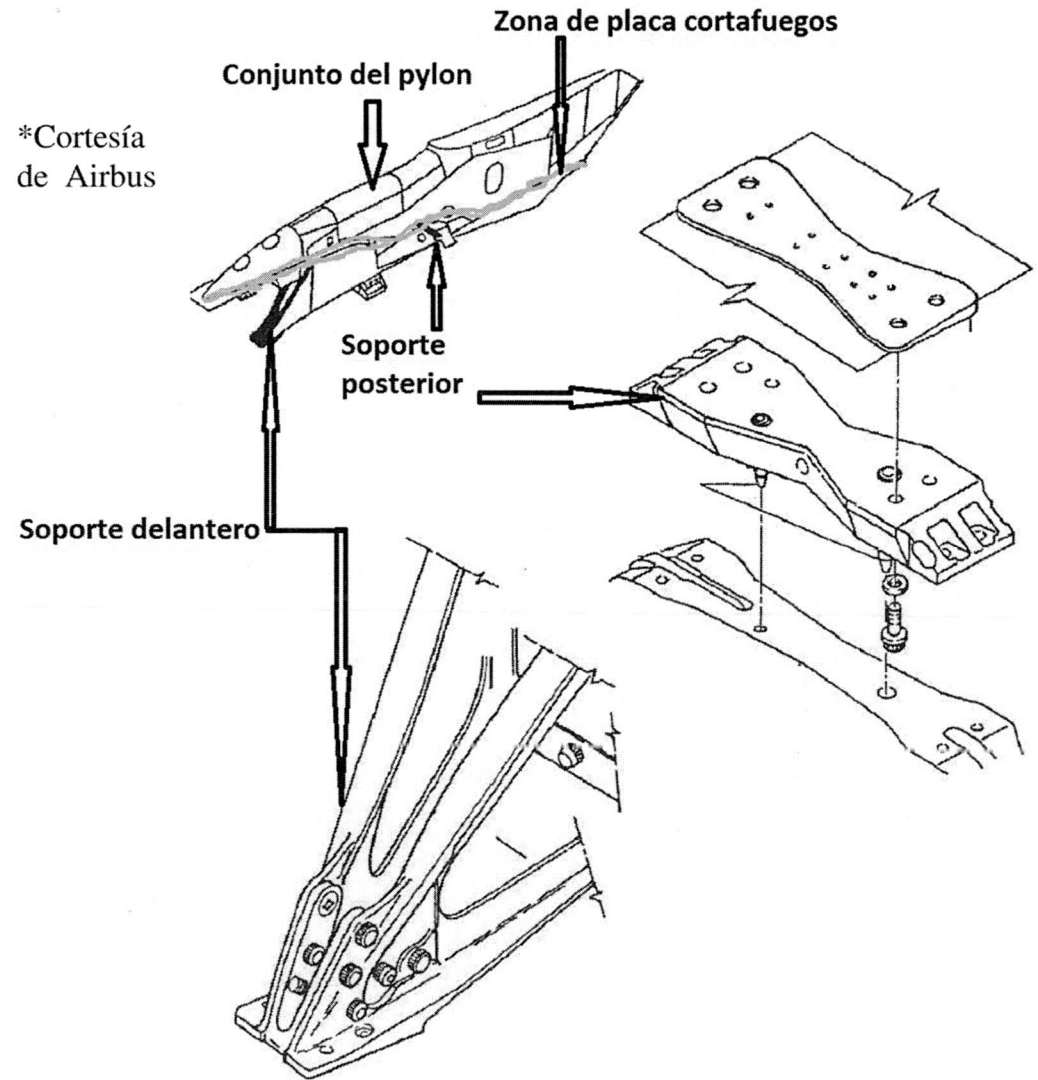

PYLON DE ANCLAJE DE MOTOR A UN ALA

295

11.2. B – 2 – TÉCNICAS DE MONTAJE DE ESTRUCTURAS

A lo largo de la fabricación de toda la estructura de una aeronave, al ser tan compleja y variada, tanto de formas como de tipos, materiales, etc., se emplean una gran cantidad de formas de unión de todos los elementos que la componen. Estas uniones básicamente se pueden poner en dos grandes apartados, las uniones fijas y las uniones desmontables o practicables.

Los instrumentos más comunes para las uniones son: los pernos; los tornillos de diversas clases; los remaches en su amplia gama de formas, clases y materiales; levas; pasadores; broches de suelta rápida tanto del tipo estructural como los utilizados para diversos registros; soldaduras de puntos, oxiacetilénicas o eléctricas; o las uniones mediante diversos pegamentos adhesivos. A lo largo del módulo 6.5, del 7.8, el 7.14-2 y el 7.15 de la formación reglada del técnico de mantenimiento se desarrollan todas las técnicas y formas de construcción, que serán completadas con el tratamiento que se da a continuación a procesos y formas del **remachado, empernado** o **atornillado, uniones con adhesivos** y **soldaduras**.

REMACHADO

Los remaches en una estructura aeronáutica se emplean con gran profusión y de varios tipos, por varias razones: porque soportan muy bien las cargas cuando principalmente son tangenciales, porque son más fáciles de instalar que cualquier otro sistema de sujeción y porque no tienen un coste económico alto.

Cuando los remaches están expuestos a corrientes de aire como en el exterior del fuselaje o las alas es conveniente que sobresalgan lo mínimo posible para que las zonas no ofrezcan resistencia (generalmente después de colocarlos se les fresa la cabeza para quitar las rebabas). En aviación se utilizan remaches tanto de acero como de aluminio o de otros materiales, pero generalmente se utilizan de los mismos materiales que los elementos que se van a unir. En casos en que las uniones se necesiten estancas, como las zonas presurizadas, depósitos de combustible o uniones para que no penetre la humedad, es necesario aplicar una capa de material blando del tipo apropiado entre las piezas a unir para que al remachar se unan fuertemente y una vez secado quede estanca la unión.

El remache normal tiene una cabeza del tipo que se necesite y un vástago de la longitud adecuada para las piezas que unir, el vástago se inserta en el agujero y se empuja con la herramienta por el lado que ya tiene cabeza, sujetando de la cabeza con una herramienta, y golpeando en el vástago con otra, se forma en el extremo otra nueva cabeza que mantiene fijas las piezas que unir y que se denomina **cabeza de taller.**

Para identificar los remaches correctamente así como el material de que están fabricados y las dimensiones que tienen, existen varios sistemas de simbolización, que en la industria aeronáutica se emplean junto con un sistema numérico, dando un código alfanumérico para cada clase de remache, así, uno denominado AN-470 AD-3-4 se interpreta: AN significa que el remache cumple con las especificaciones impuestas por la normativa vigente; 470 denota cabeza universal; AD indica que el material es de aleación de aluminio A-17S-T4; el número 3 indica el diámetro en treintaidosavos de pulgada; y el 4 indica la longitud del vástago en dieciseisavos de pulgada. En la figura siguiente se muestra una tabla con datos y características de varios remaches.

IDENTIFICACION DEL MATERIAL

TIPO A	TIPO AD	TIPO B	TIPO DD	TIPO D
SIN MARCA ALUMINIO 2S NINGUN TRAT. TERM.	CONTRAPUNZONADO 0,5 ALEACION A 17S - T4 NINGUN TRAT. TERM.	CRUZ EN RELIEVE ALEACION 56S NINGUN TRAT. TERM.	DOBLE TRAZO EN RELIEVE ALEACION 24S - T4 TRAT. TERM.	ALEACION 17S - T4 TRAT. TERM.

N° DE REF.	- 2		- 3		-4		-5		- 6		- 8		-10		-12	
TAMAÑO	A	B	A	B	A	B	A	B	A	B	A	B	A	B	A	B
AN 426	2.66	0.55	4.34	0.91	5.48	1.06	7.06	1.39	8.73	1.77	11.86	2.41	14.09	2.69	17.39	3.40
AN 430	3.17	1.19	4.74	1.77	6.35	2.38	7.92	2.97	9.52	3.58	12.70	4.77	15.87	5.94	19.05	7.13
AN 442	3.17	0.63	4.74	0.93	6.35	1.27	7.92	1.57	9.52	1.90	12.70	2.54	15.87	3.17	19.05	3.81
AN 470	3.17	0.68	4.74	1.01	6.35	1.37	7.92	1.70	9.52	2.03	12.70	2.74	15.87	3.37	19.05	4.08
Long. C	2.38 (3/32)		3.57 (9/64)		4.76 (3/16)		5.95 (15/64)		7.14 (9/32)		9.52 (3/8)		11.90 (15/32)		14.28 (9/16)	
Diámetro D	1.58 (1/16)		2.38 (3/32)		3.17 (1/8)		3.96 (5/32)		4.76 (3/16)		6.35 (1/4)		7.93 (5/16)		9.52 (3/8)	
Broca	N° 51 (1.70)		N° 41 (2.45)		N° 30 (3.3)		N° 21 (4)		N° 11 (4.9)		N° F(6.5)		N° P (8.3)		N° W (9.8)	

Dimensiones en milímetros

TABLA DE DIFERENTES TIPOS DE REMACHES DE ALUMINIO

Para varios tipos de remaches, entre los que se encuentran los de referencia 17S o los 24S, para su colocación es necesario darles un tratamiento térmico y colocarlos inmediatamente, en otros casos son tratados y almacenados en un refrigerador a temperaturas bajo cero para evitar su maduración. Por el contrario, los remaches que deben ser refrigerados para que permanezcan suaves deben ser colocados antes de los diez minutos después de sacarlos de la refrigeradora, ya que a temperaturas ordinarias envejecen rápidamente.

La colocación de los remaches generalmente se efectúa por medio de un martillo neumático y una buterola para recalcar y formar la cabeza de taller.

En la figura siguiente se presentan a modo de ejemplo unos dibujos sobre alguna de las muchas formas de utilizar las uniones con remaches, así como la forma de situarlos para efectuar la unión.

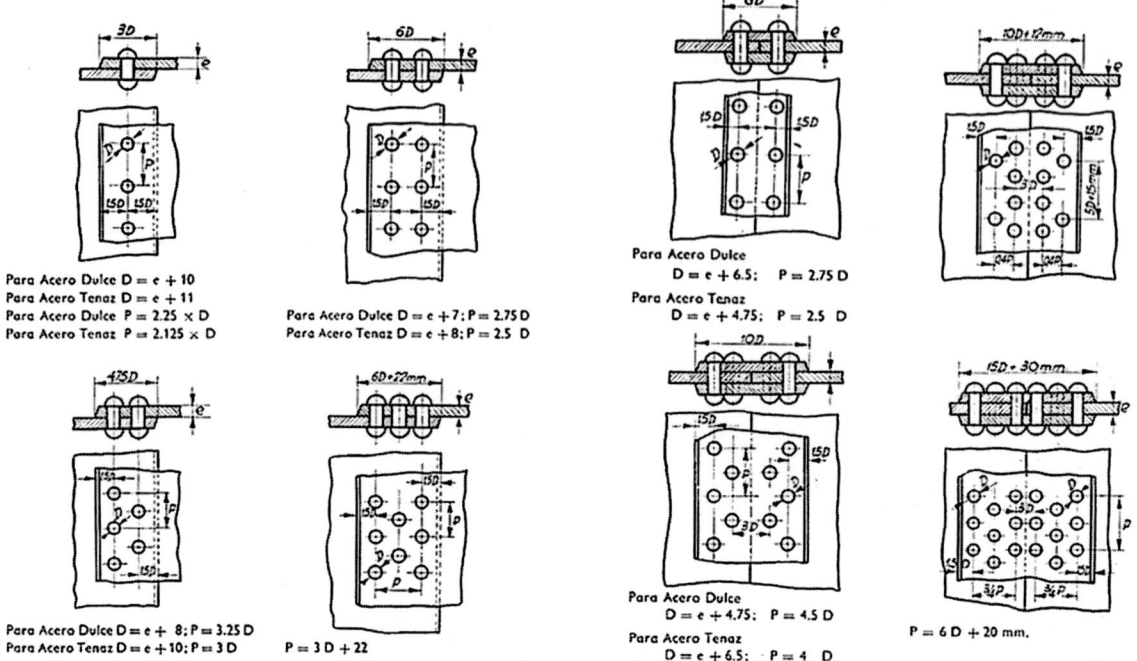

REMACHES Y FORMAS DE COLOCACIÓN DE REMACHES DE ACEROS

Los remaches normalizados no pueden cubrir todas las necesidades de construcción de una estructura aeronáutica, en muchos casos por falta de espacio para recalcarlos, es por lo que existen gran variedad de remaches especiales o remaches ciegos, que están diseñados y construidos de forma que pueden ser instalados y conformados desde un lado de la superficie de trabajo, limitándose su uso a lugares de acceso restringido.

Estos remaches se componen de un casquillo con un reborde a modo de cabeza, por un lado, y un vástago en el hueco central que sobresale por el lado de la cabeza del remache, con la cabeza cónica, una vez colocado el remache de la longitud apropiada, con la herramienta a tal fin se estira del vástago hasta que la cabeza cónica rebordea el remache por el interior, se continúa haciendo presión hasta que el vástago rompe quedando las dos piezas unidas.

De entre los tipos más utilizados en general están los conocidos Cherry, los Huck, los Hi-Shear, los remaches explosivos Du-Pont, o las tuercas-remache Goodrich, que tienen cada uno sus propias características y es esencial seguir al pie de la letra las instrucciones dadas por el constructor. En los módulos 6.5-4 y 7.8 de la formación se desarrollan estos temas con gran profusión. A continuación se presenta una figura de unos remaches ciegos tipo Cherry de vástagos de rosca y liso antes y después de ser colocados.

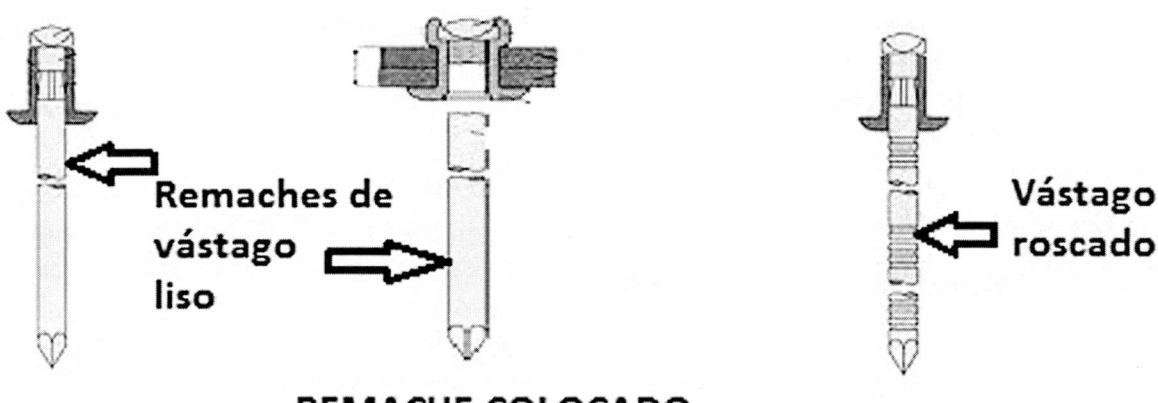

REMACHES CIEGOS

En la figura siguiente se muestran dos tipos de remaches especiales, el explosivo Du-Pont, que remacha mediante la percusión de una pequeña carga explosiva en el interior, que al estallar forma la cabeza, y el tipo Hi-Lok de un pasador con rosca en el extremo y una tuerca fusible que llega a su apriete correcto cuando rompe la garganta.

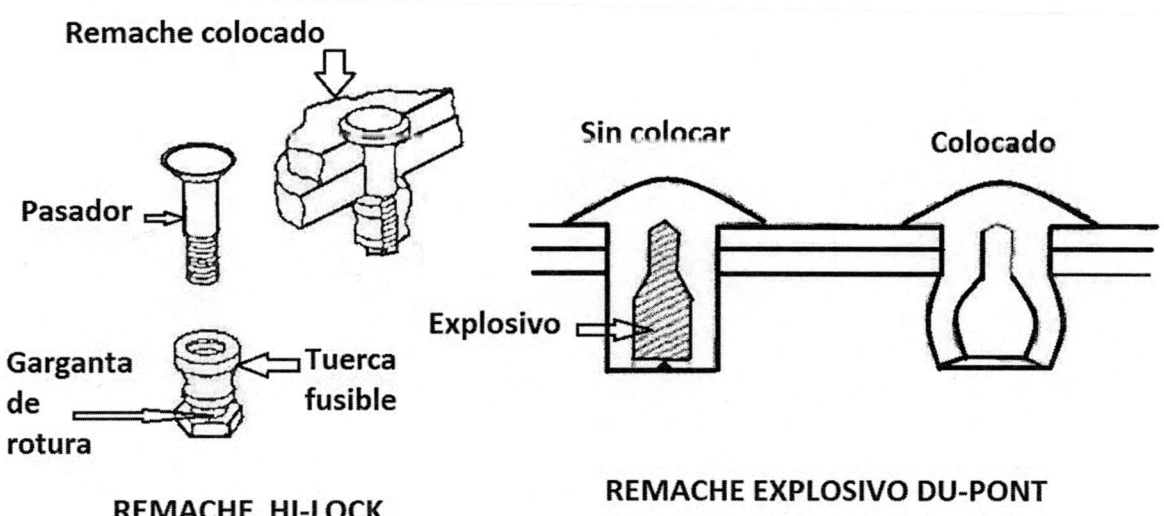

REMACHES ESPECIALES

EMPERNADO (ATORNILLADO)

Otra forma de unión mecánica para unir estructuras es la efectuada mediante tornillos, que en la aeronáutica serán los específicamente fabricados para este ramo de la industria dadas sus características especiales. En lo referente a los materiales, en un avión hay gran cantidad de clases de tornillos, que tienen variadas aleaciones, desde tornillos de aluminio a tornillos con aleación antimagnética, de gran variedad de cabezas, y de herramienta de apriete.

La tornillería se utiliza básicamente para unir elementos desmontables, tanto de estructuras o elementos principales como de un sinfín de otros elementos, teniendo en cuenta que en la estructura primaria no deben utilizarse tornillos de un diámetro menor de 10/32", ni aleados con aluminio de menos de 1/4". Como los tornillos de aviación generalmente son de los llamados de tolerancia estrecha, cuando se utilizan en uniones sujetas a cargas fuertes en más de una dirección, o cuando más de un tornillo soporta la carga, los agujeros deben escariarse.

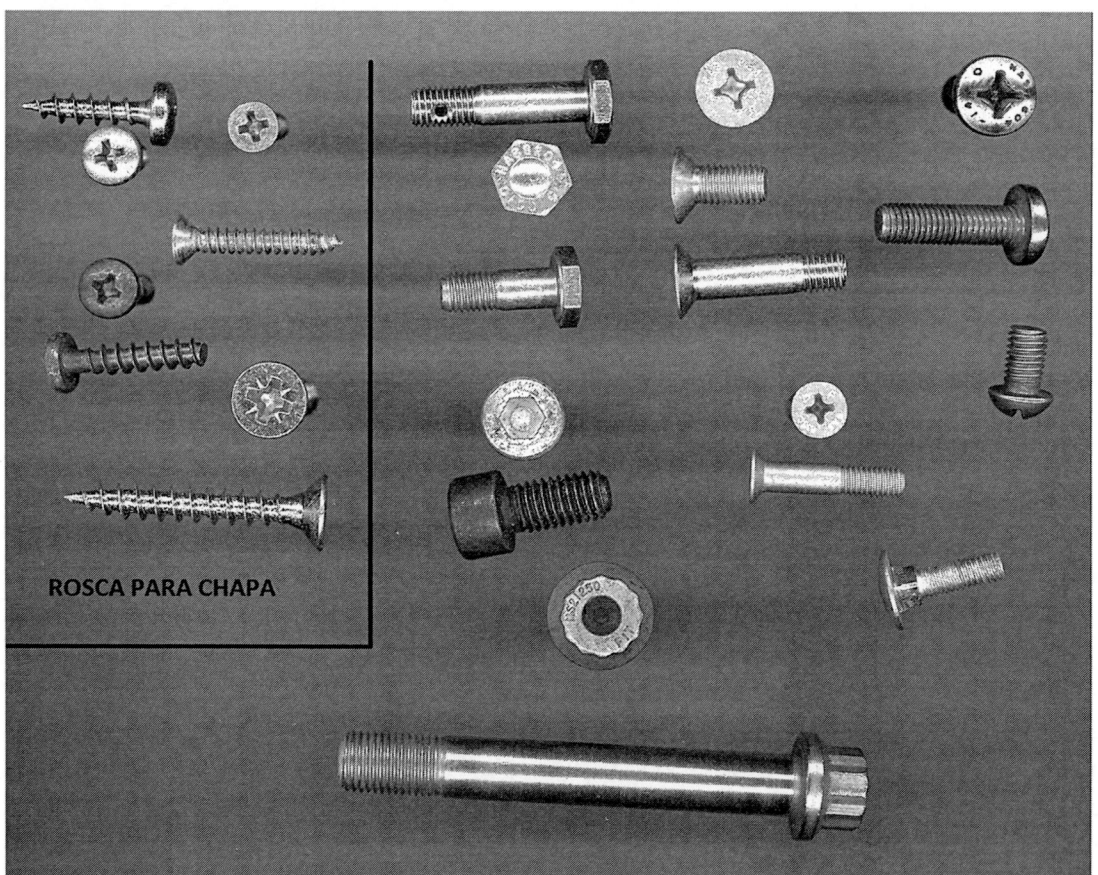

ROSCA PARA CHAPA

VARIAS CLASES DE TORNILLOS

En la figura anterior se presenta una muestra con una gran parte de las formas de la tornillería utilizada en aviación, tornillos que según en qué unión se coloquen serán de una u otra aleación y tendrán el tratamiento térmico correspondiente, por lo que no es aconsejable la utilización de tornillería sin que se conozca su trazabilidad.

En lo referente a la identificación de tornillos, existen varios sistemas o normas (AN, MS, NAS, etc.), que normalmente los identifican por números o signos en la cabeza. En la figura anterior y en la siguiente se muestra un ejemplo de cómo se marcan los diferentes tornillos de una serie en el sistema AN.

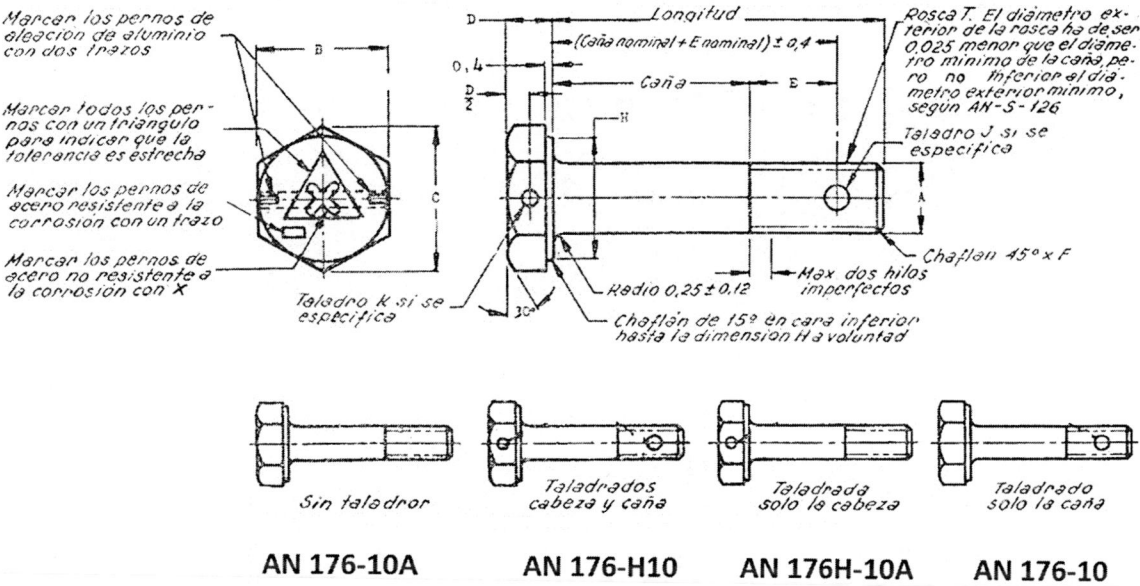

AN 176-10A   AN 176-H10   AN 176H-10A   AN 176-10

IDENTIFICACIÓN DE TORNILLOS DESDE AN173 A AN186

Cuando las uniones mecánicas se efectúan mediante tornillos, tienen que llevar tuerca y pasa lo mismo que en los tornillos, que hay una gran variedad de tipos y de materiales, desde tuercas estrechas y almenadas a tuercas con diferentes formas de autobloqueo, o de empleo en uniones de alta temperatura.

En el empleo de tuercas, como en todo lo demás, hay que seguir siempre las normas dadas en los manuales del fabricante, aunque hay unas normas generales, entre otras, que las tuercas con antibloqueo de fibras no deben emplearse en zonas de temperatura, ni cuando puedan entrar en contacto con líquidos, ni si existen menos de tres tuercas para fijar un elemento principal, o que siempre que sea posible deberán ser del mismo material que la pieza con que entra en contacto y se deberá poner la arandela apropiada.

En la figura siguiente se presentan unas muestras de tuercas de entre la gran cantidad de variedades que se utilizan.

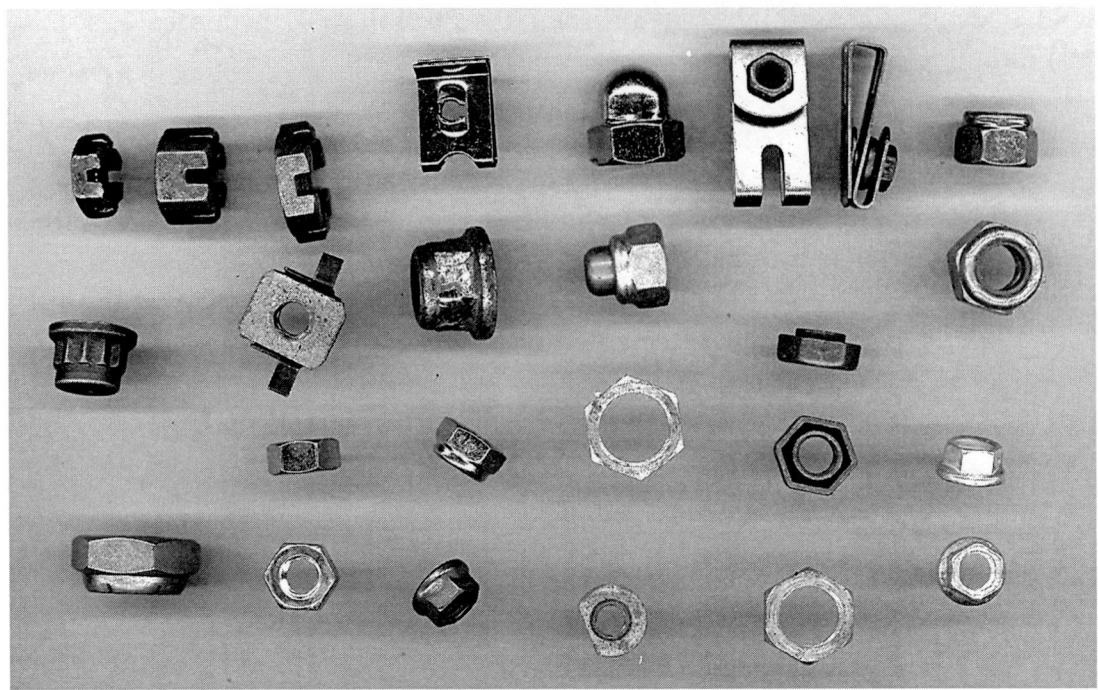

VARIOS TIPOS DE TUERCAS

UNIÓN CON ADHESIVOS

La unión de piezas de carácter permanente por medio de adhesivos es una forma que viene de muy antiguo, utilizando diversos productos a lo largo de la historia. Es un proceso en el que se utiliza un material de rellenado para mantener juntas dos o más partes en contacto, el material rellenador es el adhesivo.

Para que este tipo de unión sea eficaz y pueda operar con buenos resultados es imprescindible seguir las normas dadas por el fabricante del producto adhesivo, pero hay unas condiciones generales que se deben cumplir en todos los casos, como que:

Las superficies de las partes que unir deben estar limpias, libres de cualquier partícula de suciedad, grasa u óxido que pueda interferir en el contacto entre el adhesivo y las partes que unir. El adhesivo en su forma inicial debe conseguir una humidificación completa de las partes que unir. En general, es útil que las superficies a unir no estén perfectamente lisas, ya que una superficie ligeramente áspera aumenta el área de contacto real y facilita el entrelazado mecánico.

Las uniones deben diseñarse para explotar bien las resistencias de los adhesivos y evitar sus limitaciones, así que debe maximizarse el área de contacto con la unión.

En la figura siguiente se muestran varias formas de uniones, puede apreciarse que son buenas formas de unir para esfuerzos indicados con la letra F, las de los dibujos 1, 2, 3 y 4; en los dibujos 5, 6, 7 y 8 son uniones para empalmes; las indicadas 9 y 10 son uniones en T; las 11, 12, 13 y 14 son diferentes tipos de unión en escuadra.

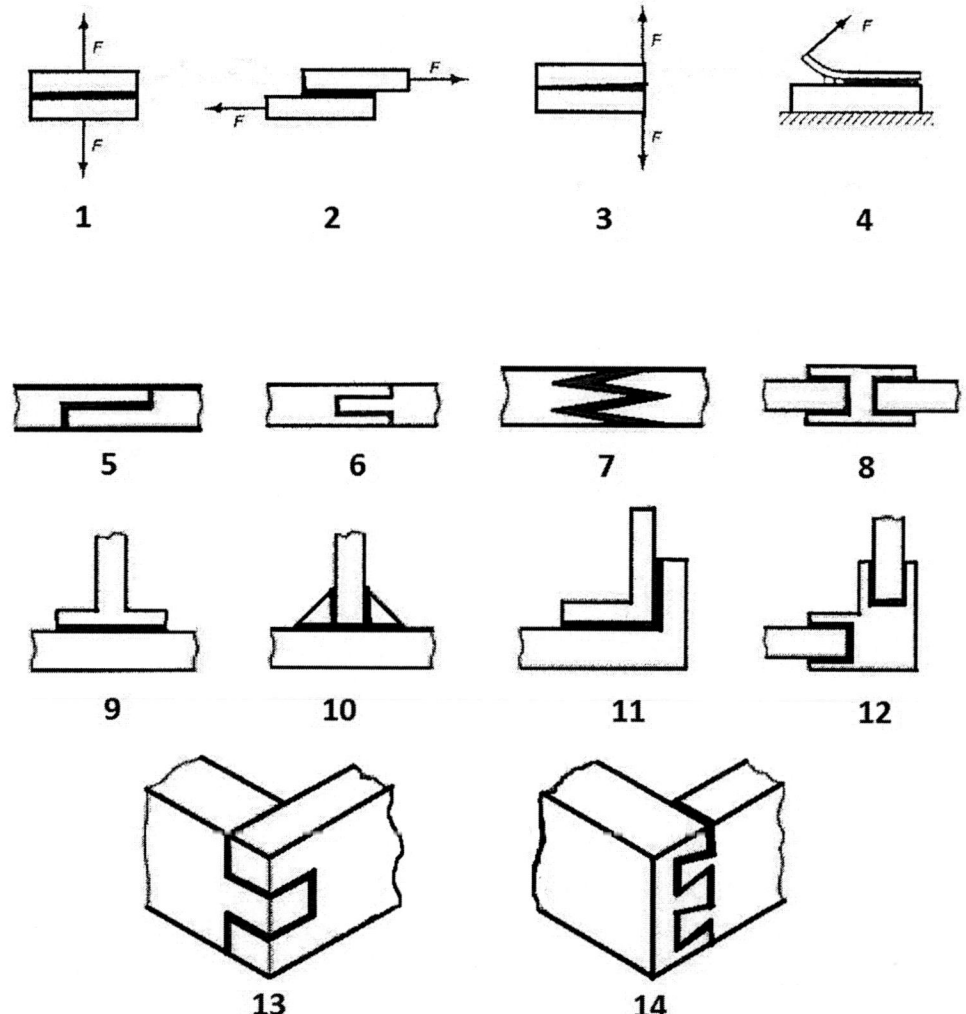

FORMAS DE UNIONES CON ADHESIVOS

Existe gran cantidad de tipos de adhesivos disponibles, que generalmente se clasifican en **naturales, inorgánicos o sintéticos; los adhesivos naturales** son los derivados de fuentes naturales (plantas y animales), que incluyen las gomas, el almidón, el flúor de soya o el colágeno, que son utilizados en uniones de baja tensión. **Los adhesivos inorgánicos** se basan principalmente en el silicato de sodio y en el oxicloruro de magnesio, que también son uniones de baja resistencia.

Los **adhesivos sintéticos** son la categoría más importante en la actualidad entre los utilizados en la aeronáutica, incluyen diversos polímeros termoplásticos y duroplásticos, algunos de los más utilizados son:

Los **anaeróbicos**, son basados en acrílico termofijo, endurecen cuando contactan con metal en ausencia de aire, son utilizados para sellar, asegurar y retener tornillos, endurecen rápido pero no sirven para rellenar huecos.

Los **acrílicos**, son adhesivos termofijos de dos componentes, una resina basada en acrílico y un endurecedor, se vulcaniza a temperatura ambiente después de la mezcla, se aplican en fibras de vidrio, láminas de metal, etc., las uniones son resistentes.

Los **cianocrilatos**, están basados en acrílico termofijo de componente único, vulcaniza a temperatura ambiente y muy rápidamente, se aplica en plásticos, en componentes electrónicos, en placas de circuitos, etc.

Los **epóxicos**, incluyen diversos adhesivos de uso extenso fabricados a partir de resinas epóxicas, agentes de vulcanizado y otros aportes que endurecen la mezcla, aunque los hay monocomponentes o bicomponentes, proporcionan una unión fuerte, se pueden emplear para tapar huecos hasta una pulgada. Generalmente se utilizan en uniones de aluminio, en paneles y refuerzos de láminas metálicas, sellos en electrónica o para el laminado de vigas de madera.

Los **plastisoles**, son adhesivos de la familia de los PVC modificado que requieren calor para endurecer, sus uniones son duras y resilientes.

Los **fenólicos**, se emplean en juntas de alta resistencia entre metal y madera o entre metal y los forros de freno fenólicos, precisan calor y presión para el endurecimiento.

Los **poliuretanos**, o adhesivos PUR, son compuestos poliméricos de gran versatilidad y eficacia, espuman fácilmente, pueden fabricarse tanto para uniones rígidas extremadamente resistentes a los golpes como para materiales blandos y flexibles. Todas estas propiedades físicas permiten dar soluciones técnicas perfeccionadas a muchas aplicaciones. Se fabrican de un solo componente y de dos componentes, que es necesario mezclar, tienen buena elasticidad y resistencia a múltiples productos químicos y al calor, también son idóneos como masa de relleno.

Los **sensibles a la presión**, estos adhesivos se utilizan en cintas y etiquetas, son sensibles a la presión, no solidifican pero son capaces de resistir ambientes adversos, y no son apropiados para cargas continuas.

Los acetatos de polivinilo (PVA), el acetato de polivinilo es el principal constituyente de los adhesivos a base de emulsiones de PVA, y son apropiados para la adhesión de materiales porosos como el papel o la madera y para trabajos de ensamblaje.

Los métodos de aplicación en una o ambas caras de la superficie de formas son:

Aplicaciones con brocha, esta técnica se ejecuta de forma manual utilizando una brocha de cerdas duras. Los recubrimientos resultantes con frecuencia no son uniformes.

Rodillos manuales, estos son similares a los rodillos de pintura, y se utilizan para superficies planas.

Serigrafía, este método implica aplicar el adhesivo para cubrir solo las áreas seleccionadas de una superficie.

Por flujo, se utilizan pistolas de flujo alimentadas a presión, de operación manual.

Por aspersión o atomización, se usa una pistola de aspersión de impulso neumático, para una aplicación rápida sobre áreas grandes o difíciles de alcanzar.

Con aplicadores automáticos, estos incluyen diversos despachadores y boquillas automáticas para utilizarse en aplicaciones de producción rápida.

Como todo proceso técnico, las uniones con adhesivos en las estructuras aeronáuticas tienen ventajas e inconvenientes, entre las ventajas se encuentran:

Son aplicables a gran variedad de materiales. Se simplifica el diseño de uniones pudiéndose unir dos superficies planas sin incorporar ni partes especiales como refuerzo ni orificios para tornillos o remaches, con lo que desaparece el riesgo potencial de grietas en la estructura. Es posible obtener un sellado al mismo tiempo que la unión. Disminuye el peso de la aeronave. Algunos adhesivos son flexibles después de la unión tolerando las cargas cíclicas y las dilataciones por temperatura de las partes unidas. Los acabados exteriores desde el punto de vista aerodinámico pueden ser muy finos y no aumentan la resistencia aerodinámica por fricción. Se pueden unir elementos de un espesor muy delgado.

Entre los inconvenientes más importantes están los procesos de fabricación y reparación de las estructuras pegadas. Los métodos de inspección de golpes o rozamientos, que son laboriosos. En muchos casos las uniones no son tan fuertes como con otros métodos, aunque la resistencia que aguantan sea la suficiente. Los tiempos de curación o vulcanización pueden ser un freno a los procesos de producción o reparación.

SOLDADURA POR FUSIÓN

La soldadura por calentamiento o fusión es un sistema de unión no mecánico de elementos metálicos que, con gran profusión y alto grado de efectividad, se utiliza en todas las ramas de la industria. La práctica totalidad de los metales se puede soldar, unos con más facilidad, como el acero, y otros necesitan técnicas especiales, como puede ser cualquier aleación del aluminio, en que, como oxida a temperaturas elevadas, se utiliza como protector un gas inerte, generalmente el helio.

Este proceso para la unión de dos metales por medio de calor y/o presión se define como la liga metalúrgica entre los átomos del metal a unir y el de aporte. En la industria actual, existen muchos procedimientos de unión de metales por soldadura, desde las antiguas soldaduras por forja a las más punteras que utilizan el rayo láser. A continuación se describen solo las más utilizadas en las estructuras de las aeronaves (que completan lo expuesto en el módulo 7.15 de la formación reglada):

Soldadura con gas. Este proceso incluye a todas las soldaduras que emplean un gas como combustible para generar la energía necesaria para el material de aporte se funda con el material de los elementos a unir. Los más utilizados son el acetileno, el metano y el hidrógeno, como combustible, combinándolo con el oxígeno como comburente. El ejemplo más idóneo es la llamada autógena.

Soldadura por resistencia. Este proceso consiste en hacer pasar una corriente eléctrica de gran intensidad a través de los metales que se van a unir. Como en la unión de los mismos la resistencia es mayor que en el resto de sus cuerpos, se generará en el punto de unión un aumento de temperatura, aprovechando esa temperatura, y con una leve y controlada presión de los electrodos se logra la unión.

Dentro de la soldadura por resistencia se incluyen procesos de **soldadura por puntos**, cuando la corriente eléctrica pasa por dos electrodos con punta. En la figura siguiente se muestra un esquema de este tipo de soldadura.

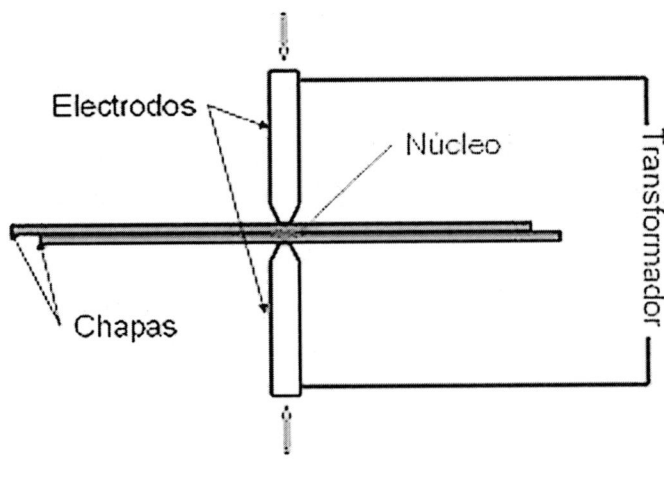

SOLDADURA POR PUNTOS

La soldadura por resaltes, este proceso es similar al de puntos, solo que con varios puntos a la vez cada vez que se genera el proceso. En la figura siguiente se muestra un ejemplo de este proceso.

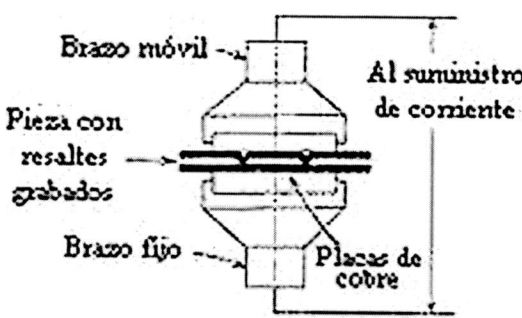

SOLDADURA POR RESALTES

La soldadura por costura, este proceso consiste en el enlace continuo de dos piezas de lámina traslapadas, la unión se produce por calentamiento obtenido por la resistencia al paso de la corriente y la presión que se ejerce por los dos electrodos circulares, es un proceso continuo en el que los rodillos giran y las piezas son las que se mueven. En la figura siguiente se muestra un esquema de este tipo de soldadura.

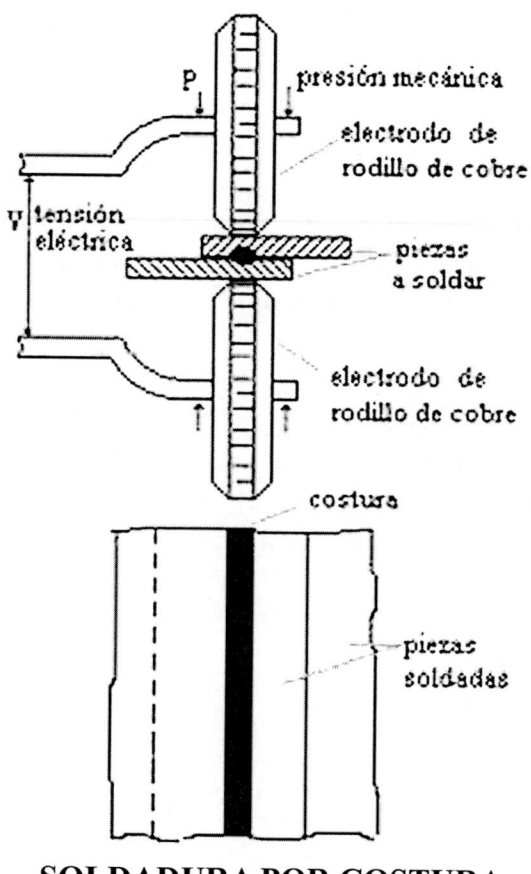

SOLDADURA POR COSTURA

La soldadura a tope consiste en la unión de dos piezas con la misma sección, que se presionan cuando está pasando por ellas la corriente eléctrica, con lo que se genera calor en las superficies de contacto, con la presión ejercida sobre ellas se logra la unión. En la figura siguiente se muestra un esquema de este tipo de unión por soldadura en varios elementos.

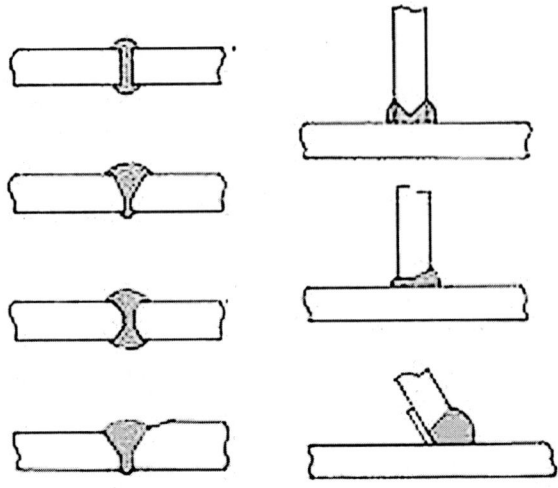

SOLDADURA A TOPE

La soldadura por arco eléctrico es un proceso en el que su energía se obtiene por medio del calor producido por un arco eléctrico que se forma entre la pieza a soldar y un electrodo que, por lo regular, sirve además como material de aporte, que se funde para que así pueda ser depositado entre las dos piezas a unir.

Para la generación del arco existen los siguientes electrodos: electrodos de carbón; electrodos metálicos y electrodos recubiertos, estos son los de mayor utilización, ya que tienen una gran gama de variedades para cada tipo de material a soldar.

Soldadura por fricción, este proceso se logra por el calor que se genera al girar una de las piezas a unir en contra de la otra, que se encuentra fija, una vez alcanzada la temperatura adecuada se ejerce presión en las dos piezas y, con ello, al enfriarse quedan unidas. En la figura siguiente se muestra un esquema de este tipo de unión.

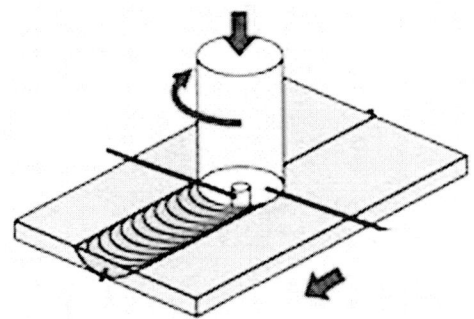

SOLDADURA POR FRICCIÓN

SOLDADURA DE LÁSER

Usando un haz de luz de intensa energía como fuente de calor, el proceso de soldadura láser opera a muy altas velocidades con baja generación de temperatura y poca o ninguna distorsión. Ya que no requiere de material de relleno, la soldadura láser también reduce costos y se presta de modo natural a la automatización de los procesos tanto estables como repetibles de la soldadura.

Con sus haces bien definidos, los láser son herramientas excelentes para soldar materiales finos generando soldaduras herméticas u operando muy cerca de otros componentes que son sensibles al calor. Aun en áreas difíciles de alcanzar se puede lograr la soldadura láser, si existe una línea de visión.

El proceso puede ser usado con casi cualquier material que se usa regularmente en la soldadura común. Sin embargo, los láseres pueden también unir materiales de difícil unión tales como aceros inoxidables de alto contenido carbónico y titanio, así como para la soldadura de materiales disimilares que en otros casos no serían compatibles.

SOLDADURA HÍBRIDA

La soldadura híbrida de láser combina un láser con otras fuentes de calor como lo son la soldadura de arco o de inducción. Típicamente, la soldadura híbrida se refiere a la combinación del láser con la soldadura de arco de metal de gas (GMAW, a veces también referida como la MIG o MAG). La intensa energía suplida por el láser combinada con la eficaz fundida del alambre por GMAW redunda en un proceso de soldadura de alta velocidad que puede rellenar aperturas o fisuras significativas entre dos superficies por juntarse. Este tipo de procesos tiene ventajas como que:

Produce un consumo mínimo de calor y por ende genera una zona calórica pequeña (HAZ). Genera una estructura de grano fino con una excelente calidad en la soldadura.

Se obtiene una alta densidad de la energía y por ende más altas velocidades de soldadura.

A menudo no se requiere de material de relleno.

Acceso de línea de visión para lugares de difícil acceso.

309

11.2. B – 3 – MÉTODOS DE PROTECCIÓN SUPERFICIAL

Todos los materiales, maderas, metálicos o compuestos, debido a los cambios físicos del ambiente atmosférico donde se encuentren, básicamente la temperatura y la humedad, son susceptibles de deterioro empezando por las capas exteriores, que son las que están en contacto con los agentes ambientales. En cuanto a las estructuras de las aeronaves, sufren con más asiduidad estos fenómenos, ya que al trasladarse varias veces al día de unos lugares a otros en los que las condiciones son muy diferentes, y a través de la atmósfera, que tiene unas condiciones físicas en las que estas condiciones se acentúan, necesitan unas protecciones superficiales más acusadas.

Las técnicas de protección superficial son muy diversas y dependen mucho del tipo de material que preservar, así que en una aeronave las técnicas también son diversas, siendo las más utilizadas:

- Sistemas basados en la interposición de productos no metálicos como los aceites de preservación, grasas o pinturas.
- El cromado y el niquelado de la superficie total o parcial del elemento metálico que proteger.
- El anodizado como proceso electroquímico para aleaciones de aluminio.
- El anodizado químico con Alodine 1200 a las superficies de aluminio.
- También en aleaciones de aluminio se utiliza el sistema de plaqueado de la superficie con aluminio puro, que, como se oxida rápidamente, proporciona una película protectora que es barrera contra la corrosión, y que no desaparece mientras no se dañe con algún método abrasivo, o con algún roce, a este material se le denomina ALCLAD y es el más utilizado en la construcción de estructuras tanto primarias como secundarias de las aeronaves.

CROMADO Y NIQUELADO

El cromado y el niquelado son dos procesos electroquímicos que cuando se utilizan como métodos de protección superficial con más o menos necesidad de que tengan un lustre o brillo, a la vez que protege al elemento contra la corrosión también sea decorativo, ya que se utilizan en un sinfín de elementos. Estos procesos electrolíticos se efectúan en la industria en cubas de galvanotecnia, y será cromado o niquelado dependiendo de si en los productos utilizados está el níquel o el cromo. Uno u otro proceso se utilizarán según las necesidades de prestación de los elementos en cuestión.

Es de resaltar que la utilización tanto de níquel como de cromo para procesos de protección superficial no tiene nada que ver con la utilización de estos mismos metales en las aleaciones de toda la gama de aceros para la construcción de piezas en las que estos materiales puedan utilizarse.

El cromado depositado electrolíticamente es un metal muy duro y tiene un mate azulado característico, así como una resistencia muy elevada a la corrosión y al deslustre. En la práctica corriente de los acabados metálicos, se aplica generalmente en forma de depósitos sumamente delgados, lo que varía dependiendo de la cantidad de corriente eléctrica que circule durante el proceso. Este tipo de recubrimiento se realiza con el fin de que además de una protección anticorrosiva, tenga un buen acabado decorativo, resistencia y protección de la corrosión.

ANODIZADO

El anodizado es un proceso electroquímico o químico que se le efectúa a las aleaciones de aluminio, mediante el cual al elemento, se le recubre de una película de alúmina de un fino espesor que dependerá del procedimiento que se emplee.

Estos dos procesos, en la construcción y mantenimiento de aeronaves, son utilizados, generalmente, el electroquímico, en la construcción de las piezas de las estructuras, y el químico es utilizado más en el mantenimiento para reparaciones parciales en las que al elemento en cuestión no se le puede aplicar otro proceso. Las piezas utilizadas en la aeronáutica se anodizan generalmente con ácido crómico, que proporciona una mayor resistencia a la corrosión.

El anodizado electrolítico, como es un proceso electroquímico, se efectúa en instalaciones industriales, en cubas de baños electrolíticos, que tienen soluciones acuosas con diversos ácidos y productos químicos llamados electrolitos. Llamamos electrólisis a los fenómenos que ocurren cuando la corriente eléctrica pasa por los electrolitos. Como consecuencia de la tensión o voltaje que se le ha aplicado al baño, las moléculas descompuestas se separan, estas cargas se depositan, las positivas, en el electrodo negativo, y las negativas, en el electrodo positivo, combinando con él si ambos materiales son favorables a la reacción química.

El anodizado químico para el técnico de mantenimiento es el más utilizado, ya que es el método más eficaz con el que cuenta, para reparar la película protectora que las piezas o zonas traen de la fábrica, ya que es el encargado en las inspecciones periódicas y en las reparaciones.

Este tipo de anodizado es el que produce en las superficies de los aluminios el Alodine 1200 en polvo que se disuelve en agua destilada al 30 % más el (4 ‰) de ácido nítrico, y se aplica a las superficies una vez que han sido preparadas, después de las reparaciones y/o inspecciones realizadas. Una vez aplicado con una brocha a toda la zona, en unos minutos adquiere un color entre dorado y cobrizo, a continuación se lava con agua la zona, que ya queda protegida.

A modo de consideraciones estándar es lógico exponer que en la mezcla de Alodine 1200 es conveniente efectuar solo la mezcla necesaria, que utilizar, ya que solo se mantiene eficaz unos quince días, pero es imprescindible que para efectuar cualquier clase de inspecciones y/o reparaciones en las aeronaves se sigan las instrucciones dadas por el manual de mantenimiento del constructor, ya que aquí solo se pueden dar unas consideraciones estándar.

<u>PINTURA</u>

De entre las formas generales de protección, tanto de piezas como del conjunto de las estructuras y los revestimientos de las aeronaves, está la pintura. Aunque en muchos elementos del proceso de pintado se efectúa parte de él antes de la mecanización o ensamblaje, generalmente el proceso de pintado es el último de la operación del ensamblaje o de reparación de una aeronave.

La operación de pintado en un avión tiene dos objetivos básicos, la protección contra la corrosión tanto del revestimiento como de la estructura y componentes, y la terminación decorativa y de imagen del operador que efectúe la explotación de la aeronave.

Los procesos de pintado están sometidos a una variación con bastante frecuencia, debido a que los avances de la química en ese campo producen pinturas que engloban varias y diferentes protecciones, o métodos de aplicación, pasando unos métodos o unos productos a ser dejados de utilizar, p.e., el empleo de productos de pre-imprimación como el "Wash primer" y otros similares.

En el pintado como en el tratamiento anticorrosión hay dos áreas definidas: el área de fabricación, donde se dispone de todos los medios necesarios para llevar a cabo todos los procesos, y el área del mantenimiento, donde se utilizan procesos más al uso, para el pintado de las partes afectadas, bien por la corrosión, por la falta de adherencia, o por golpes y reparaciones parciales que hacen no posible utilizar procedimientos de las cadenas de fabricación, aunque son igualmente eficaces a pesar de ser más manuales.

El proceso de pintado tiene varias fases:

- Limpieza y preparación de las superficies que pintar.
- Protección y delimitación de las zonas especiales que no son pintadas como cristales u otras zonas que lleven otros tratamientos.
- Aplicación de la imprimación que servirá de base para la pintura final.
- Pintado final de la superficie con los colores diseñados.
- Colocación de marcas de identificación de zonas, matrículas y otros elementos de identificación de la compañía explotadora.

La limpieza y preparación de las superficies que pintar tiene como finalidad garantizar al máximo posible la adherencia de las capas de imprimación y pintura. La limpieza puede ser sencilla cuando se trata de superficies nuevas o más compleja cuando hay que utilizar procesos de decapado, desoxidación por medio de ácidos.

Terminados los procesos de preparación mecánica y limpieza se cubren las superficies de una capa de imprimación del tipo que corresponda de entre los cuatro tipos más básicos que tiene la industria actual, que son:

- Imprimaciones alquídicas.
- Imprimaciones nitrocelulosas
- Imprimaciones de epoxi-poliamida.
- Imprimaciones de poliuretanos.

La elección del tipo de imprimación tiene relación directa con el tipo de pintura final que utilizar y con la utilización que se va a hacer de la zona que imprimir, ya sean zonas de cocinas, lavabos, bodegas, etc.

Las imprimaciones alquídicas son unos polímeros sintéticos que se forman por un proceso de reacción de polialcoholes y poliácidos que se emplean en diversos tipos de pinturas y bases anticorrosión para las mismas. Una muy utilizada en la aeronáutica durante años es la que se ajusta a la norma TT-P-1757 o imprimación de cromato de zinc en sus diferentes composiciones, que varían entre el color amarillo y el verde, dependiendo del fabricante, con el que se recubre la totalidad de la aeronave, bien en las zonas interiores, o en las exteriores, después parte de estas irán cubiertas de pintura.

Este tipo de imprimación no va bien con las lacas acrílicas y su aplicación puede ser a brocha o pulverizada.

Las imprimaciones nitrocelulosas son una variante de las alquídicas, con la diferencia de que sí se pueden pintar con productos acrílicos y que tienen un secado muy rápido pudiendo pintar encima después de 60 minutos de su aplicación, lo que acorta los procesos de fabricación de cualquier aeronave.

Las imprimaciones de epoxi-poliamidas son productos de dos componentes, el epoxi y el catalizador, se mezclan en el momento de utilizarlas. Son imprimaciones con mucho poder de anticorrosión, por lo que son ideales para las zonas interiores del fuselaje en las que existe riesgo de pérdidas de líquidos tales como hidráulicos, aguas o combustibles. Son las imprimaciones que más se utilizan en la actualidad.

Las imprimaciones de poliuretanos son de aplicación general en la actualidad, ya que sirven tanto para bases de pinturas y esmaltes de poliuretano como para utilizar sobre superficies anodizadas o tratadas con Alodine 1200.

Este tipo de imprimación y pintura nace para contrarrestar los efectos negativos que los nuevos líquidos de los sistemas hidráulicos tipo Skydrol o LD-4 producen en las pinturas, son muy resistentes a la corrosión y a las grasas.

Para el pintado final de las superficies como es el acabado final, se utilizan las lacas y los esmaltes.

Las lacas, aunque tienen un proceso de secado muy rápido, son menos resistentes a los líquidos que se emplean en los sistemas hidráulicos, por lo que su empleo es limitado.

Los esmaltes son pinturas de dos componentes (la base y el catalizador) de excelentes propiedades protectoras, los acabados son resistentes a los líquidos empleados en la aviación actual como son los Skydrol y el LD-4, también tienen una alta resistencia a los rayos UV y una gran retención del color y del brillo.

En la utilización de este tipo de pinturas es necesario respetar al máximo los procedimientos indicados por el fabricante, tales como que se debe utilizar sobre imprimación de epoxi-poliamida o de poliuretano; que después de efectuada la mezcla hay que removerla varias veces durante una media hora hasta que se efectúe la reacción química, a partir de la cual el tiempo de duración de la mezcla activa es de una seis horas con una temperatura de 25 ºC, variando hacia menor tiempo cuanto más aumenta la temperatura.

Hay algunas zonas de los aviones que por las condiciones adversas a las que se verán sometidas necesitan un tipo de pintura con mucha protección antierosiva, para zonas como los bordes de ataque de alas y empenajes, las antenas, etc., estas partes se pintan con imprimación y pintura tratada específicamente para ello. En otros casos, a estas zonas se las protege con una capa de caucho u otro material elastómero que preserva contra el granizo, lluvia o contaminación que impacte contra ellas.

11.2. B – 4 – LIMPIEZA DE SUPERFICIES

Durante el desempeño de su labor una aeronave pasa por muchas situaciones en las que el ambiente atmosférico que la rodea está contaminado de polvo en suspensión, de agua en las pistas que, al aterrizar y despegar, nieve, gases de escape de los motores, etc., forma un entorno altamente contaminante que se queda pegado a las superficies exteriores, creando la necesidad de que se efectúe una limpieza.

Los objetivos de la limpieza exterior de una aeronave son varios: el mantener limpia la imagen, el eliminar posibilidades de que se creen focos de corrosión, y permitir ver tanto picaduras de corrosión como pequeñas picaduras en la pintura producidas por golpes de piedras u otros cuerpos que puedan encontrarse en las pistas y que son levantados por las ruedas durante las operaciones de despegue o aterrizaje.

Esta operación tiene dos formas o procedimientos bien distintos, aunque con el mismo objetivo, y son: la limpieza parcial o de las zonas que más recontaminan, como las zonas barridas por los gases de escape, las zonas de influencia del tren de aterrizaje, es necesario efectuarla con bastante frecuencia y generalmente se realiza de forma manual con bayetas y los detergentes adecuados que no dañen la pintura. La otra forma es la que se utiliza con mayor intervalo de tiempo, llevando el avión a las zonas destinadas a tal fin y utilizando medios mecánicos apropiados, que pueden ir desde cestas elevadoras con cañones de agua caliente, cepillos y espumas detergentes, hasta el moderno túnel del aeropuerto de Shibayama (Japón), que es adaptable a varios tipos de aviones de gran tamaño y a varios niveles de lavado.

Tanto en los procedimientos como en la elección de los productos detergentes es necesario hacer mucho hincapié en que se respeten las normas, productos detergentes y procedimientos de aplicación que el fabricante da en los manuales para no dañar ni pinturas ni elementos como juntas, pasatabiques u otros elementos que pueden deteriorarse con el contacto con algún tipo de detergente. En el lavado a máquina es de suma importancia que los chorros de agua o detergente no introduzcan agua a través de los huecos de ventilación ni a lugares internos de difícil acceso, porque se quedará acumulada y será un seguro foco de corrosión.

Si durante la limpieza se observan pequeños focos de corrosión o golpes que hayan saltado la pintura es necesario corregirlo limpiando la corrosión, decapando primero la pintura, y después de conformar la superficie, efectuar los tratamientos de anodizado y la imprimación para volver a pintar la zona.

11.2. B – 5 – SIMETRÍA DE LA CÉLULA: MÉTODOS DE ALINEACIÓN Y COMPROBACIÓN DE LA SIMETRÍA

Una de las condiciones para que un avión sea capaz de volar, de no producir vibraciones ni desequilibrios, y que se pueda maniobrar como se desee, es que el centro de gravedad esté, ya desde el diseño, debidamente localizado, que sus variaciones en cada vuelo se puedan tener en cuenta a la hora de programar el centrado para cada vuelo; que los demás elementos de la aeronave estén correctamente situados con respecto a este punto que estará localizado en el cruce de los tres ejes básicos del avión. En el capítulo 11.1 se presentan con claridad estos ejes y la influencia que en la estabilidad tiene tanto la flecha del ala como el diedro.

La simetría de forma, a cada lado del eje longitudinal, tiene que ser precisa, porque si no un ala tendría más sustentación que la otra. La simetría no se puede dar con respecto de los otros dos ejes, pero si se consigue la estabilidad colocando los empenajes de cola y los controles a la distancia correcta del centro, para que los giros alrededor de los ejes transversal y vertical se puedan hacer moviendo los mandos de control del vuelo.

Si un avión está bien diseñado decimos que está compensado, cuando en vuelo, una vez ajustada la posición deseada, se sueltan los mandos y continúa con la condición de vuelo elegida sin ejercer ninguna acción sobre los mandos, es decir, que no se mueve en ninguno de los seis grados de libertad que tiene (tres de rotación sobre los ejes y tres de traslación sobre los mismos).

Cuando un avión sale de fábrica se da por supuesto que está correcto en todos sus performances de simetría, para comprobación de que a lo largo de la vida de la aeronave, estas medidas se mantienen dentro de las normas establecidas, el fabricante coloca unas marcas y puntos de comprobación a lo largo de su estructura exterior, generalmente unos remaches y marcas de pintura, identificadas en los manuales, que son las que se utilizan para comprobar periódicamente si la aeronave conserva las medidas originales o ha sufrido deformaciones que le pudieran llevar a situaciones no deseadas.

Los periodos de comprobación están bien descritos en los manuales y son: por calendario, porque el comportamiento del avión en vuelo haga sospechar que no está bien alineado, o porque se le efectúen reparaciones o reformas que puedan afectar a las medidas o pesos originales.

Los métodos de reglajes son: la comprobación de medidas con cinta métrica adecuada, o con instrumentos. El primero, al no ser de mucha precisión, se utiliza en aviones ligeros, pequeños y de baja velocidad, no es necesario elevar el avión nivelado, y como herramienta basta una cinta métrica adecuada, de los resultados de una comprobación de este tipo puede evidenciarse la necesidad de efectuar una comprobación con instrumentos.

En cuanto a las comprobaciones que efectuar con instrumentos, es necesario disponer de medios como hangar, gatos para elevación del avión... y colocarlo en posición de vuelo nivelado, niveles graduados para los ejes de cabeceo y alabeo (pitch y roll), escuadras para comprobar el diedro y el ángulo de incidencia, un teodolito y plomada, que en muchos modelos trae incorporada en una pinza de almacenaje. En la siguiente figura se muestra la zona donde tiene instalados los aviones fabricados por Mc.Donnell Douglas los soportes para la comprobación del nivelado del avión con la correspondiente plomada.

Una vez situado el avión en la posición indicada se van comprobando uno a uno los pasos indicados en el procedimiento del manual diseñado por el fabricante, haciendo pasar el rayo del teodolito por los puntos indicados y se comprobará si las medidas indicadas se conservan dentro de las tolerancias que indica el fabricante.

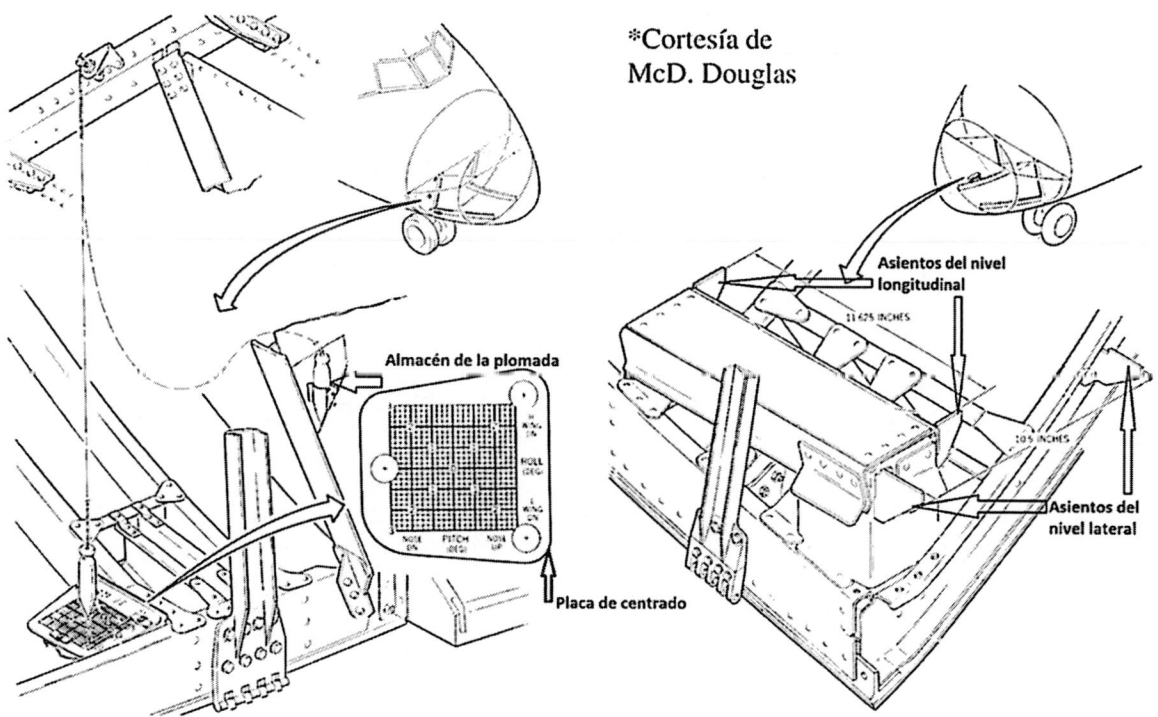

PUNTOS DE APOYO DE LOS NIVELES PARA LA
COMPROBACIÓN DE LAS MEDIDAS Y ALINEACIONES

11.3 – ESTRUCTURA DE LA CÉLULA. AVIONES

11.3 – 0 – GENERALIDADES (FUSELAJE, PUERTAS – VENTANAS Y PARABRISAS)

Se llama célula a la estructura de un aeroplano excluido el sistema moto propulsor, es decir, comprende el conjunto de las alas, el fuselaje y el empenaje de cola. La célula de un avión debe generar la sustentación necesaria para poder vencer la fuerza de la gravedad, generar una resistencia aerodinámica lo más pequeña posible para poder maniobrar y controlar el avión en vuelo.

Por otra parte, la célula debe proporcionar prestaciones tales como: lo necesario para instalar la planta de potencia, espacio para alojar los equipos, ubicar a la tripulación, a los pasajeros con sus equipajes, a la carga comercial y al combustible para los motores.

La célula debe tener muy buena relación peso-resistencia, ya que debe resistir con mucha seguridad las cargas que por diversas causas tendrá que soportar tanto en el aire, al maniobrar en las tres dimensiones, como en tierra, al moverse en la circulación por las pistas, en los despegues o en los aterrizajes.

Generalmente, para los diseños de la célula de un avión en la actualidad se utilizan márgenes en torno al 150 % de las cargas previstas que soportar aun en las peores condiciones, márgenes que proporcionan un alto grado de seguridad.

Para poder comprender bien todas estas necesidades y prestaciones necesarias, sin entrar en áreas del diseño, que no es el objetivo de este capítulo, que va dirigido a la formación de técnicos en el área del mantenimiento aeronáutico, se describen a continuación muy someramente unas definiciones y tipos de cargas que afectan a las aeronaves en general, y en particular a los aviones de turbina, que son el objetivo de este capítulo:

FACTOR DE CARGA:

Es la carga que actúa sobre la estructura del avión como múltiplo de la aceleración de la gravedad, o sea, una medida del valor de la fuerza aerodinámica cuando se toma como unidad el peso de la aeronave; en el caso de un vuelo horizontal y rectilíneo, el factor de carga normal sería uno. Por ejemplo, si se dice que un avión ha estado sometido a un factor de carga 3 g su estructura ha sufrido una carga tres veces superior a la de su propio peso.

Un factor importante es la duración del desequilibrio de las cargas, así, las debidas a las maniobras, suelen tener más duración que las producidas por rachas de viento cambiante, que son las que producen más elevados factores de carga.

Otro dato importante en cuanto al valor del factor de carga vendrá dado por el destino que se le va a dar a la aeronave, ya que para la aviación militar de caza se sobrepasa el 8,5 o 9 y para la aviación comercial de transporte de carga y pasajeros el factor de carga está entre valores de 2,5 a 3, el resto de las utilizaciones de las aeronaves se mantienen entre estos dos grupos de valores.

CARGAS AÉREAS O GENERADAS POR EL AIRE:

Son las cargas externas que actúan sobre un avión, provenientes del aire, en forma de cargas de maniobra, turbulencias, rachas de viento, etc.; son imprevisibles, ya que la atmósfera es muy cambiante en cuanto a velocidad y dirección de los vientos. Las cargas de maniobra se producen cuando se modifica la posición del avión en el aire mediante el movimiento de las superficies de control, por ejemplo, cuando se mueven los alerones, se origina un balanceo desequilibrando las cargas de las alas.

Las cargas de torsión sobre el fuselaje son soportadas primeramente por los esfuerzos tangenciales sobre el revestimiento, que se producen directamente, o por el desarrollo de campos de tensión en los entrepaños del fuselaje entre los larguerillos, las cuadernas y los mamparos.

CARGAS DE SUELO:

Son las producidas durante las operaciones de despegue, aterrizaje, circulación por las pistas, operaciones de mantenimiento o cualquiera que se produzca mientras el avión esté apoyado en el suelo.

Conceptos como fuerzas de tensión, de compresión, de cizallamiento. Las cargas de fatiga, entre otras, son también importantes en el diseño de las estructuras de las aeronaves y con un buen diseño de sistemas y estructuras se consiguen para las mismas bajos niveles de esfuerzo que proporcionan una vida más larga a la aeronave, además de un más bajo coste de su mantenimiento.

En los siguientes capítulos se trata cuanto afecta al mantenimiento con la profundidad necesaria, la célula por partes: fuselaje, puertas, ventanas y parabrisas, alas, estabilizadores, superficies de mando y góndolas y voladizos.

11.3 – 1 – FUSELAJE (ATA 53)

El fuselaje es el cuerpo estructural central de una aeronave, en la aviación histórica tenía la misión de unir todos los elementos que componían la célula, se construía con tubos o maderas reforzadas sin recubrimiento, con cierta similitud de jaula. A medida que el medio avanzaba y las necesidades de utilización de los aviones aumentaban, el fuselaje fue sufriendo grandes variaciones en su construcción.

Primeramente se le dota de un recubrimiento que protegiera a la tripulación, con una forma más o menos aerodinámica, al comprobar que el recubrimiento reducía mucho la resistencia al avance del avión, se les va dotando de formas cada vez más aerodinámicas, los recubrimientos son de tela tratada para su endurecimiento con resinas. A la vez también se van carenando los motores, el tren de aterrizaje y demás elementos, con el objetivo de disminuir al máximo posible la resistencia al avance.

En la figura siguiente se presentan tres tipos de fuselaje, uno de armazón primitivo, uno semimonocasco y otro monocasco.

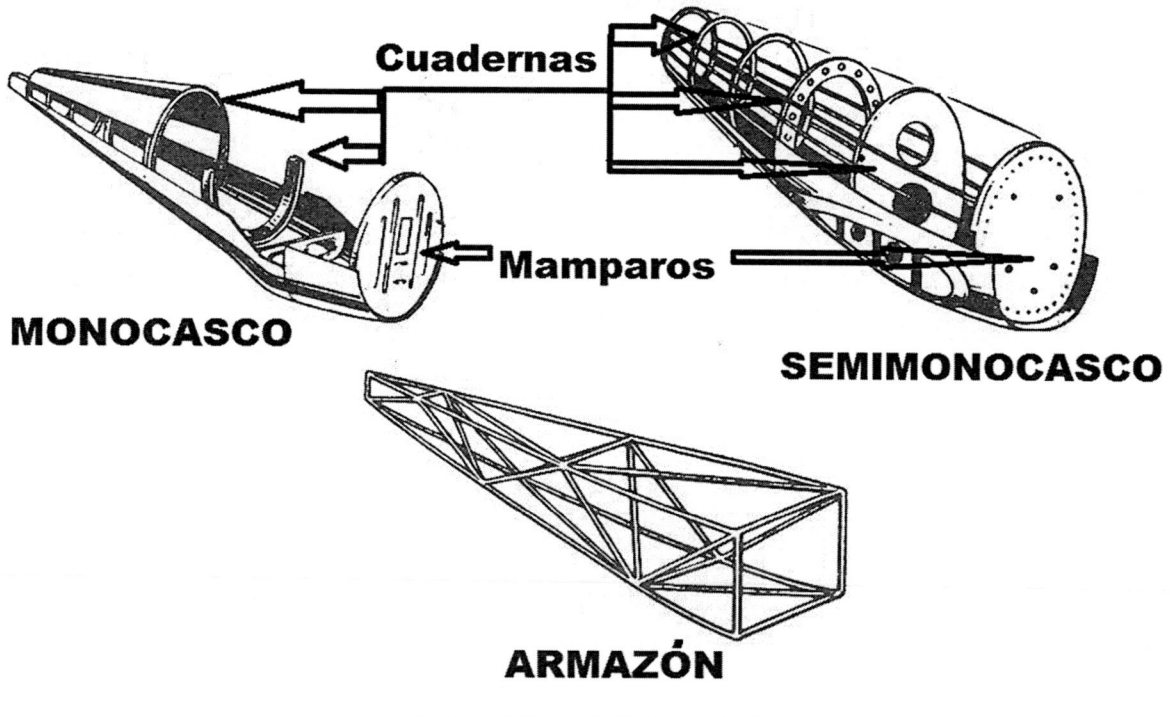

TIPOS DE FUSELAJES

El **fuselaje de armazón**, también llamado reticular, se fabrica con tubos de acero con soldaduras reforzadas, que son los elementos que van a soportar las cargas y que darán rigidez a la estructura, que, después será conformada con unas cuadernas de madera o metal y una cubierta de tela que después de ser tratada con las correspondientes resinas, da forma aerodinámica al fuselaje. Este tipo de fuselaje, llamado también de revestimiento "no trabajando", es utilizado en aviones ligeros de la llamada aviación general.

El **fuselaje monocasco** es una estructura que integra en un solo cuerpo la estructura y el recubrimiento, formando un cuerpo hueco en el que alojar los elementos de que vaya a ser objeto el avión, el revestimiento es metálico, generalmente, de chapa de alguna aleación de aluminio, conformadas en su interior por una serie de armaduras perpendiculares llamadas cuadernas, remachadas al revestimiento formando una estructura resistente capaz de soportar las cargas aerodinámicas, esta estructura necesita un revestimiento bastante grueso, lo que da como resultado un fuselaje pesado, por lo que se emplea poco y en aviones pequeños, también es empleado en aplicaciones militares como misiles o aviones teledirigidos.

El **fuselaje semimonocasco** es el fuselaje estándar en la actualidad para los aviones de transporte de pasajeros o de carga, es de revestimiento trabajando, y está formado por unas cuadernas unidas entre sí por unos largueros longitudinales y unos larguerillos intermedios de refuerzo.

Las cuadernas están formadas por sectores de perfiles con nervios y formas apropiadas, que unidos por remaches forman el aro de la cuaderna a la que se fijan los largueros longitudinales, que son de perfil con nervios bordeados que le confieren mucha resistencia, y los larguerillos de refuerzo, que son de perfil similar a los largueros. A esta estructura se fijan las vigas del piso y los herrajes, refuerzos y carriles donde irán fijados los correspondientes elementos necesarios para desarrollar el trabajo para el que esté diseñado el avión. Toda esta estructura se reviste con una plancha metálica de aleación de aluminio de la serie 7000 y de un grosor apropiado al esfuerzo que ha de soportar en cada zona, que se fijará a la estructura mediante remaches, tornillos y pegado, lo que formará la estructura completa del fuselaje.

En zonas en las que, además de las cargas aerodinámicas y de suelo, se tienen que soportar altas temperaturas, el revestimiento es de aleación de acero con titanio, si por el contrario lo que se necesita es cubrir el riesgo de corrosión, el revestimiento será de aleaciones de aceros inoxidables. En la actualidad y con el progreso de los métodos de utilización de los composites y pegamentos y de las fibras de vidrio y carbono, se está desarrollando para algunas zonas tanto de fuselaje como de otros elementos, los revestimientos de estos materiales que proporcionan las prestaciones adecuadas y tienen menor peso.

En la figura siguiente se muestran dos formas de fuselaje de dos aviones actuales de diferente fabricante.

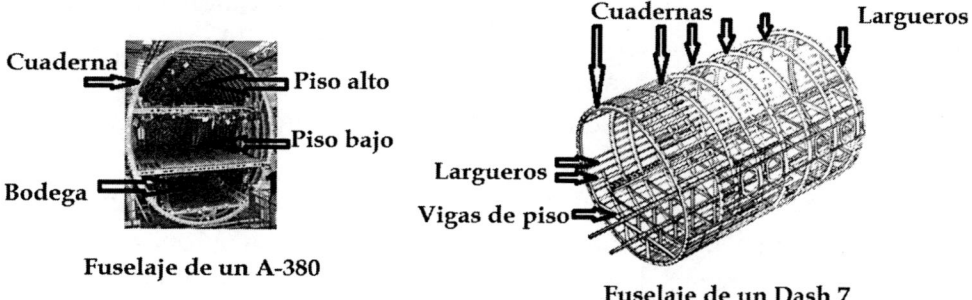

Fuselaje de un A-380

Fuselaje de un Dash 7

FUSELAJES SEMIMONOCASCO

Cuando se comienzan a utilizar los materiales metálicos en la fabricación de las estructuras y de los revestimientos, los fuselajes sufren unos cambios muy acusados que generalmente van proporcionando al avión un mayor espacio útil en el interior de los mismos, por lo que cada vez más se van adaptando los diseños a las necesidades de utilización de los aviones. Al volar los aviones cada vez a mayor nivel de altura y mayor velocidad, surge la necesidad de mantener dentro del fuselaje una presión en la que las personas puedan respirar sin ninguna protección. Al tener que mantener una presión determinada dentro del fuselaje, llega la necesidad de que el espacio interior del fuselaje tiene que ser estanco, para lo cual es necesario sellar las piezas que lo componen, y las puertas, ventanas y registros de acceso a las diferentes zonas deberán ser dotados de juntas de estanqueidad.

PARTES DEL FUSELAJE

En el fuselaje hay tres partes claramente diferenciadas: **fuselaje anterior**, **fuselaje central** y **fuselaje posterior**. En el **fuselaje anterior** se instala la tripulación técnica, los mandos de control de la aeronave, la instrumentación de información a la tripulación del funcionamiento de los diferentes sistemas, de información sobre la navegación, mandos de control de los sistemas, comunicaciones, ubicación de todos los equipos y computadores que permiten que los sistemas funcionen, es zona presurizada.

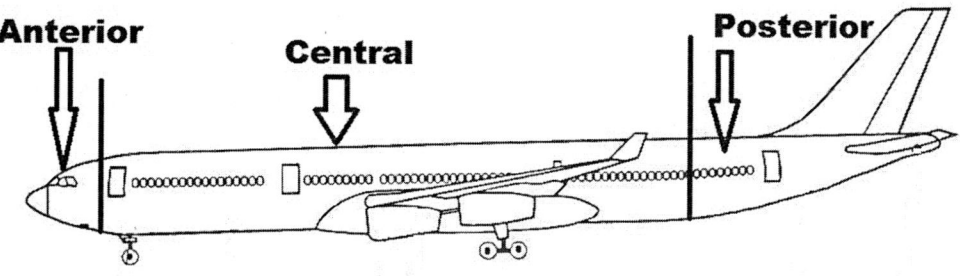

PARTES DEL FUSELAJE

325

El **fuselaje central** está destinado a la ubicación de pasajeros, carga comercial, cocinas y servicios, parte del almacenamiento de combustible, fijación de las alas al resto de la célula, o la sujeción de todo o parte del tren de aterrizaje, también alojará todos los sistemas exclusivos necesarios para desarrollar la actividad a la que se destine la aeronave, como para un avión carguero, los sistemas de arrastre de los contenedores, o para un avión de pasajeros de gran tamaño y autonomía, los asientos o los sistemas de avisos y entretenimiento de los pasajeros, en aviones de gran tamaño también hay un departamento donde se instalan los equipos eléctricos y electrónicos de los sistemas y de la planta de potencia.

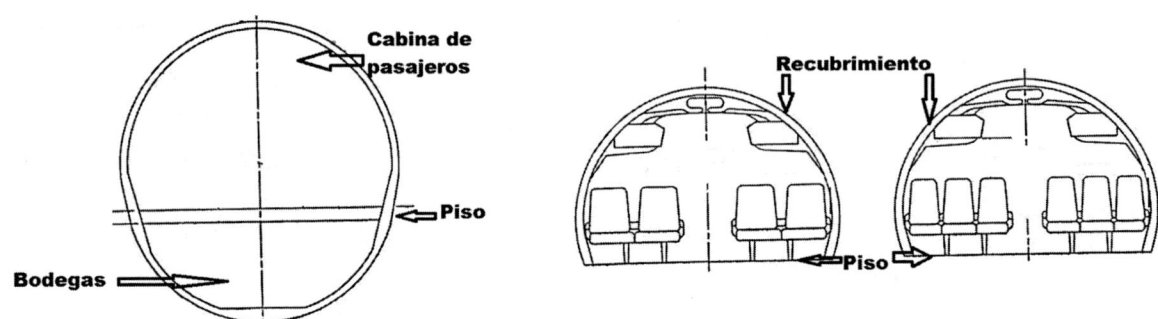

SECCIONES DE FUSELAJES

Si el avión es de cabina presurizada el fuselaje central será estanco, sellado en el momento del ensamblaje y fijación de los elementos que lo componen, dispondrá de puertas de acceso y de evacuación en caso de emergencia, de ventanillas a lo largo de las dos partes de la práctica totalidad de su longitud.

El **fuselaje posterior** o parte final del fuselaje lleva el ensamblaje de sujeción del empenaje de cola, la ubicación de los motores si es de cola alta y motores en esa zona, si es carguero con acceso por la cola, llevará en la parte inferior la puerta-rampa que permite el acceso de la carga, hay diseños para algunos modelos de avión, como los de Douglas en las series MD o los Boeing 727, que tienen el acceso de pasajeros a través de una puerta en el tabique de presión posterior y una escalera abatible que, recogida, queda en el interior del fuselaje. Si el avión es de cola baja en el fuselaje posterior irán ensamblados directamente los estabilizadores horizontales y el vertical, si es de cola alta irá unido al fuselaje solo el estabilizador vertical. En la figura siguiente se muestra una unión de un estabilizador horizontal con uno vertical en un avión de cola alta.

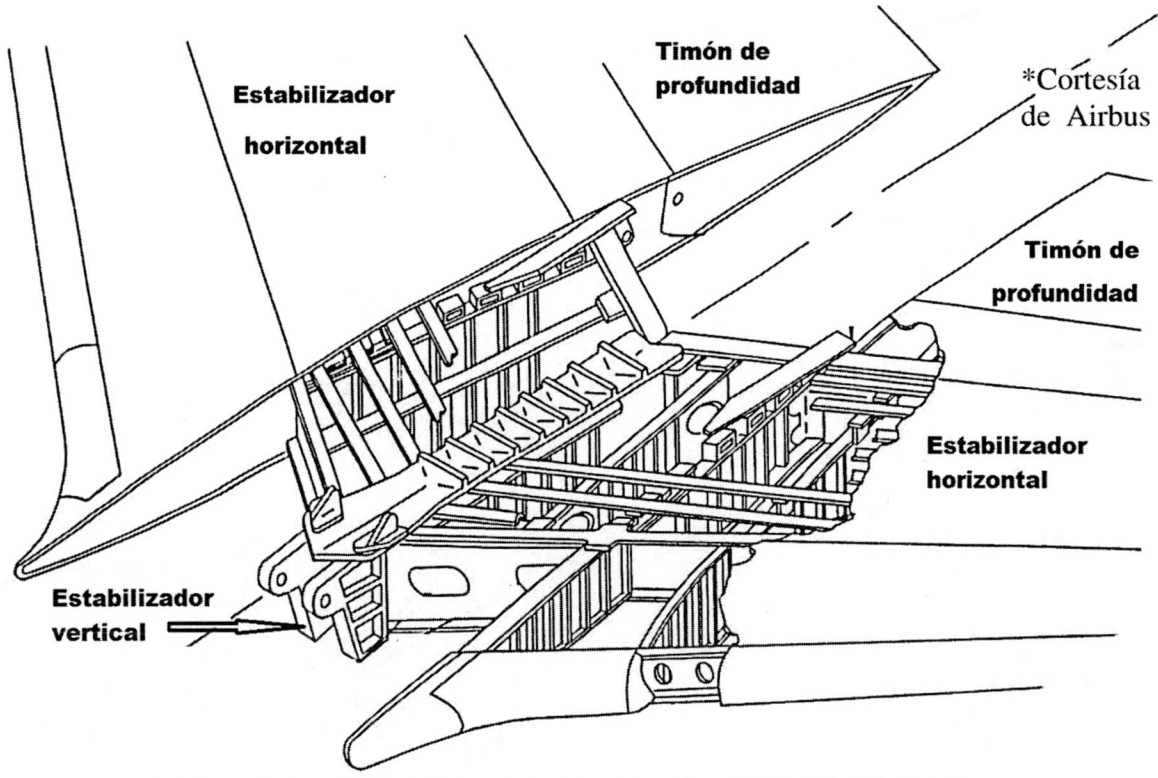

Estabilizador horizontal

Timón de profundidad

*Cortesía de Airbus

Timón de profundidad

Estabilizador horizontal

Estabilizador vertical

UNIÓN DE UN ESTABILIZADOR HORIZONTAL CON UN ESTABILIZADOR VERTICAL

En aviones actuales en la parte inferior del fuselaje se instala un patín con la misión de que, si al despegar o al aterrizar lo hace con un ángulo de ataque demasiado pronunciado, roce contra el suelo y no produzca daños en la estructura, este dispositivo está tratado en el módulo 11.13 ("Tren de aterrizaje").

CONO DE COLA

La última parte del fuselaje posterior termina en forma cónica, que, en algunos casos como los aviones de la familia Douglas, es lanzable en caso de emergencia y al caer activa un mecanismo de despliegue de rampa neumática, dejando practicable una salida de personas. El cono de cola cuando es lanzable está construido con materiales como fibra de vidrio y Kevlar con núcleo de poliamida en forma de panel de abeja, que lo hace un elemento ligero de peso, está unido al fuselaje por medio de unos cierres accionados por muelles que se alojan en unos anillos en el fuselaje.

Los cierres tienen una palanca de bloqueo cada uno, unidas por un sistema de cables de acero que llegan a dos puntos de lanzamiento manuales, uno con acceso desde el exterior del avión y otro desde el interior del fuselaje, a este punto del sistema

327

también llega mediante cable de acero la señal de lanzamiento automático cuando se abra la puerta del mamparo posterior sin desactivar el mecanismo de lanzamiento. En la siguiente figura se presenta un cono de cola lanzable de un avión Douglas de la serie MD con los broches de fijación al fuselaje.

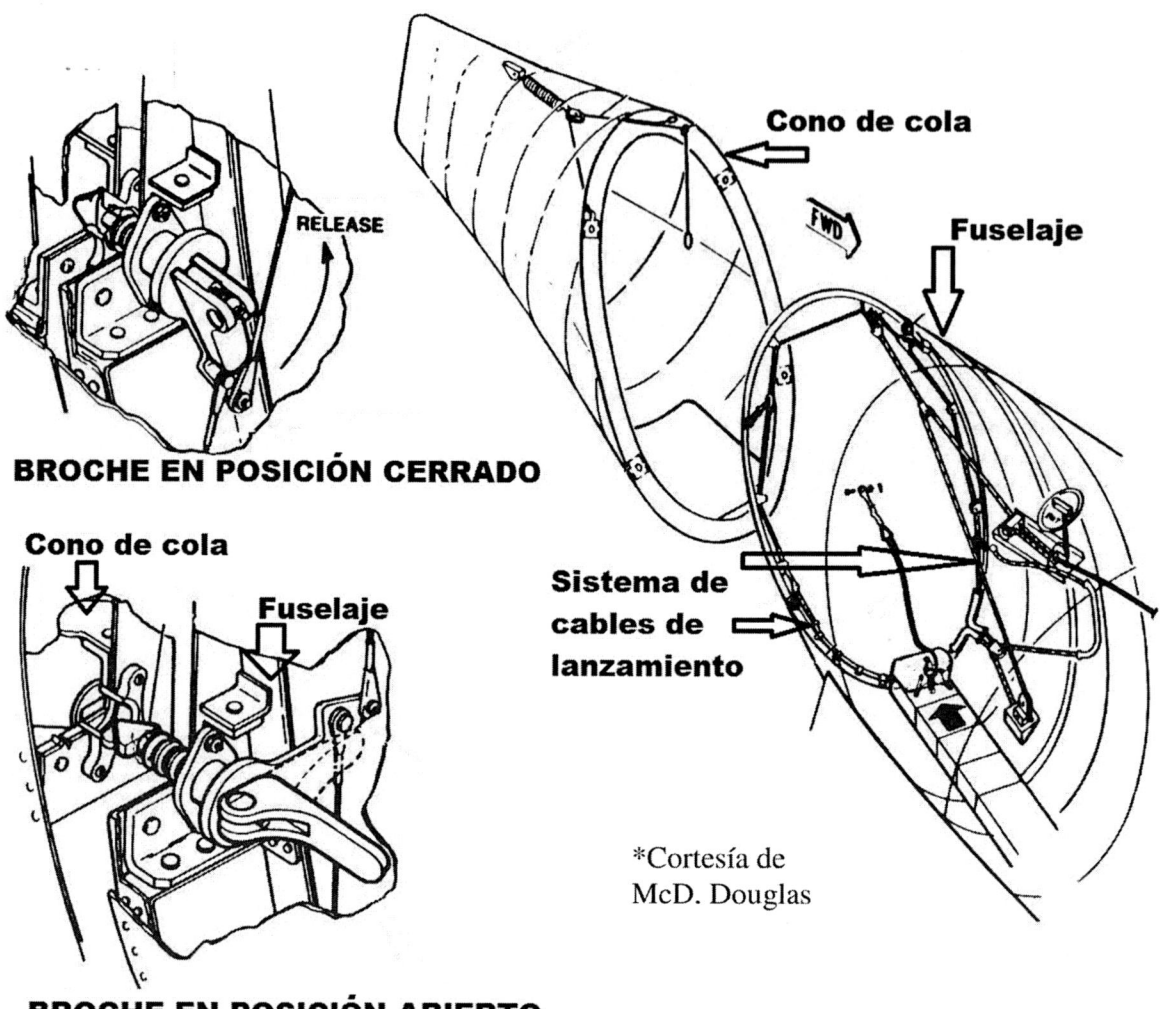

BROCHE EN POSICIÓN CERRADO

BROCHE EN POSICIÓN ABIERTO

*Cortesía de McD. Douglas

CONO DE COLA LANZABLE

En caso de otros aviones en que el cono de cola no es lanzable, simplemente es la terminación cónica o en caso de que la aeronave esté dotada de unidad de potencia auxiliar (APU), es en el cono de cola donde la mayoría de los fabricantes instalan dicho elemento.

En la figura siguiente se muestra un cono de cola de un avión del fabricante Airbus donde se observa cómo se instala la unidad de potencia auxiliar (APU) en el interior del cono de cola, es similar en varios de sus modelos A-320, A-340 o A-380. Otros fabricantes como Boeing, en sus aviones civiles también lo instalan así. En casos de aviones de carga con puerta de rampa de acceso en la cola, el cono de cola no suele contener el APU. En aviones de pequeño tamaño como los Bombardier CRJ, o similares el APU, se instala detrás del mamparo posterior de presión, ya que estructuralmente debido al tamaño, el fuselaje posterior y el cono de cola casi no se diferencian.

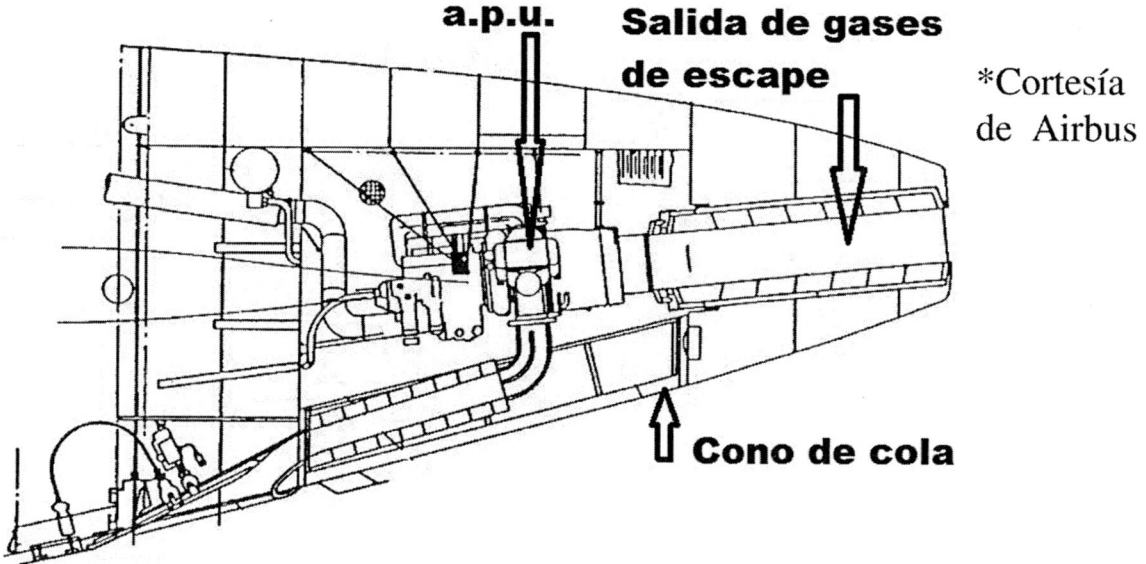

CONO DE COLA CON APU

11.3.1 – 1 – FABRICACIÓN Y SELLADO DE LA PRESURIZACIÓN

En la fabricación del fuselaje se diferencian varios tipos, el **tipo de armazón**, que al consistir en una estructura tubular, con materiales como acero, aluminio u otros materiales, una vez unidos por remaches, tornillos o soldaduras forman un conjunto rígido, que se recubre con tela tratada con resinas, con lámina de aluminio y acero, según las zonas, o con placas de fibras de vidrio reforzadas con resinas epóxicas. Este tipo de construcción generalmente se utiliza en la aviación ligera y en lo que se llama aviación histórica, las más conocidas son las estructuras llamadas Pratt o las denominadas Warren.

Para las construcciones de fuselajes del tipo **monocasco**, son de una estructura con revestimiento resistente, que junto con el resto de componentes como cuadernas y largueros, proporcionan la resistencia a todo el conjunto. Se emplean piezas de aleaciones ligeras, de amplia sección, que, remachadas al revestimiento, aumentan la estabilidad del conjunto frente a las cargas que ha de soportar el fuselaje. El resultado es un fuselaje resistente, ligero, pero de laboriosas reparaciones, se utiliza en aviones o zonas en las que no es necesario practicar aberturas, o estas son de poca superficie, por lo que se utiliza en aviones de pequeño tamaño en la aviación ligera. En la figura siguiente se presenta un ejemplo de este tipo de fuselaje en un avión E-26 Tamiz utilizado en las primeras etapas del aprendizaje del vuelo.

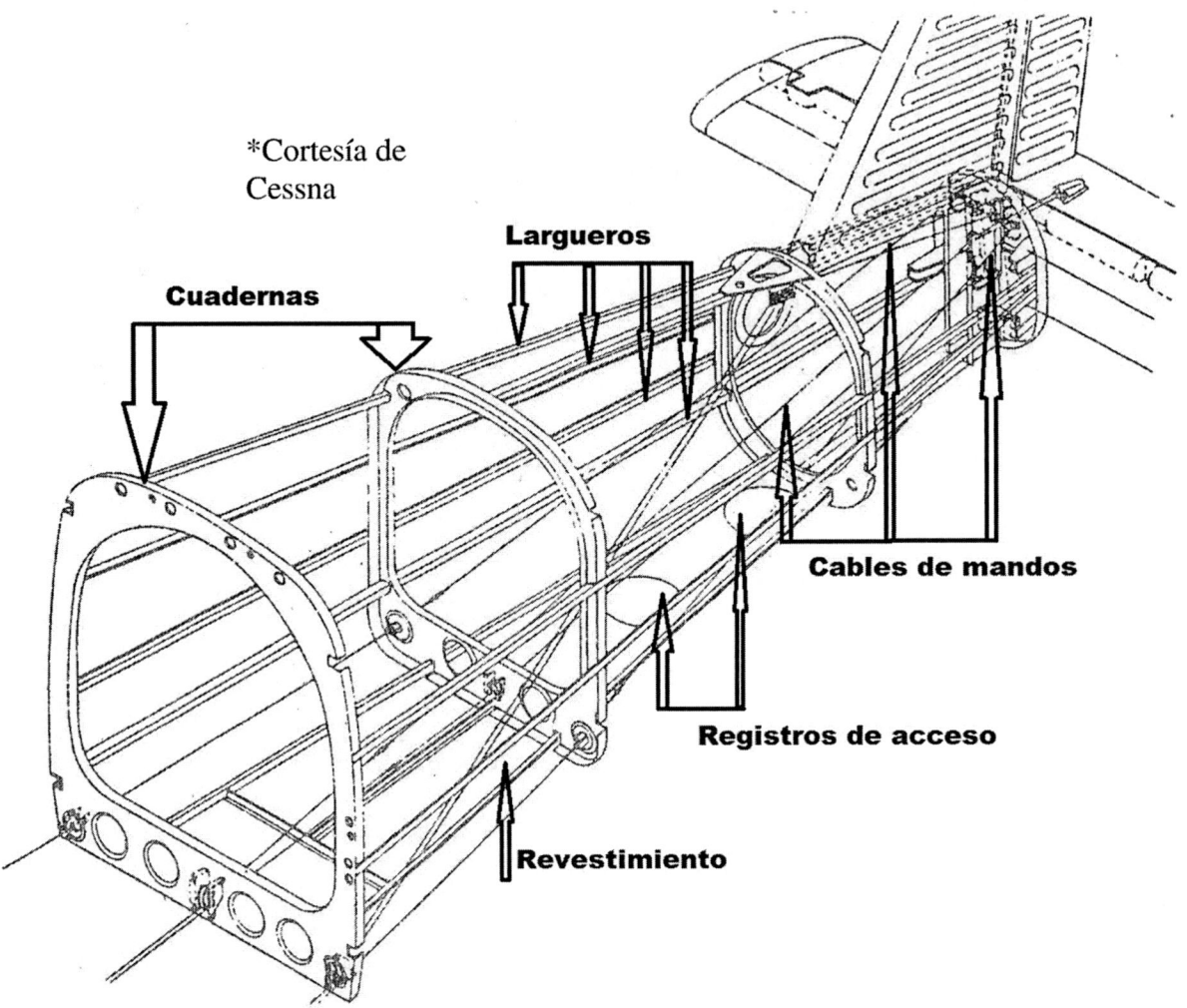

*Cortesía de Cessna

FUSELAJE MONOCASCO LIGERO

La estructura de **fuselaje semimonocasco** es la más utilizada en toda la aviación comercial, ya que permite un gran espacio libre en el interior de las cuadernas. La estructura está compuesta por cuadernas transversales, largueros longitudinales, revestimiento, mamparos de presión anterior y posterior, vigas laterales y vigas de expansión para las zonas de encastre de las alas. Las secciones transversales varían bastante y están definidas por el tipo de avión diseñado, tienen formas circulares, desde casos con solo un radio, o la más general, que es la formada por dos secciones circunferenciales de distinto radio unidas en las zonas de las vigas laterales, que unidas al revestimiento y a los largueros transversales forman el piso de la cabina superior donde están los asientos y demás elementos internos necesarios para la utilidad a que se destina el avión.

En la figura siguiente se muestran varias secciones de los fuselajes empleados en diferentes tipos de avión.

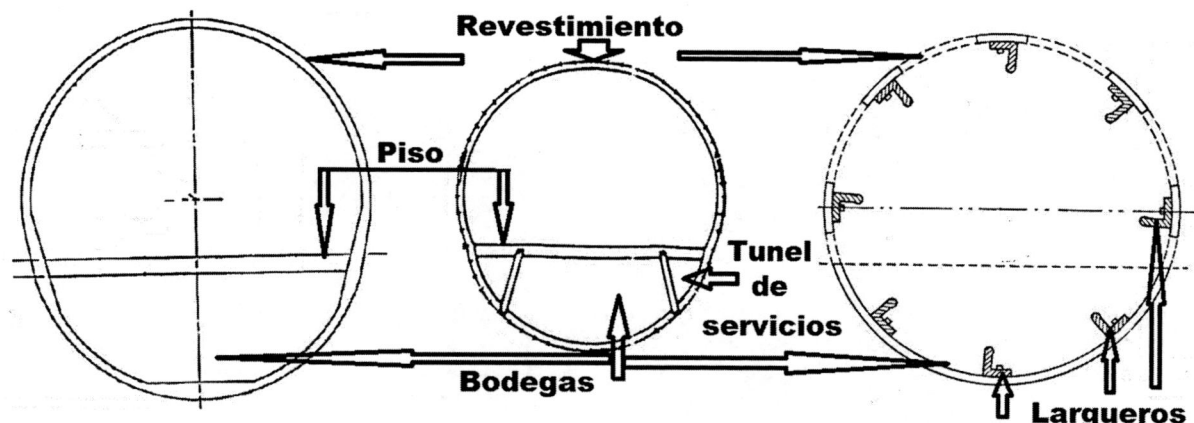

SECCIONES DE FUSELAJES SEMIMONOCASCO

Los espacios de la parte inferior del piso se utilizan generalmente como bodegas de carga, compartimientos de accesorios y equipos y alojamiento de elementos de diferentes sistemas.

La utilización como espacio comercial de los espacios interiores del fuselaje se utiliza en aviones de este tipo, la presurización de los mismos, manteniendo una presión constante y controlada dentro de los valores necesarios permite a la tripulación y pasajeros un desenvolvimiento normal de las funciones vitales, durante el tiempo que dure el vuelo, para conseguir la estanqueidad necesaria se utilizan en los mamparos de presión que son atravesados por tubos, cables de mando o instalaciones eléctricas unos pasatabiques de goma o siliconas que permiten el ajuste sin riesgo de daños, para las puertas y registros se utilizan las juntas de silicona inflables con la presurización, y ya en la construcción del fuselaje se utiliza el sellado de todas las piezas y uniones que componen la estructura.

Cuando se incluye la presurización, los fuselajes presurizados deben soportar cargas adicionales ejercidas por la presión interior, que será lo más estable posible, y la variación de presión en el exterior, que irá disminuyendo según el avión va tomando altitud, lo que crea una presión diferencial que será la que soporta el fuselaje.

Para solucionar este problema se diseñan las "cubiertas flotantes", en las que la unión entre la cuaderna y el recubrimiento mantiene su capacidad de resistencia a la fatiga de las juntas y uniones remachadas y permiten que el recubrimiento pueda

331

expandirse uniformemente por la acción de la presión interna. En la figura siguiente se muestra un fuselaje semimonocasco presurizado con los detalles de la unión de las cuadernas con el revestimiento.

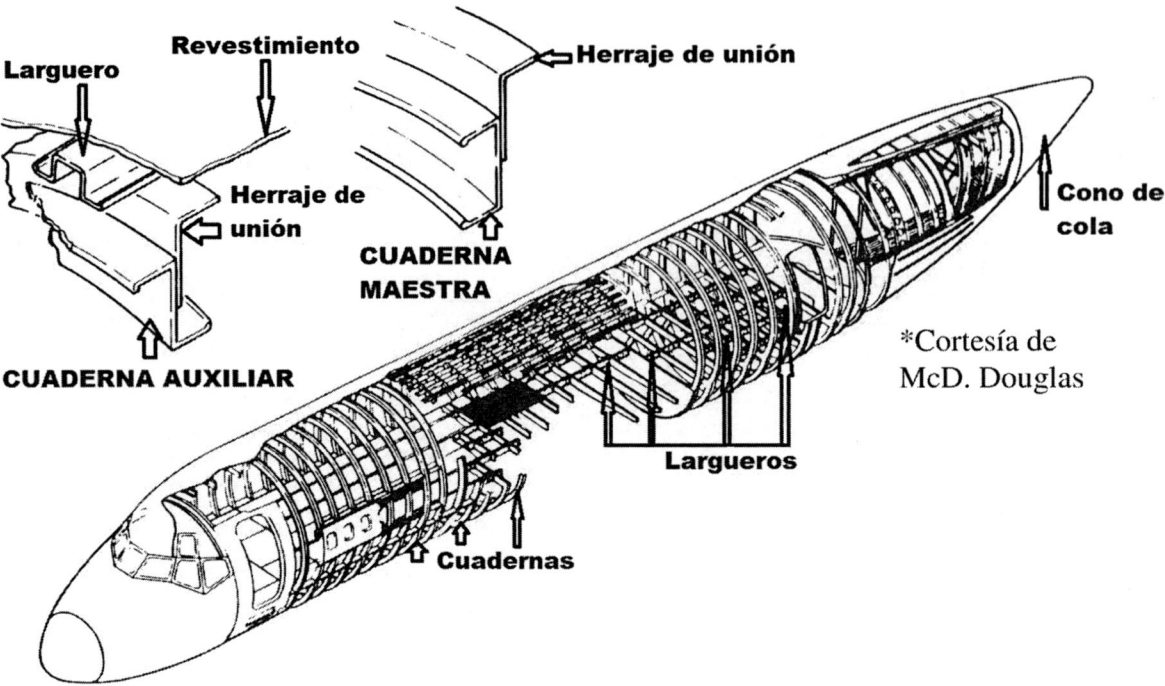

FUSELAJE SEMIMONOCASCO DE CUBIERTA FLOTANTE

En este tipo de fuselajes es necesario poner especial atención en las inspecciones a la fatiga en las juntas y uniones, en los bordes de las aberturas practicadas para puertas, ventanas, y los diferentes registros y sellos de pasos de instalaciones, la presión de los cristales, etc., para detectar posibles grietas producidas principalmente por los sucesivos cambios de régimen de presión, que la aeronave sufre en cada vuelo, para evitar una descompresión explosiva si el revestimiento se perfora desde el interior, o desde el exterior por parte de algún golpe o roce en tierra o algún choque con un ave en vuelo.

<u>LAS CUADERNAS</u>

Las cuadernas son los elementos transversales de la estructura de un fuselaje del tipo monocasco o semimonocasco, según las cargas que tienen que absorber y repartir, las cuadernas son: **principales o maestras** y **auxiliares**, las **principales** son las que se sitúan en zonas de mayor carga que soportar, como las de encastre de las alas, y si los motores están ubicados en el fuselaje, las que corresponden con la zona de unión del voladizo de los motores, generalmente están fabricadas con aleación de aluminio extruido en forma de **U** y con piezas de forja mecanizadas situadas debajo de la línea de ventanillas, o en zonas en las que se calcula que tienen que soportar mayores esfuerzos, para esas zonas otros diseñadores optan por disminuir la distancia entre cuadernas, lo que aumenta la capacidad de resistencia a las cargas, o también colocar cuadernas reforzadoras que cumplan el mismo cometido.

Las cuadernas **auxiliares** son todas las demás, normalmente están construidas con aleación de aluminio de chapa laminada con perfiles en forma de **Z**. Las cuadernas están unidas al revestimiento y a los largueros mediante remaches. En la figura anterior se presenta un ejemplo de unión de cuadernas con el resto de la estructura en una zona de unión de dos tramos de fuselaje.

En general, las cuadernas que conforman la parte delantera, donde se ubica la cabina de mandos, son más anchas que las del resto del fuselaje, tienen mayor espesor de material y este es material más resistente, están reforzadas con chapas de refuerzo intercostales y herrajes, lo que proporciona gran resistencia estructural en la zona de choque contra el aire teniendo en cuenta las grandes velocidades que se desarrollan en la actualidad.

LOS LARGUEROS

Los largueros son los elementos que junto con las cuadernas conforman la forma del fuselaje, están situados sobre el perímetro del mismo, distantes entre 7 y 10 pulgadas aproximadamente, depende del tamaño y del diseñado, van fijados a las cuadernas y proporcionan sujeción en sentido longitudinal al recubrimiento exterior del fuselaje, los distintos elementos que lo conforman también están unidos entre sí por remaches.

VIGAS LATERALES, VIGAS DE EXPANSIÓN Y VIGA QUILLA

Son tres tipos de vigas que se utilizan como refuerzo de la estructura del fuselaje, las vigas laterales van situadas a lo largo del fuselaje, en las zonas de unión de las cuadernas de distinto radio, son las que unidas a las cuadernas y al revestimiento del fuselaje, y entre sí por los largueros transversales y las vigas de expansión, forman la estructura que soporta el piso de la cabina, y los carriles donde se fijan los asientos, los herrajes de los restantes mobiliarios como galleys, lavabos, soportes de equipos o los herrajes y demás elementos de los sistemas de carga.

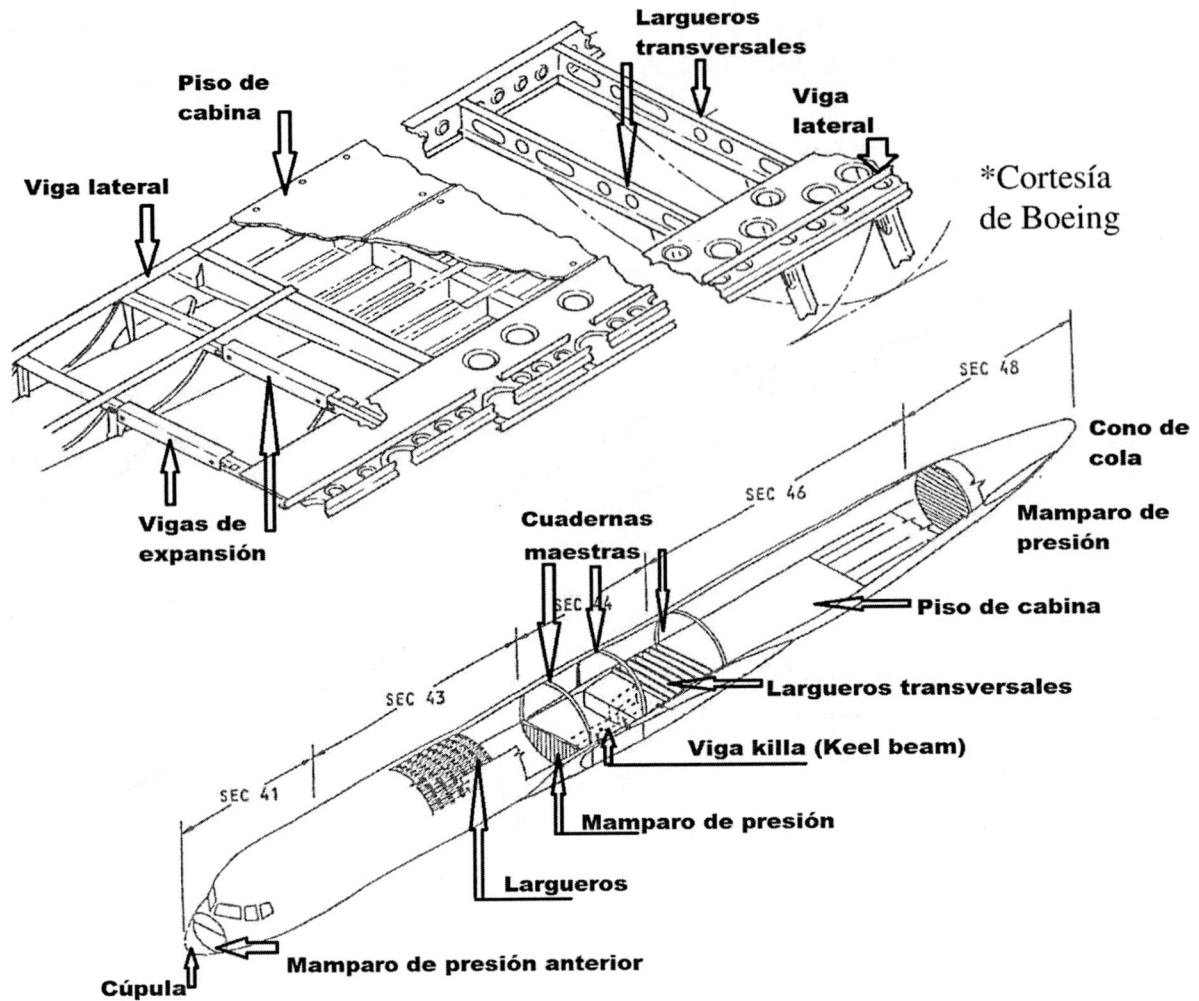

VIGAS, LARGUEROS Y REFUERZOS DE FUSELAJE

En algún tipo de construcción o de fabricante como Boeing, para modelos de mucha longitud se utiliza en el centro una viga longitudinal a modo de viga armada de quilla (beam truss keel), que con los largueros de refuerzo soportan el fuselaje longitudinalmente. Las vigas de expansión en la práctica totalidad de los aviones se colocan perpendiculares a los largueros laterales en las zonas de encastre de las alas con el fuselaje desde un larguero lateral al lateral del otro lado, permiten la flexión del conjunto de las alas sin que se vea afectado el fuselaje.

En la figura anterior se muestran las ubicaciones de estos elementos en una estructura de aeronaves de gran tamaño.

MAMPAROS DE PRESIÓN

Se llama así a los elementos que configuran, junto con el revestimiento del fuselaje, las zonas que son presurizadas, formando así las zonas estancas y con la presión controlada por el sistema correspondiente (ver el módulo 11.04). Los mamparos de presión anterior y posterior son de una estructura abovedada, construidos a base de almas o nervaduras reforzadas por angulares extruidos y conformados, vigas en U, chapas de refuerzo, esquineros y elementos de sujeción que están remachados al revestimiento como si de otra cuaderna más se tratase. Para el resto de las zonas normalmente los mamparos son tabiques de la misma construcción, pero planos, que forman los alojamientos del tren. En la figura siguiente se presenta el plano de un Airbus A340 donde se marca la posición de los diferentes mamparos de presión.

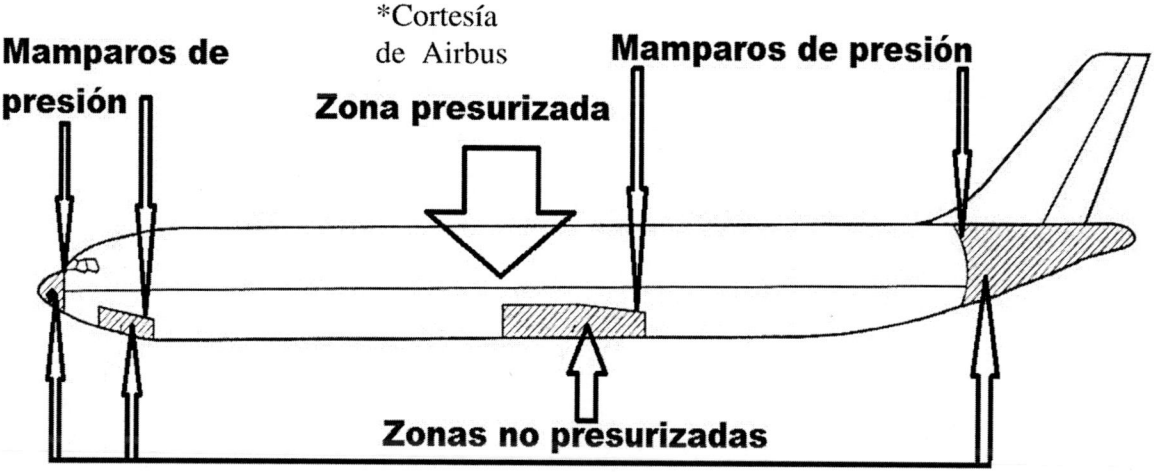

ZONA PRESURIZADA DE UNA AERONAVE

En aviones que tienen acceso al interior de la cabina por la parte posterior del fuselaje, como las series de Douglas MD o las de Boeing en el modelo B-727, el mamparo posterior lleva una apertura para permitir el paso de las personas, el hueco se tapa con la correspondiente puerta, los contornos del umbral están convenientemente reforzados, y la puerta tiene su junta de estanqueidad.

En la figura siguiente se muestra un mamparo de presión de un avión Douglas de la serie MD donde se observan los refuerzos y los diferentes huecos para el paso de instalaciones, tubos y válvula de presión negativa.

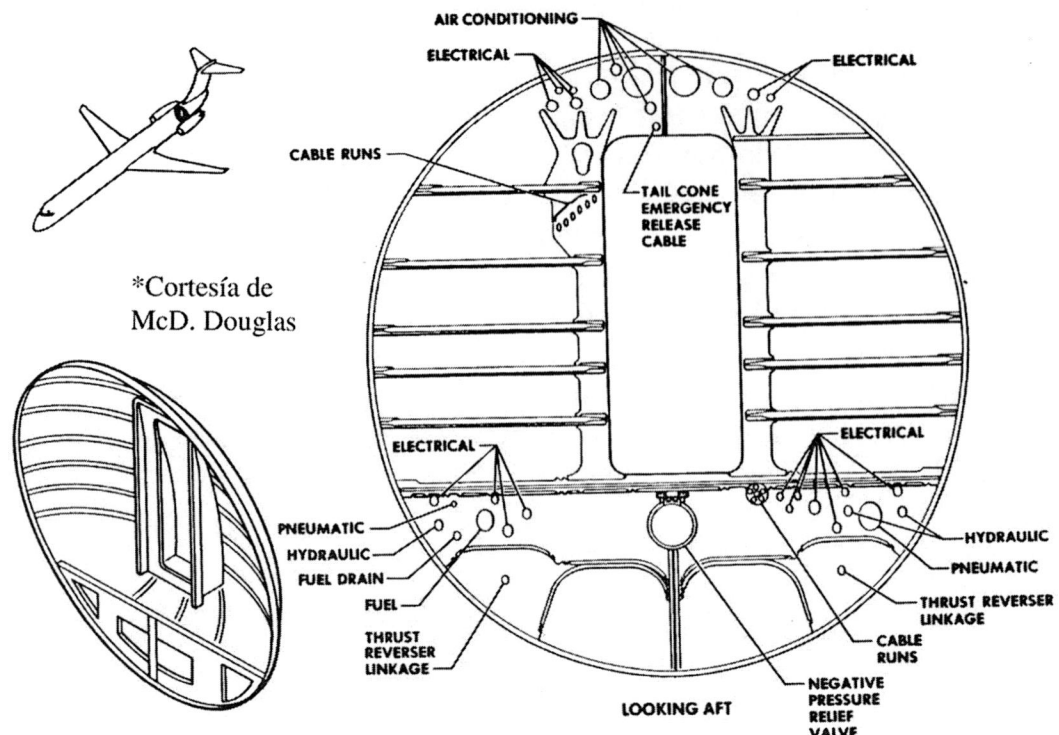

*Cortesía de
McD. Douglas

**MAMPARO DE PRESIÓN POSTERIOR
(HUECOS Y REFUERZOS)**

EL REVESTIMIENTO

El revestimiento es la parte exterior del fuselaje, es metálico, de chapa de aleación de aluminio tipo 2024, 7075 o 6061, con diferente grosor según los esfuerzos que tenga que soportar en cada zona, como zonas adyacentes a las puertas, a las ventanillas o en las zonas de choque con el aire, como es el frente del avión donde se encuentra la cabina de mandos, etc. En las zonas donde van instalados los motores o el APU, se utilizan para el recubrimiento placas de aleación de titanio que protegen al fuselaje del excesivo calor que durante su funcionamiento producen estos elementos.

Debido al gran avance que ha tenido la industria en el conocimiento de los materiales, ya en los aviones de fabricación actual están apareciendo cada vez más los nuevos materiales, compuestos de fibras, carbono, resinas y componentes silicónicos, que tienen índices de resistencias muy altos y de poco peso, que los hacen muy idóneos para varias zonas, por lo que cada vez será más común encontrarlos en las estructuras de las aeronaves.

336

En la figura siguiente se muestra un despiece de aeronave donde se señalan las aleaciones utilizadas en diversas zonas.

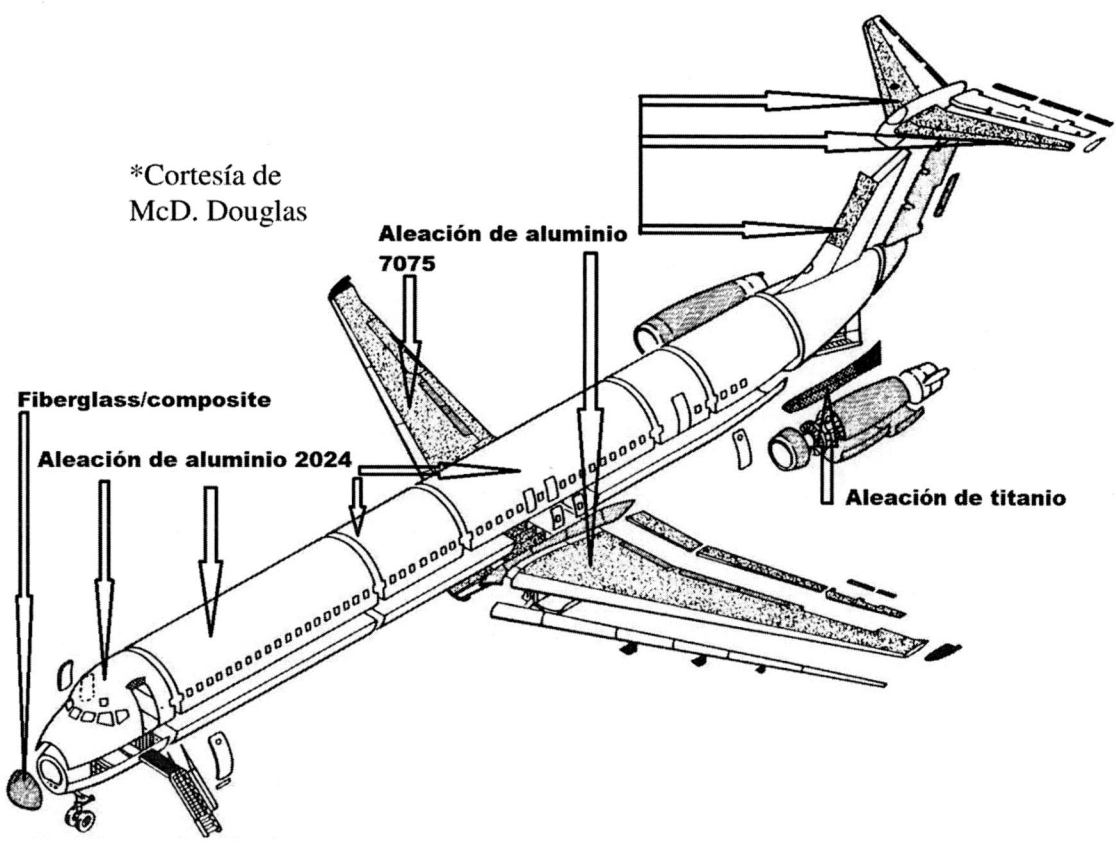

*Cortesía de McD. Douglas

Aleación de aluminio 7075

Fiberglass/composite

Aleación de aluminio 2024

Aleación de titanio

MATERIALES UTILIZADOS

SELLADO DE LA PRESURIZACIÓN

En diferentes capítulos de esta formación se trata la presurización de los interiores de las aeronaves, de la necesidad de la misma, de cómo se presuriza y se controla y de los elementos que componen y delimitan las zonas presurizadas, por lo que aquí se tratará de exponer cómo se consigue la estanqueidad de las zonas que presurizar. La forma de conseguir la estanqueidad consiste en que a la hora de la construcción del fuselaje se sellen todas las piezas que lo componen mediante la aplicación de un material blando de relleno, una vez unidas y remachadas las piezas, el sellado se seca y se eliminan los posibles escapes de aire al ser presurizado el interior.

Los sellantes para estos cometidos son unos compuestos sintéticos generalmente de dos compuestos mezclables en el momento de utilizarse, un compuesto base y otro reactivo, que una vez mezclados polimerizan y se mantienen elásticos, tienen varias viscosidades y los tiempos de aplicación también son diferentes, así como el tiempo de secado y curado, los más utilizados para sellados de presurización son los comúnmente conocidos como sellados de la familia PR en varios tipos, PR-1422 A ½; PR-1422 A2; PR-1422 B ½; PR-1422 B2; PR1435 o PR1431S. Los métodos más comunes de aplicación son:

Sellado con brocha, espátula o rodillo, en la pieza que se va a montar, se le dará una capa fina, pero suficiente para que al ser montada, remachada o atornillada sobresalga el sellado por todo su contorno. En la figura siguiente se muestra un ejemplo de sellado de placas o sellado antes de montaje.

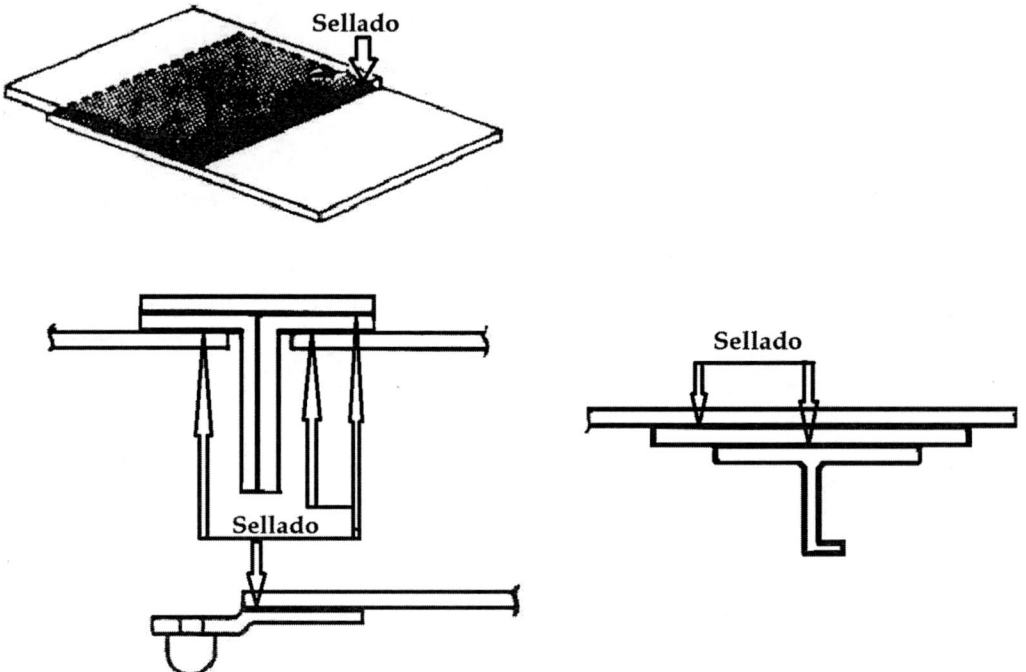

SELLADO DE PLACAS ANTES DEL MONTAJE

Los sellados después del montaje se efectúan **mediante pistola** y se utiliza de diferentes formas, sellado de inyección, sellados de relleno de cavidades internas, sellados de acuerdo o sellados de ocultamiento, entre los más usuales.

Los sellados de inyección y los de relleno de cavidades consisten en rellenar los espacios entre dos elementos desde los huecos que puedan quedar en el exterior o desde agujeros practicados, para ello en la figura siguiente se muestra un ejemplo de este tipo de sellado.

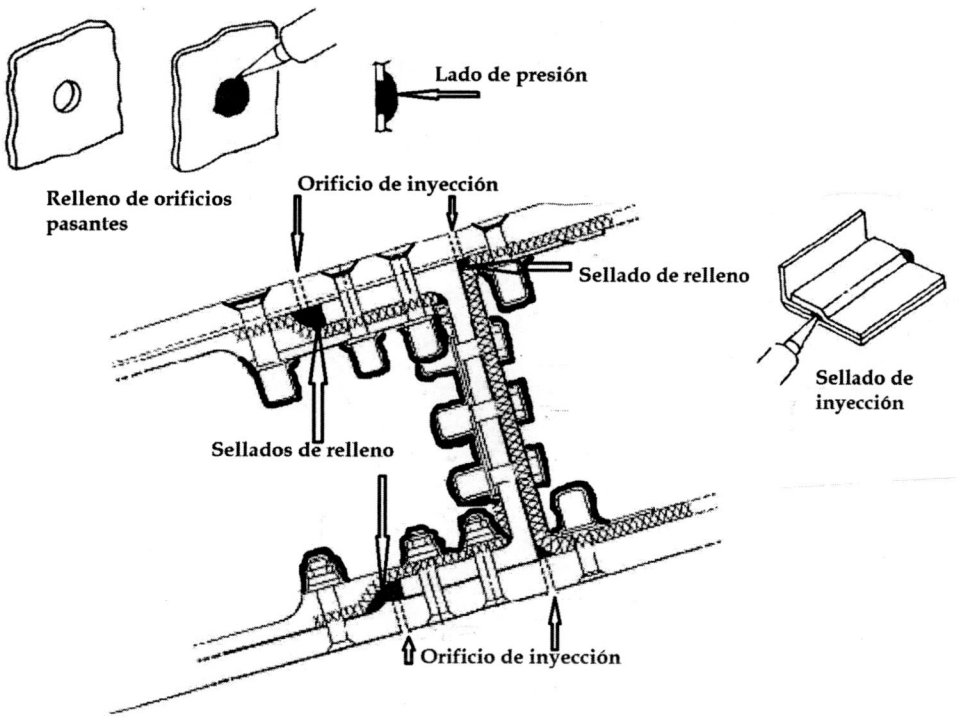

SELLADO DE INYECCIÓN Y RELLENO

Los **sellados de acuerdo** son los que se efectúan en los bordes de los herrajes o refuerzos, a modo de cordón que elimina los bordes y esquinas de unión, que son zonas de fácil depósito de humedades y suciedad que facilitan la corrosión, a la vez que uniforman las superficies en las uniones. En la figura siguiente se muestra un empalme de varias piezas sellado de este modo.

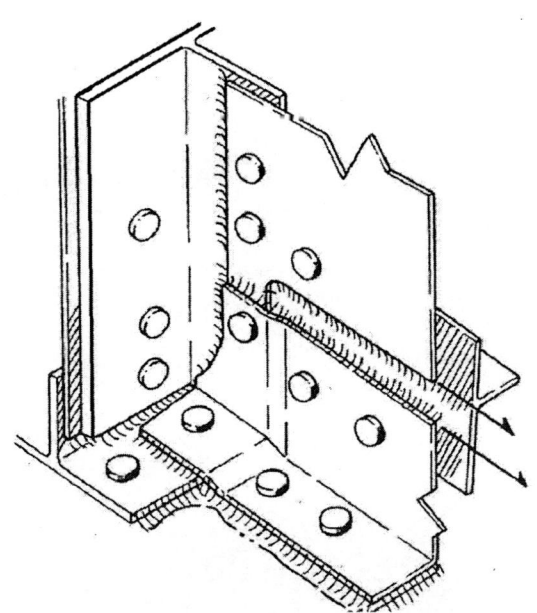

SELLADO DE ACUERDOS

Otro tipo de sellado es el llamado sellado de ocultamiento, o sea, el sellado que se coloca en los tornillos y remaches que fijan las piezas unas a otras, en el montaje se pone sellado en el agujero a fin de que no pierda presión, una vez colocada la tuerca o recalcado el remache recubre con una o varias capas de sellado, lo que asegura la estanqueidad y preserva los tornillos de la corrosión. En la figura siguiente se presenta un ejemplo de este tipo de forma de sellar.

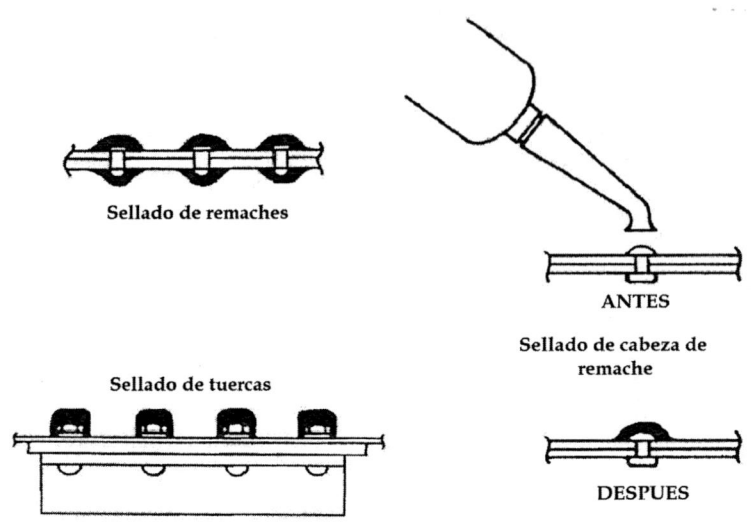

SELLADOS DE OCULTAMIENTO

En cuanto a las uniones efectuadas mediante remaches estructurales tipo Hi-lock o similares que se utilizan tuercas de guillotina, una vez que se efectúa el apriete hasta que rompe la corona de la tuerca, se sella esta con una o varias capas, como se expone en la siguiente figura. También hay casos en los que la tuerca se cubre con un capuchón metálico con sellado en su interior.

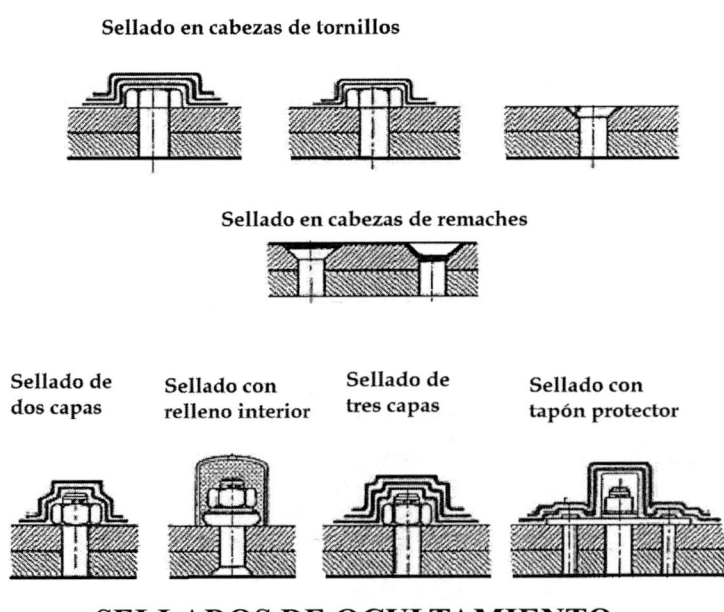

SELLADOS DE OCULTAMIENTO

340

Para mantener la estanqueidad y que no existan pérdidas por los huecos de las puertas, o de las ventanillas que sean practicables, se utilizan juntas elásticas montadas en los contornos, que llevan unos orificios, a través de los cuales entra la presión que aumenta el tamaño y se oprime contra el marco impidiendo que la presión se escape. En los capítulos 11.3.1-4 ("Puertas") y 11.3.1-5 ("Ventanas") también se tratan estos tipos de juntas, en la figura siguiente se muestran unos ejemplos de varias de las utilizadas en la actualidad.

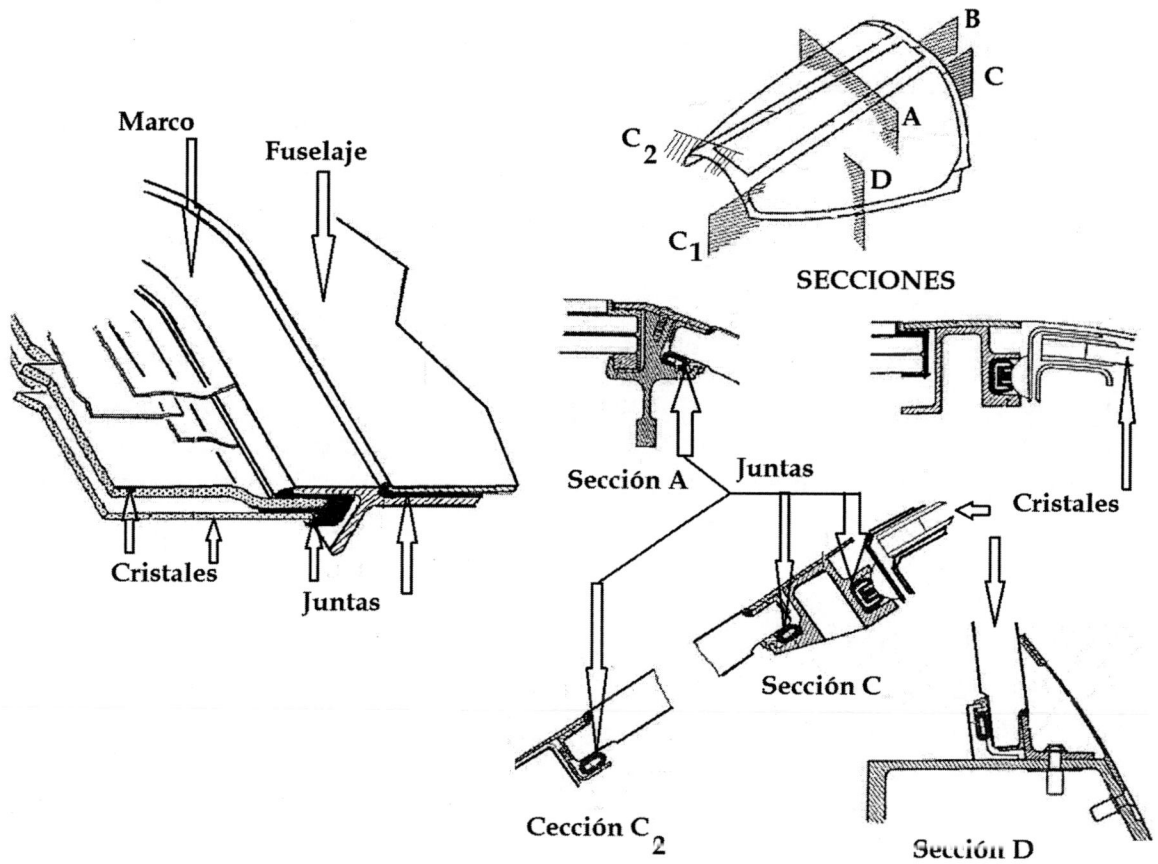

SELLADOS POR JUNTAS ELÁSTICAS

11.3.1 – 2 – ANCLAJES DE ALAS, ESTABILIZADORES, VOLADIZOS Y TREN DE ATERRIZAJE

Los elementos que componen la célula de un avión, si este es de pequeño tamaño, los conjuntos a ensamblar con el fuselaje son las alas y los empenajes de cola; la forma de unir estos elementos es generalmente mediante tornillos, que permiten el poder ser desmontados cuando sea necesario sin grandes medios de utillaje o instalaciones.

Cuando se trata de aviones de mayor tamaño, si bien los elementos que ensamblar en el fuselaje son los mismos, alas y cola, y la técnica también es similar, o sea, uniones fijadas mediante tornillos de calibres acordes con la entidad del elemento que se va a ensamblar; pero donde se produce gran diferencia es en el proceso de fabricación, que se efectúa por secciones que son unidas entre sí formando el elemento que construir para ser luego en el centro de montaje de la aeronave donde se producirá el ensamblado de los elementos que componen la célula.

Como todo proceso de fabricación, tiene un aspecto muy importante, que es el económico, y dado el tamaño y los materiales que utilizar en las aeronaves actuales, se necesitan grandes y específicas instalaciones, lo que hace que los diversos centros de fabricación se dediquen a construir zonas o partes de la aeronave que serán luego montadas y ensambladas. Estos procesos, si los aviones son de tamaño no excesivo para la capacidad de fabricación de la marca, se efectúan en sus instalaciones, pero si tratamos de la fabricación de los grandes aviones actuales, y a las diferentes partes, no solo de la célula sino de las partes que componen los elementos de esa célula, son fabricadas en diferentes países, transportados a la factoría de montaje y una vez fabricado el elemento, se ensambla formando la célula completa.

ANCLAJE DE LAS ALAS

Una de las zonas más críticas en el diseño de un avión es la zona de unión ala- fuselaje, especialmente debido a los esfuerzos que tiene que soportar el ala y a la fatiga que en toda esa zona esos esfuerzos producen. Para mantener el diedro y la flecha es necesario que los largueros se extiendan desde la línea central del fuselaje hasta la zona de corte aerodinámico.

Los largueros son construidos utilizando vigas forjadas y mecanizadas a máquina, son continuas, sobre todo en las zonas de cambio de flecha que están sometidas a grandes cargas, esta continuidad en las piezas que forman estas zonas alarga la vida de la estructura al reducir la fatiga.

Una vez que se han construido las alas en un punto del proceso de montaje es necesario unirlas al fuselaje, se utilizan pernos y remaches estructurales, en que según el tipo de construcción se utiliza una viga armada o (viga quilla), a la que se va uniendo un entramado de largueros y refuerzos que formarán la unión del fuselaje con el ala.

En la figura siguiente se muestran varias vistas de zonas de unión de las alas al fuselaje, tanto para mantener el diedro como la flecha, con sus respectivos herrajes de unión, que unen y refuerzan la unión de las alas al fuselaje.

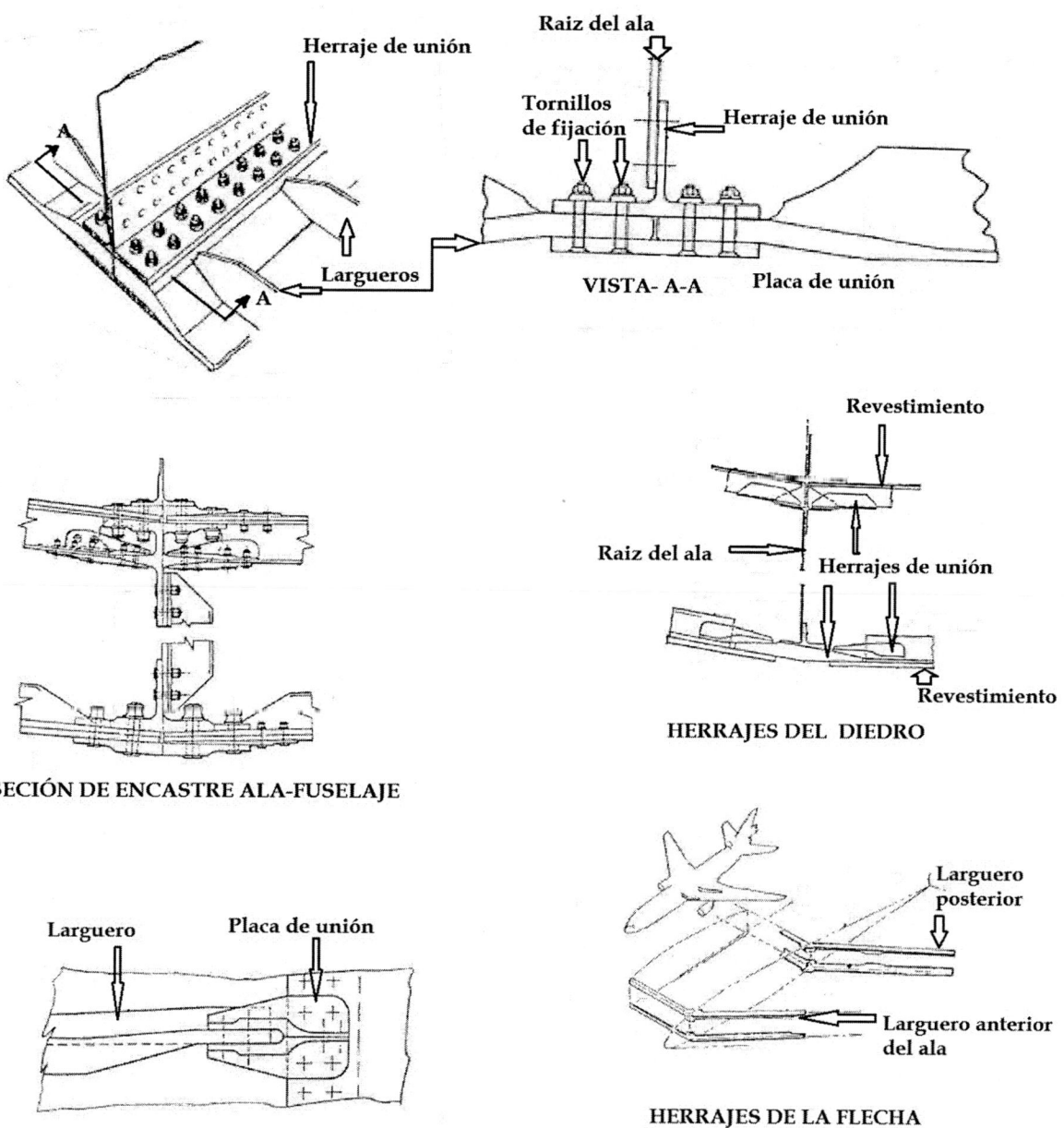

ZONA DE UNIÓN ALA FUSELAJE

En la figura siguiente se muestra la viga (viga quilla) de unión del fuselaje y las alas de un avión de gran tamaño como el Boeing 747 montada en el conjunto de la estructura de la zona mediante remaches y tornillos sellados.

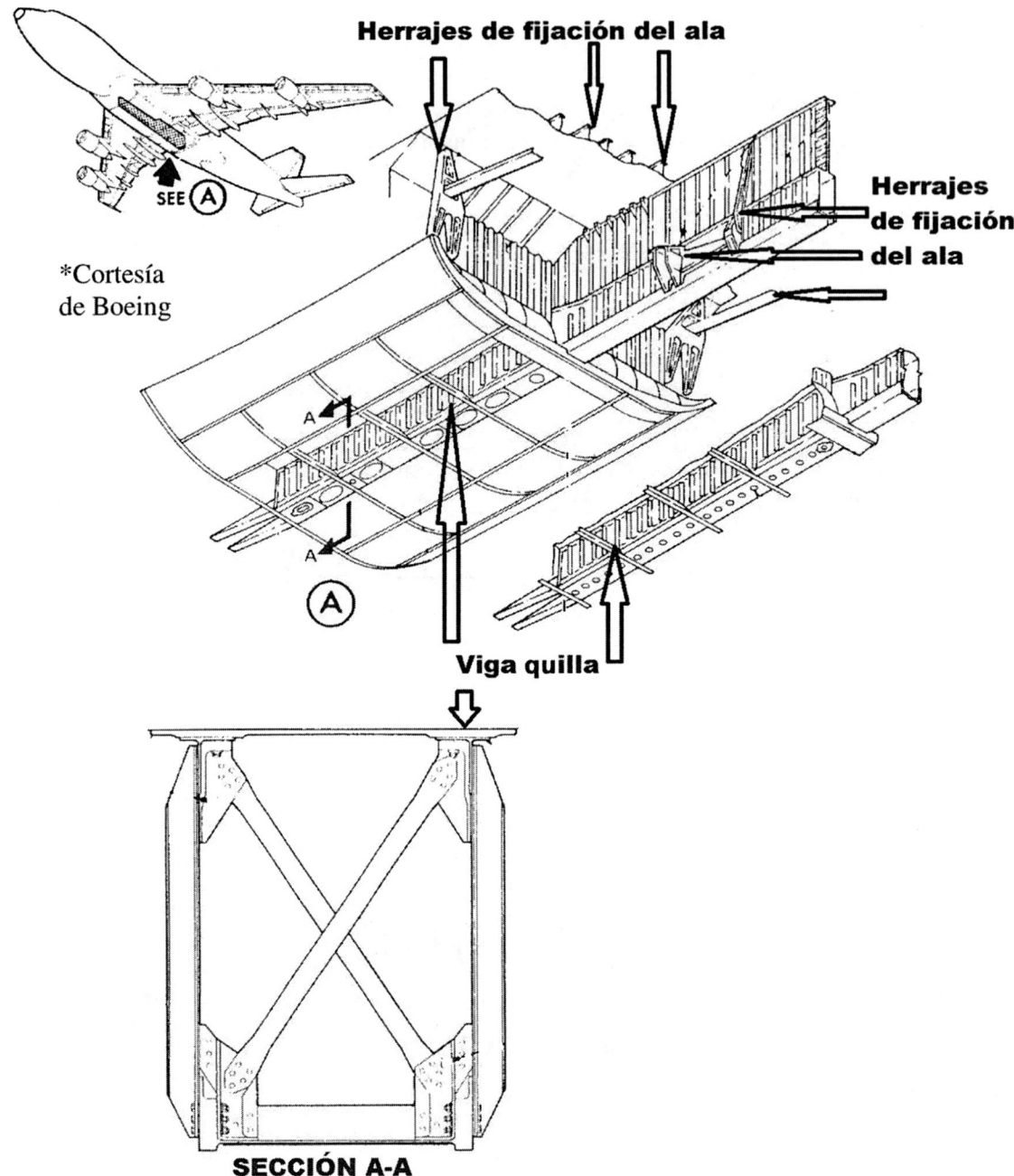

ZONA DE UNIÓN ALAS Y FUSELAJE DE UN B-747

Otra forma de unión de las alas con el fuselaje es la utilizada por el fabricante Airbus en el ensamblaje del modelo A-380, una estructura celular con largueros, refuerzos y los herrajes de unión, tanto de las alas como de las diferentes secciones de fuselaje que forman el conjunto. En la figura siguiente se muestra el elemento central de este tipo de construcción de un Airbus 380 preparado para instalarlo en los soportes correspondientes en la cadena de montaje, para después ir ensamblando el resto de los elementos. En el capítulo 11.3-2, "Alas", se trata convenientemente la estructura de los herrajes, uniones y de las alas.

*Cortesía de Airbus

SECCIÓN CENTRAL DE UNIÓN DEL FUSELAJE Y ALAS DEL A-380

ANCLAJES DE LOS ESTABILIZADORES

Las formas de unión del fuselaje con el estabilizador vertical son todas similares a las de las alas, es decir, una estructura reforzada en la zona del fuselaje con los herrajes en los que acoplarán los herrajes del estabilizador, y una vez ensamblados en la cadena de montaje se fijan mediante remaches y tornillos formando una estructura sólida de perfil aerodinámico a la que se fijará el timón de dirección, y si el avión es de cola alta, también se fijará el estabilizador horizontal.

En la figura siguiente se muestra un ejemplo de la unión de un estabilizador vertical a un fuselaje con los correspondientes largueros y refuerzos.

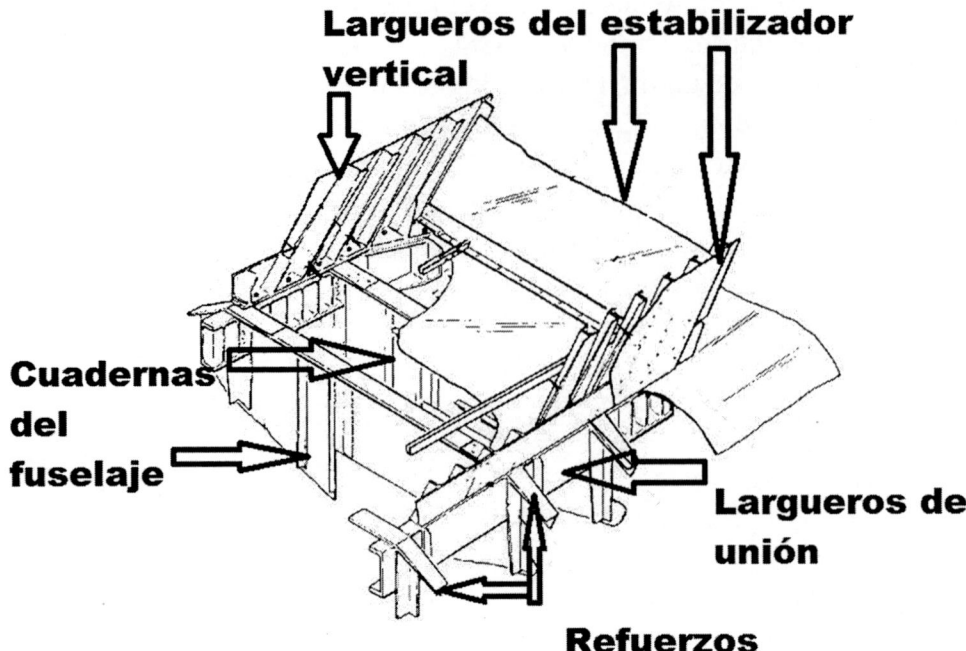

Largueros del estabilizador vertical

Cuadernas del fuselaje

Largueros de unión

Refuerzos

ANCLAJE DE UN ESTABILIZADOR VERTICAL AL FUSELAJE

En el anclaje del estabilizador horizontal hay que diferenciar básicamente dos casos: uno, que el estabilizador sea fijo a la estructura, y otro, que el estabilizador sea móvil, que varíe su ángulo de ataque ante órdenes recibidas desde la cabina sobre un motor que mueve un husillo que permite que el ángulo de ataque varíe.

En caso de que el estabilizador horizontal sea fijo, la unión con la estructura es similar a la utilizada para el estabilizador vertical; pero en caso del estabilizador móvil, bien en la estructura del fuselaje posterior si el avión es de cola baja, o en la parte superior del estabilizador vertical, llevará unos herrajes fijados con remaches estructurales y tornillos, que coincidirán con los herrajes situados en la parte central del larguero posterior del estabilizador, y serán unidos por un bulón que completará la bisagra sobre la que girará el estabilizador cuando se actúe el motor del husillo variando así el ángulo de ataque del estabilizador.

En el capítulo de "Mandos de Vuelo" en el apartado 11.9-4 se trata con amplitud el estabilizador horizontal móvil. En la figura siguiente se presenta un ejemplo de la estructura de un estabilizador de un avión de gran tamaño y cola baja, como es el que el fabricante Boeing utiliza en sus modelos B-747.

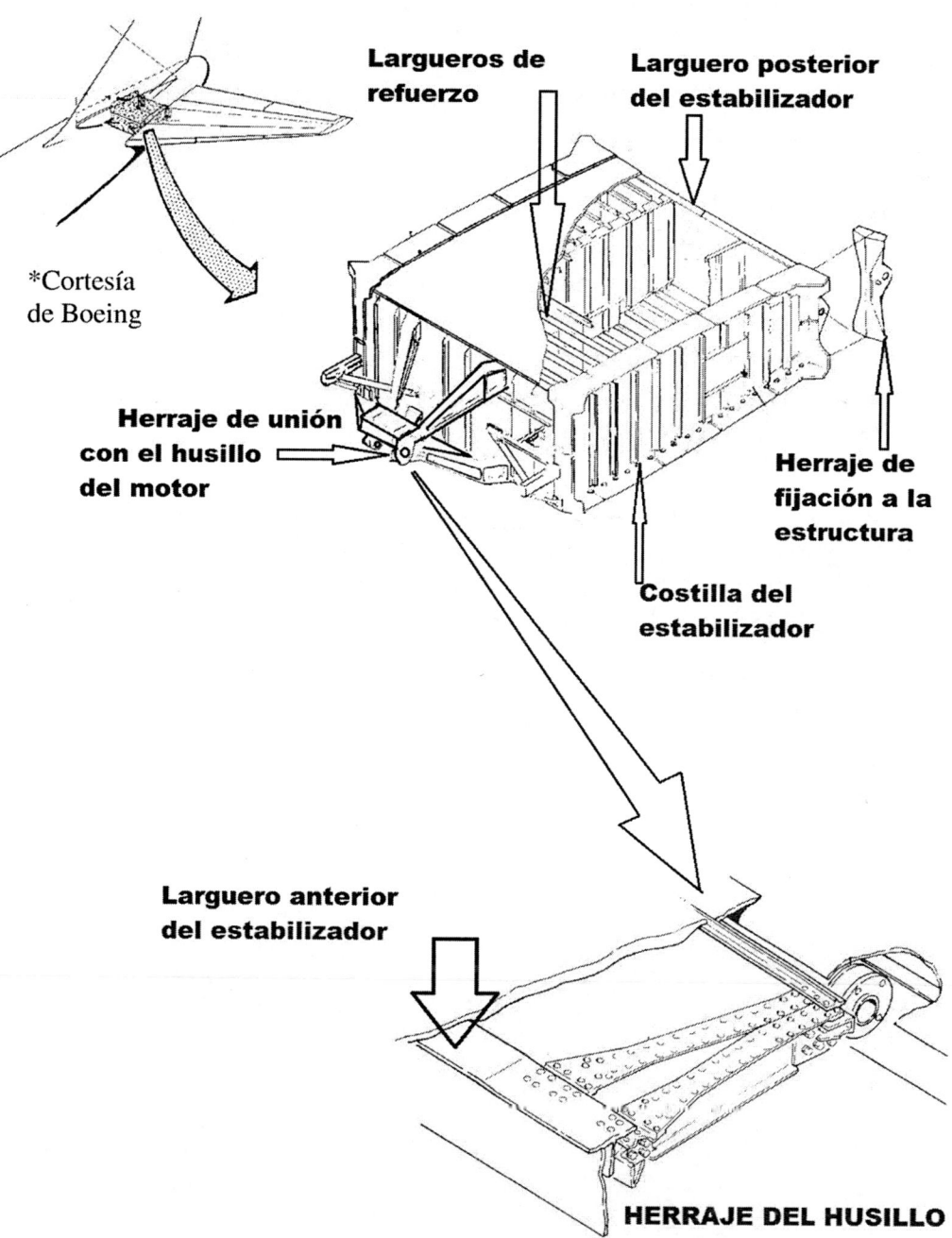

Largueros de refuerzo

Larguero posterior del estabilizador

*Cortesía de Boeing

Herraje de unión con el husillo del motor

Herraje de fijación a la estructura

Costilla del estabilizador

Larguero anterior del estabilizador

HERRAJE DEL HUSILLO

ESTABILIZADOR HORIZONTAL MÓVIL

ANCLAJES DE LOS VOLADIZOS

Los voladizos en los aviones civiles son básicamente los elementos que soportan los motores, tienen todos, independientemente de si están instalados en el fuselaje o en las alas, los mismos cometidos, entre otros soportar los motores, transmitir las cargas, hacer de cortafuegos y eliminar en lo posible las vibraciones, para lo cual tienen una estructura y los elementos necesarios con los materiales adecuados que forman el conjunto del voladizo, góndola (nacelle/pylon). En lo que sí son diferentes es en la forma, como queda expuesto en el **capítulo 11.3.5** de este libro, por lo que en este apartado se profundiza en la información presentando las diferencias que tienen los voladizos cuando están instalados dos en la misma ala, caso de los aviones que tienen cuatro motores en las alas.

Como se puede ver en la figura siguiente, el anclaje a la estructura del ala se produce mediante herrajes, viguetas y soportes fijados con cojinetes esféricos y bulones fijados con tornillos. En cuanto a la estructura solo se diferencia en el tamaño, ya que van instalados en zonas diferentes del ala.

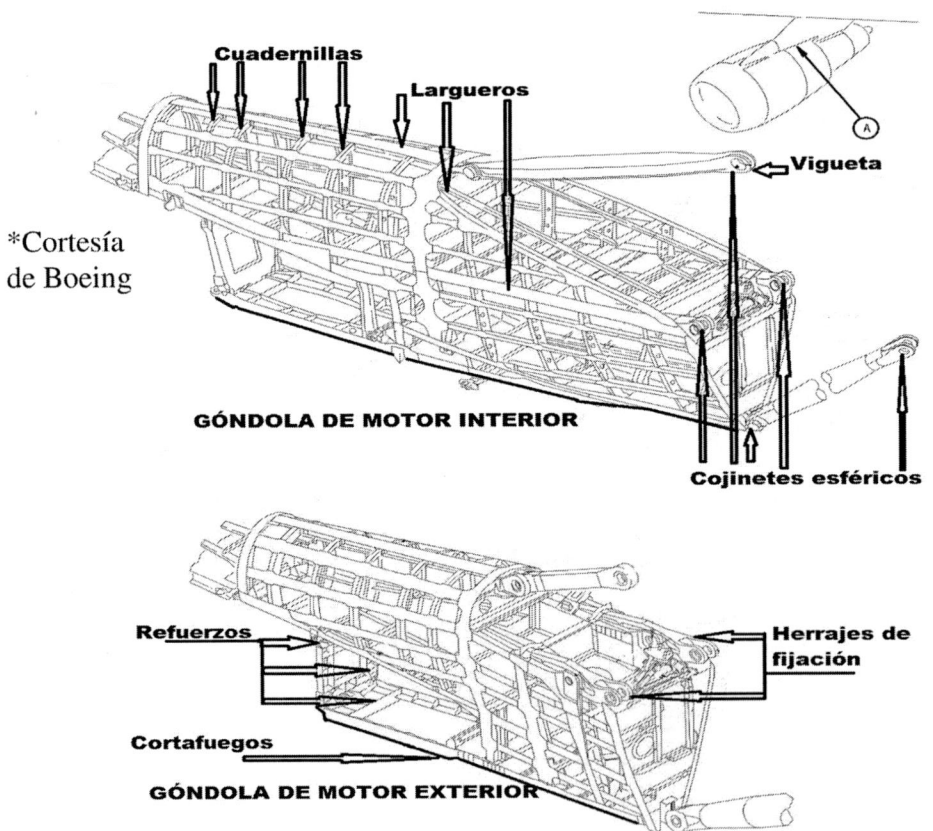

ESTRUCTURA DE LAS GÓNDOLAS DE MOTOR EN ALA DE UN BOEING 747

ANCLAJES DEL TREN DE ATERRIZAJE

Los anclajes a la estructura de las patas del tren de aterrizaje tienen formas muy diversas, ya que depende mucho del lugar donde estén ubicadas, ala o fuselaje, aunque tienen en común que las zonas donde están fijadas son zonas muy reforzadas, con fuertes vigas unidas a las cuadernas y largueros del fuselaje y a las costillas y largueros de las alas mediante remaches estructurales y tornillos.

En la figura siguiente se muestra un ejemplo de las piezas que forman el conjunto de soporte de una pata de tren de una aeronave de tamaño medio como el Airbus A-320.

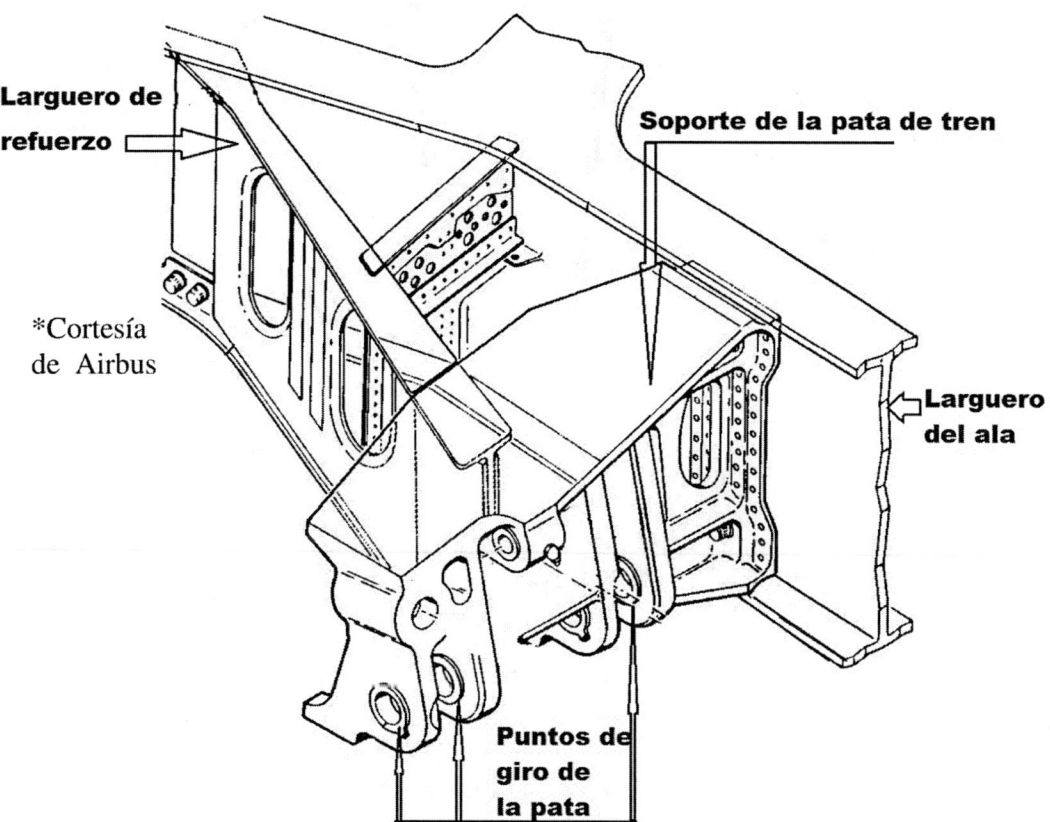

UNIÓN A LA ESTRUCTURA DEL ALA
DE UN SOPORTE DE PATA DE TREN

En estas vigas se alojan los herrajes de los puntos de giro de las patas, y de los soportes de las compuertas fijas seguidoras de la pata que configuran la línea aerodinámica de la estructura cuando las patas se recogen. La unión de las patas a la estructura varía en cuanto a su forma, pero todos los elementos que conforman la unión a la estructura de la zona, esté la pata en el ala, o en el encastre del ala con el fuselaje, o en el fuselaje, como en el caso de las patas de morro, o las patas centrales en aviones

349

de gran tamaño, tienen los mismos cometidos, es decir, transmitir y soportar las cargas que se originan en los aterrizajes, durante los despegues y las maniobras en tierra, además de soportar el peso de la aeronave cuando está parada en tierra. En la siguiente figura se muestra la unión a la estructura de una pata de tren principal de un avión Boeing B-747 con los elementos principales que componen la estructura.

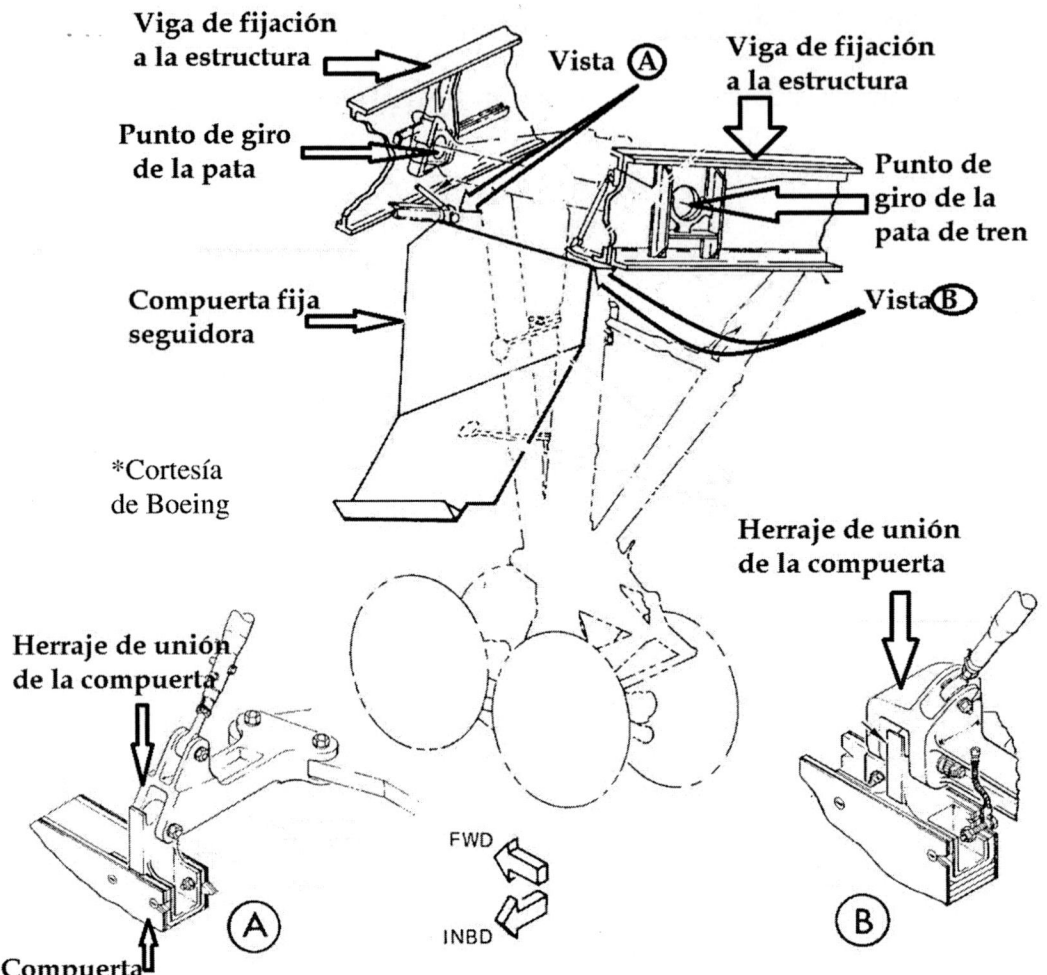

**UNIÓN A LA ESTRUCTURA DE UNA PATA
DE TREN PRINCIPAL DE UN BOEING B-747**

11.3.1 – 3 – INSTALACIÓN DE ASIENTOS Y SISTEMAS DE CARGA DE MERCANCÍA

En este capítulo se va a tratar la instalación de los asientos, no desde el aspecto de cómo son o las prestaciones que tienen, que esos aspectos son tratados en el módulo 11.07-2 ("Equipo y Mobiliario - asientos, arneses y cinturones"), sino que trataremos los asientos en sus formas de anclaje a la estructura del piso de las cabinas tanto de la de tripulación como de la destinada a los pasajeros. En lo referente a los sistemas de carga se ampliará la información expuesta en el capítulo 11.07-5 ("Equipo y manipulación de carga").

Los asientos han ido adaptándose a los avances en los diseños de las aeronaves, lo que en principio eran asientos para vuelos cortos y con protecciones individuales han pasado a ser asientos muy confortables, para vuelos de muchas horas de duración, controlados electrónicamente, con memoria de posición para cada piloto, etc., prestaciones que en la actualidad se ofrecen al operador y este escoge las que le son más a su acomodo, y el fabricante las incorpora a su asiento, así que es frecuente que un mismo modelo de avión tenga en los asientos distintas prestaciones dependiendo de la compañía operadora. En la figura siguiente se presentan dos asientos de piloto con cien años de diferencia.

ASIENTO DEL CURTISS EN 1910

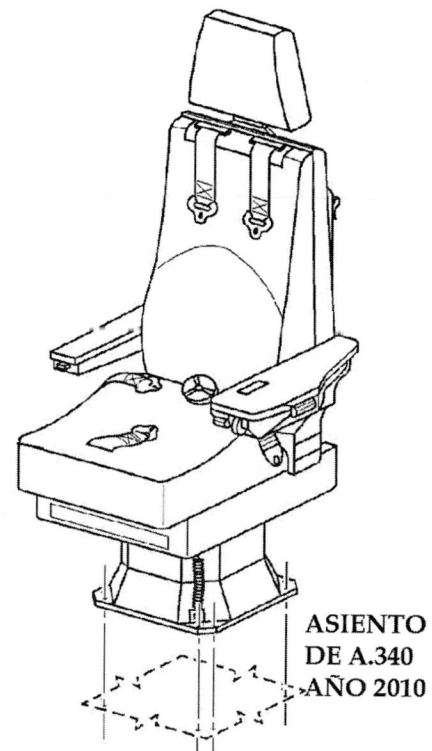

ASIENTO DE A.340 AÑO 2010

ASIENTOS PARA PILOTOS AYER Y HOY

En lo referente a los asientos de los pasajeros también están en un continuo avance de diseños, de materiales o de prestaciones y de clases, que son incorporados por las compañías según sus pretensiones de imagen y servicios que ofrecer a los pasajeros que deseen transportar, por lo que hay grandes diferencias entre las diversas compañías operadoras. Lo que no ha cambiado y se sigue empleando desde hace muchos años es el sistema de anclaje de las butacas de pasajeros, se sigue utilizando el mismo sistema de carriles acanalados con huecos circulares cada una pulgada, y cuello entre un hueco y el siguiente.

INSTALACIÓN DE ASIENTOS

Al tener las aeronaves un objetivo comercial en el campo del transporte, los asientos empiezan a adquirir entidad propia e importancia a la hora del diseño de sus anclajes a la estructura de las aeronaves y dejan de ser unos incómodos asientos para los pilotos y pasan a ser unas butacas con altas prestaciones tanto para los pilotos como para los pasajeros o la tripulación auxiliar.

ASIENTOS EN CABINA DE PILOTOS

Al comenzar a diseñar aviones con cabinas cerradas, con dos pilotos, llevando observadores en formación, o personal de inspección, etc., en las cabinas de pilotos se adaptan asientos al uso para cada usuario con misión a bordo, así tenemos asientos de pilotos, fijados a unos carriles que están a su vez fijados al piso, por los que circulan las butacas en sentido longitudinal y transversal, que proporcionan al piloto, independientemente de su estatura, un acercamiento a los mandos que le permite operarlos con toda comodidad.

Dependiendo de los modelos y utilidades, los asientos, en los tres sentidos, longitudinal, transversal y vertical, y otros solo se desplazan en vertical y longitudinal, pero para estos desplazamientos hay también varios métodos, unos son de desplazamiento manual y otros incorporan motores eléctricos con sus propios mandos que permiten al piloto una vez sentado colocarse en la posición necesaria. Los asientos con movimiento mediante motor eléctrico generalmente también mantienen la capacidad de desplazarse manualmente. También tienen ajustes de zonas lumbares o del borde de la banqueta.

Los desplazamientos se efectúan sobre los carriles, que a su vez tienen unos huecos en los que entran los pasadores que aseguran la posición deseada, por lo que la primera acción será desbloquear la posición actual para a continuación mover el asiento. En la figura siguiente se presentan dos asientos de pilotos de aviones actuales, uno con desplazamiento eléctrico y manual en los tres sentidos y otro de desplazamiento manual con desplazamientos vertical y longitudinal.

ASIENTOS PARA AVIONES FLY BY WIRE

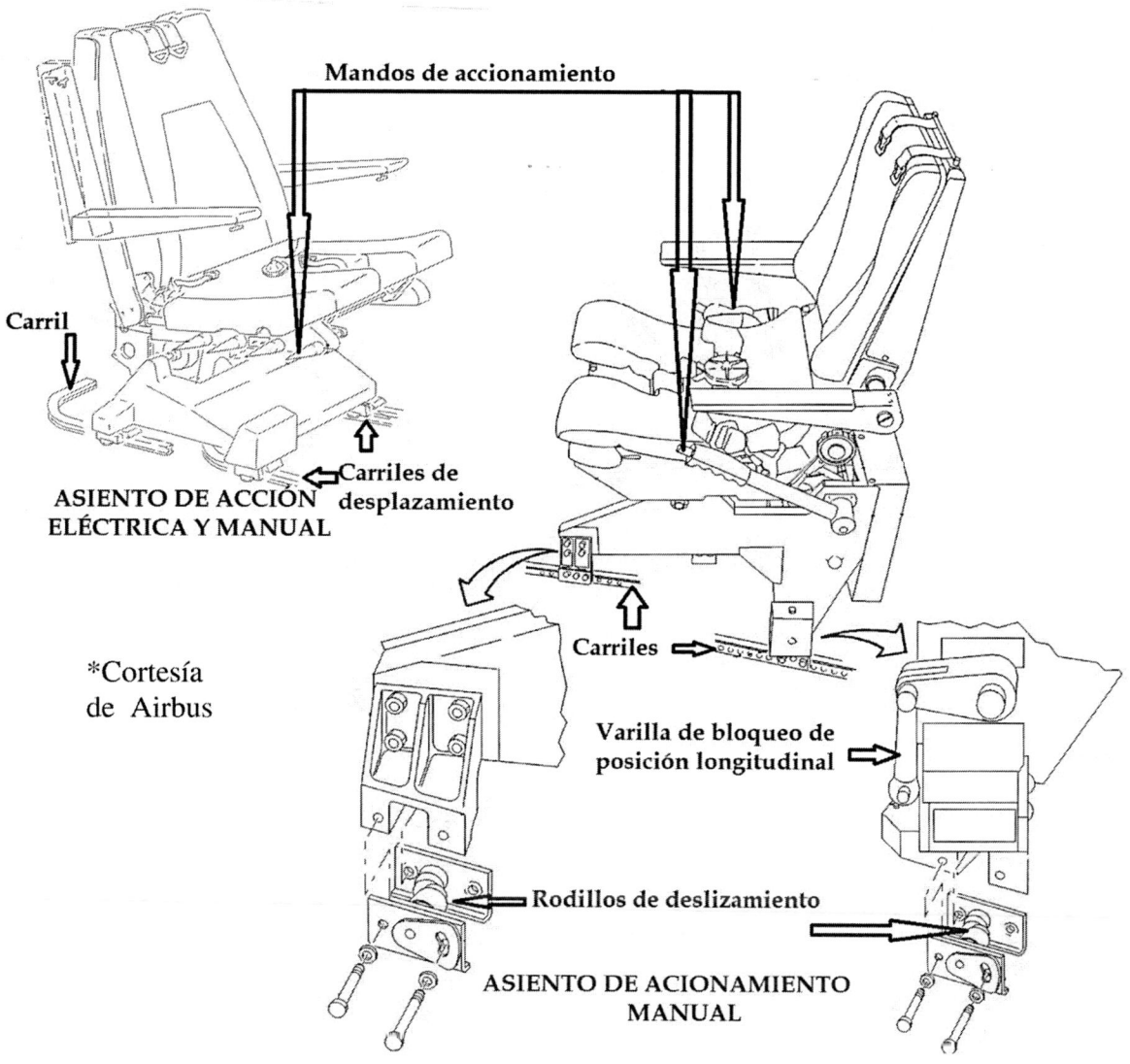

Mandos de accionamiento

Carril

Carriles de desplazamiento

ASIENTO DE ACCIÓN ELÉCTRICA Y MANUAL

*Cortesía de Airbus

Carriles

Varilla de bloqueo de posición longitudinal

Rodillos de deslizamiento

ASIENTO DE ACIONAMIENTO MANUAL

ANCLAJES DE ASIENTOS DE PILOTOS

Los asientos en las cabinas de los aviones de la última generación, llamados también fly by wire, varían poco en cuanto a su fijación al piso de la cabina, aunque sí varían mucho en cuanto a su diseño y prestaciones; los asientos, aparte de los ajustes en las tres posiciones de desplazamiento, ajustes de las zonas lumbares o los bordes de banqueta, y en muchos casos memoria de posición para cada piloto; pero donde sí se produce una variación muy grande es en los apoyabrazos, que al tener el control de los mandos de vuelo en las palancas (side stick) situadas en las consolas laterales, es necesario

353

que los apoyabrazos izquierdo del comandante y derecho del copiloto sean más grandes, sean más robustos y dispongan de posibilidades de ajuste de inclinación.

En la figura siguiente se muestra un ejemplo de los asientos que utiliza Airbus en muchos modelos del A-340.

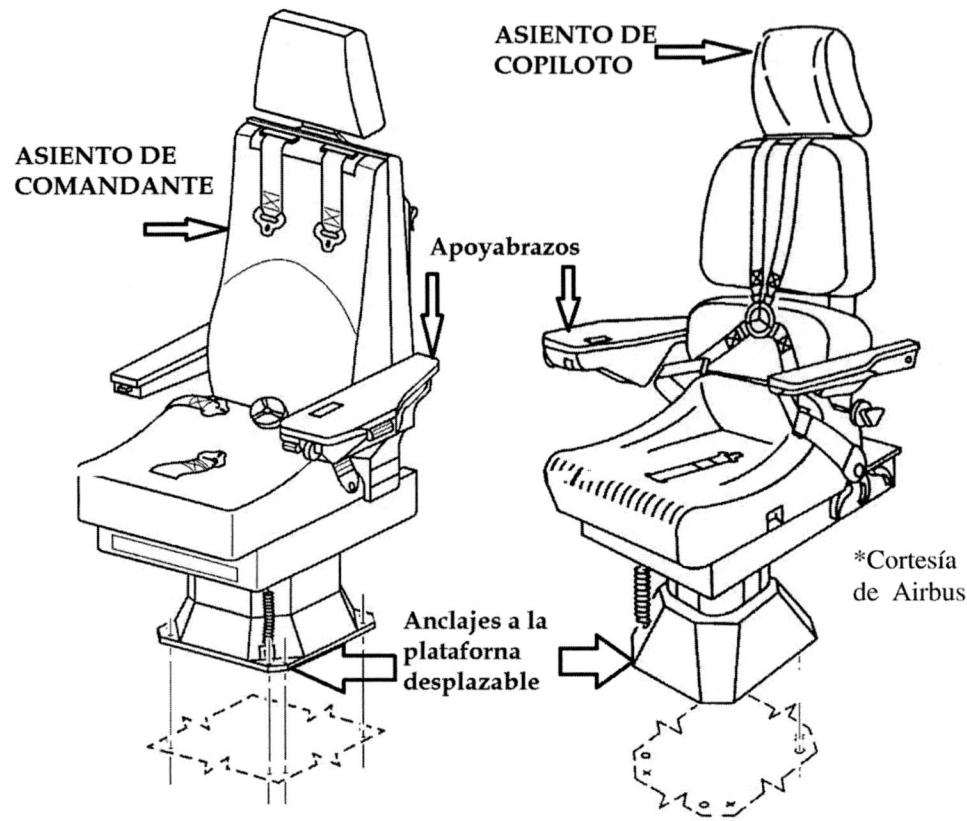

ASIENTOS DE AVIONES FLY BY WIRE

ASIENTOS PARA OBSERVADORES

En el interior de las cabinas también se instalan uno o varios asientos llamados de observadores, que son plegables y retráctiles, en unos casos, o fijados a la pared con la banqueta plegable, estos asientos solo son utilizados en casos en los que en la cabina tengan necesidad de volar más personas que las que componen la tripulación técnica fija, personas como alumnos en práctica, instructores o inspectores de las autoridades de la Aviación Civil, en el resto de los vuelos pueden ir plegados dejando el espacio libre.

Estos asientos tienen gran variedad de formas de anclaje y plegado dependiendo de qué lugar ocupen dentro de la cabina, en la figura siguiente se presentan dos ejemplos de asiento de observador, con detalles de los puntos de anclaje y diferente forma de plegado.

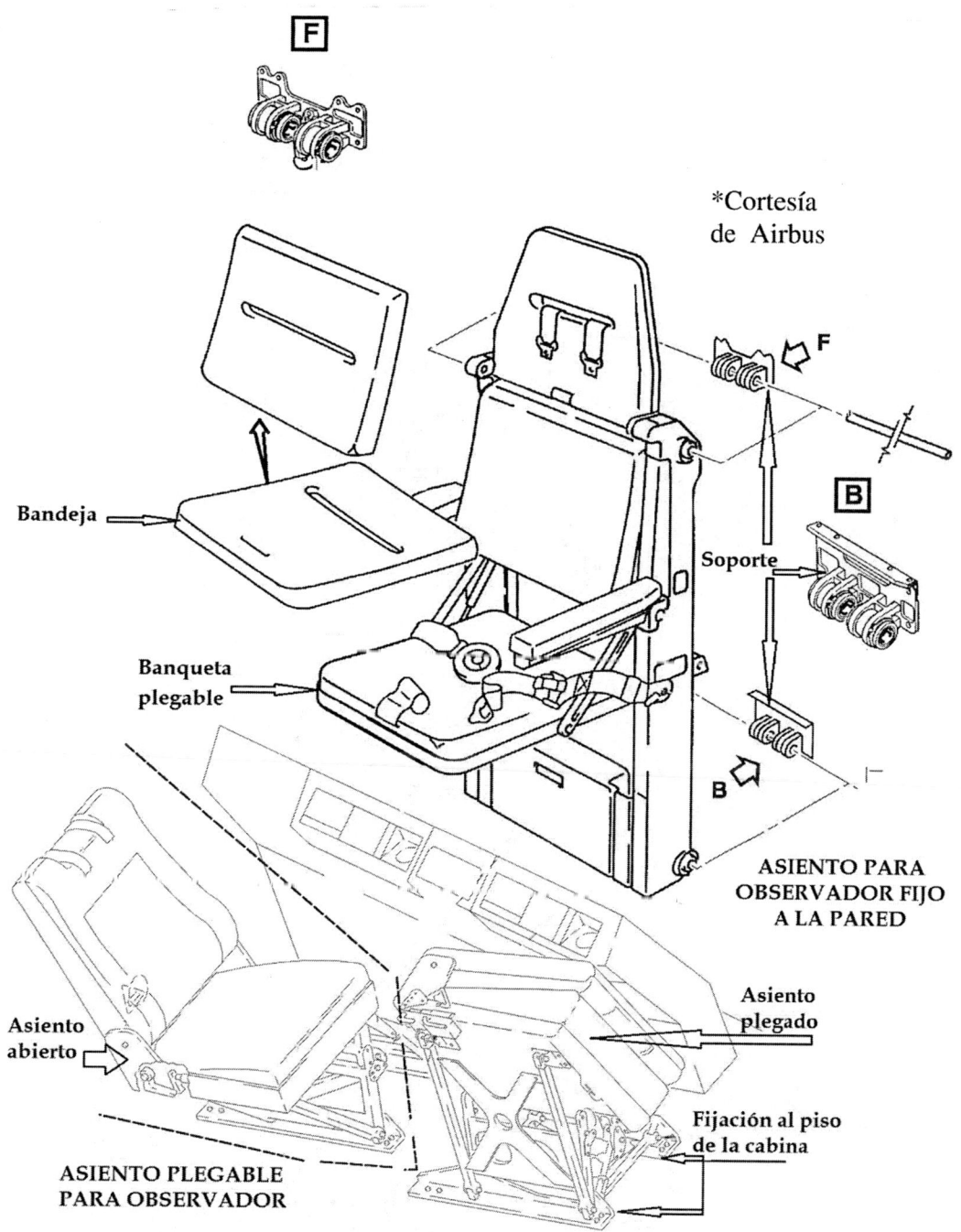

ANCLAJES DE ASIENTOS DE OBSERVADORES

ASIENTOS PARA PASAJEROS

En la cabina destinada a los pasajeros los asientos tienen gran importancia y existe gran variedad de formas y prestaciones que ofrecer al usuario, desde los más sofisticados en los aviones privados a los más sencillos y con menos prestaciones que pueden ofrecer los utilizados por las compañías operadoras de bajo costo económico, cumpliendo, eso sí, todos los mínimos en cuanto a seguridad exigidos por las reglamentaciones internacionales y de cada país. Lo que no ha variado en muchos años son las formas de anclaje y fijación de los asientos a la estructura del avión.

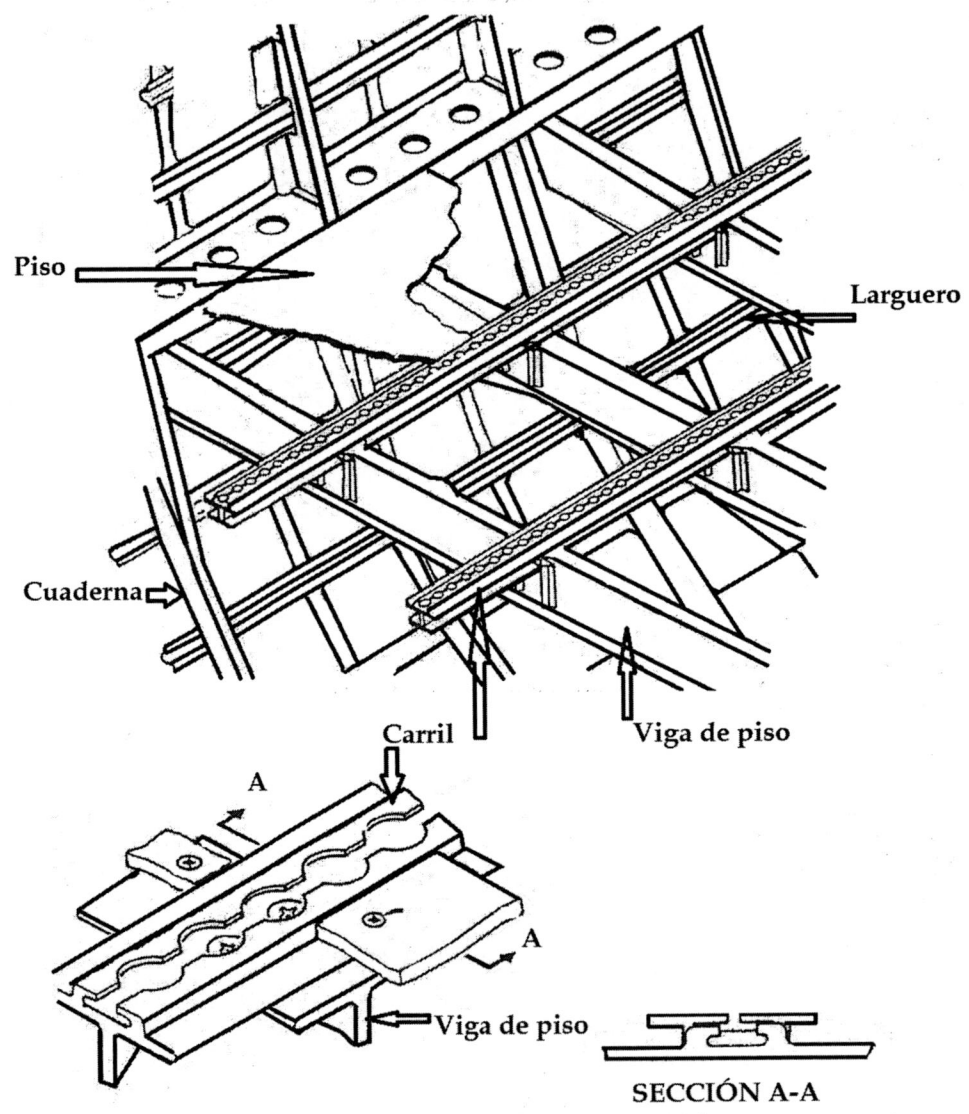

UNIÓN DE CARRILES AL FUSELAJE

En los asientos, en cuanto a su estructura, se utilizan bloques de uno, dos o tres asientos por bloque, cada bloque tiene cuatro puntos de anclaje y dos de bloqueo de la posición. Lo primero que se instala en el piso de la cabina, fijado mediante tornillos a las cuadernas y largueros del fuselaje, son dos carriles por cada fila de butacas que lleve el avión en toda la longitud de la cabina, estos carriles tienen un canal en forma de T invertida en el que se instala la cabeza de fijación, también llamada seta de anclaje de la butaca, por la forma similar a un hongo que tiene, en este canal van mecanizados unos huecos circulares con una distancia entre centros de una pulgada. En la figura anterior se muestra un ejemplo de la fijación de los carriles a la estructura de una aeronave tipo.

Los cuatro puntos de cada bloque de asientos se colocan en los correspondientes huecos de los carriles, según puede observarse en la figura siguiente cumpliendo así el punto 1 del proceso que se describe en la figura, a continuación se desplaza longitudinalmente la butaca media pulgada, con lo que las cabezas de fijación quedarán situadas en el canal y sin posibilidad de salir hacia arriba, en ese momento la cabeza de bloqueo estará enfrentada con un hueco del carril, como se muestra en el paso 2, a continuación, mediante una herramienta, se desplaza hacia abajo la cabeza de bloqueo, que entrará en el hueco del carril quedando la butaca perfectamente fijada y segura en el carril, como se ve en el paso 3 de la figura siguiente. Este es el tipo de fijación que generalmente se utiliza en toda la aviación comercial actual.

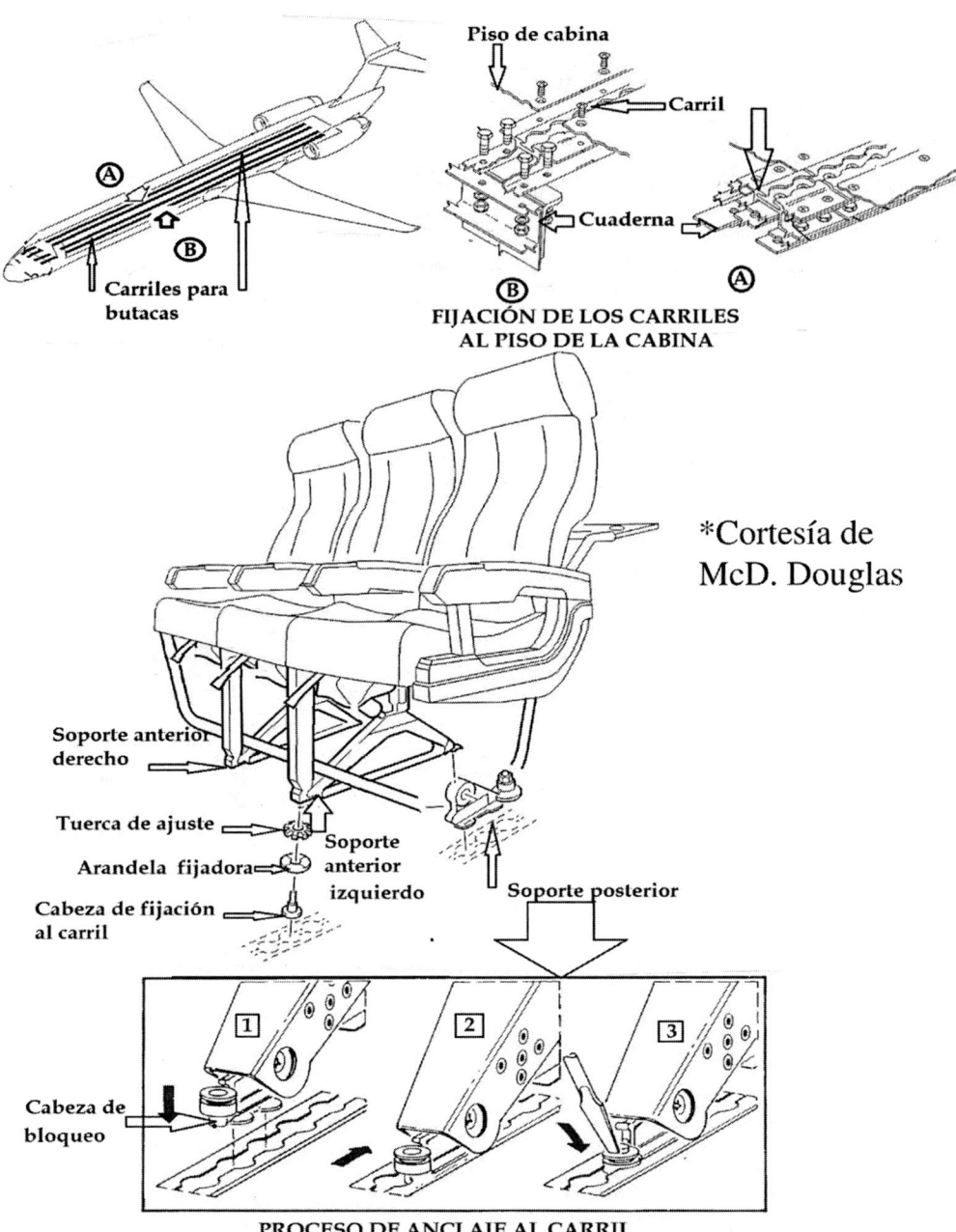

FIJACIÓN DE LOS CARRILES
AL PISO DE LA CABINA

*Cortesía de
McD. Douglas

PROCESO DE ANCLAJE AL CARRIL

ANCLAJES DE BUTACAS DE PASAJEROS

SISTEMAS DE CARGA DE MERCANCÍAS

En los aviones actuales lo relacionado con el transporte de mercancías básicamente se reduce a dos formas, una en aviones diseñados y preparados para ese cometido o aviones cargueros, y la otra forma mayoritaria es el aprovechamiento de los espacios libres en el fuselaje de los aviones de transporte de pasajeros, debajo del piso de la cabina donde se habilitan delimitando con tabiques al uso los espacios libres como bodegas de carga. Aunque no es muy común, también hay aviones combinados en los que en un corto espacio de tiempo se habilita parte de la cabina de pasajeros como bodega, también están los transportes especiales o aviones que están diseñados para transportar un tipo de materias determinado, por ejemplo, los aviones Beluga de la fabrica de Airbus que transportan partes enteras de los aviones entre los talleres de fabricación en varios países y la factoría de montaje en Toulouse (Francia). En la figura siguiente se muestra un carguero del tipo descrito durante las operaciones de carga de un gran contenedor con destino a la factoría de montaje, y una vista del interior de la bodega de un avión carguero donde se muestra la variedad de rodillos que tiene para el fácil arrastre de los palés o contenedores de carga.

*Cortesía de Airbus

INTERIOR DE UNA BODEGA DE CARGUERO

BODEGAS DE CARGA A GRANEL

En aviones de pequeño o mediano tamaño, el sistema de carga de las bodegas es a granel, y una vez estibadas se fijan mediante redes sujetas a los herrajes que están ubicados a tal fin en diferentes lugares de la bodega y fijados a la estructura. A estos herrajes también se fijan las anillas para pasar las cuerdas con que se fijan las cargas que sea necesario a fin de que con los movimientos que pueda tener el avión durante el vuelo la carga y equipaje permanezcan bien sujetos.

Los aviones de mayor tamaño, que generalmente tienen una bodega delante y otra detrás del centro de gravedad con sistemas de carga mecanizados, llevan también una bodega más pequeña, que normalmente se ubica hacia el final del fuselaje, con su propia puerta, en la que se carga a granel, generalmente los equipajes de "última hora", debido a las medidas no se pueden colocar los contenedores normalizados.

En la figura siguiente se muestran los herrajes y puntos de ubicación en la bodega, donde de instalan las redes de contención o las anillas para atar las cuerdas que fijan la carga.

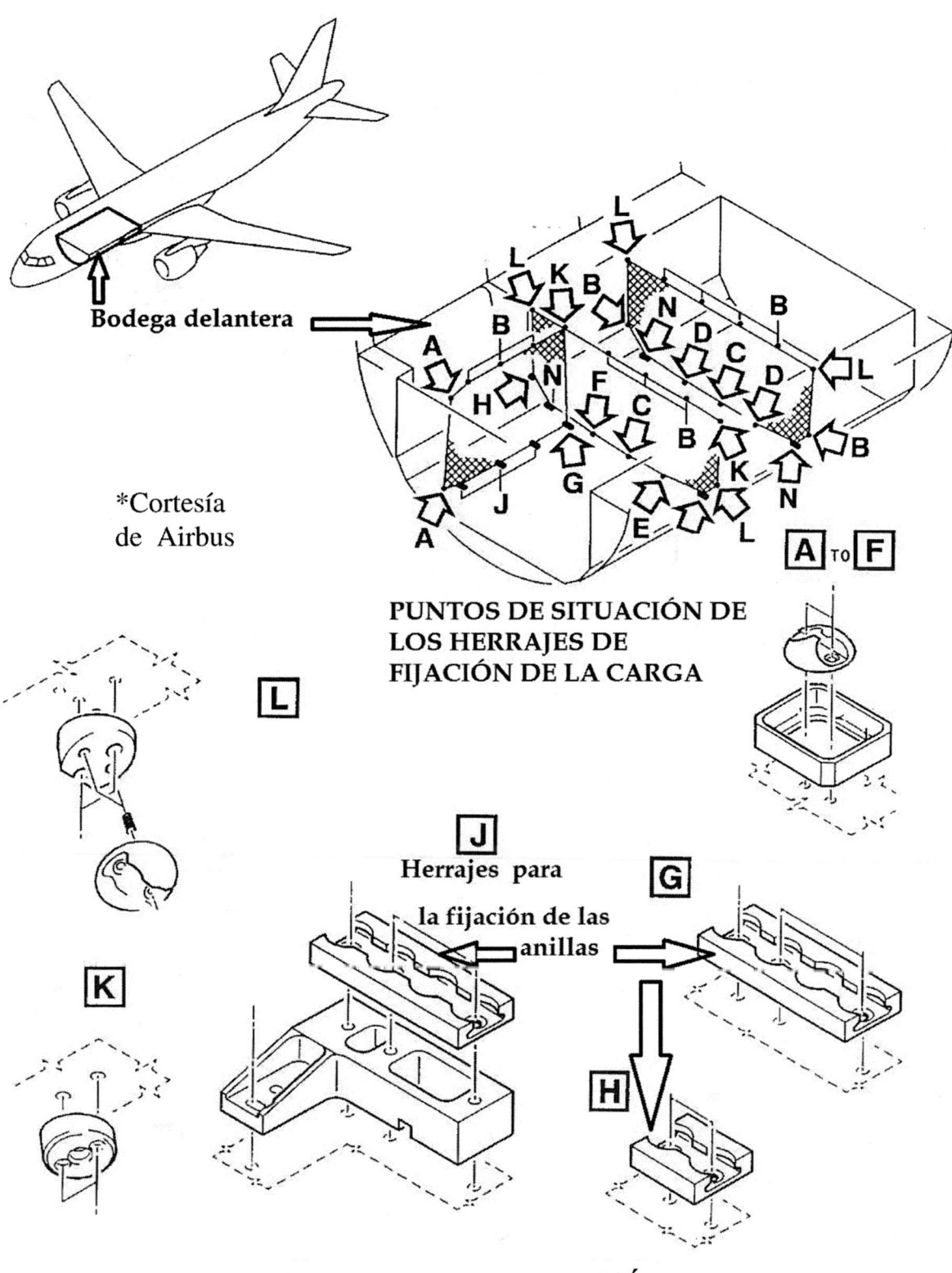

Bodega delantera

*Cortesía de Airbus

PUNTOS DE SITUACIÓN DE LOS HERRAJES DE FIJACIÓN DE LA CARGA

Herrajes para la fijación de las anillas

HERRAJES PARA LA FIJACIÓN EN BODEGAS DE CARGA A GRANEL

BODEGAS CON SISTEMA DE CONTENEDORES

Cuando las bodegas tienen unas determinadas dimensiones que permiten la utilización de contenedores normalizados, es decir, que tienen unas medidas que son utilizadas por todas las compañías operadoras para los mismos tipos de bodegas, esto permite que la carga pueda ser estibada en los contenedores con antelación a la hora de salida, lo que hace que las operaciones de descarga y carga de las bodegas sean efectuadas en un corto espacio de tiempo, por lo que acorta mucho el tiempo de las escalas y permite tener la aeronave dispuesta para volar más tiempo haciéndola más rentable desde el punto de vista económico. En la siguiente figura se muestran varios tipos de contenedores y cómo se estiban en la bodega de un avión.

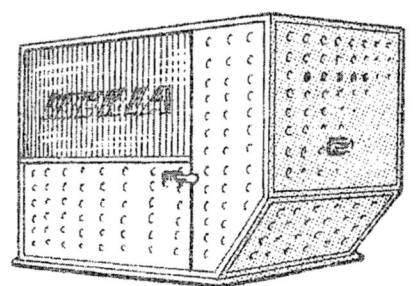

CONTENEDOR DE EQUIPAJES

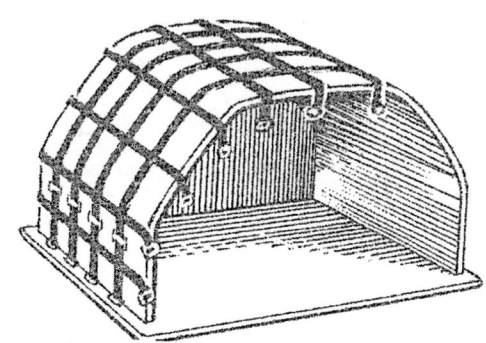

CASITA PARA MERCANCÍAS (Igloo)

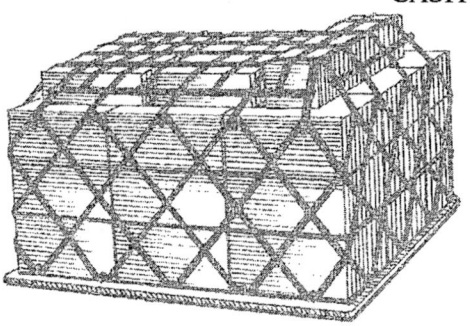

BANDEJA O PALLET

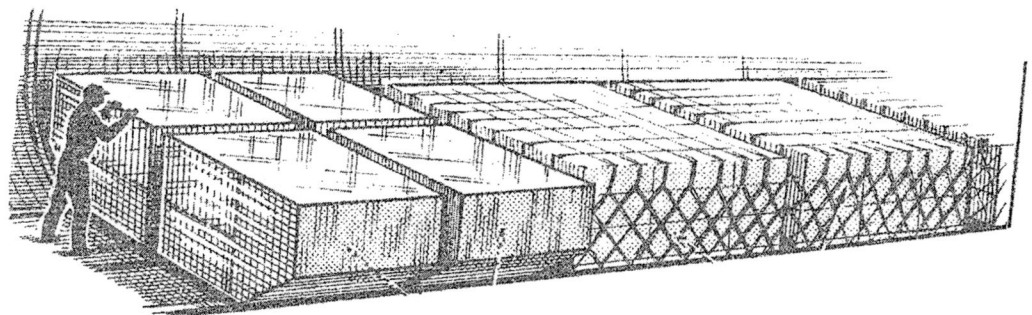

CONTENEDORES Y PALLETS ESTIBADOS EN UNA BODEGA

CONTENEDORES Y PALLETS PARA MERCANCÍAS Y EQUIPAJES

Para el manejo de los contenedores desde que llegan a las zonas de carga de las bodegas, son elevados mediante las máquinas correspondientes hasta el umbral de la puerta de la bodega, a partir de ese punto es el sistema de arrastre de contenedores de la propia aeronave el que, mediante unos motores eléctricos que mueven unos rodillos de arrastre del contenedor o bandeja y sobre los que circula hasta llegar a su posición, donde será fijado al piso mediante los mecanismos apropiados. En el umbral de la puerta hay un panel de bolas como el que se muestra en la figura siguiente:

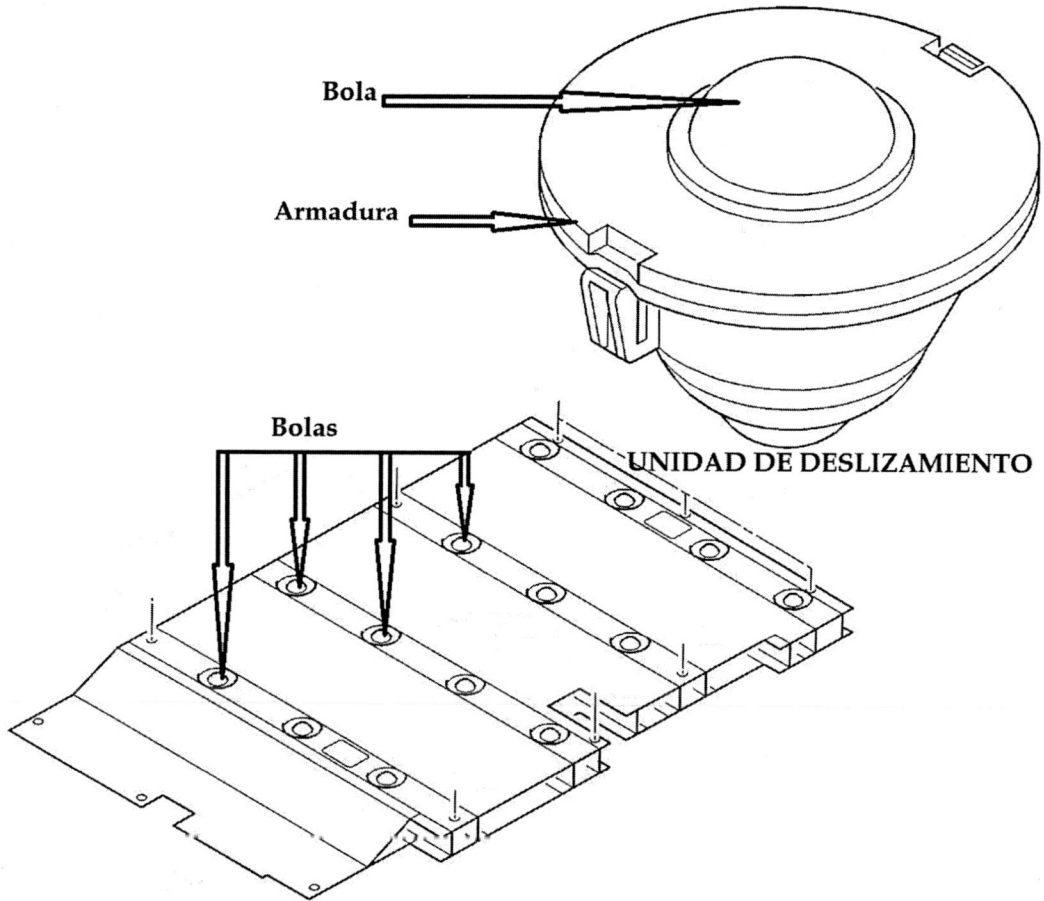

**PANEL DE UMBRAL PARA DESLIZAMIENTO
SOBRE BOLAS DE LOS CONTENEDORES**

Para que el contenedor encauce su camino correcto se utilizan unos herrajes que llevan unos rodillos verticales que guían al contenedor hasta el punto donde comenzará su recorrido longitudinal hasta su posición.

En la figura siguiente se presenta una muestra de guía lateral de las que se instalan en el umbral de la puerta de la bodega.

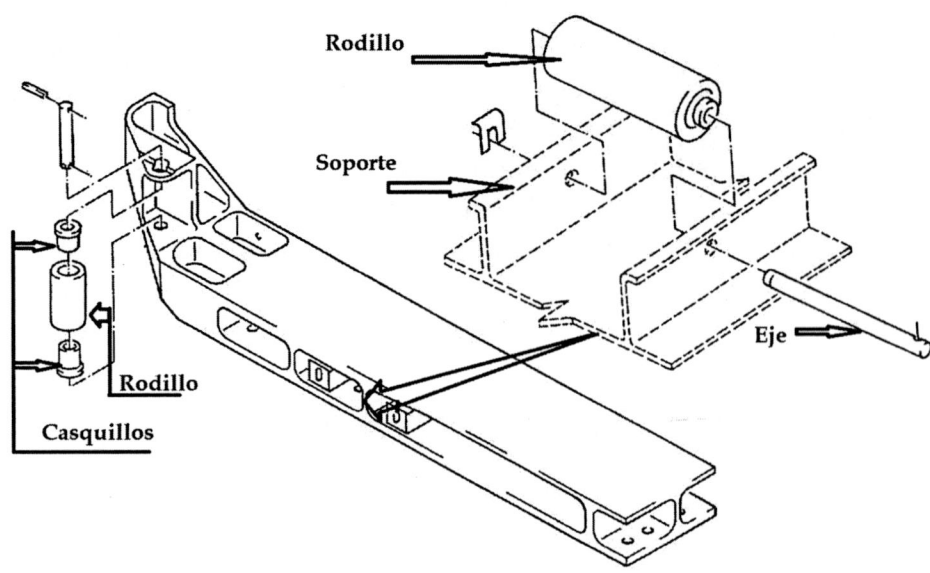

GUÍA DE UMBRAL PARA DESLIZAMIENTO
DE CONTENEDORES DE CARGA

Los primeros contenedores llegan al fondo de la bodega guiados por los rodillos laterales y llegan hasta entrar en las uñas de los herrajes de fondo, en ese punto, en la parte anterior del contenedor quedan al descubierto en el piso los blocajes plegables mixtos, que deberán ser levantados manualmente y a la vez que bloquea el primer contenedor deja preparada la uña para que el siguiente contenedor llegue y quede sujeto, el proceso se vuelve a repetir hasta que el último contenedor está cargado, en la figura siguiente se muestran dos tipos de herrajes de blocaje de contenedores entre los varios tipos que existen.

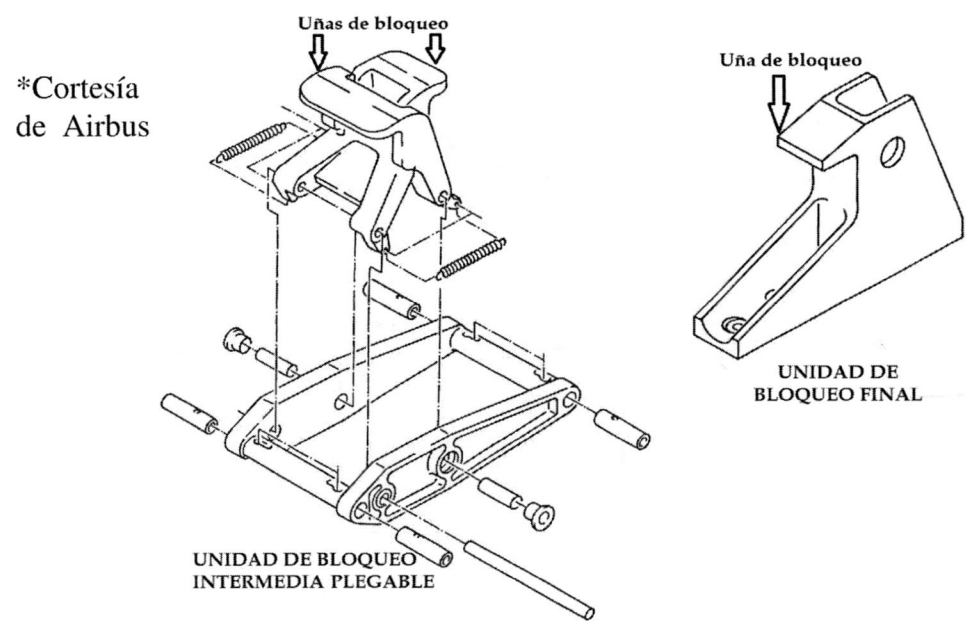

UNIDADES DE BLOQUEO DE CONTENEDORES

Una vez que se ha finalizado la estiba de todos los contenedores, es necesario que se bloquee el último contenedor en la parte del umbral, para lo cual es necesario colocar en su posición los blocajes de umbral que impedirán que el contenedor golpee contra la puerta. Uno o varios ganchos de bloqueo llevan asociado un micro que al alcanzar la posición de bloqueo, activa los elementos eléctricos necesarios para el cierre de la puerta, estos micros sirven como protección de daños a la puerta; en caso de que un contenedor no alcanzase la posición correcta, el sistema de cierre permanecería inactivo. En la figura siguiente se muestran dos tipos de unidades de bloqueo de umbral.

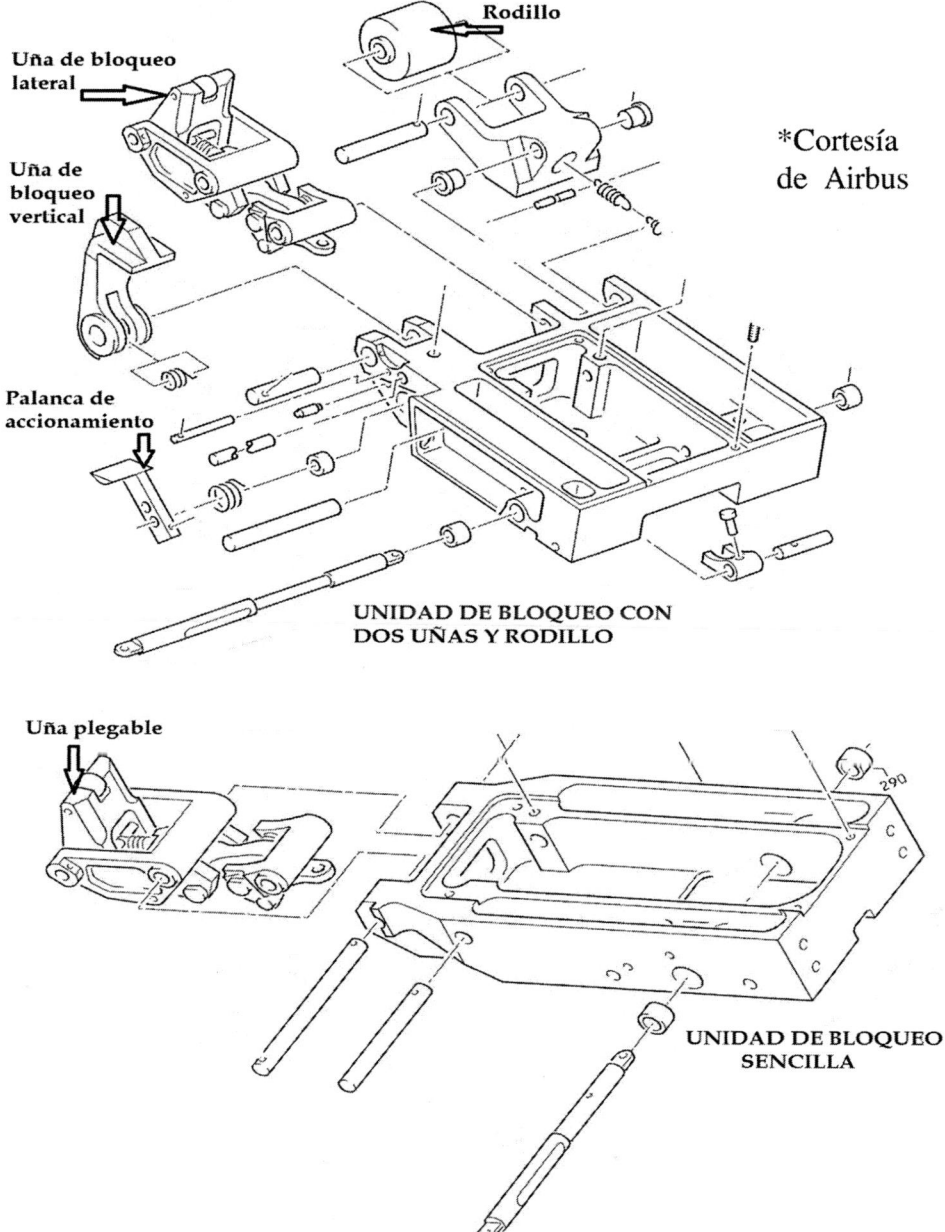

UNIDADES DE BLOQUEO DE CONTENEDORES EN EL UMBRAL DE LA PUERTA DE LAS BODEGAS

Todo el movimiento de los contenedores en su recorrido por la bodega se efectúa por medio de unas unidades situadas en el piso de la bodega, estas unidades son de varios tipos, pero en general se componen de un motor eléctrico y uno o dos rodillos unidos por un tren de engranajes que hacen girar los rodillos con la fuerza necesaria para mover el contenedor, otro tipo de unidad de arrastre es de único rodillo, pero con el eje descentrado para levantar ligeramente el contenedor, con lo que se impide que el contenedor se atasque. En la siguiente figura se presentan dos modelos de unidades de arrastre de contenedores.

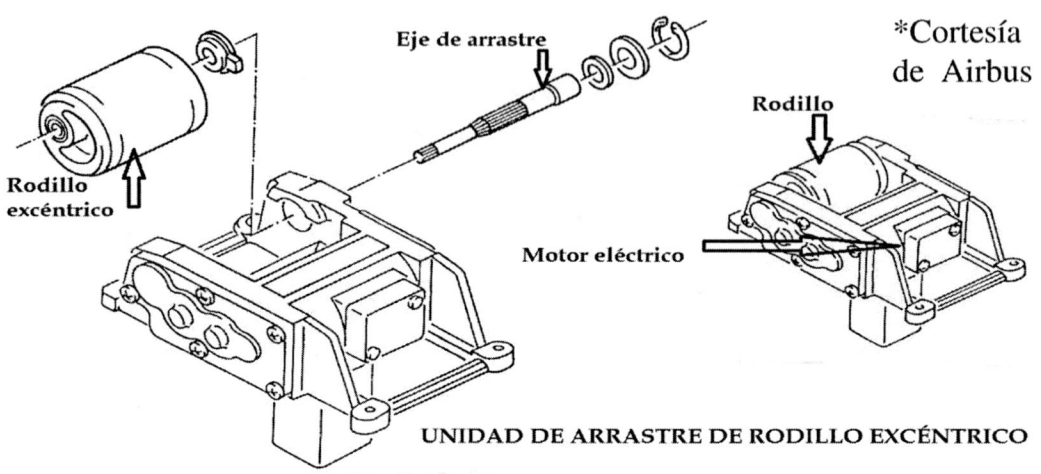

UNIDAD DE ARRASTRE DE RODILLO EXCÉNTRICO

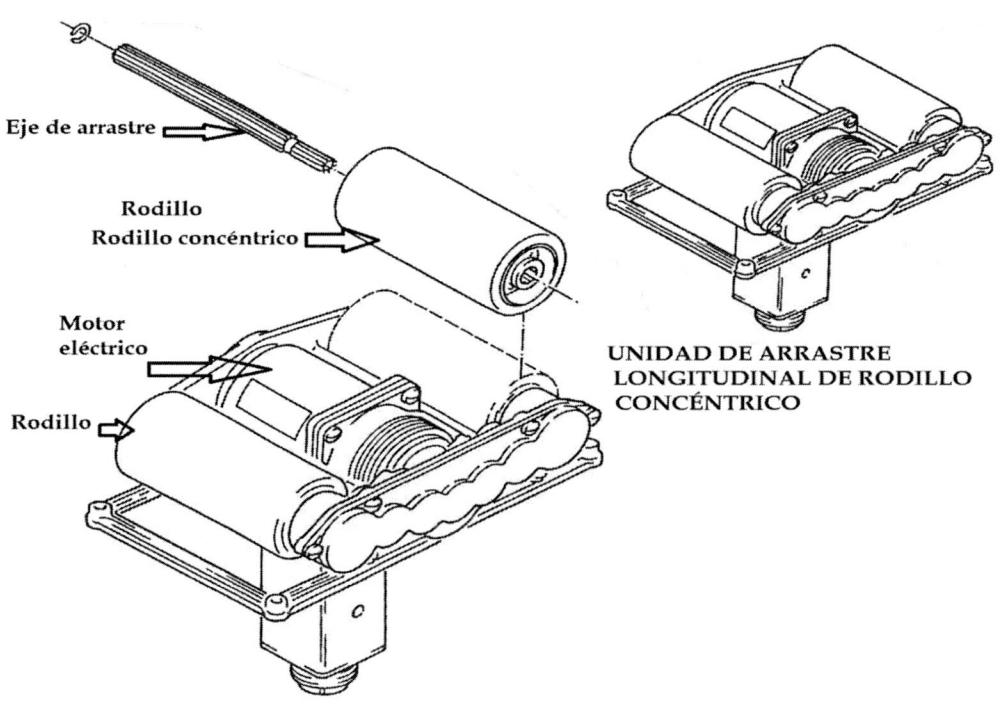

UNIDAD DE ARRASTRE LONGITUDINAL DE RODILLO CONCÉNTRICO

UNIDADES DE ARRASTRE DE CONTENEDORES

Todo el sistema de manejo de los contenedores se maneja desde una estación que generalmente se ubica en el exterior del fuselaje, en las inmediaciones de la puerta de la bodega, en un hueco cerrado con una tapa-registro donde se ubican los interruptores de alimentación eléctrica al sistema, el de las luces del panel y de las inmediaciones de la puerta de la bodega, la palanca de control del movimiento de los motores que mueven los contenedores hacia delante y hacia atrás. En otros modelos de aviones la palanca de control de las unidades del sistema de manejo de la carga se ubica en un lateral del marco de la puerta por la parte interior, de forma que el operador no interfiera el tráfico de los contenedores. En la figura siguiente se muestra el despiece de los elementos de la estación de control del sistema de carga.

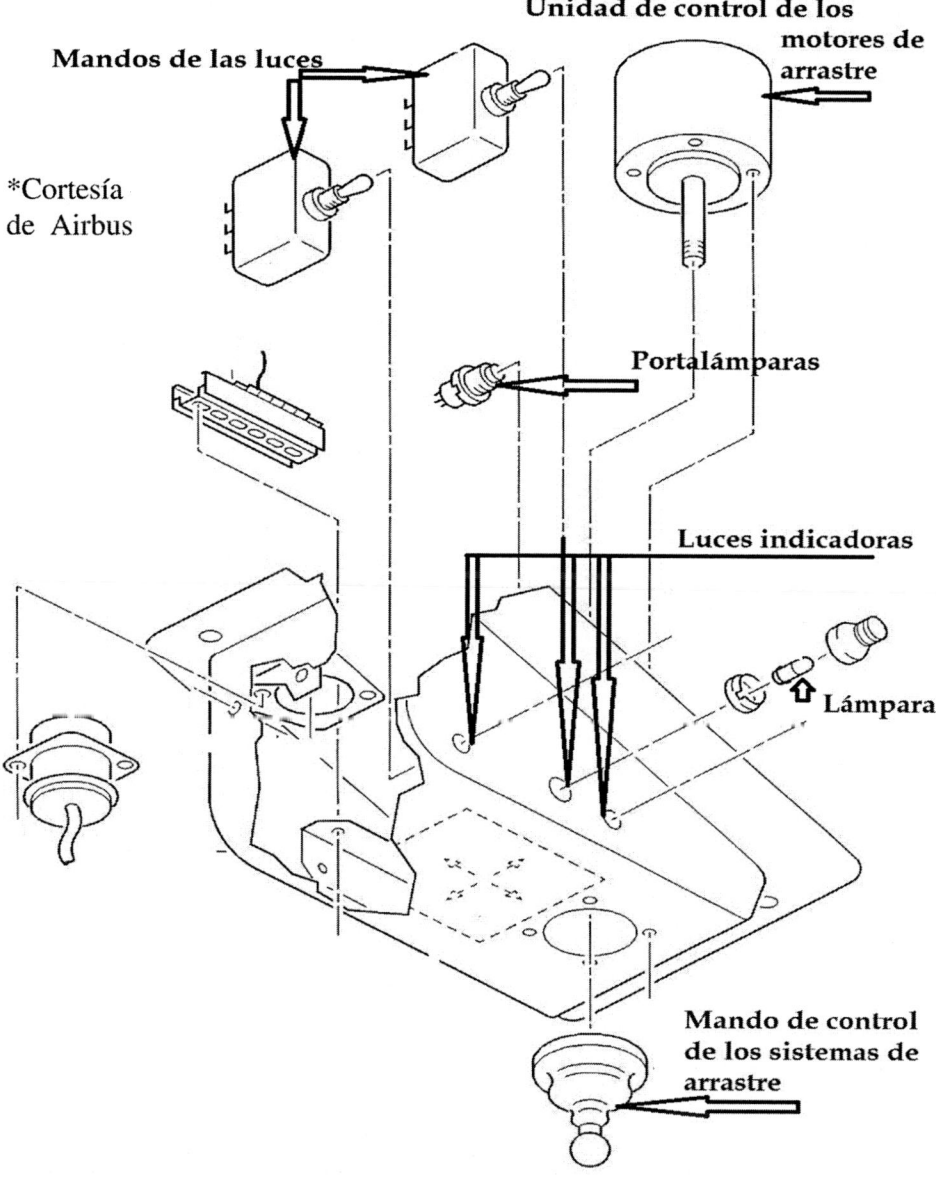

DESPIECE DE UN PANEL DE CONTROL DEL SISTEMA DE CARGA DE BODEGAS DE A-320

11.3.1 – 4 – PUERTAS (ATA 52)

En la aeronáutica consideramos como puertas a aquellos elementos que, abisagrados a la estructura, tapan los huecos practicados en el fuselaje de una aeronave para poder acceder a su interior, o los practicados en los mamparos y tabiques interiores para poder comunicarse entre departamentos.

Según han ido evolucionando las estructuras de las aeronaves así han ido cambiando también sus puertas, pasando de puras y simples placas que abrían hacia un lado mediante unas bisagras convencionales fijadas a los marcos, a las actuales que instalan los fabricantes en los grandes aviones que tienen una acusada complejidad, tanto en la construcción de su estructura como en los mecanismos de apertura, cierre y fijación de las rampas de evacuación en caso de emergencia.

Continuando con la diversidad de puertas que existen, las hay con escalera incorporada, o puertas con su rampa de deslizamiento para evacuar a los pasajeros en caso de emergencia, puertas de un solo volumen o en casos de aviones que denominamos "ejecutivos", están divididas en dos partes, una que abre hacia arriba y la otra mitad hacia abajo y que suele llevar en su estructura los peldaños de la escalera de acceso; puertas de aviones sin presurizar, o puertas de aviones presurizados que una vez cerradas forman parte de la estructura estanca del avión.

En la figura siguiente se presenta la secuencia normal de apertura de una puerta de entrada al interior del fuselaje, de una aeronave convencional de mediano tamaño, donde se pueden observar las posiciones que va adquiriendo la puerta para que pueda pasar hacia el exterior.

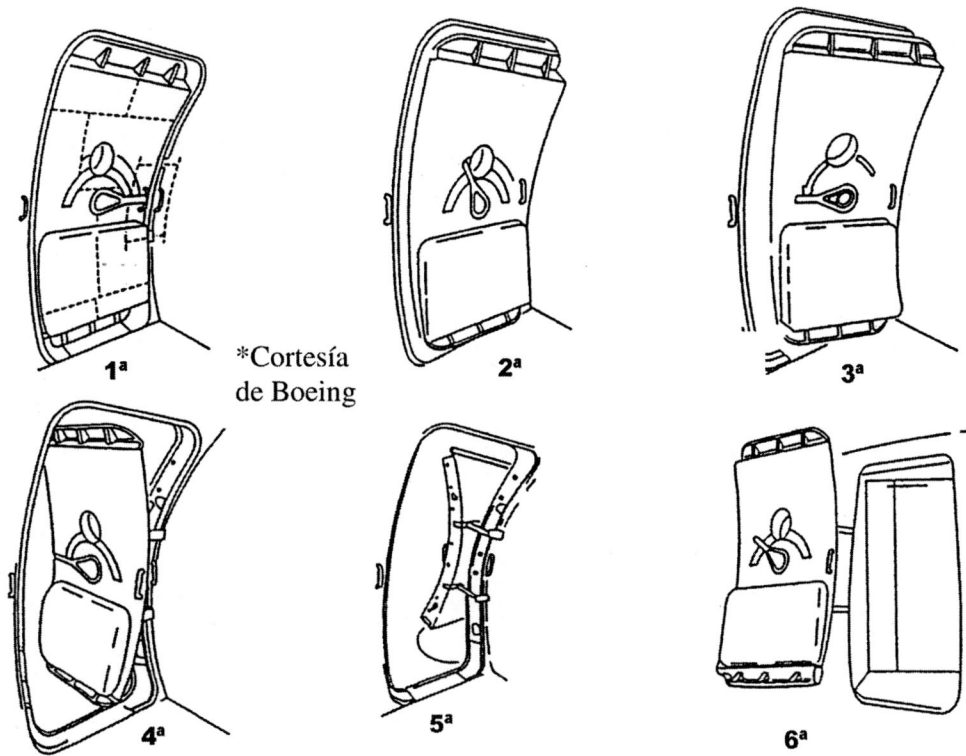

1ª   *Cortesía de Boeing   2ª   3ª

4ª   5ª   6ª

SECUENCIA DE APERTURA DE UNA PUERTA

Las puertas se unen a la estructura del fuselaje por medio de bisagras de diferentes tipos, dependiendo del fabricante y la clase que sea, las cuales deberán permitir a la puerta, para abrir, el movimiento hacia dentro, hacia delante y hacia fuera, ya que son del tipo tapón y tienen que colocarse de manera que pueda salir por un hueco sensiblemente más pequeño, según puede verse en la figura anterior.

Alrededor de su contorno, las puertas que tienen que soportar presión llevan, para su sellado contra el dintel del fuselaje, una junta de caucho silicónico, con un caucho esponjoso en su interior, está moldeado para que ajuste al marco.

La junta por la parte exterior del sello de caucho lleva unos agujeros por los que entra la presión una vez cerrada la puerta y garantiza el sellado empujando la junta contra su asiento, más cuanto más aumenta la presurización.

Para las puertas interiores de lavabos, armarios, etc., se utilizan materiales ligeros cubiertos de fibras tipo NOMEX o similares, u otras construcciones, tipo panel de abeja, que abisagrados a batiente del marco permiten que abran y cierren, todo recubierto con el material que para imagen utiliza la compañía operadora. En la figura siguiente se muestra un ejemplo de puerta de un departamento de interiores.

369

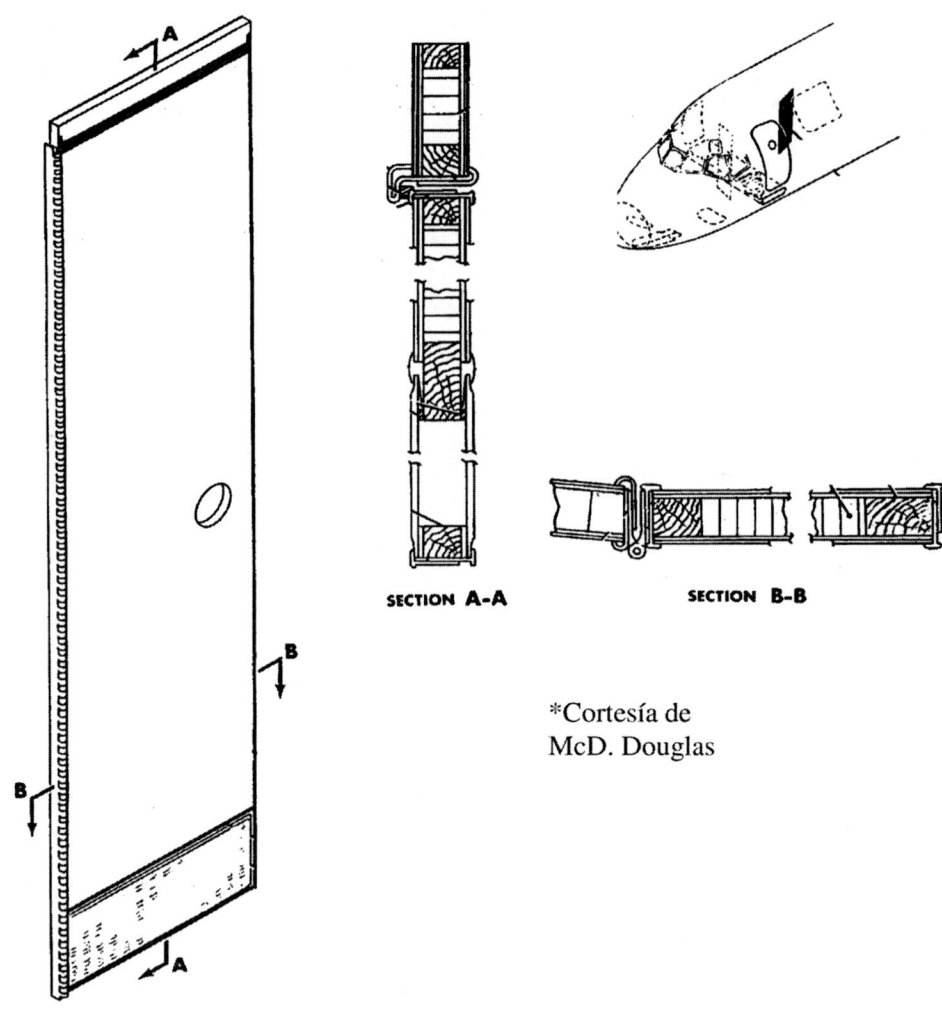

SECTION A-A   SECTION B-B

*Cortesía de
McD. Douglas

PUERTA INTERIOR

Para las puertas de la cabina de pilotos, actualmente se montan puertas con alto grado de blindaje en su estructura, forrando los paneles con placas de acero y tanto las bisagras como los cierres son de seguridad, permitiendo así cumplir la reciente normativa emanada de las consecuencias que han tenido los actos terroristas los últimos años.

En aviones de tipo medio (p.e. los CRJ de Bombardier) que instalan una puerta monovolumen abisagrada al fuselaje por la parte inferior, cuando está abierta quedan utilizables los peldaños de la escalera de acceso y el correspondiente pasamanos, debido a que ya en este tipo de aeronaves las puertas son pesadas, para poderlas maniobrar fácilmente. En la figura siguiente se muestra una puerta con escalera de acceso en su misma estructura, que instala el fabricante canadiense en sus modelos CRJ.

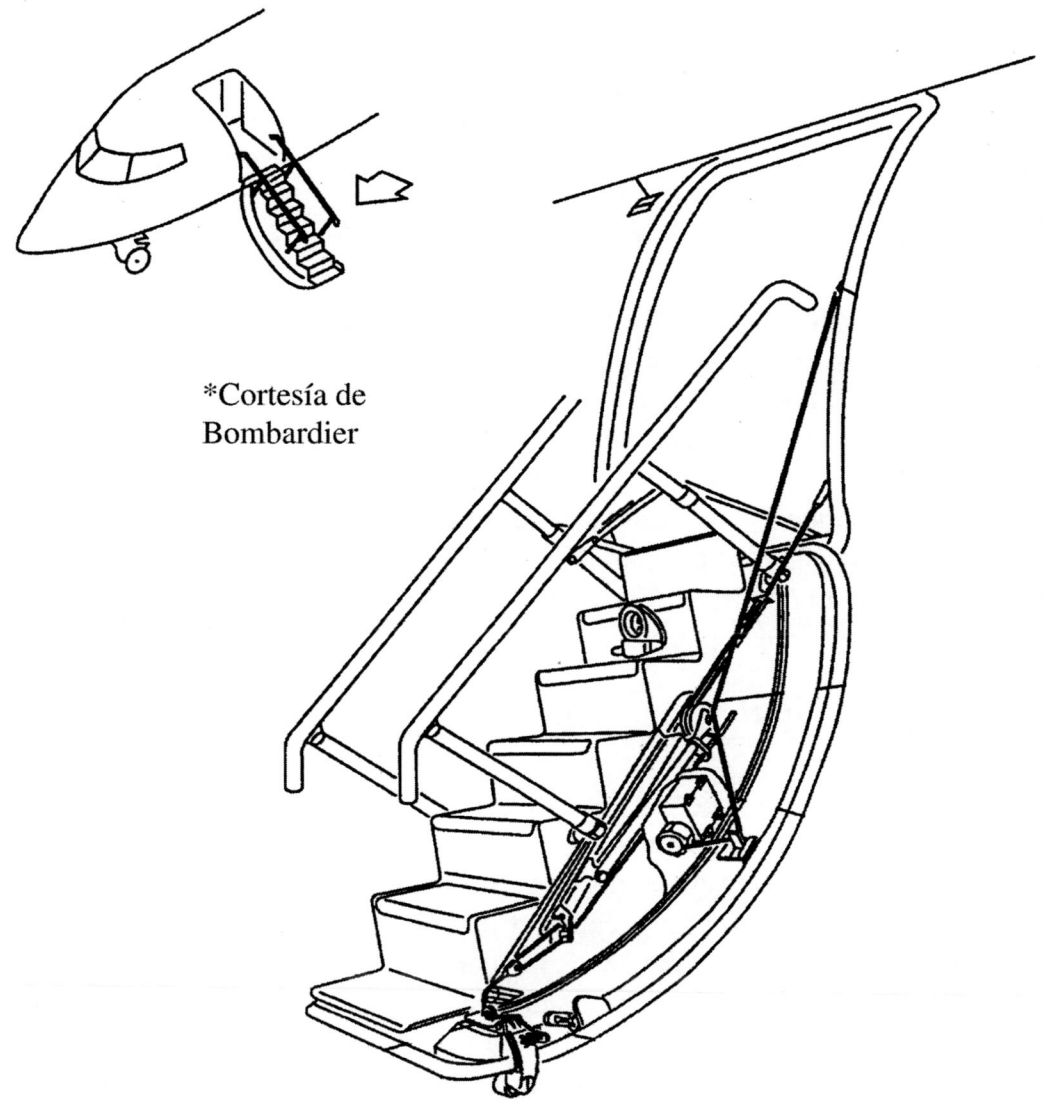

*Cortesía de
Bombardier

PUERTA CON ESCALERA MOVOLUMEN

Dentro del Sistema ATA-100, las puertas y sus accesorios tienen asignado el capítulo 52, que es el que comprende este capítulo, y que debido a la diversidad de tipos y funciones que tienen las aeronaves actuales se han agrupado tomando como base la función que ejercen, así las dividimos en:

PUERTAS EXTERIORES
- Puertas de pasajeros y de servicio.
- Puertas de bodega de carga.
- Puertas de compartimentos de accesorios.
- Puertas de salidas de emergencia.

PUERTAS INTERIORES
Puertas de cabina de mandos.
Puertas de mobiliario.

Las puertas exteriores que están instaladas en aeronaves de cabina estanca, es decir, que tienen la cabina presurizada, no solo tienen que transmitir y dar continuidad a las líneas de fuerza que se originan en toda la estructura, sino que además deben dejar sellada la cabina para que no se produzcan fugas de presurización.

En aeronaves presurizadas, en las puertas de las bodegas se instalan unas tapas con juntas de estanqueidad, a modo de válvulas que están conectadas con el mecanismo de desbloqueo de la puerta, son actuadas a la vez desde la palanca de apertura de la puerta, regladas para que estén abiertas antes de terminar la operación de desbloqueo de los ganchos, para que la bodega quede comunicada con el exterior igualándose las presiones y eliminando así las consecuencias de una posible presión atrapada dentro de la bodega. Estas válvulas cierran de la misma forma, o sea, que durante la última parte del movimiento de cierre de los ganchos de bloqueo de la puerta se cierran las válvulas de igualación de presiones.

11.3.1.4 – 1 – ESTRUCTURA

Para la construcción de las puertas que se colocan en zonas presurizadas, se utilizan los mismos materiales que para la construcción del fuselaje. Para las puertas que tendrán que soportar los esfuerzos de la presurización, como son las de pasajeros, servicios, bodegas, emergencias y compartimentos, se utilizan materiales con base de aluminio, ALCLAD-7075, etc., y acero para los herrajes de los soportes de los mecanismos que van a ir sujetos y montados en ellas.

Con elementos de estos materiales se construye un entramado de piezas y refuerzos remachados que forman la estructura de la puerta, que luego son cubiertos en su parte exterior por un revestimiento metálico del mismo tipo que el fuselaje, formando lo que se denomina estructura en bandeja.

Fijados a esta estructura mediante tornillos y remaches están colocados los herrajes, y los soportes de los mecanismos que lleva la puerta, los topes ajustables de cierre y los alojamientos de las juntas de estanqueidad que sellarán la unión con el fuselaje, así como alojamientos y soportes de las rampas de evacuación, en las puertas de entrada de personas.

En la figura siguiente se muestra el despiece de la estructura de una puerta de acceso a la cabina de pasajeros de una aeronave de mediano tamaño donde se pueden observar las piezas que van remachadas.

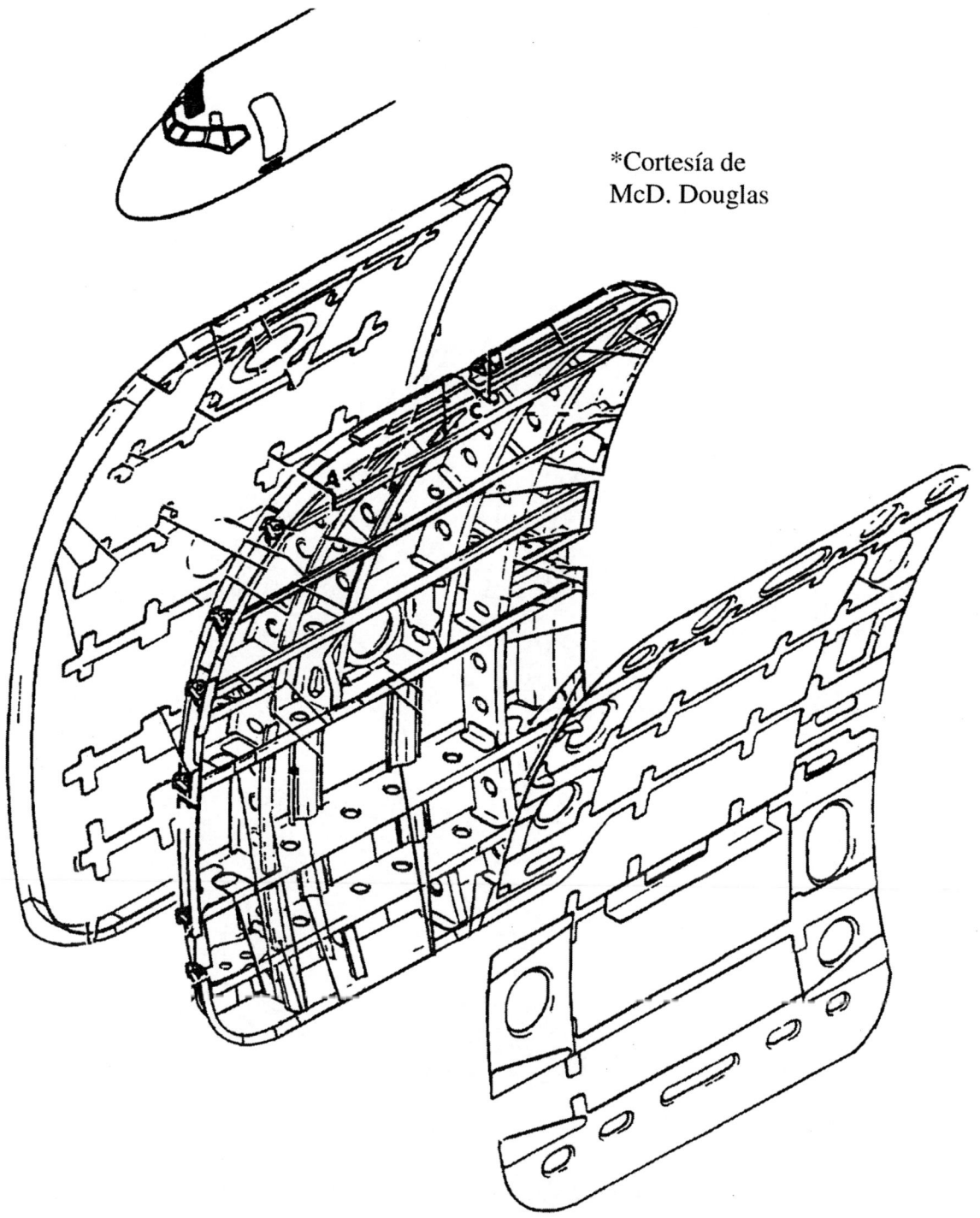

*Cortesía de
McD. Douglas

DESPIECE ESTRUCTURAL DE UNA PUERTA

Para las puertas que cierran zonas que no van presurizadas, como los alojamientos del tren de aterrizaje, del APU o de las zonas de accesorios o sistemas, las puertas o compuertas tienen una estructura más sencilla, aunque si son de gran tamaño, la estructura será metálica, pero en revestimiento será generalmente de panel de materiales compuestos que proporciona la resistencia necesaria y un menor peso. Si son de pequeño tamaño se les denomina generalmente registros y están construidos de materiales compuestos ligeros que llevan fijados, a un lado, las bisagras, y a otro, los broches de cierre.

En la siguiente figura se muestra un ejemplo de compuerta de zona no presurizada como es el alojamiento del tren de aterrizaje.

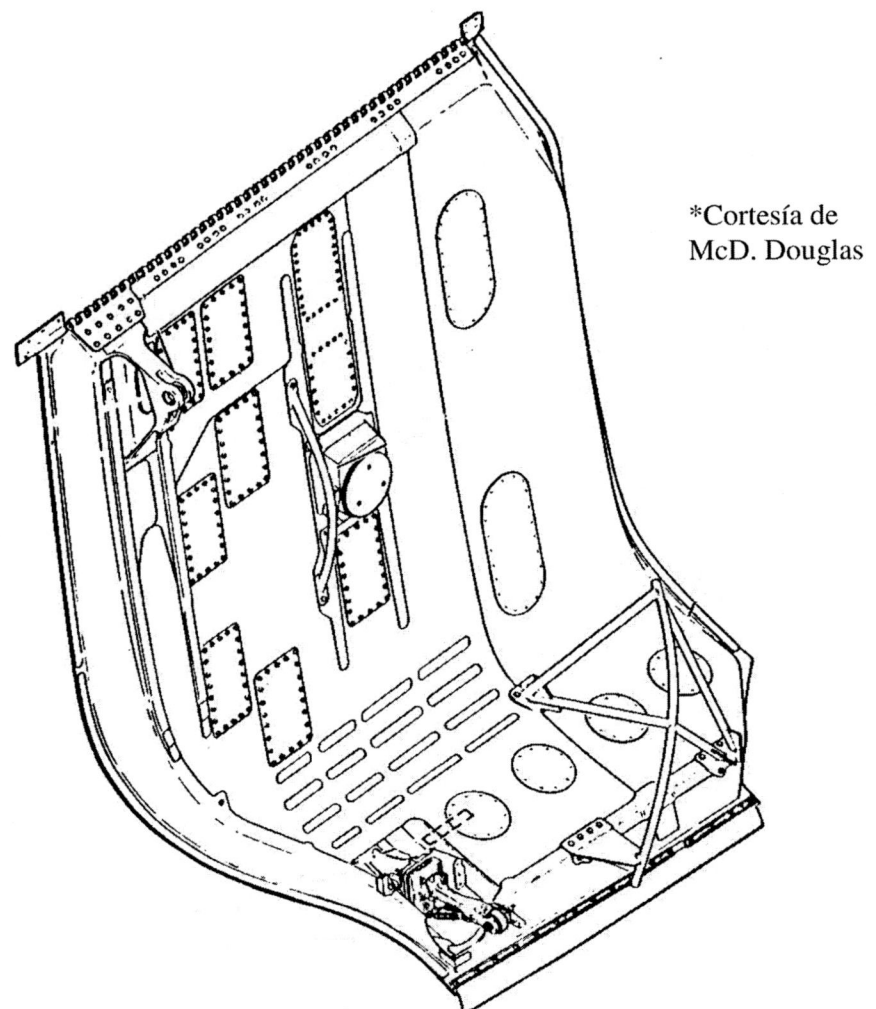

*Cortesía de McD. Douglas

COMPUERTA DE ZONA NO PRESURIZADA

REVESTIMIENTO

Para las puertas que, como unidades estructurales, tapan un hueco más o menos grande en el fuselaje de una aeronave, los revestimientos son muy diferenciados, así el exterior forma parte de la estructura remachada a los larguerillos y demás elementos que la componen, y es del mismo material que el fuselaje.

En cuanto al revestimiento interior, consiste en un forro de material plástico que, montado después de los mecanismos, cubre estos y le da a la puerta el aspecto necesario, dependiendo del lugar en el que vaya montada. Debajo del forro y tapando los espacios que dejan los mecanismos, se colocan unas mantas de "dracón" impregnadas en caucho silicónico como barrera acústica y térmica. Sobre estos revestimientos se colocan los elementos de imagen que cada operador tenga en su diseño.

SOPORTES DE MECANISMOS

En las puertas donde van montados los distintos mecanismos, se colocan remachados o atornillados los correspondientes soportes y herrajes, que permitirán su instalación, soportes para los mecanismos de cierre, de apertura rápida, bisagras de sujeción y giro, así como los herrajes donde se situarán los topes ajustables, en todo el perímetro exterior, y que permitirán que la puerta ajuste bien a su marco y los topes transmitan las cargas y esfuerzos.

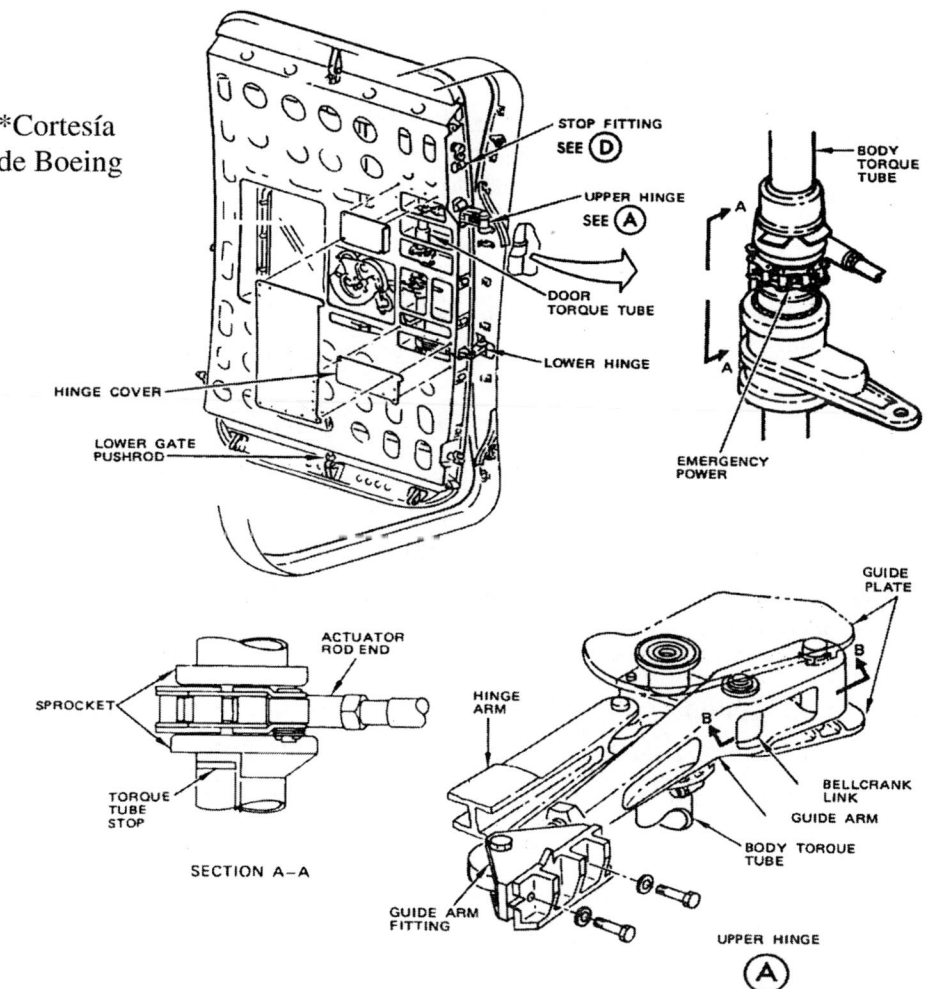

*Cortesía de Boeing

SOPORTES DE MECANISMOS DE PUERTA

375

En la figura anterior se presenta una vista de la estructura de una puerta con varios de los herrajes y soportes de los mecanismos, su colocación y forma de fijación.

Dependiendo del tipo de puerta y de los mecanismos que lleve instalados, los soportes tienen bastante complejidad, es laborioso inspeccionarlos durante las revisiones, ya que son puntos sometidos a muchos esfuerzos y son zonas susceptibles de formación de grietas.

11.3.1.4 – 2 – MECANISMOS DE APERTURA Y CIERRE

Los mecanismos de apertura y cierre de puertas generalmente son los más complejos, porque tienen que cumplir una serie de requisitos, además de que al ir instalados en la estructura y ser esta ligeramente curvada para que al cerrar quede bien conformada con el fuselaje, y el aire no forme torbellinos durante el vuelo, es más compleja la transmisión de los movimientos ejercidos sobre las palancas de mando, hasta los cerrojos y rodillos de cierre y bloqueo.

También este mecanismo tiene que poder ser maniobrado tanto desde el interior como desde el exterior de la aeronave, con la particularidad de que **si se maniobra desde el exterior** y están armados los mecanismos de emergencia (rampas de evacuación y apertura rápida en emergencia) estos quedan desarmados durante la primera parte de la maniobra permitiendo la apertura de la puerta sin que se utilicen los elementos de emergencia. El mando de apertura desde el exterior generalmente va alojado en su hueco de forma que no sobresalga del revestimiento de la puerta.

Las funciones a efectuar por parte de los mecanismos de apertura y cierre son prácticamente las mismas en todas las aeronaves, o sea, que tienen que: cerrar y bloquear los mecanismos para que no sea posible una apertura involuntaria, y que una vez abierta la puerta, esta tenga un mecanismo de bloqueo en abierto que impida su cierre si no es deseado.

En la figura siguiente se presentan los mecanismos se cierre de una puerta de entrada de una aeronave Airbus 340 con todos los elementos que permiten que la acción ejercida sobre las palancas de mando tanto exterior como interior transmitan el movimiento a todos los puntos de cierre con el marco de la puerta.

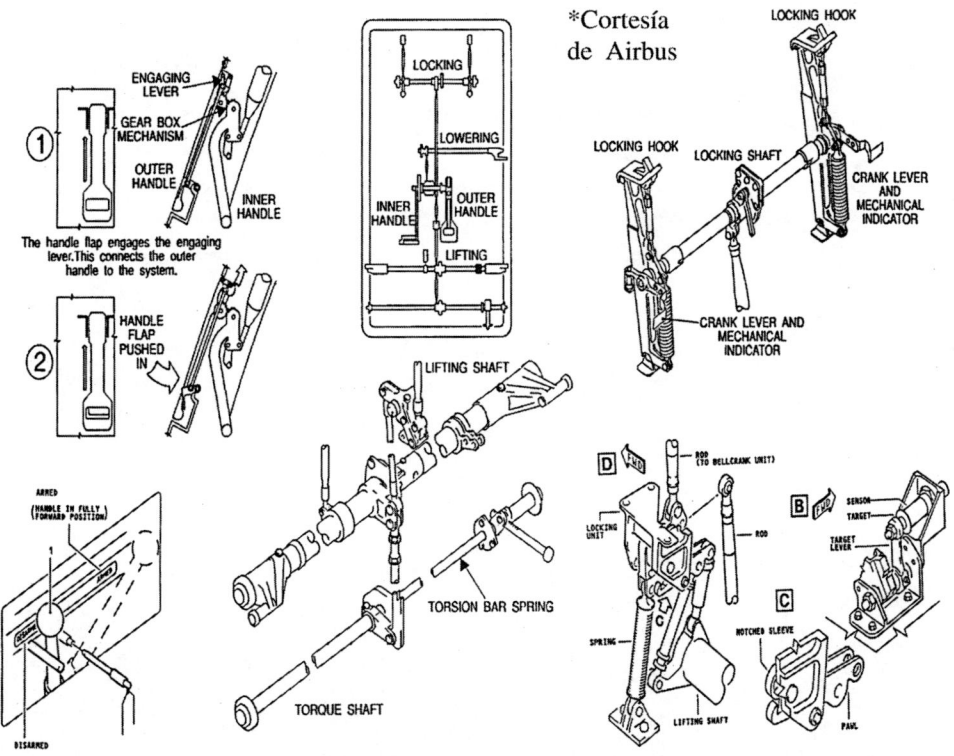

*Cortesía de Airbus

MECANISMOS DE APERTURA Y CIERRE DE LA PUERTA DE ENTRADA DE UN AIRBUS A-340

En este caso los blocajes son dos rodillos en cada lateral de la puerta que entran dentro de unos herrajes acanalados montados en el marco del fuselaje, estos canales tienen forma de escuadra, con la parte horizontal en la zona superior del herraje y una canal vertical en el fondo del mismo, al cerrar la puerta los rodillos entran por la parte horizontal de la canal, centrando la puerta, continuando el movimiento de la palanca de cierre, la puerta baja circulando los rodillos por la parte vertical de la canal, con lo que la puerta queda bloqueada en su alojamiento y los topes mecánicos confrontando con los asientos.

Estos puntos permiten que el ajuste con el marco del fuselaje sea el correcto y la puerta transmita las cargas estructurales como está diseñado, quedando entre puerta y marco el espacio para la junta de estanqueidad que, ayudada por la presurización, sellará todo su contorno.

En la fotografía siguiente se presentan los herrajes guía para los rodillos de cierre de la puerta de una aeronave Airbus A-340.

377

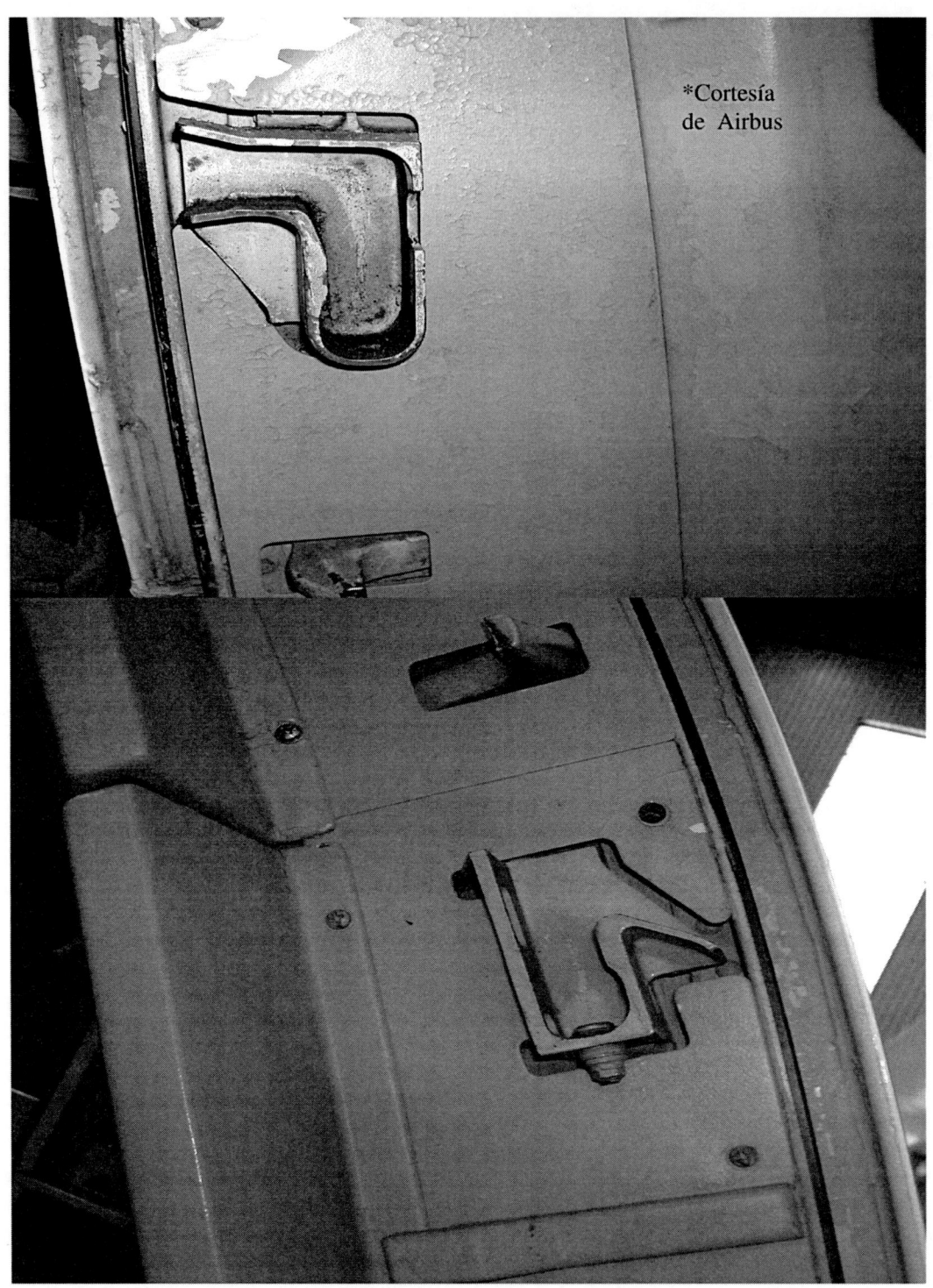

*Cortesía de Airbus

HERRAJES GUÍA DE CIERRE DE PUERTA DE A-340

Cuando la maniobra es abrir, bien sea desde el interior, o desde el exterior, durante la primera parte del recorrido de la palanca de mando la puerta se eleva circulando los rodillos por la parte vertical de la canal, y continúa hacia adentro quedando libre de los blocajes, a continuación con solo empujar la puerta hacia fuera la puerta se puede abrir hasta que alcanza la posición de apertura máxima y se activa el blocaje en abierto.

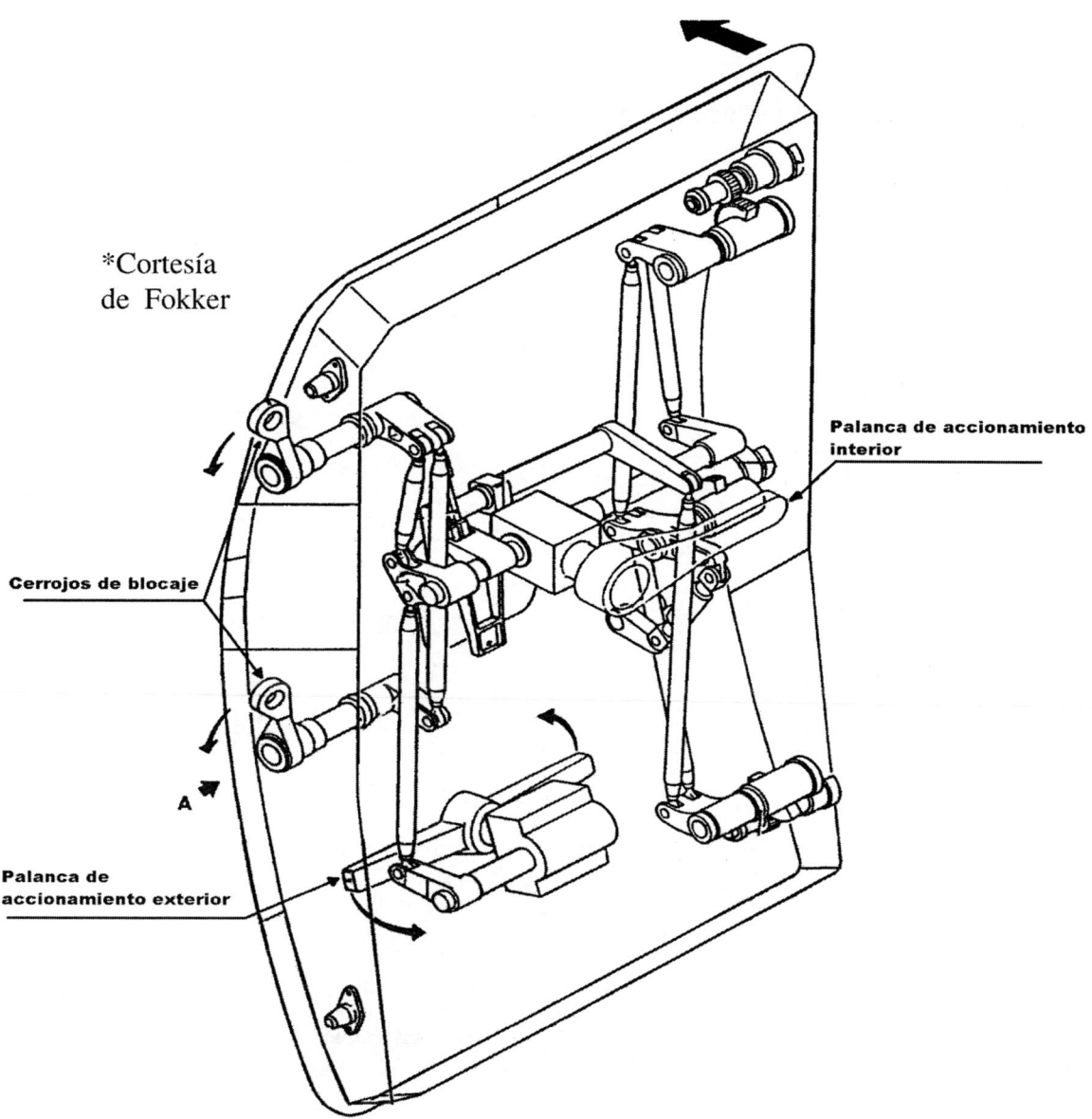

MECANISMOS DE APERTURA Y CIERRE DE PUERTA DE ENTRADA A CABINA FOKKER-50

En la figura anterior se presenta una puerta de una aeronave Fokker 50 en la que se puede observar cómo se transmite el movimiento actuando sobre cualquiera de las palancas de mando, interior o exterior, que introducen el movimiento en su correspondiente caja de engranajes, de las que salen los ejes que transmiten el movimiento mediante varillas de longitud ajustable, y palancas hasta los rodillos y cerrojos de cierre.

VARIACIÓN DE FORMA

Estos mecanismos consisten en unas faldillas que forman las partes superiores e inferiores de las puertas, que se pliegan ligeramente al actuar los mandos para la apertura, haciendo que la puerta sea algo más pequeña para así facilitar su apertura hacia el exterior.

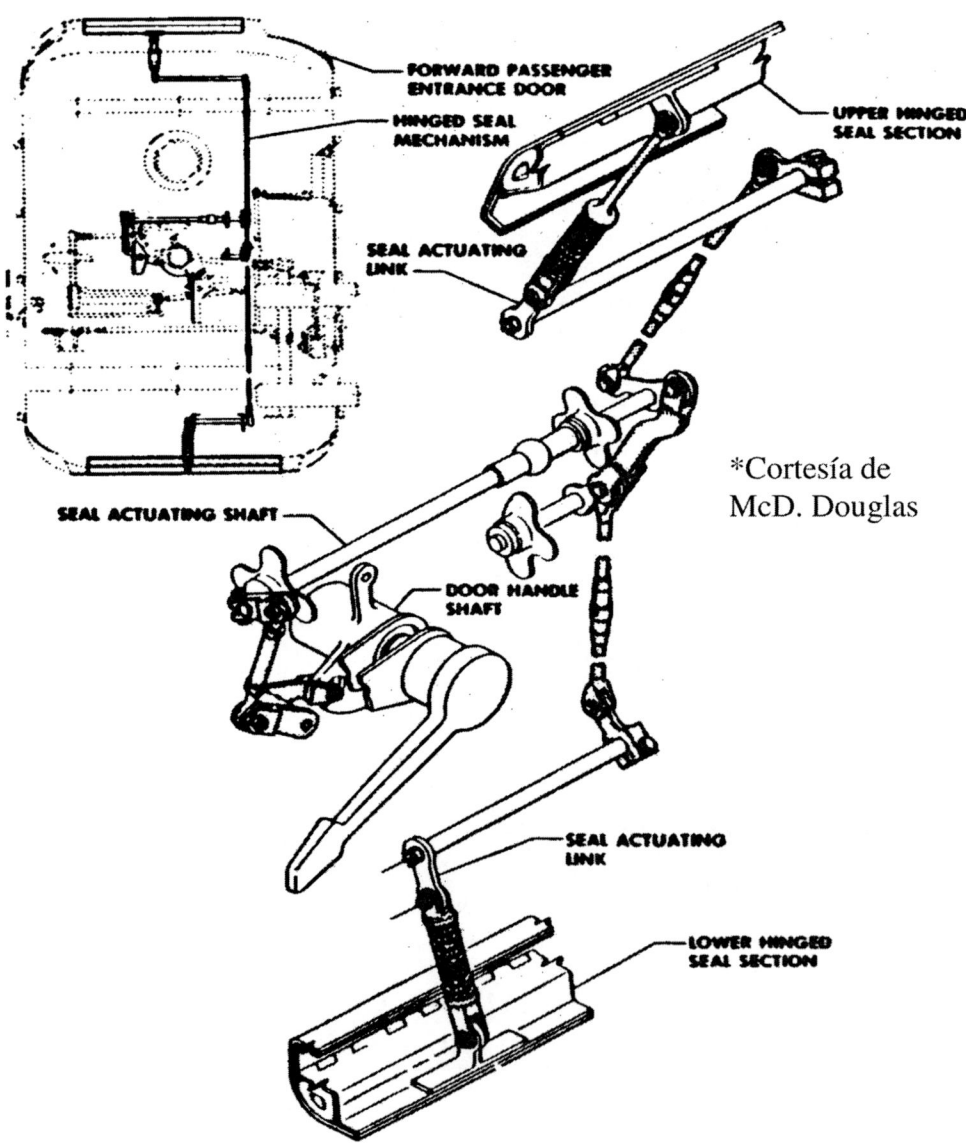

*Cortesía de McD. Douglas

MECANISMOS DE VARIACIÓN DE FORMA MD-87

El movimiento de estas faldillas se produce por medio de palancas y varillas de longitud ajustable, asociado al eje central del mecanismo de blocaje, moviéndose al mismo tiempo que se actúa sobre la palanca de mando de la puerta, como puede observarse en la figura anterior, en la que se muestra una puerta con variación de forma con la que el fabricante Douglas dota a varios de sus modelos MD-87 y Boeing a su B-717.

BISAGRAS

Las bisagras son los elementos de dos o más piezas, con uno o más ejes comunes, y sujetas, una parte, a un sostén fijo o marco, y la otra, a la puerta o tapa del hueco del marco, que permite el giro de estas quedando libre el hueco si está abierta o tapado si está cerrada. Las bisagras de las puertas que cierran huecos con el fuselaje son de varios tipos, pero tienen en común que para las de entrada y servicio tienen una bisagra articulada en la parte central del marco, que permite el giro tanto en la unión con la puerta como en la unión con el fuselaje, lo que facilita no solo el abrir y cerrar, sino el colocar fácilmente la puerta para que pueda entrar y salir por el marco, que es sensiblemente más pequeño.

En la figura siguiente se presenta una vista de la bisagra de una puerta de actuación manual, con giro en los dos puntos de unión, la puerta está cerrada y se puede ver el ajuste mecánico de uno de los topes estructurales y la posición de la junta de estanqueidad, con la que se equipan varios modelos de aeronaves de la marca Douglas y Boeing.

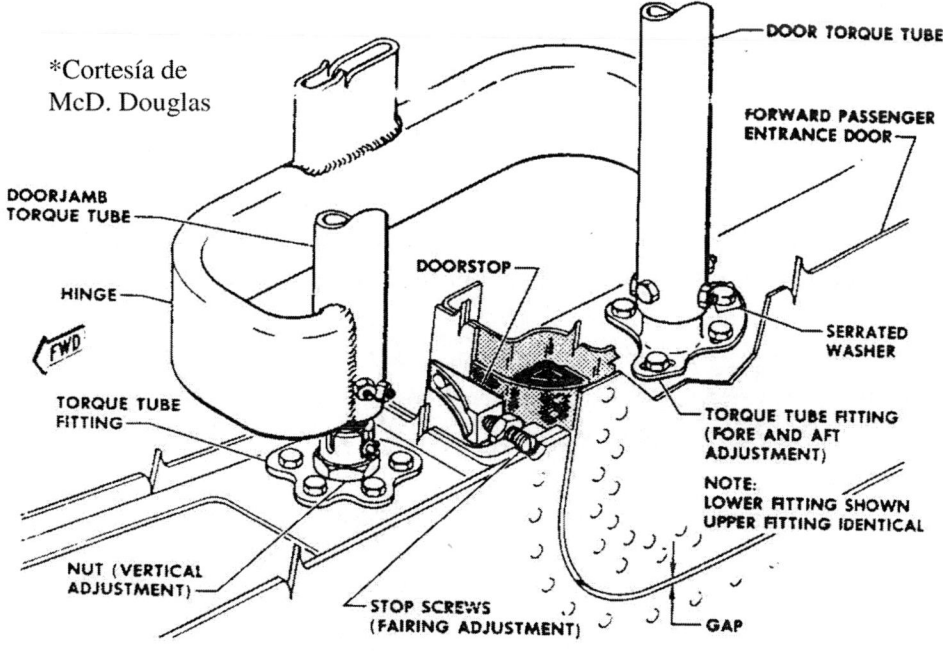

BISAGRA DE PUERTA

Para conseguir estos movimientos de las puertas, cada fabricante les da un desarrollo diferente, unos más articulados que otros, unos con el bloqueo de la puerta en abierto en el mismo eje de giro, como Boeing en sus B-757 y puede observarse en la figura siguiente.

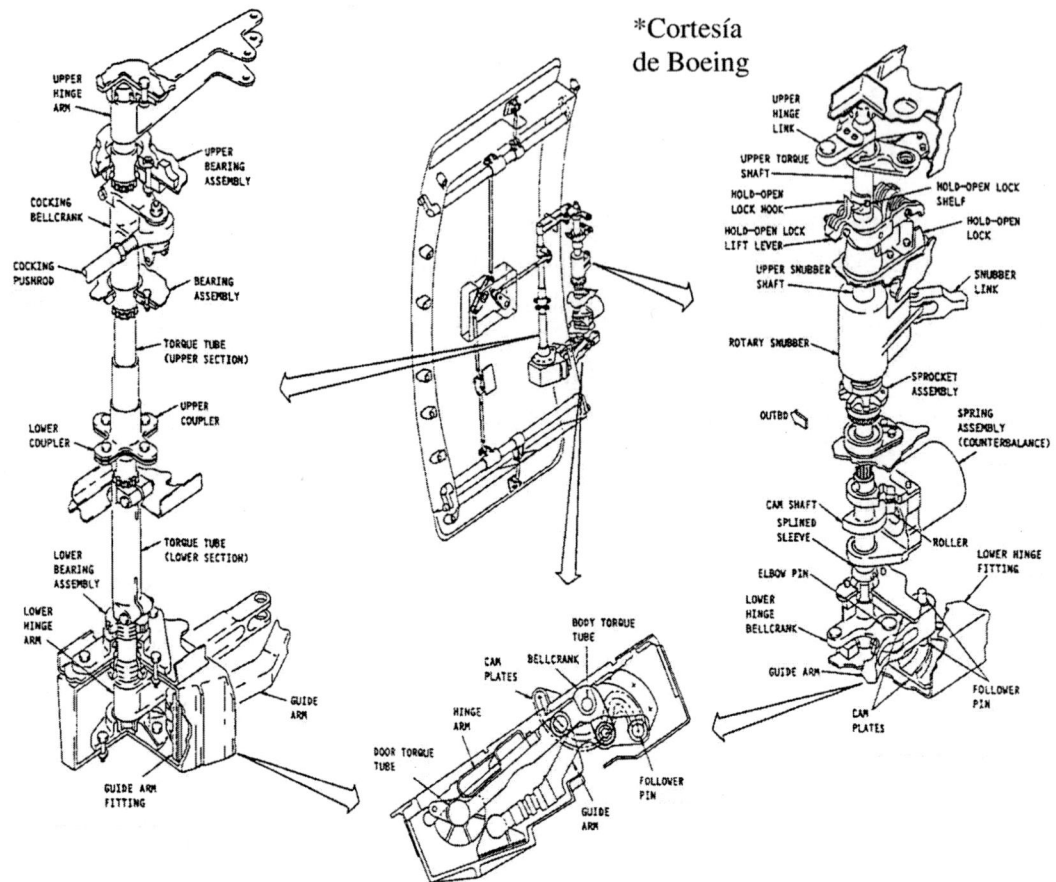

*Cortesía de Boeing

BISAGRA ARTICULADA

En aeronaves de gran tamaño que tienen puertas de mucho peso, las bisagras están unidas de forma que se equilibra mucho el peso y sea fácil desplazarla, además de un mecanismo de ayuda a la apertura de la puerta en caso de emergencia.

En la figura siguiente, se presenta una puerta de entrada de pasajeros con la que dota el fabricante Airbus a varios de sus modelos, la puerta está soportada por la bisagra, fijada a la parte central de la puerta mediante herrajes articulados, que, al permitir un giro a modo de *cardan* sobre los puntos de unión, posibilita las maniobras de forma que desplazarla resulta sumamente fácil para una sola persona.

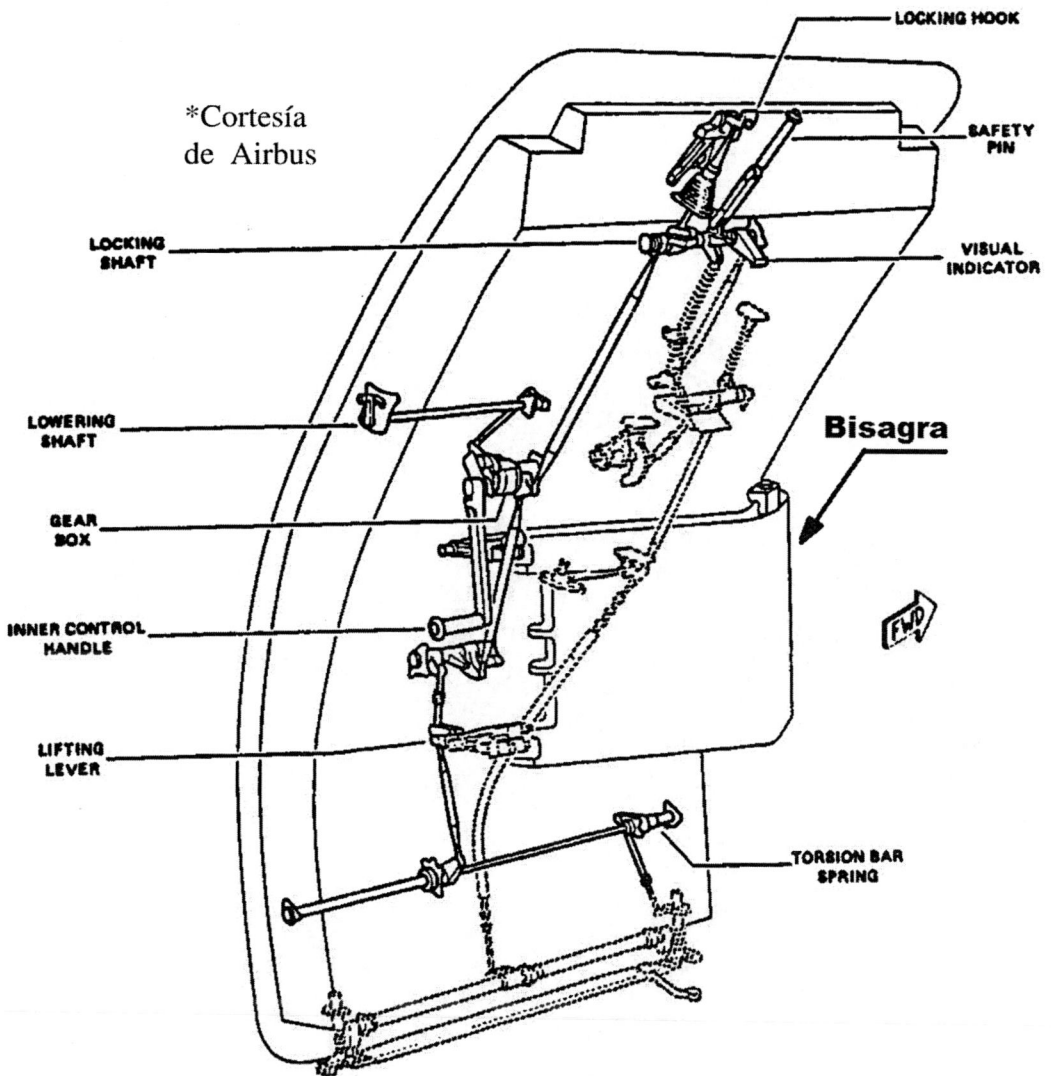

*Cortesía de Airbus

PUERTA DE AIRBUS

En las puertas de las bodegas las bisagras también son de varios tipos, bien son articuladas con mecanismos de actuación hidráulicos, eléctrico o manual o de bisagra simple, tipo piano, también con operación asistida, ya que generalmente las puertas de las bodegas son de bastante peso y abren hacia arriba para dejar la entrada libre y permitir facilidad en la carga y descarga tanto de palés como de contenedores.

En la figura siguiente se presenta una puerta de bodega de contenedores con bisagra tipo piano y actuación con cilindros hidráulicos, con las que el fabricante Airbus dota a todos sus modelos actuales.

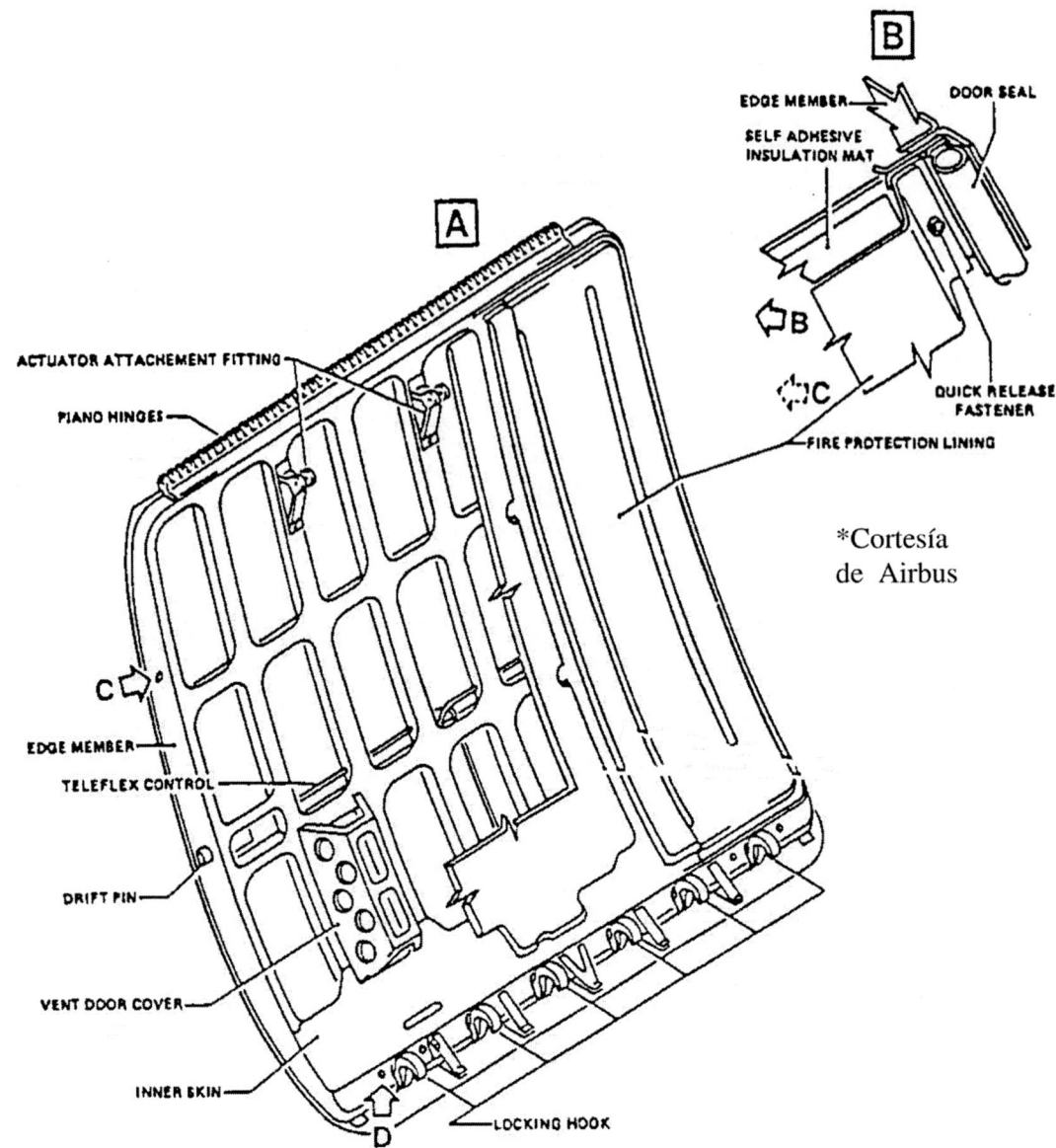

*Cortesía de Airbus

PUERTA DE BODEGA DE CONTENEDORES

Para las puertas de tamaño más pequeño, como pueden ser las de aeronaves pequeñas, o de compartimentos de accesorios, o accesos a diversas zonas, las bisagras son sencillas, fijas en la puerta y con el punto de giro en el herraje del marco.

En la figura siguiente se presenta un ejemplo de puerta de compartimento de accesorios inferior de varios modelos del fabricante Boeing de bisagra sencilla y manillas de actuación exterior e interior.

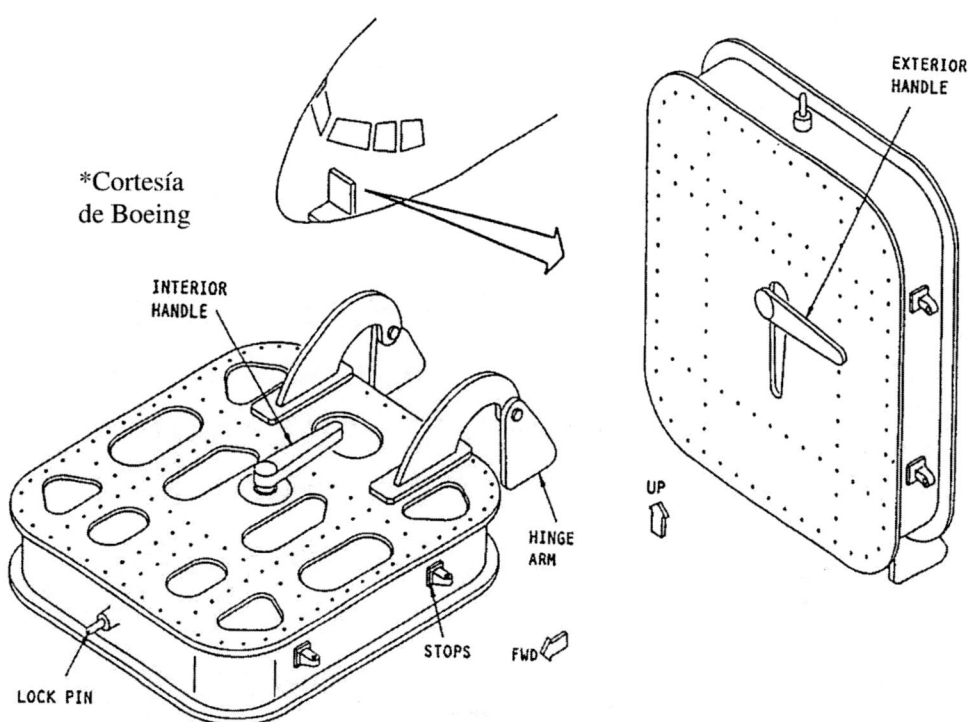

*Cortesía de Boeing

EXTERIOR HANDLE

INTERIOR HANDLE

HINGE ARM

LOCK PIN

STOPS

FWD

UP

PUERTA DE COMPARTIMENTO DE ACCESORIOS

Mecanismos de ajuste:

Las puertas de las zonas presurizadas de las aeronaves disponen de unos herrajes topes ajustables, de dos partes, una, en el contorno exterior de la puerta, y la otra, en el contorno del marco, de forma que cuando se cierra la puerta quedan encaradas y en contacto las dos partes, cuando los herrajes tope están bien ajustados, la puerta está unida al fuselaje en todo su contorno y transmite todas las fuerzas, tanto de las producidas por la presurización como de las originadas durante el vuelo.

Estos topes son generalmente de aleación de titanio forjado y están sujetos a la estructura de la puerta y del fuselaje mediante tornillería o con remaches estructurales.

En la figura siguiente se muestra una vista de los herrajes tope cuando la puerta está cerrada, pudiéndose observar tanto la fijación de los herrajes a la estructura como los tornillos de ajuste de los topes, además de la posición de los puntos de contacto de la junta de estanqueidad con la guía fijada al marco de la puerta.

HERRAJES DE AJUSTE DE UNA PUERTA DE ENTRADA DE PASAJEROS

Junta de estanqueidad

Vista A A

Tornillos de ajuste

Herraje de fuselaje

Herraje de puerta

Una vez que se ha ajustado la puerta correctamente los tornillos de ajuste deberán fijar la arandela de freno y sellar con el producto indicado.

INDICACIÓN DE POSICIÓN

La mayoría de las puertas llevan mecanismos de indicación de posición que indican al piloto si están abiertas o cerradas; esta indicación se ocasiona por el cierre de un circuito eléctrico que se produce al ser variada de su posición de cerrada cualquier puerta exterior, un microinterruptor genera una señal eléctrica que, bien directamente, a través de una caja de control, o mediante un computador, genera un aviso en cabina, bien sea acústico, o luminoso (una luz, un letrero, un aviso en pantalla, etc.), dependiendo del sistema que lleve instalado la aeronave.

La indicación de posición mantiene la filosofía de "cabina oscura", es decir, que aviso apagado es igual a puerta cerrada. Al estar monitorizados tanto las puertas de entrada, las de bodegas y la mayoría de los registros practicables sin herramienta que van en el fuselaje, y dan acceso a estaciones de carga de agua, de hidráulicos, drenaje de lavabos, o carga de combustible, entre otros, todas las señales se agrupan en una caja de control o computador, desde donde parte la señal hacia el panel de luces de puertas de la cabina, a una pantalla con letreros digitales o a las pantallas de sistemas en caso de que tengan instalados sistemas como ECAM o EICAS u otros similares informando de que la puerta correspondiente no está cerrada.

En la figura siguiente se presenta un ejemplo de las luces de aviso de puertas de una aeronave Douglas MD donde se muestra un ejemplo de cómo aparece en cabina la información de la posición de las puertas.

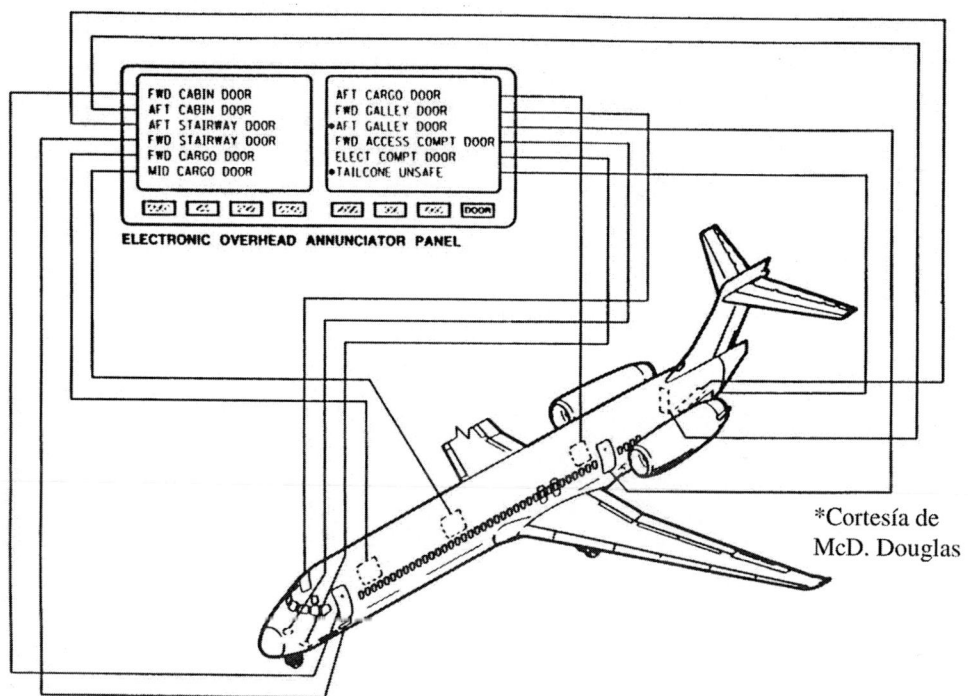

*Cortesía de McD. Douglas

SISTEMA DE INDICACIÓN DE POSICIÓN DE PUERTAS DE UN MD-87

Los micros que cierran el circuito de indicación van instalados en los marcos y en las puertas, generalmente son micros de proximidad convencionales, que se instalan, en el marco, la parte sensora, y en la puerta se instala el tarjet correspondiente, de forma que al cerrar quedan encarados, lo que permite la actuación de corriente magnética inducida variando la señal que sale de la bobina del micro, señal que llega al computador, que la traducirá de forma conveniente para que en la cabina se presente la información correspondiente.

En caso de que la distancia entre el micro y su tarjet sea más de la debida o existe suciedad entre ambas partes, la corriente magnética no actúa, por lo que el sistema interpreta que la puerta permanece abierta.

En la figura siguiente se presenta una instalación de un micro de proximidad de uso general con reglaje mediante láminas entre la estructura y el tarjet, para conseguir la separación conveniente entre este y su micro.

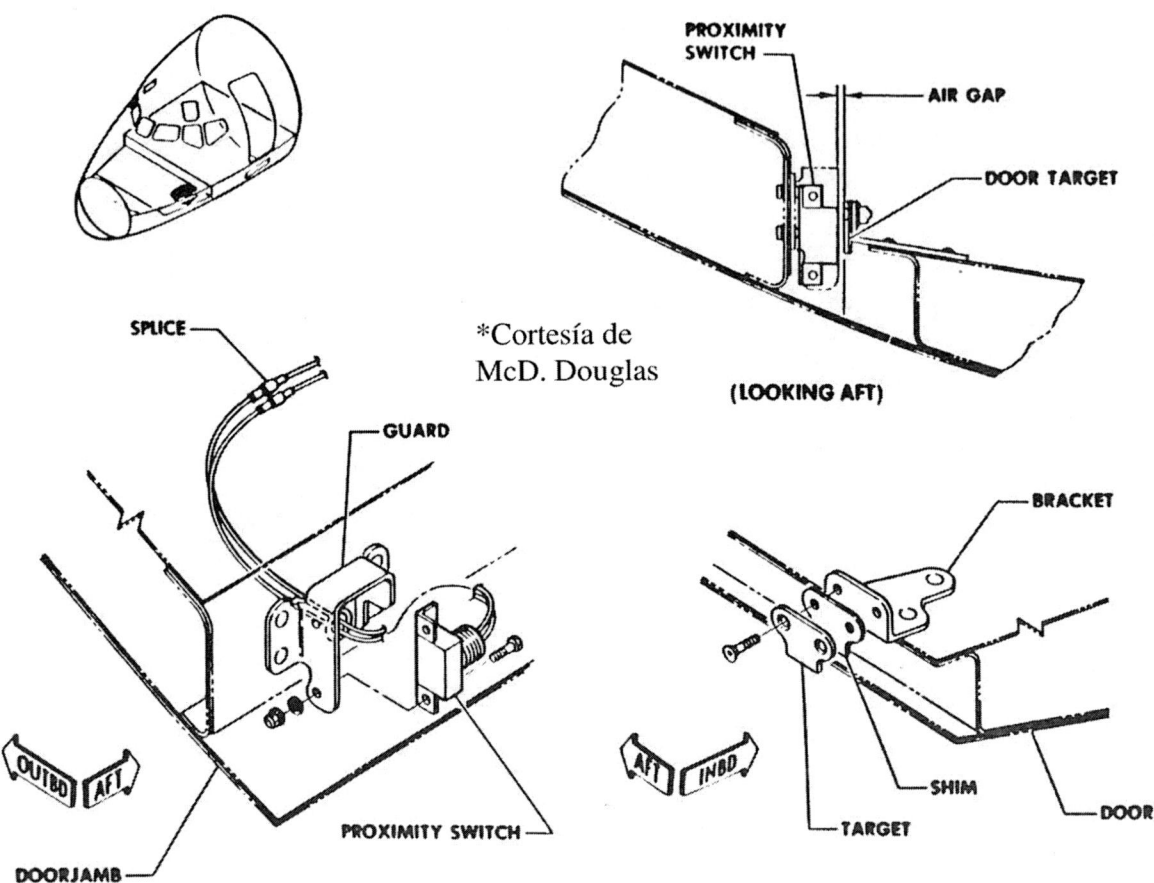

*Cortesía de McD. Douglas

MICRO DE PROXIMIDAD

En puertas de gran tamaño como en las de las bodegas de aeronaves de gran tamaño, se instalan en serie varios micros de proximidad, tanto para la posición de las puertas como la de las palancas de actuación o los ganchos de blocaje, con lo que cualquiera de ellos no se encuentra en la posición necesaria permanecerá la señal de puerta abierta o insegura.

En la figura siguiente se muestra un esquema de los elementos relacionados con las puertas de bodegas de una aeronave Airbus A-340 mostrando la función de cada uno de ellos.

En aeronaves de la generación anterior a la actual los micros instalados en los marcos de las puertas son de actuación mecánica, que consta de un cuerpo en cuyo interior lleva un interruptor con las correspondientes conexiones eléctricas y los orificios de fijación, del cuerpo sale un brazo de una forma que dependerá de donde esté instalado, y en el caso de las puertas o los ganchos de blocaje, al llegar estos a su posición, desplazan el brazo del micro a la posición contraria, con lo que varía la posición del microinterruptor y por lo tanto la señal eléctrica.

En la figura siguiente se presentan varios tipos de microinterruptores mecánicos ampliamente utilizados en diferentes sistemas de una aeronave.

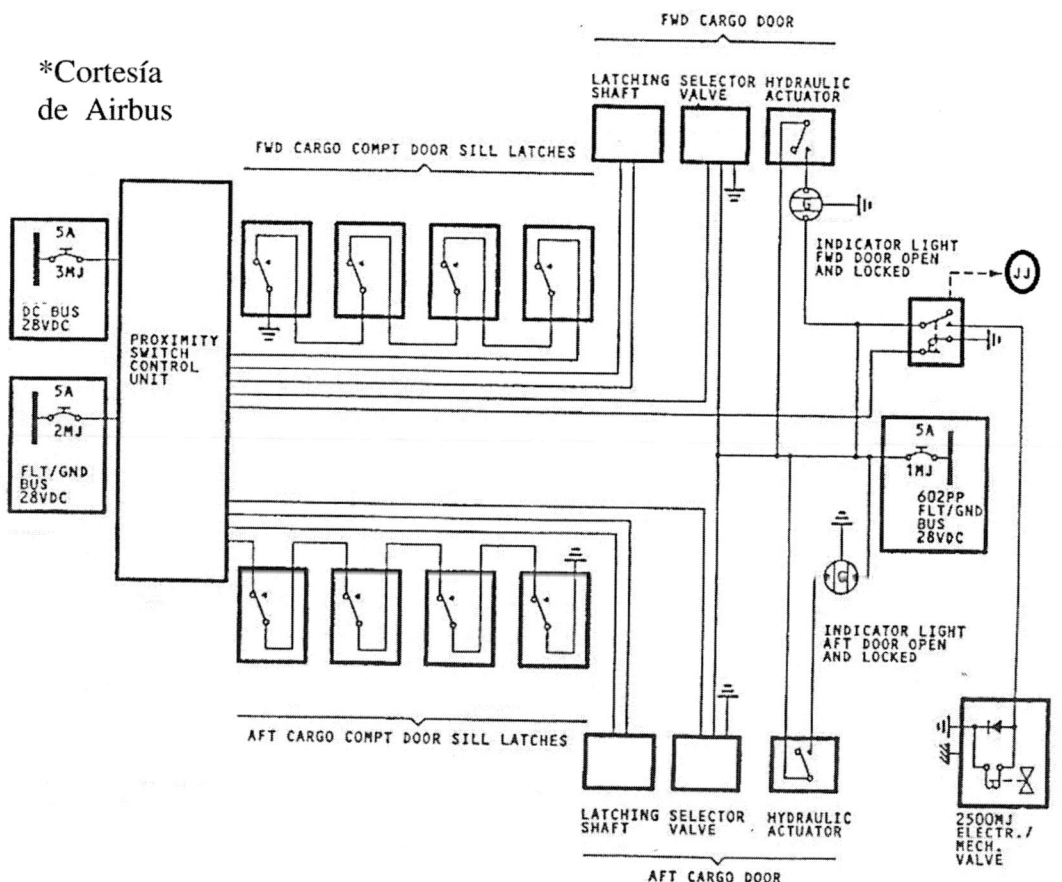

PUERTAS DE BODEGA DE AIRBUS A-340

389

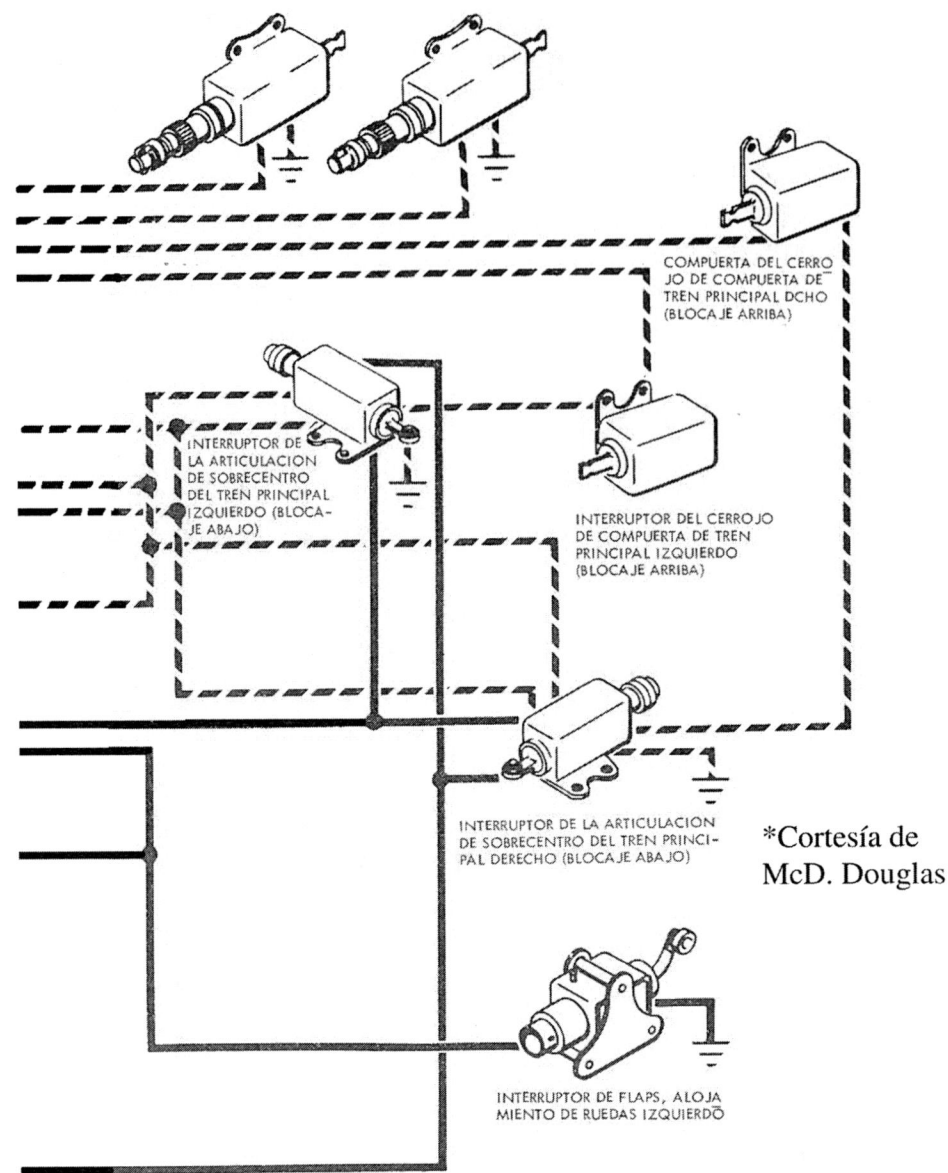

COMPUERTA DEL CERROJO DE COMPUERTA DE TREN PRINCIPAL DCHO (BLOCAJE ARRIBA)

INTERRUPTOR DE LA ARTICULACION DE SOBRECENTRO DEL TREN PRINCIPAL IZQUIERDO (BLOCAJE ABAJO)

INTERRUPTOR DEL CERROJO DE COMPUERTA DE TREN PRINCIPAL IZQUIERDO (BLOCAJE ARRIBA)

INTERRUPTOR DE LA ARTICULACION DE SOBRECENTRO DEL TREN PRINCIPAL DERECHO (BLOCAJE ABAJO)

*Cortesía de McD. Douglas

INTERRUPTOR DE FLAPS, ALOJAMIENTO DE RUEDAS IZQUIERDO

MICROINTERRUPTORES MECÁNICOS

11.3.1.4 – 3 – FUNCIONAMIENTO

El funcionamiento de las puertas deberá ser de fácil manejo, es necesario que puedan ser operadas por una sola persona de complexión normal, que no sea necesario un gran esfuerzo físico, por lo que cuando las puertas son del tamaño en que su operación sobrepasa esos límites se utilizan sistemas de ayuda, bien sean mecánicos, eléctricos o hidráulicos, que permitan actuar la puerta por una sola persona. Debido a la gran diversidad de puertas que existen en las aeronaves, su funcionamiento se agrupa en los capítulos siguientes:

PUERTAS DE OPERACIÓN MANUAL

En esta forma de operación se incluyen la generalidad de las puertas de acceso a compartimentos, las de bodegas de pequeño tamaño y las de entrada/salida de personas al interior de la cabina de pasajeros. En cuanto a los tipos de operación, hay puertas que, de una u otra forma, por medio de palancas, el operador consigue sin grandes esfuerzos desbloquear, colocar en posición de salir, sacarla de su posición y bloquearla en abierto con los mecanismos correspondientes. Estos mecanismos presentados en el capítulo anterior son de diversas formas, pero con los mismos objetivos, cuando la puerta alcanza un peso y una posición en que es necesaria alguna ayuda, esta se presta en forma de unos muelles o carretes que se cargan cuando se cierra la puerta y al abrirla esa carga ayuda al operador a colocarla en su posición.

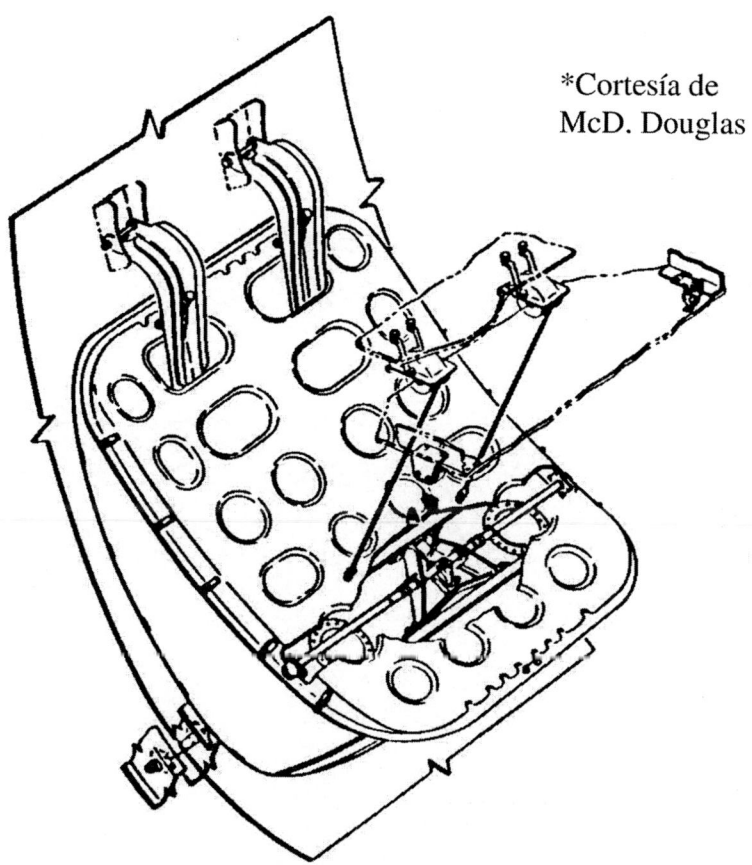

*Cortesía de McD. Douglas

PUERTA DE BODEGA DE CARGA

En la figura anterior se presenta un ejemplo de ayuda a la apertura de una puerta de operación manual que el fabricante Douglas instala en las bodegas de sus modelos MD, donde se observan los carretes de muelle con sus cables que ayudan en la apertura de la puerta.

Generalmente y para las puertas de las bodegas de carga, se les dota de los mecanismos correspondientes a fin de que como procedimiento alternativo desde el exterior, en caso de no ser posible la operación normal, mediante una herramienta se pueda actuar manualmente el sistema de apertura de la puerta, si bien es un procedimiento más lento, permite la operatividad de la bodega.

PUERTAS DE OPERACIÓN ELÉCTRICA

Estas puertas las encontraremos normalmente en las bodegas de carga y deberán desbloquearse manualmente antes de actuar los motores eléctricos, que serán alimentados por el APU o las barras de servicio. En algunos aviones como el DC-10 o el MD-11, las puertas de actuación de este tipo se colocan en las entradas de pasajeros y son escamoteables hacia arriba. El sistema de actuación eléctrico consiste en uno o dos motores, los cuales actúan sobre unas cajas de engranajes para el control de su fuerza; de estas cajas parten los ejes de torsión, que actuarán sobre la puerta para abrirla o cerrarla según actúe el operador.

En la figura siguiente se presenta un ejemplo de puerta de actuación por motor eléctrico, instalada en una bodega de un Boeing 757, donde se pueden observar los diferentes componentes, como motor de arrastre, transmisiones y unidades actuadoras sobre las bisagras que fijan la puerta al fuselaje.

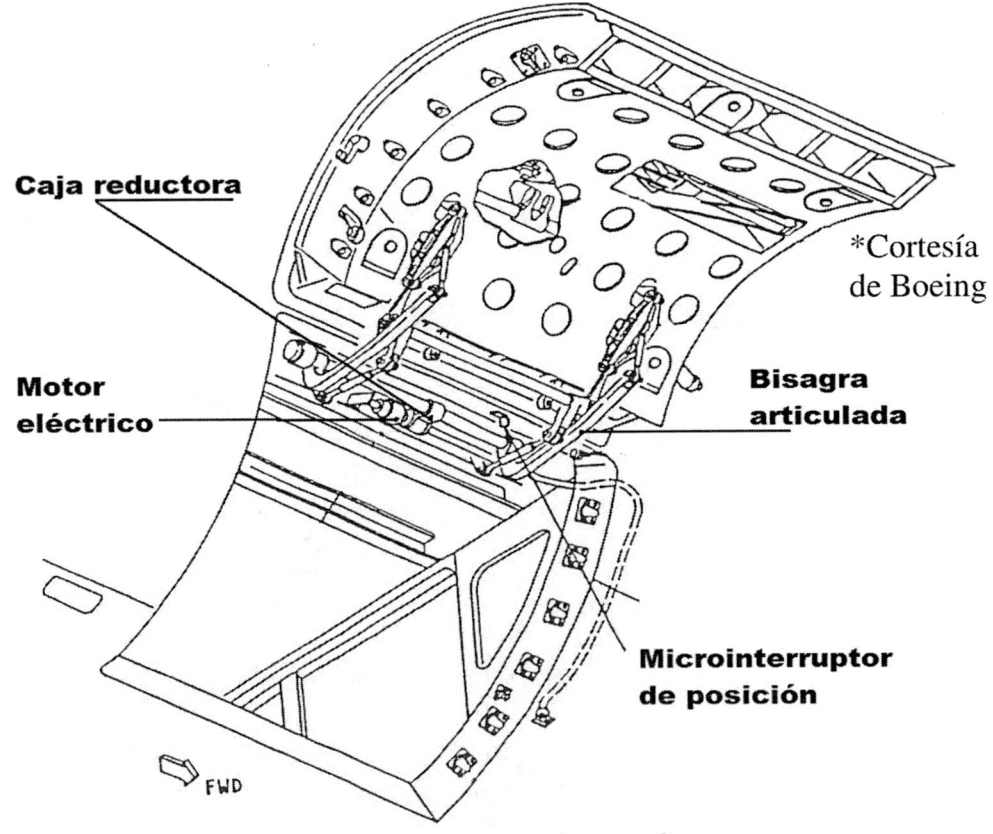

PUERTA DE ACTUACIÓN ELÉCTRICA

Estos mecanismos generalmente se sitúan en el techo de las bodegas y abren la puerta hacia arriba, de forma que no impidan la operación de carga y descarga de los contenedores o bultos que sea necesario transportar en la bodega.

PUERTAS DE OPERACIÓN HIDRÁULICA

Las puertas de operación hidráulica normalmente se localizan en las bodegas de carga, las operaciones se efectúan desde alguna estación cercana a la puerta, en la que se encontrarán los mandos de actuación, después de abrir el registro de cierre correspondiente y energizar el sistema hidráulico al uso. Antes de intentar operar la puerta mediante la potencia hidráulica o eléctrica, se deberán haber retirado manualmente los blocajes de la misma mediante el posicionamiento de la palanca de blocaje en su posición correspondiente a la de retirada de los ganchos de bloqueo, quedando así la puerta en disposición de que el sistema hidráulico que corresponda actúe la puerta hacia la posición de abierta, la palanca de accionamiento de los ganchos de bloqueo deberá ser puesta manualmente en su posición de almacenamiento en blocado cuando la puerta haya finalizado la operación de cerrado, por lo que la secuencia de la operación será desbloqueo manual, actuación hidráulica para abrir, cerrar y volver a bloquear la puerta de forma manual.

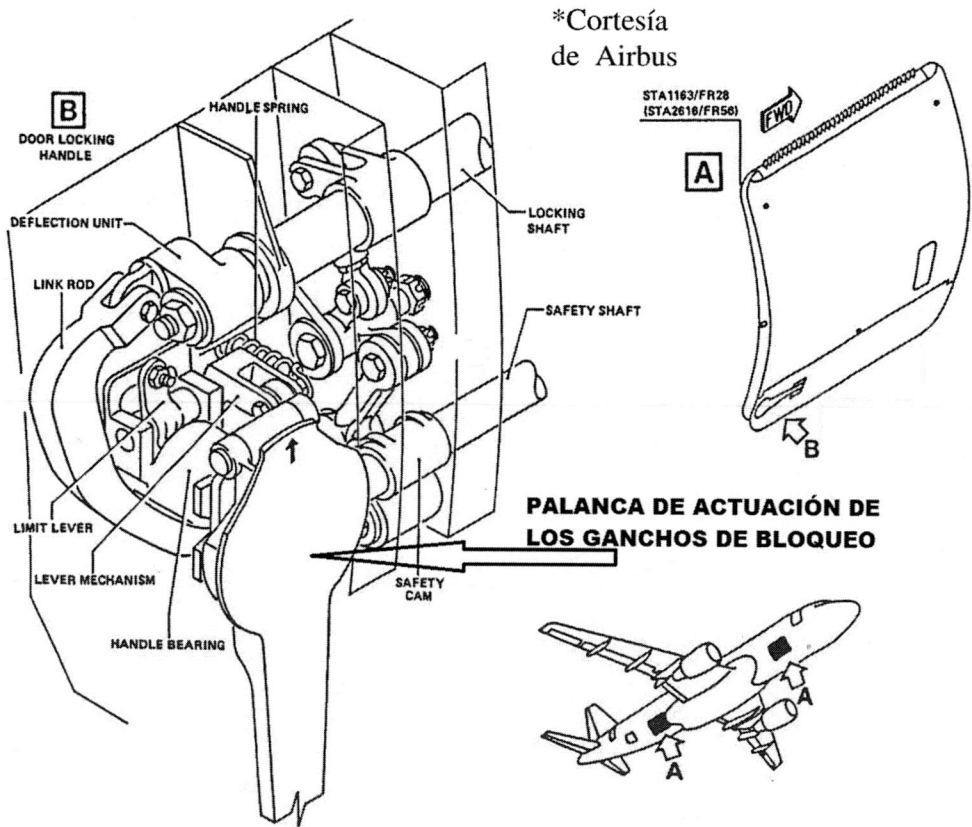

PUERTA DE OPERACIÓN HIDRÁULICA

En la figura anterior se presenta una puerta de bodega de una aeronave del fabricante Airbus mostrando los mecanismos de blocaje de la puerta y la palanca de actuación de los mismos, así como su posición en la estructura de la puerta.

El movimiento de la puerta se consigue por medio de martinetes de actuación hidráulica fijados a la estructura del fuselaje en el techo de la bodega en un extremo y el otro a los herrajes de la estructura de la puerta, que una vez abierta se queda asegurada en su posición por unos blocajes en el interior de los martinetes de actuación, dejando así todo el hueco de la puerta libre para la manipulación de los contenedores.

Este tipo de actuación hidráulica de las puertas, también el fabricante Boeing lo instala en las ventanillas de salida de emergencia sobre el ala en los diferentes modelos del B-737 según se presenta en la siguiente figura.

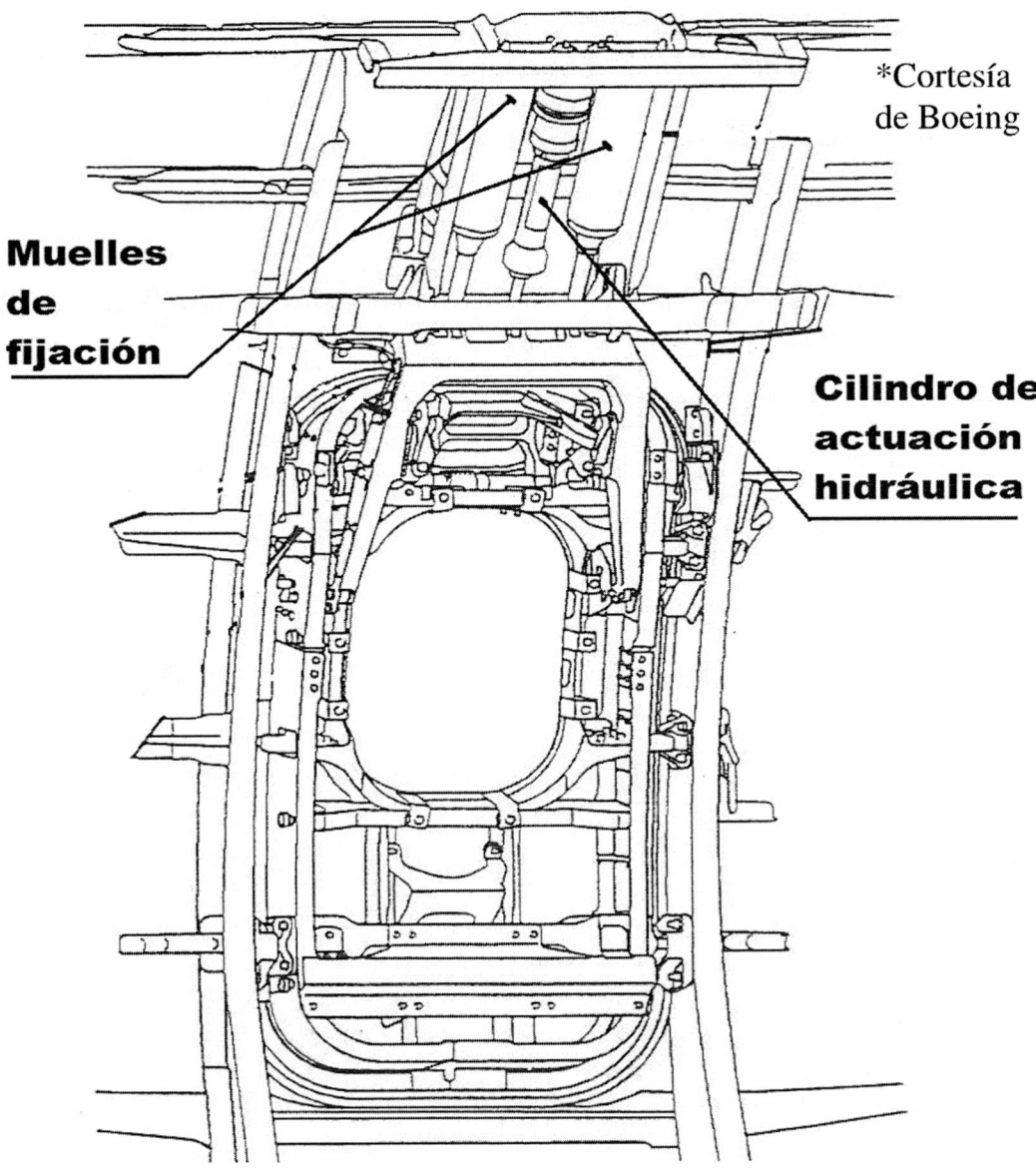

VENTANA DE EMERGENCIA DE ACTUACIÓN HIDRÁULICA

En caso de fallo de algún elemento que impida la operación de apertura de las puertas en condición normal, existe la posibilidad de actuar las mismas mediante la utilización de una bomba hidráulica de actuación manual, con lo que una vez desbloqueada la puerta y colocado el mando hidráulico de la válvula en la posición que se desee, se puede ir bombeando presión para la actuación de los martinetes hidráulicos. Generalmente, para esta operación serán necesarias dos personas, ya que no suelen estar contiguas las estaciones de presurización del sistema hidráulico y la de actuación de apertura de las puertas de las bodegas.

OPERACIÓN DE PUERTAS DESDE EL INTERIOR

Normalmente las puertas deberán poder ser operadas tanto desde el interior del avión como desde el exterior, excepto las de las bodegas, que son de actuación eléctrica o hidráulica, porque solamente suelen tener estación de operación en la parte exterior. Por lo tanto, la operación de uso normal será para las puertas de las bodegas, desde el exterior, y para las puertas de pasajeros desde el interior.

Generalmente, las puertas de la cabina por encima del piso llevan alojadas las rampas de evacuación, además del sistema de ayuda a la apertura en emergencia. También en la operación normal de la aeronave lo último que se hace antes de salir hacia el vuelo es cerrar las puertas, y lo que es necesario hacer en primer lugar, una vez que la aeronave se ha parado después del vuelo, es desconectar las rampas de emergencia mediante su propia palanca de mando y abrir la puerta normalmente, operaciones que se efectúan desde el interior de la aeronave.

Esto da lugar a que los mandos de activación de esos mecanismos vayan en el interior de las puertas, así que generalmente las puertas llevarán dos mandos de actuación, uno para la actuación de los mecanismos de apertura y cierre de la propia puerta, y otro mando para la activación/desactivación de la fijación al piso de la barra de la rampa de evacuación, que a su vez irá asociado también al mecanismo de disparo del sistema de ayuda a la apertura de la puerta en emergencia si lo tiene instalado.

En la figura siguiente se presenta un ejemplo de los mandos y mecanismos que se operan desde el interior de una aeronave de la marca Airbus, pudiéndose observar tanto los mandos de operación de la puerta y la rampa como la sucesión de palancas que transmiten en movimiento.

Es de resaltar que la palanca de activación/desactivación del mecanismo de las rampas deberá estar siempre con el pasador de seguridad colocado en cualquiera de las dos posiciones de la palanca.

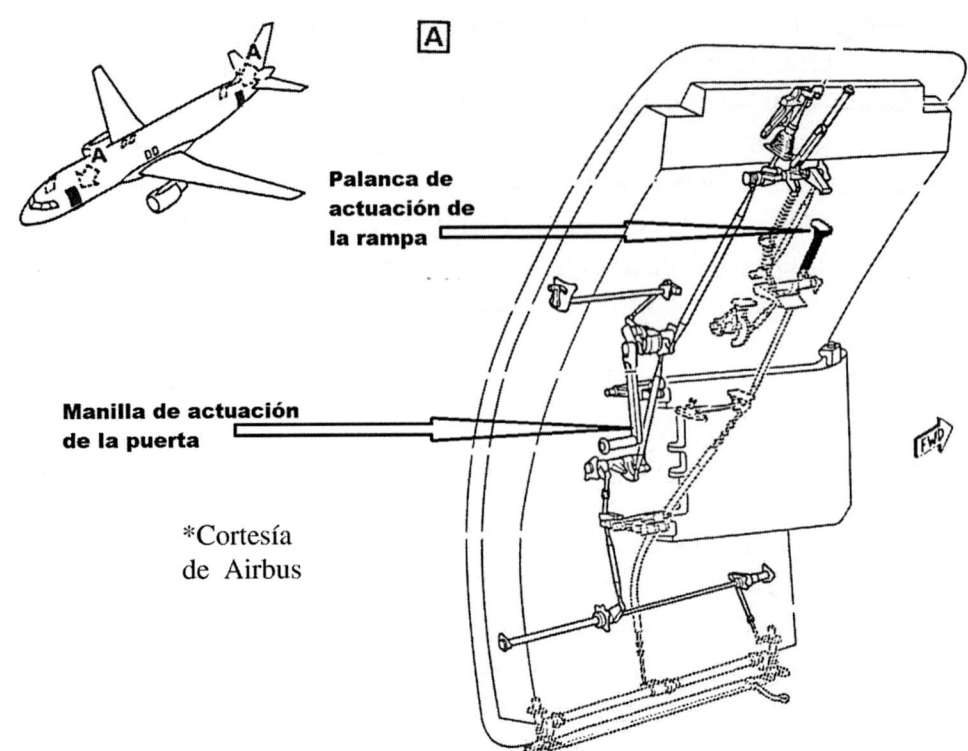

A

Palanca de
actuación de
la rampa

Manilla de actuación
de la puerta

*Cortesía
de Airbus

OPERACIÓN DE PUERTA DESDE EL INTERIOR

En caso de puertas de bodega de paquetería o de compartimentos diversos donde la apertura normal sea desde el exterior, la posibilidad alternativa de operación está en el interior, por lo que llevan un mando desde el que se puede operar el mecanismo de apertura/cierre de la puerta.

OPERACIÓN DE PUERTAS DESDE EL EXTERIOR

Independientemente del tipo de puertas, el mecanismo que lleve o el lugar donde estén montadas, las puertas de entrada de pasajeros deben tener la posibilidad de poderse abrir desde el exterior, para lo cual las puertas llevan asociada una palanca exterior al mecanismo de cierre operado desde el interior, pero que solo se conecta cuando se opera desde el mando del exterior de la puerta. La palanca de mando desde el exterior, una vez que se ha utilizado, deberá colocarse otra vez en su alojamiento y con su aseguramiento de la posición a fin de que durante el vuelo no cree ninguna perturbación.

En la figura siguiente se presenta el mecanismo de apertura/cierre de una puerta con la que el fabricante Boeing equipa a muchos de sus modelos, se muestra un despiece del eje central con los dos mandos y la forma que tiene el exterior de conectarse mediante el mecanismo actuado por las dos palancas que están disponibles en su alojamiento y sujetas por una pestaña con muelle que asegura esta posición.

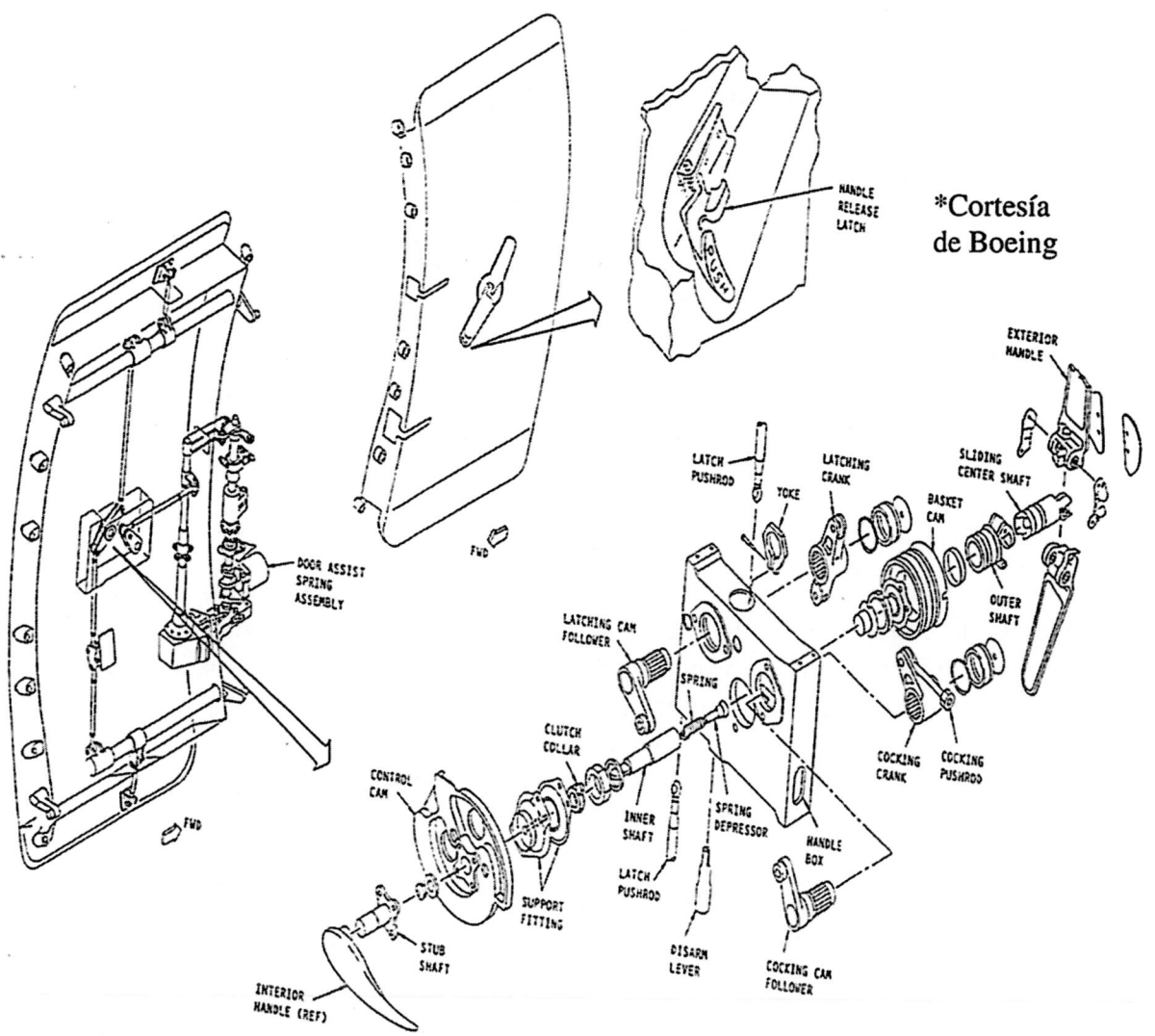

*Cortesía de Boeing

MECANISMOS DE APERTURA DESDE EL EXTERIOR

En caso de emergencia, como llevan asociado el mecanismo de disparo de las rampas de escape, deberán ser desarmados desde la palanca de apertura en el exterior, mediante mecanismos asociados que produzcan tal condición, porque si no, al abrirse y disparar la rampa de las puertas, el mismo operador que intenta abrirla desde la parte exterior corre peligro de accidente.

Deberán cumplir igualmente esta condición las puertas que lleven mecanismos de ayuda a la apertura en emergencia, cuando son puertas pesadas por el mismo riesgo para la persona que opera la puerta, ya que si no se desarma el mecanismo de disparo, la presión de su acumulador de ayuda abre la puerta con tal rapidez que el operador que esté abriendo desde el exterior, al encontrarse frente a la puerta, corre el peligro de ser violentamente desplazado.

11.3.1.4 – 4 – DISPOSITIVOS DE SEGURIDAD

Los dispositivos de seguridad en las puertas son los elementos que aseguran una posición adquirida, como puede ser el blocaje de una puerta en abierto, o los que impiden que una puerta se abra, como los instalados de las puertas de las cabinas de pilotos, mecanismos que cada fabricante, para cumplir con la legislación vigente, diseña adaptados a sus puertas, pero que cumplen los mismos objetivos, permitiendo así la utilización de las mismas sin peligro de que varíen de posición inesperadamente.

Los dispositivos de seguridad se agrupan básicamente en tres apartados:
Blocajes de puerta en abierto.
Sistema de ayuda a la apertura de puertas en caso de emergencia.
Dispositivos de seguridad en puertas de cabina de pilotos.

BLOCAJES DE PUERTA EN ABIERTO

Los mecanismos que comprenden los blocajes de puerta en abierto, bien sean de puertas de entrada de pasajeros, o de bodegas, son los que permiten asegurar la condición de puerta abierta, durante la utilización por parte de personas entrando o saliendo, o en las bodegas durante las operaciones de carga y descarga.

El aseguramiento en abierto de las puertas de entrada a la cabina de pasajeros tiene tantos diseños como modelos de aeronave existen, pero siempre dispuestos de forma que sea una sola persona la que pueda ejecutar la operación de desbloqueo y cierre de la misma, generalmente están en uno de los ejes de la bisagra de la puerta, o con un gancho en la estructura de la puerta en la parte más cercana al fuselaje cuando está abierta, que se aloja en un hueco con un pasador en la estructura del fuselaje.

En la figura siguiente se presenta un modelo de mecanismo asegurador de puerta en abierto que utiliza Boeing en varios de sus modelos, sobre el eje de giro de la bisagra de la puerta en un punto cercano al soporte fijo y sobre una zona estriada se desliza un collarín cargado con un muelle, el collarín tiene una leva en su parte inferior que, cuando está la puerta en posición de abierta, se aloja en una muesca que está en el soporte fijo, quedando así la puerta asegurada en esa posición.

Para poder cerrar la puerta es necesario actuar sobre el gancho que libera el collarín y al ejercer fuerza sobre la puerta, él se desplaza hacia arriba saliendo de su alojamiento permitiendo que la puerta se cierre.

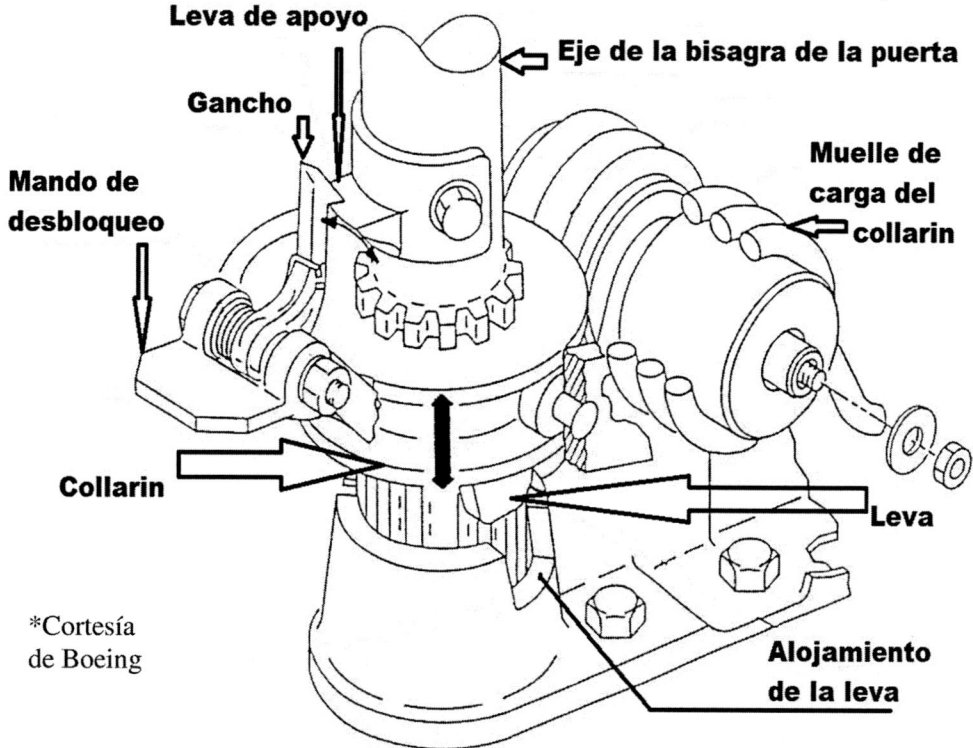

Leva de apoyo · Eje de la bisagra de la puerta · Gancho · Muelle de carga del collarin · Mando de desbloqueo · Collarin · Leva · *Cortesía de Boeing · Alojamiento de la leva

MECANISMO DE BLOCAJE EN ABIERTO

Otro tipo de aseguramiento en abierto es el que ha utilizado Douglas en varios de sus modelos DC y MD, que, según puede observarse en la figura siguiente, consta de un gancho alojado en el punto más cercano al fuselaje cuando la puerta está abierta, cuando la puerta está cerrada el gancho está en el interior de la estructura de la puerta y cuando esta se abre, el gancho, que está cargado con un muelle, sale y se aloja en el pasador que hay a tal fin en un hueco del fuselaje, manteniendo así la puerta en esa posición.

En caso de que las puertas sean pequeñas el asegurado en la posición de abierto se efectúa mediante una varilla telescópica que está en la misma puerta, y se coloca el extremo libre en un herraje que a tal fin estará en el marco de la puerta, lo que impide que la puerta se cierre.

Cuando es necesario cerrar la puerta se actúa el mando y por medio de palancas vence la fuerza del muelle que carga el gancho liberándolo del pasador, permitiendo que la puerta se cierre.

399

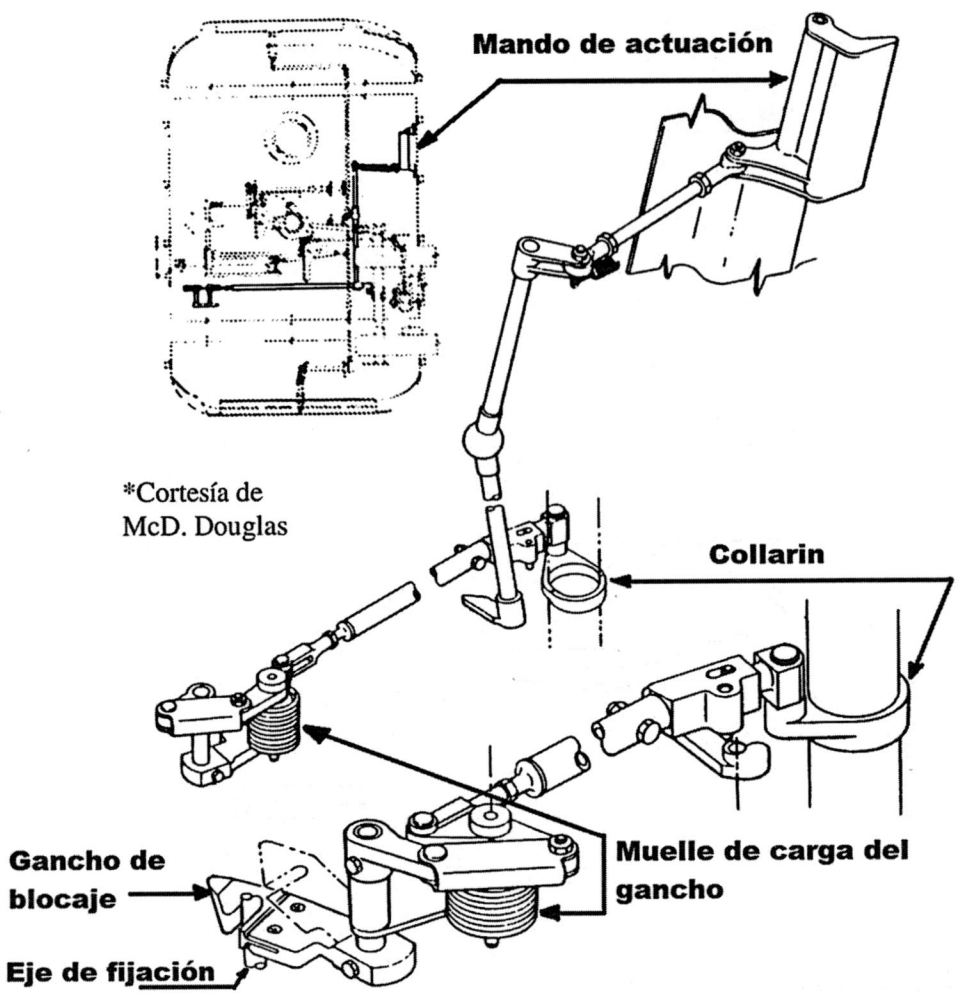

Mando de actuación

*Cortesía de
McD. Douglas

Collarin

**Gancho de
blocaje**

**Muelle de carga del
gancho**

Eje de fijación

MECANISMOS DE BLOCAJE DE PUERTA ABIERTA

En las puertas de bodegas que son actuadas por martinetes hidráulicos los mecanismos de blocaje en abierta están generalmente formando parte de los mismos cilindros actuadores, como puede observarse en la siguiente figura.

Cuando se actúa el mando de la válvula a la posición de apertura de puerta el líquido a presión entra por la puerta A y desplaza al pistón hacia el otro extremo del cilindro abriendo la puerta, cuando llega al final los trinquetes internos del pistón empujan al pistón de bloqueo que esté en el interior cargado con un muelle, cuando se corta la presión a la puerta A del cilindro actuador, el muelle empuja al pistón de bloqueo contra los trinquetes y los presiona contra el tope interno del cilindro, quedando así bloqueado el actuador en la posición de extendido.

Cuando es necesario cerrar las puertas hay que retraer el pistón del actuador y al situar la válvula en posición de cierre, el líquido a presión entra por la puerta B para obligar al pistón a retraerse y a la vez obliga al pistón de bloqueo a desplazarse hacia atrás venciendo la presión del muelle, en ese momento quedan libres los trinquetes y el pistón se desplaza hacia atrás cerrando así la puerta.

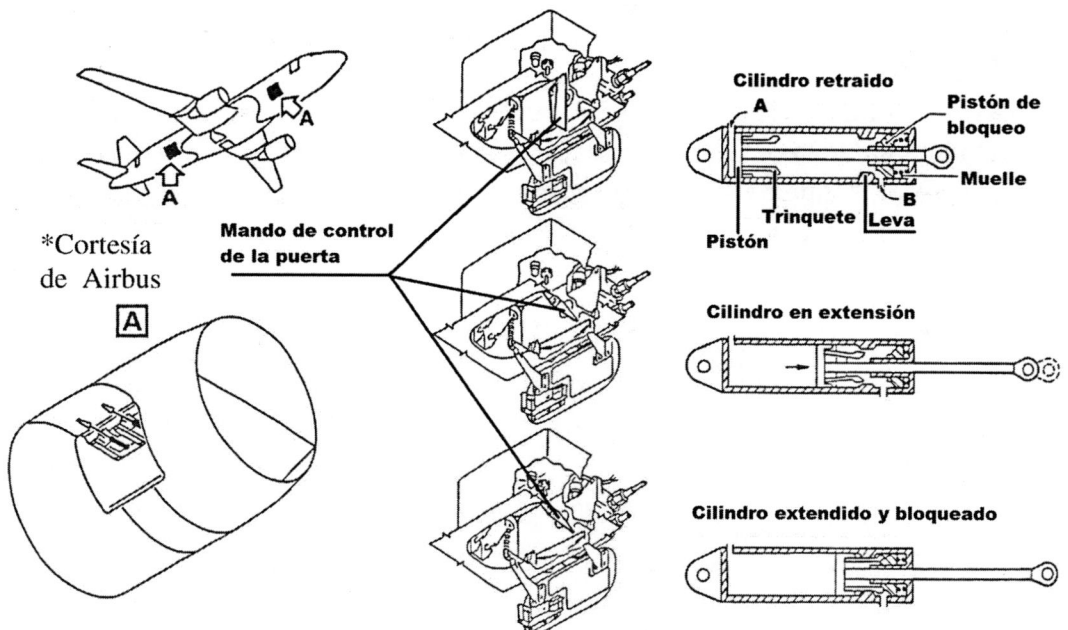

BLOCAJES HIDRAULICOMECÁNICOS EN ABIERTO

También puede hacerse mención a los sencillos mecanismos que llevan las puertas en los mamparos posteriores cuando la puerta es salida habitual o de emergencia, o sea, cuando la aeronave tiene escalera posterior, que consiste en una cadena o gancho que normalmente se coloca cuando la puerta está abierta para impedir su cierre.

AYUDA A LA APERTURA EN EMERGENCIA

Se llama así a un conjunto de mecanismos que se colocan en las puertas de entrada de pasajeros o servicios cuando estas son muy pesadas, para que faciliten y ayuden al operador a que se abran con la máxima rapidez y se pueda evacuar el avión lo más rápidamente posible.

Todos estos mecanismos van ligados a los sistemas de activación y desactivación de las rampas inflables, porque en caso de ser necesaria una salida rápida motivada por alguna situación de emergencia, una operación desencadena la otra. Estos sistemas están compuestos de un cilindro actuador, válvulas de control y botella de acumulador neumático. Todos estos mecanismos operarán cuando se abra la puerta sin desarmar el sistema de las rampas, y un percutor en la válvula de control liberará la presión del acumulador y esta, mediante el cilindro actuador lanzará fuertemente la puerta hacia la posición de abierta.

Cada fabricante tiene su sistema, aunque las funciones son las misma en todos los casos, así, Airbus suele colocar estos mecanismos en la puerta, detrás de la bisagra, formando una unidad la botella acumulador con el cilindro actuador y los mecanismos de disparo. En la siguiente figura se presenta un conjunto de ayuda a la apertura de puerta de una aeronave Airbus A-340.

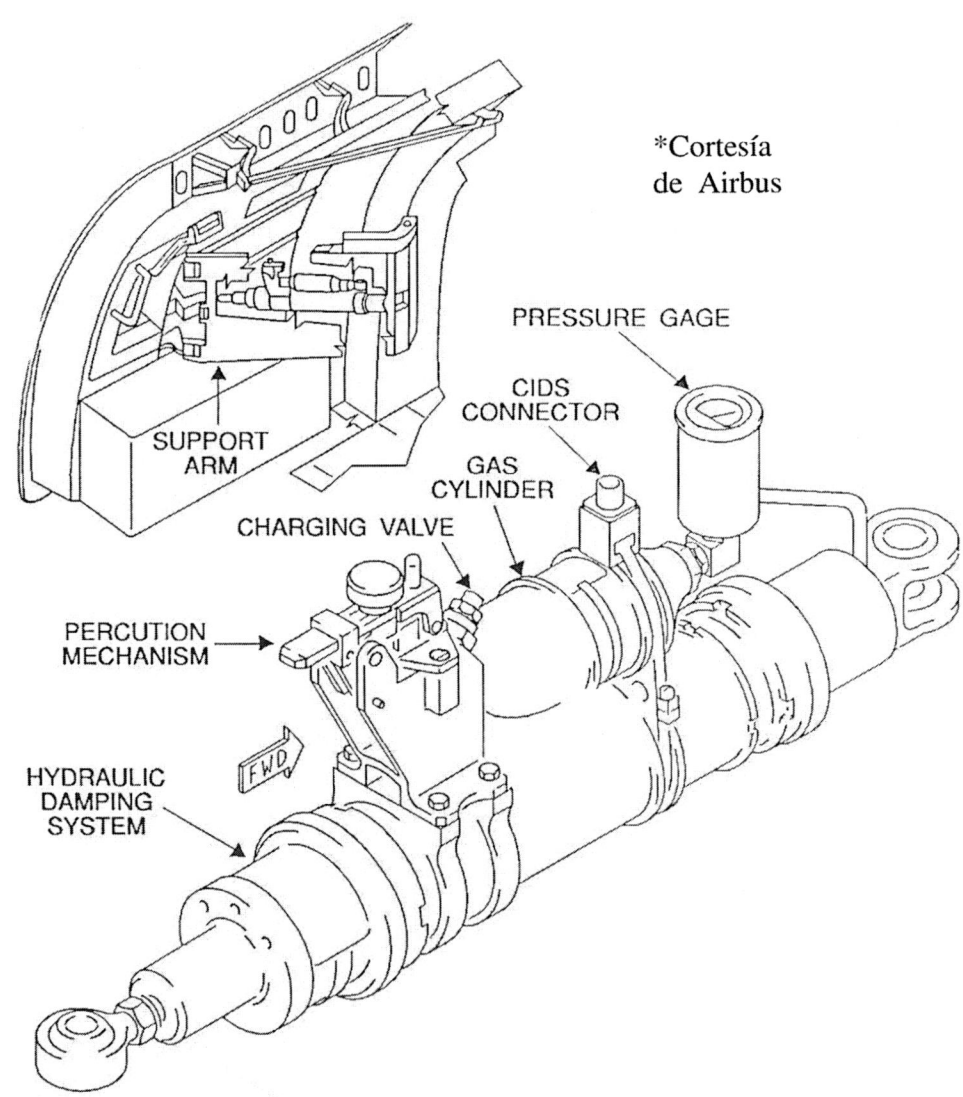

SISTEMA DE AYUDA A LA APERTURA DE PUERTA EN EMERGENCIA AIRBUS 340

Por otra parte, otro fabricante tan importante como Boeing utiliza para el mismo cometido los elementos separados, e instalados en el fuselaje, y el cilindro actuador opera sobre el conjunto de bisagra. En la figura siguiente se presenta una vista de este sistema instalado en una aeronave Boeing 757 donde se puede apreciar tanto el cable de disparo como la botella acumulador de neumático a presión.

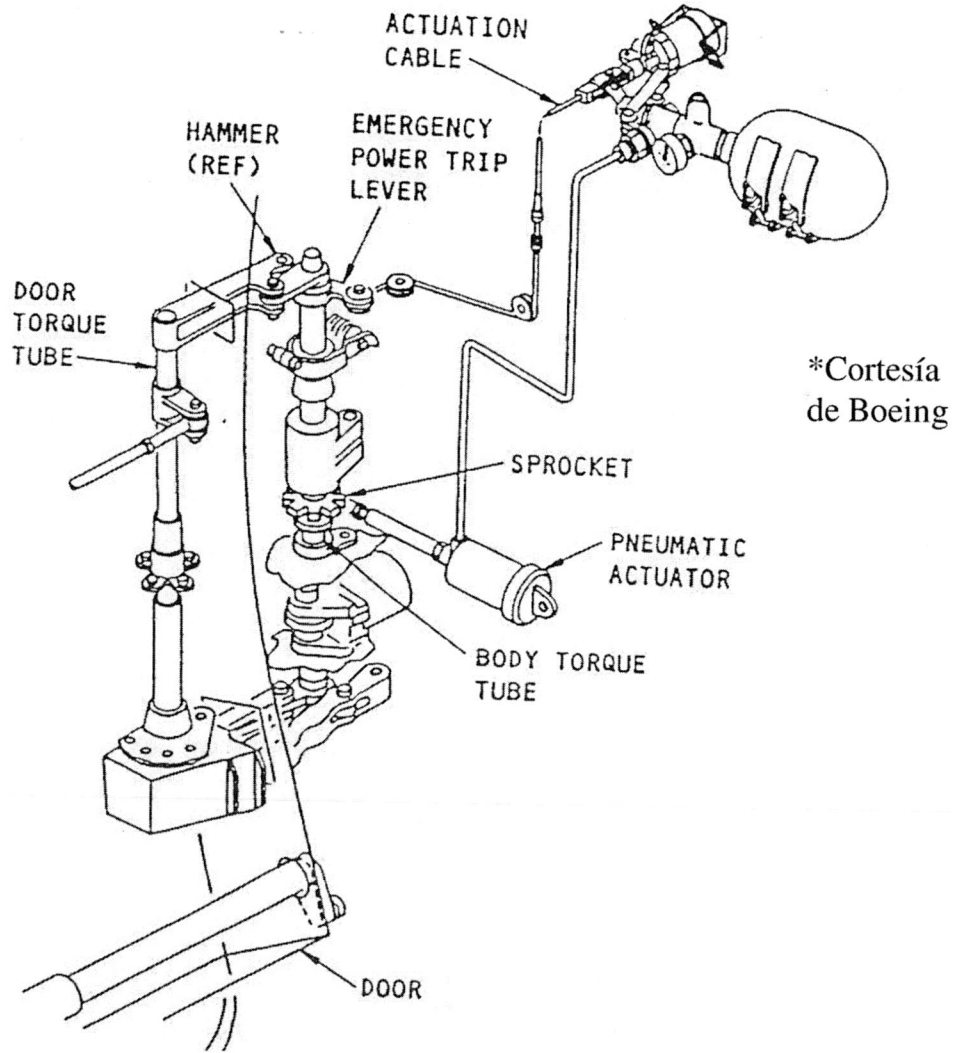

*Cortesía de Boeing

SISTEMA AYUDA APERTURA DE PUERTA EN EMERGENCIA DE B-757

Una vez utilizados estos mecanismos, se puede restablecer su posición de utilización normal con solo cambiar los discos de obturación y recargar el acumulador con nitrógeno seco. Los acumuladores llevan válvula de conexión para recarga en caso de que por cualquier circunstancia la presión disminuya y entre en unos valores que pongan en peligro la actuación óptima del sistema.

LA SEGURIDAD EN PUERTAS DE LA CABINA DE PILOTOS

Actualmente, después de los acontecimientos terroristas ocurridos en el mundo y en los que han estado implicadas las aeronaves, las autoridades aeronáuticas de los diferentes países exigen que las puertas de las cabinas de los pilotos sean blindadas y que sus cierres se puedan operar desde los paneles de mando de los pilotos a voluntad de estos.

Todo esto en la actualidad está obligando a grandes reformas en los aviones, ya que para proteger a los pilotos, muchas compañías están instalando cámaras de visión para que estos puedan controlar, con su puerta cerrada, cómo se desarrolla el vuelo en los compartimentos de pasajeros, pasillos y galleys.

En el interior de las puertas van instalados unos mecanismos de cerraduras y cerrojos, los cuales, mediante palancas y solenoides, dejan bloqueadas contra el marco las puertas, consiguiendo así que aumente el índice de seguridad en el interior de la cabina frente a actos de quebranto de voluntad o terrorismo que puedan sufrir los pilotos.

Cada constructor de aeronaves ha diseñado un tipo de puerta blindada para cada modelo de avión, adaptando tanto la estructura de los tabiques existentes, para acoplarles unos marcos más robustos, como las formas de anclajes a la estructura del avión.

Debido a la diversidad de aviones y compañías explotadoras, nos encontramos con diferentes tipos de marcos y puertas de cabinas de pilotos, si bien cumplen con los objetivos deseados, los diseños y cerraduras son diferentes debido a que cada compañía puede escoger uno u otro mecanismo.

De todas formas los procedimientos y prestaciones de estos sistemas son bastante parecidos, hay un teclado en la parte exterior de la cabina desde la que se solicita la entrada pulsando un botón, en el panel correspondiente dentro de la cabina se enciende un aviso luminoso y uno acústico y es el piloto, si lo cree oportuno, el que pulsando el botón de apertura desbloquea el mecanismo de seguridad, se enciende una luz verde en el teclado exterior y a la vez se abre el cerrojo que permite la entrada con solo empujar la puerta. Si la luz que permanece en el teclado exterior es roja significa que el piloto ha denegado la entrada.

En la figura siguiente puede apreciarse la situación y el despiece de las cerraduras de seguridad que actualmente se están colocando en los aviones comerciales.

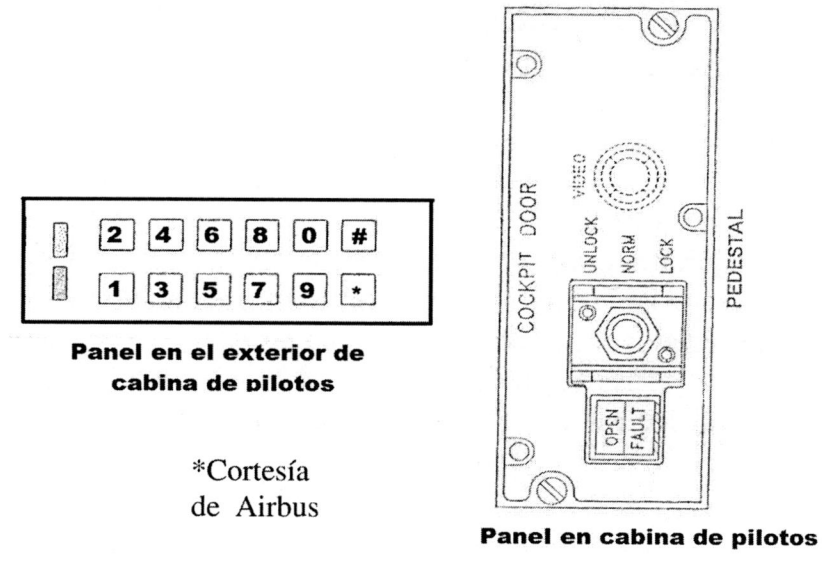

Panel en el exterior de cabina de pilotos

*Cortesía de Airbus

Panel en cabina de pilotos

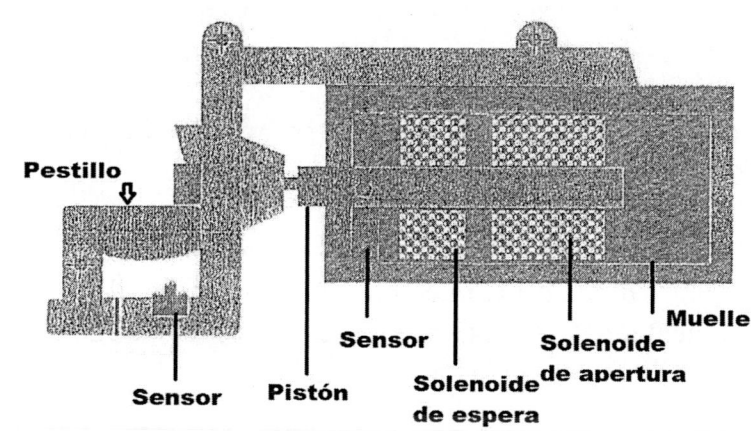

CIERRES DE SEGURIDAD EN CABINA DE MANDOS

El teclado exterior también debe tener la posibilidad de que mediante la introducción de un código de emergencia de cuatro dígitos se pueda abrir la puerta si los pilotos no responden, o por algún otro motivo que exceda de lo normal. En caso de que después de una solicitud, los pilotos no efectúen ninguna acción, después de un tiempo determinado, que previamente ha sido ajustado, la puerta se desbloquea, entendiendo que a los pilotos les pueda ocurrir algún contratiempo.

11.3.1 – 5 – ESTRUCTURAS Y MECANISMOS DE LAS VENTANAS Y PARABRISAS

En todas las aeronaves actuales la cabina de mandos se encuentra en la parte delantera del fuselaje, en una zona en la que la estructura es reforzada debido a que aparte de ser la que choca frontalmente con el aire en el vuelo, también es el punto donde comienza a adquirir la forma el fuselaje, por lo que es necesario que los huecos que se efectúen en esa zona, al objeto de proporcionar visión del exterior al piloto, estén fuertemente reforzados en sus contornos, y que los cristales con los que se tapan sean lo suficientemente resistentes para que, formando un conjunto con sus marcos, sean capaces de resistir los esfuerzos a los que esa zona del fuselaje está sometida durante el vuelo.

Al dedicarse la mayoría de las aeronaves a transportar pasajeros, no solo se colocan ventanas en la cabina de pilotos, sino que también a lo largo del fuselaje, a un lado y a otro, y a una altura sobre el piso, para que al pasajero sentado en la butaca le sea cómodo mirar hacia el exterior, esta serie de huecos son tapados con un material transparente para que a la vez de permitir la visión al exterior, resista la presión del interior a grandes alturas y los esfuerzos a los que estará sometida la estructura durante el vuelo.

En las cabinas de pilotos hay varias clases de ventanas, si bien todas cumplen su cometido, no son iguales ni en forma ni en los materiales de los que están construidos los cristales. Básicamente, hay tres clases de ventanas bastante diferenciadas, aunque no todas las aeronaves disponen de todas ellas:

Ventanas de parabrisas.
Ventanas de ampliación de visibilidad.
Ventanas fijas, laterales y superiores.

Desde el punto de vista estructural, el fuselaje, al abrir huecos para las ventanillas o puertas, se debilita mucho, por lo que para mantener la estructura con el máximo de garantía de seguridad, es necesario reforzar los contornos de los huecos con suplementos de chapa a modo de marcos, de la misma aleación que el resto del recubrimiento, esto proporciona que las fuerzas incidentes sean absorbidas y conducidas sin daños para los huecos. Estos huecos en las aeronaves actuales son de forma rectangular, pero con las esquinas redondeadas para dar más resistencia a la estructura e impedir que se formen grietas por fatiga del material.

En caso de que sea necesario un cambio de cristal o un desmontaje por cualquier causa, es de suma importancia tanto la localización de los tornillos en sus alojamientos, pues no son todos de igual longitud, como la secuencia de apriete de los tornillos, por lo que se debe poner extremo cuidado en esa operación, ya que una mala secuencia de apriete puede ser causa de una rotura prematura del cristal.

En la figura siguiente se presenta un ejemplo de la posición en la cabina de todas las ventanas de una cabina de pilotos

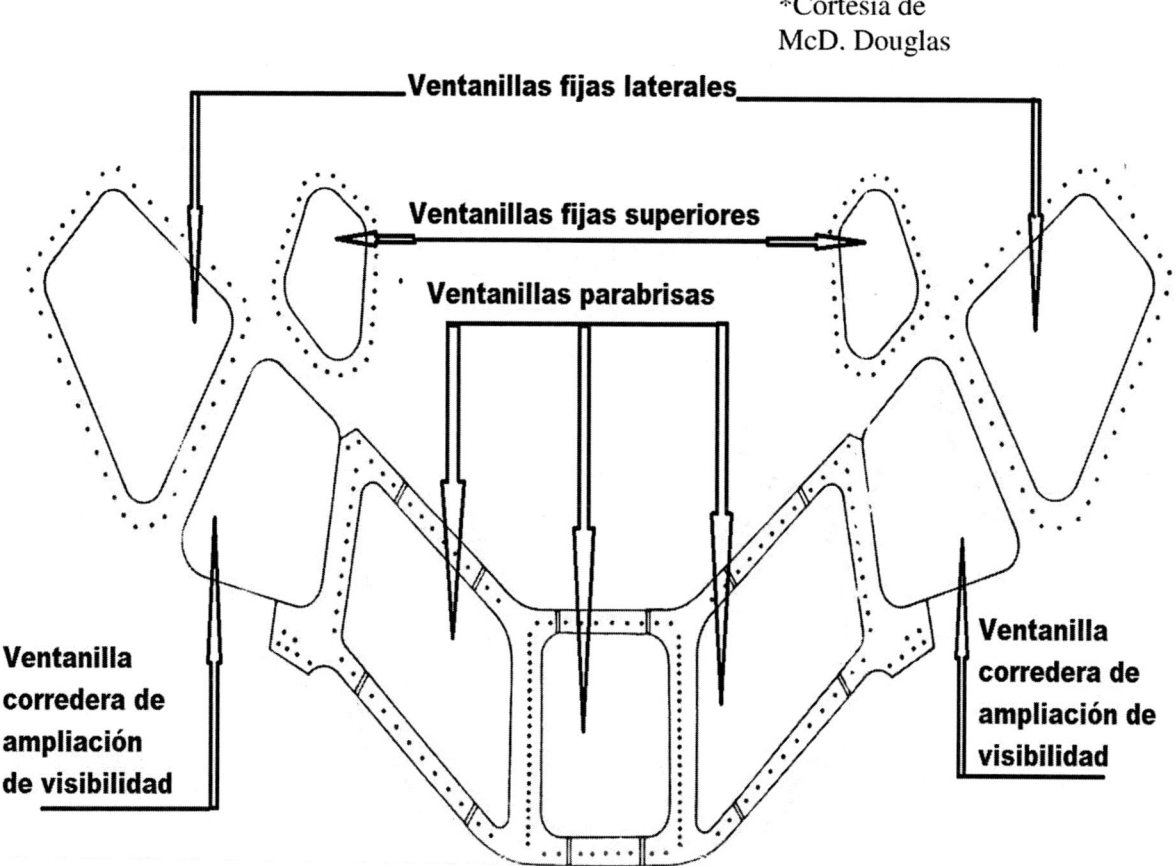

*Cortesía de
McD. Douglas

VENTANILLAS DE CABINA DE PILOTOS

VENTANAS DE PARABRISAS

Las ventanas parabrisas son las ubicadas en el frente, son dos formando ángulo en el centro, o tres, una central y dos laterales, son los cristales más fuertes, están fijados a la estructura mediante tornillos con un marco, en unos casos, o en otros la estructura del cristal ya trae el marco embebido en el cristal. Los cristales parabrisas generalmente se montan en el hueco del marco desde el exterior de la cabina, se asientan sobre el marco mediante una junta de silicona, que al apretar los tornillos proporciona estanqueidad para que no existan fugas de presurización.

En la figura siguiente se muestra un cristal con marco incorporado de una cabina con dos cristales parabrisas y otro cristal lateral de una cabina con tres parabrisas y marco independiente, así como una muestra de la conexión eléctrica para el calentamiento del cristal.

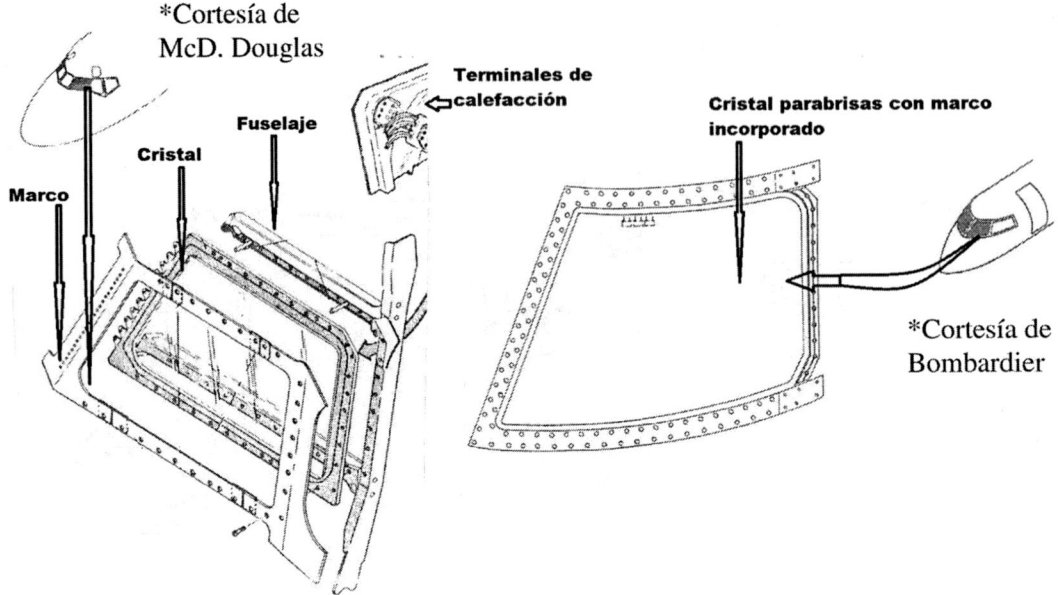

VENTANILLAS PARABRISAS

Los cristales de los parabrisas son unos paneles de vidrio separados por unas capas de vinilo, y embebidos entre esas capas llevan las resistencias de la calefacción para antihielo debajo de la capa exterior de vidrio semitemplado, y la resistencia de antiempañamiento entre la capa de vidrio semitemplado interior y la capa de vinilo, entre la lámina de vinilo interior y la capa de vinilo exterior se coloca una capa de vidrio templado, las resistencias que calientan el cristal están dispuestas de forma que no entorpecen la visión desde la cabina.

Generalmente, tienen dos resistencias que tienen los polos de contacto en un borde del cristal, de forma que si una se corta por cualquier motivo, en la caja de conexiones se cambian de posición los cables y se alimenta la otra resistencia sin necesidad de cambiar el cristal, lo que alarga la vida útil del mismo, ya que un cambio de cristal es una operación de mantenimiento laboriosa, de varias horas de parada de la aeronave y comporta un elevado coste económico.

Todas estas láminas forman el conjunto del cristal, como puede observarse en la figura siguiente, aunque tanto en los grosores de las capas como en su disposición no todos los fabricantes utilizan las mismas medidas ni los mismos materiales.

408

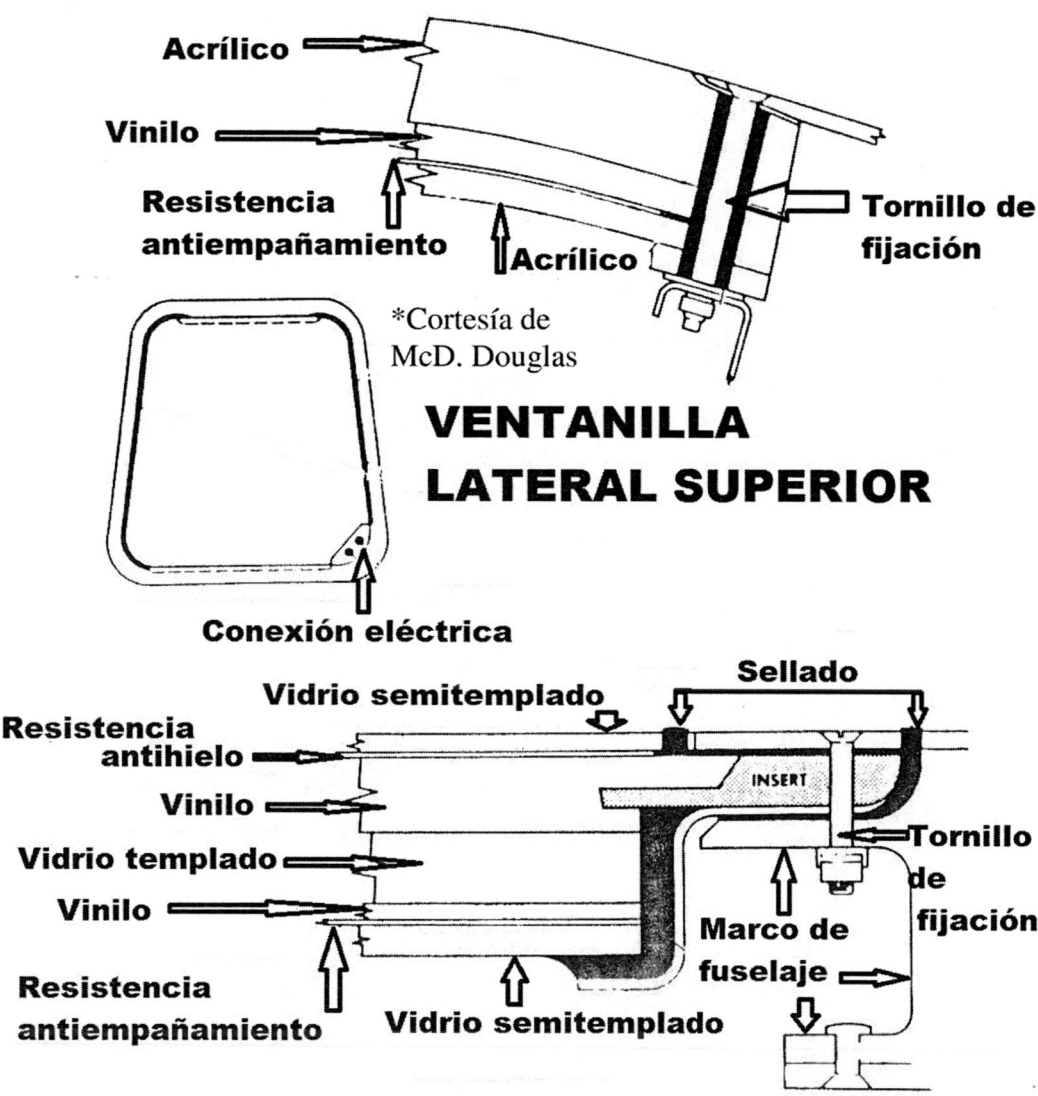

Acrílico
Vinilo
Resistencia antiempañamiento
Acrílico
Tornillo de fijación
*Cortesía de McD. Douglas

VENTANILLA LATERAL SUPERIOR

Conexión eléctrica

Vidrio semitemplado
Sellado
Resistencia antihielo
Vinilo
Vidrio templado
Vinilo
INSERT
Tornillo de fijación
Marco de fuselaje
Resistencia antiempañamiento
Vidrio semitemplado

VENTANILLA DE PARABRISAS

En la figura anterior se presenta un ejemplo de las capas y materiales de que se compone un cristal de parabrisas y otro de ventanilla lateral superior de una cabina de pilotos de varios modelos del fabricante Douglas.

VENTANAS DE AMPLIACIÓN DE VISIBILIDAD

A continuación de los cristales parabrisas y hacia atrás se encuentran las ventanillas de ampliación de visibilidad, quedan al costado de los pilotos, son practicables, sobre todo en los aviones de mediano o gran tamaño, en algunas aeronaves también se utilizan como salidas de evacuación en caso de emergencia, por lo que cercana a la parte superior del marco está alojada la cuerda de escape.

Las ventanillas pueden abrirse según conveniencia durante las operaciones de tierra; las ventanillas, después de haberlas desbloqueado, se deslizan hacia atrás mediante unos carriles, bien con solo tirar de ellas, o mediante una manivela y una cremallera si son de gran tamaño y peso, tienen una junta de estanqueidad que cierra a tapón.

Generalmente, estas ventanillas tienen cristales de menos grosor y solo tienen calefacción para protección de empañamiento. En la figura siguiente se presenta una vista de una ventanilla de ampliación de visibilidad de corredera que instala el fabricante Douglas en varios de sus modelos, donde pueden observarse los mecanismos de apertura y bloqueo así como los rodillos y carriles guía para su desplazamiento.

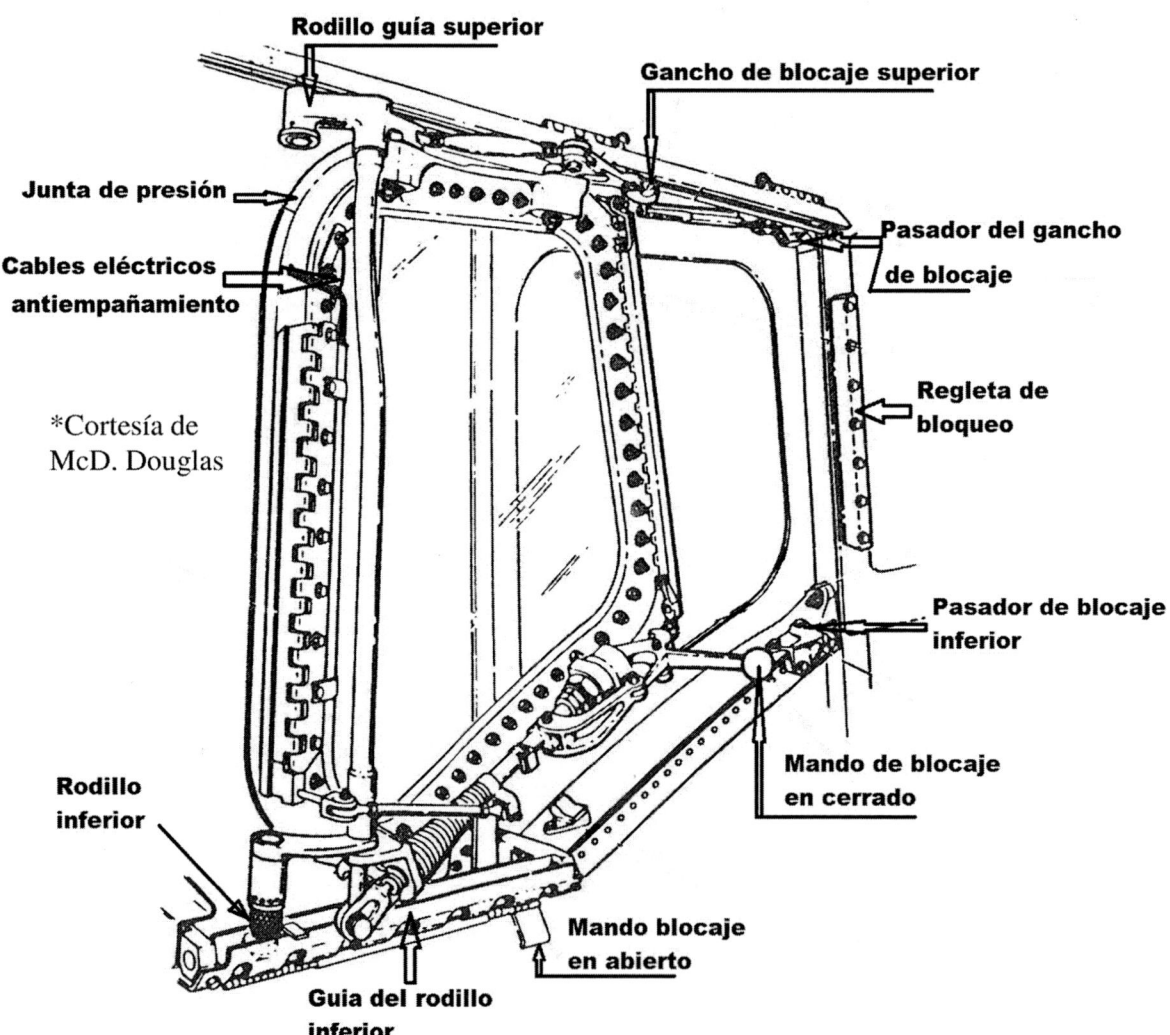

VENTANILLA CORREDERA DE AUMENTO DE VISIBILIDAD

410

VENTANAS FIJAS LATERALES Y SUPERIORES

Este tipo de ventanillas son de menos tamaño que los parabrisas y se sitúan en la parte superior de la cabina y/o hacia atrás a continuación de las ventanas de ampliación correderas, debido a su posición sufren menos impacto del aire durante el vuelo, por lo que son de cristales menos gruesos, cierran a tapón con junta de estanqueidad y fijada mediante tornillos. Solo tienen resistencia eléctrica para protección contra el empañamiento y no en todos los casos.

La estructura del cristal generalmente consta de dos láminas de plástico acrílico expandido separadas por un distanciador que forma una cámara de aire entre las dos hojas, estando cada hoja diseñada para resistir la carga de la presurización. En la figura siguiente se presenta una vista típica de una ventanilla de este tipo.

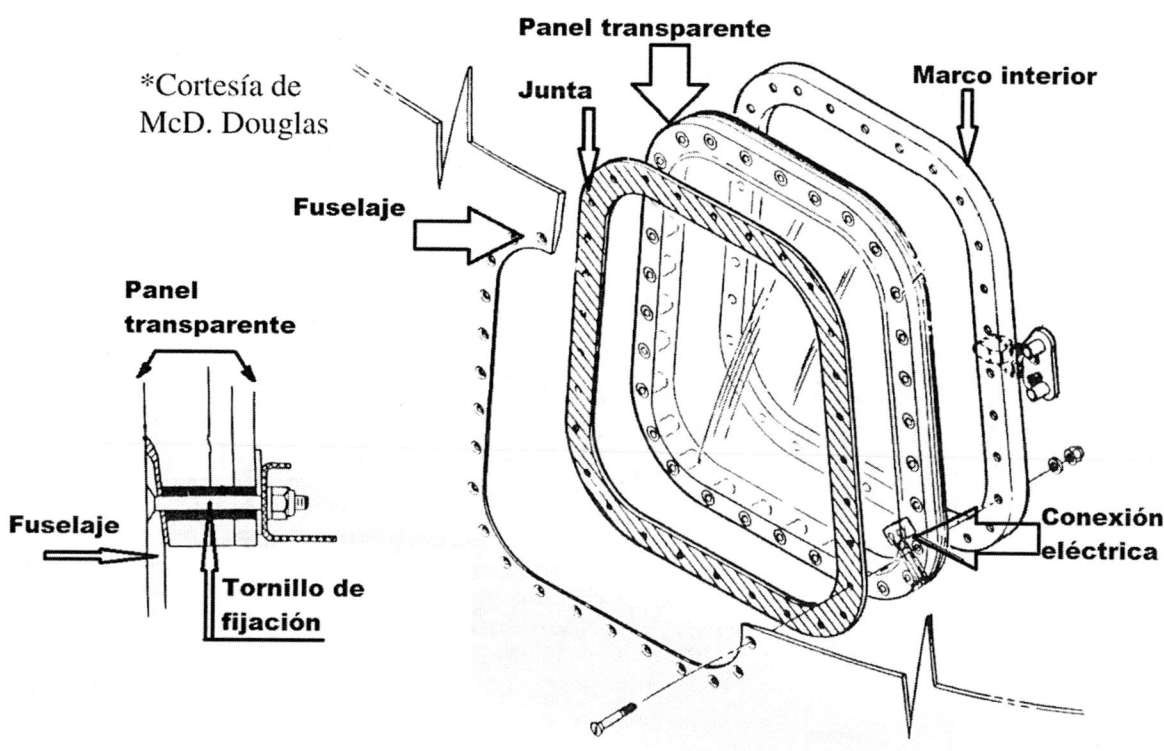

VENTANILLA LATERAL DE CABINA DE PILOTOS

411

VENTANILLAS LATERALES DEL FUSELAJE

Las ventanillas laterales del fuselaje son las que proporcionan al usuario la posibilidad de poder observar el exterior desde su asiento, están a lo largo de los dos lados del fuselaje, y son todas iguales. La ventanilla está formada por varios elementos, de fuera hacia adentro: una lámina de plástico acrílico expandido gruesa que soporta la mayoría de los esfuerzos, juntas y separador, una lámina de plástico acrílico expandido que hace de barrera acústica fijada con unos retenedores, para situar a continuación el marco de fijación de la cortina, y otra hoja de plástico transparente que forma barrera, es la que está en contacto con el usuario.

La cortina es generalmente una lámina de plástico opaca que se retira manualmente a voluntad del usuario, y que al retirarla se enrolla en un carrete interno o se desliza sobre unas guías. En la figura siguiente se muestra una vista de los elementos de que se compone un conjunto típico de ventanilla lateral.

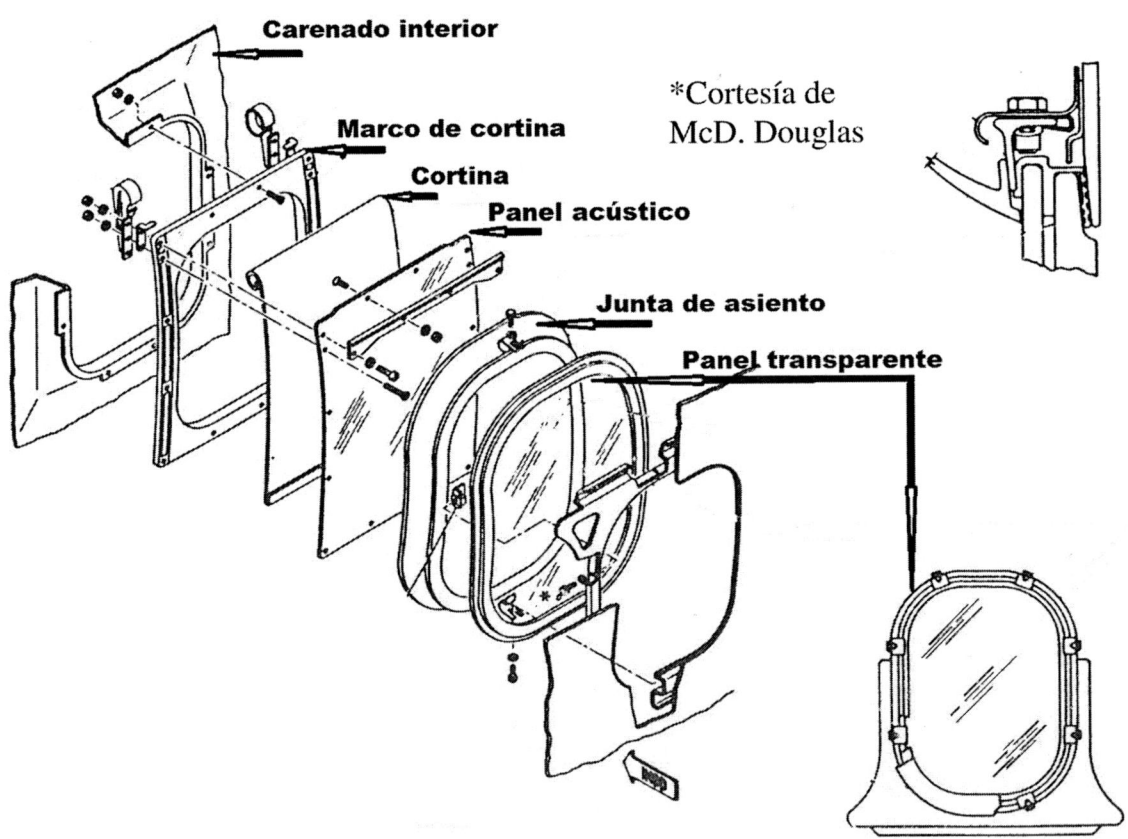

VENTANILLA DE CABINA DE PASAJEROS

412

11.3.2 – ALAS (ATA 57)

La principal superficie de sustentación que tiene un avión convencional son las alas, ya que generalmente un aeroplano debe su sustentación al efecto aerodinámico del viento sobre ellas.

En cuanto a las principales definiciones relacionadas con las alas se mencionan las siguientes:

ALA ARRIOSTRADA, se dice de un avión generalmente de pequeño tamaño y baja velocidad, que utiliza riostras para fijar el ala al fuselaje.

ALA CANTILEVER, se llama así al ala fijada al fuselaje en voladizo, sin riostras, con los elementos estructurales dentro de su revestimiento.

ALA DECRECIENTE EN ESPESOR o ESTRECHAMIENTO EN ESPESOR, se dice así a la disminución gradual del espesor de los perfiles a lo largo de toda la envergadura del ala partiendo del fuselaje.

ALA DECRECIENTE EN PLANTA o ESTRECHAMIENTO EN PLANTA, esto es el cambio gradual en la longitud de la cuerda a lo largo de la envergadura, desde el encastre con el fuselaje en disminución hacia el borde marginal del ala con las secciones de esta permaneciendo geométricamente semejantes.

BORDE DE ATAQUE, se llama así a la línea formada por los puntos de tangencia de cada perfil con una recta vertical a su plano situada delante de él.

BORDE DE SALIDA es la línea formada por los puntos de cada perfil más alejados de los correspondientes del borde de ataque.

COSTILLA DE ALA es el elemento transversal de la estructura del ala de un avión, utilizado para proporcionar a la sección del ala su forma aerodinámica y transmitir las cargas desde el revestimiento a los largueros.

CUERDA DEL PERFIL, se llama así a la recta que une en cada perfil el borde de ataque con el de salida.

DECALAJE, en caso de aviones biplanos, indica la posición longitudinal respectiva de los ejes de las dos alas de un avión. El decalaje de cualquier sección se mide por el ángulo formado por una línea que une los ejes de las alas y otra línea perpendicular a la cuerda del ala superior, ambas líneas situadas en un plano de simetría. El decalaje es positivo cuando el ala superior avanza sobre la inferior.

ENVERGADURA es la distancia entre los extremos de las alas de una aeronave.

EXTRADÓS DEL ALA es la parte superior del ala situada entre el borde de ataque y el de salida.

FLECHA DE LAS ALAS es el ángulo agudo formado por la llamada "**línea del 25 %**" del ala y una línea perpendicular al eje longitudinal del fuselaje.

INTRADÓS DEL ALA es la parte inferior del ala situada entre el borde de ataque y el de salida.

LÍNEA DEL 25 %, línea imaginaria que se obtendría al unir todos los puntos situados a una distancia del 25 % de la longitud de la cuerda de cada perfil, distancia medida comenzando por el borde de ataque.

LARGUERILLOS son pequeñas vigas que se sitúan entre costillas para evitar el pandeo local del revestimiento. Pueden estar integrados en el propio revestimiento formando una sola pieza.

LARGUERO DE ALA es el elemento estructural principal dispuesto en dirección de la envergadura del ala de un avión.

LARGUEROS FALSOS son los elementos dispuestos en la parte posterior del ala y que junto con las llamadas costillas falsas, se emplean para proporcionar consistencia a las zonas sobre las que están fijados los soportes de los elementos que puedan ir fijados a las alas, como mandos de control de vuelo, tren de aterrizaje, etc.

MONTANTE, todos los elementos que soportan el esfuerzo de compresión de una estructura, si es de adelante hacia atrás se llama montante horizontal, generalmente se utilizan en el arriostrado de las alas.

PERFIL DEL ALA, se dice así a la forma de la sección de un ala por un plano perpendicular a la envergadura.

SEXQUIPLANO, forma de biplano en la que la superficie de un ala es menor que la mitad de la superficie de la otra.

Con respecto a la planta, las alas tienen perfiles muy variados que van desde el ala de planta rectangular a las alas en flecha, o las de geometría variable utilizadas en la aviación militar.

No es de menos interés desde el punto de vista estructural la clasificación de las alas con respecto a su perfil, que entre los más utilizados pueden ser:

simétricos, biconvexos, plano convexos, cóncavos convexos, o rómbicos, perfiles que generalmente van disminuyendo su grosor según se van alejando de la unión con el fuselaje.

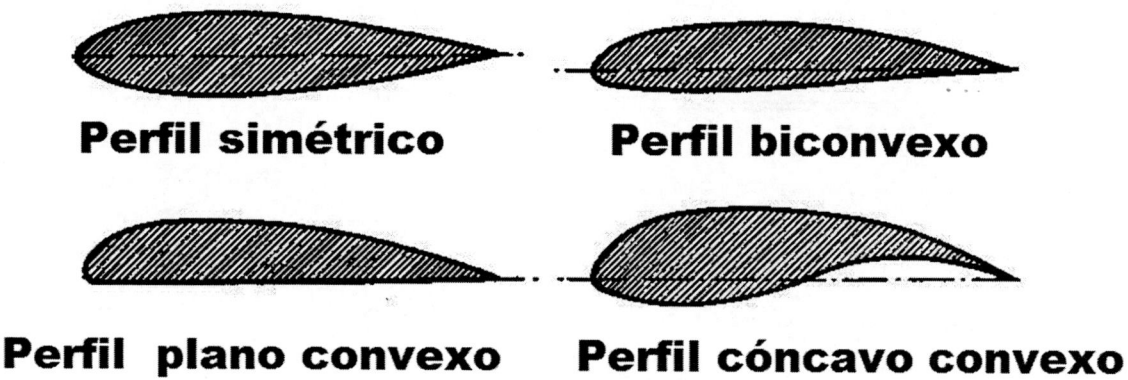

Perfil simétrico   **Perfil biconvexo**

Perfil plano convexo   **Perfil cóncavo convexo**

Perfil rómbico

PERFILES ALARES

Con respecto al fuselaje donde van enganchadas las alas, los aviones pueden ser de ala alta, de ala media o de ala baja, dependiendo de en qué zona del fuselaje van colocadas.

En principio los aeroplanos eran biplanos o multiplanos con montantes uniendo las dos alas de cada lado, según se fue desarrollando el medio aeronáutico, aparecen los aviones monoplanos con las alas arriostradas al fuselaje.

En la figura siguiente se presentan varios ejemplos de tipos de alas con respecto a su unión con el fuselaje; así como en aviones de doble ala, las posiciones que pueden tener las alas superiores con respecto de las inferiores, además de los montantes que las unen.

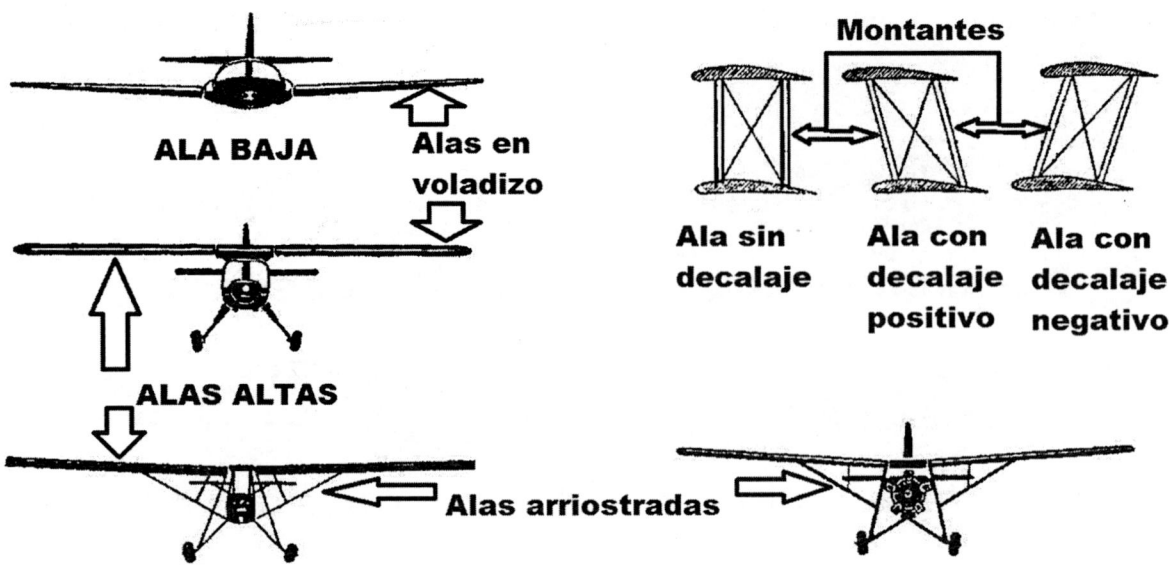

TIPOS DE ALAS

Estos tipos de fijación se utilizan generalmente en aviones pequeños y de baja velocidad, ya que el ensamblaje ofrece una mayor resistencia aerodinámica.

En este tipo de alas las superficies sustentadoras no tenían más misión que la de proporcionar a la aeronave la sustentación necesaria, por lo que la estructura era de madera y el revestimiento de tela endurecida con productos químicos.

Si las estructuras son de madera, además del ensamblaje y el encolado, se refuerzan con unos cables de acero que ayudan a soportar los esfuerzos.

En la figura siguiente se presenta un ejemplo de un avión ligero biplano y otro monoplano, los dos con las alas fijadas al fuselaje mediante riostras y montantes.

BIPLANO CON ALAS ARRIOSTRADAS

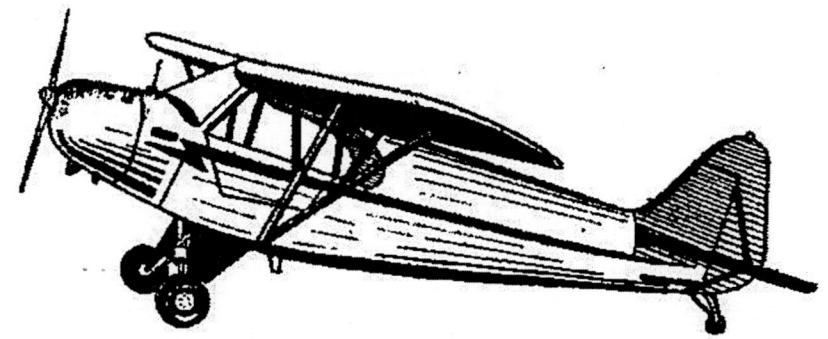

MONOPLANO DE ALA ALTA ARRIOSTRADA

El ala cantilever, que es el tipo de ala que se utiliza en la totalidad de las aeronaves de media y alta velocidad y con gran profusión en la actualidad ya se utilizan también en la aviación general, al tener toda la estructura interna no tiene elementos que ofrezcan resistencia aerodinámica.

En la forma y tipo de ala empleada en una aeronave, aparte de las consideraciones estructurales, están las que se derivan del empleo al que en principio va a ser destinada la aeronave. Así, para aviones pequeños y de baja velocidad se utilizarán alas rectas y de forma casi rectangular porque la mayor carga de este tipo de alas es la que tiende a doblarlas cuando transmiten las cargas al fuselaje, cargas de flexión, que es soportada por las costillas fundamentalmente.

En aeronaves con mayor velocidad en el diseño de las alas, las cargas de torsión son grandes y se necesita que estén localizadas lo más retrasadas en la unión con el fuselaje, por lo que se utilizan diseños de ala en flecha con más o menos ángulo de la misma.

Otro factor que tener en cuenta en el diseño de un ala es el equipo que va a ir fijado a la misma, como motores, depósitos de combustible, costos de fabricación, de mantenimiento, etc. Todas estas condiciones perfectamente equilibradas.

En la figura siguiente se muestra una aeronave de gran tamaño y velocidad como es el Airbus A-320, tiene el ala media, del tipo cantilever o en voladizo, y soporta la planta de potencia correspondiente en cada ala, además de soportar el tren de aterrizaje y todos los mandos de control del vuelo como alerones, flaps, slats y los spoilers o aerofrenos.

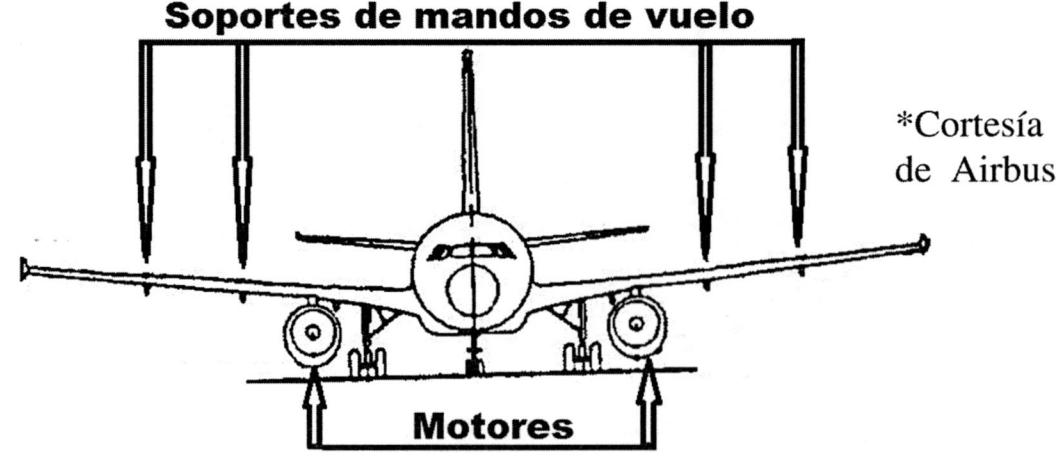

Soportes de mandos de vuelo

*Cortesía de Airbus

Motores

AVIÓN DE ALA MEDIA CANTILEVER

11.3.2-1 – ESTRUCTURA

En lo referente a la estructura de un ala es necesario efectuar básicamente dos apartados, uno para la estructura y otro para el revestimiento. Para la estructura de las alas se utilizaba históricamente la madera para aviones antiguos y de pequeño tamaño, y la estructura metálica para todo el resto de las aeronaves durante bastantes años. En la actualidad, con el conocimiento y desarrollo de los nuevos materiales compuestos, cada vez que aparece un nuevo modelo de aeronave, y solamente refiriéndonos a las alas, trae cada vez más componentes de la estructura o del revestimiento construidos en estos nuevos materiales.

Como elementos estructurales que confeccionan la estructura de un ala están los largueros, dos o más, dependerá del tamaño y elementos que tenga que soportar, generalmente el larguero delantero es más grueso y resistente que el larguero posterior. Se localizan a lo largo del ala en el sentido del eje transversal del avión, el larguero anterior detrás del borde de ataque del ala y el larguero posterior delante del borde de salida.

En la figura siguiente se presentan varios ejemplos de secciones de alas y varias formas de unión de estas con el fuselaje, con largueros de madera con revestimiento de tela "no trabajando" y con estructura metálica y revestimiento "trabajando".

418

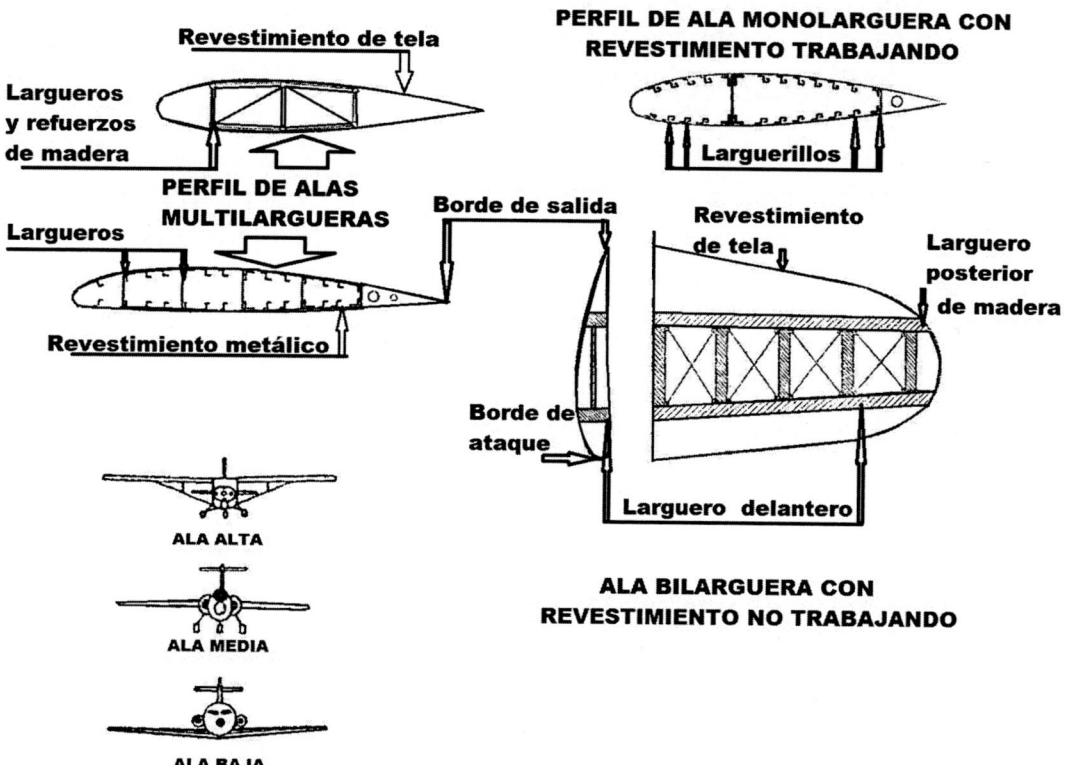

TIPOS DE ALA: PERFILES Y LARGUEROS

Los largueros son los elementos más resistentes de la estructura, están unidos por las costillas, que son los elementos situados perpendicularmente a los largueros, son principalmente de dos tipos, ligeras o de forma y costillas de carga.

Los largueros pueden ser de varios tipos, sencillos, de estampación, acanalados, de sección en I o de secciones laminadas, entre otros; en la figura siguiente se presentan varias secciones de largueros utilizados en diferentes estructuras de alas.

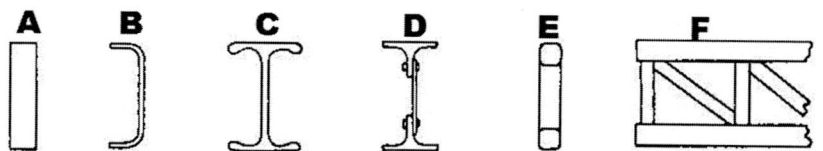

A= Rectangular. B=Acanalado. C=Sección en I
D= Sección I compuesta. E= Armadura. F= Viga de armadura

TIPOS DE LARGUEROS

419

Las costillas de las alas de los aeroplanos se sitúan a lo largo de la envergadura del ala y sirven para cometidos como **transmitir** las cargas aerodinámicas del revestimiento a los largueros; **evitar** la torsión de los largueros distribuyendo las cargas de flexión entre los mismos; son los elementos que conforman el perfil de las alas; en las alas que tienen el revestimiento formando el depósito de combustible, **forman las barreras** que impiden los desplazamientos rápidos del combustible durante los movimientos de la aeronave tanto en vuelo como en tierra, también sirven de soporte de sujeción tanto de las instalaciones de ventilación de los depósitos como de las diferentes tuberías e instalaciones que generalmente se instalan o pasan por el interior de las mismas.

Las costillas pueden ser **conformadas**, que generalmente se emplean en aviones pequeños, o **costillas de armadura**, para aviones de mayor tamaño, o bien las de **tipo compuesto**, dependiendo mucho de a qué utilización se va a destinar el espacio que formen los largueros, las costillas y el revestimiento. En la figura siguiente se presenta un ejemplo de varios tipos de costilla y dos estructuras típicas de alas de las empleadas en aviones ligeros.

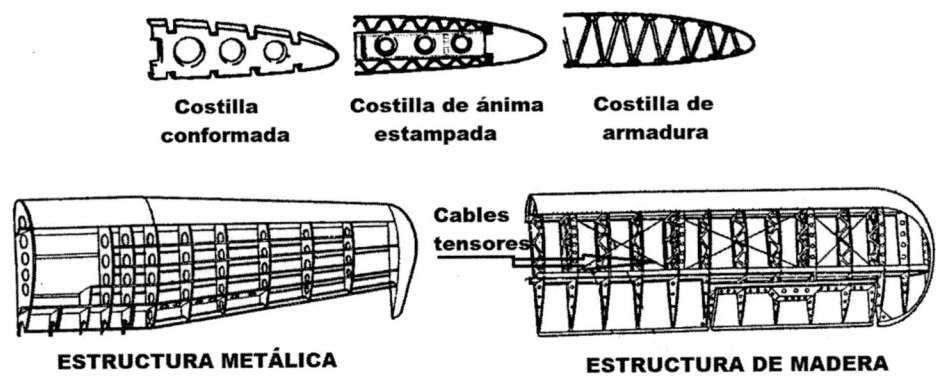

ESTRUCTURAS DE ALAS DE AVIONES LIGEROS

Las necesidades de que las alas sirvan para cumplir los cometidos aerodinámicos de sustentación y los de almacenamiento de combustible, soporte de motores, patas de tren de aterrizaje o soportes para la fijación de los mandos de control de vuelo como alerones, flaps spoilers o slats, dan como resultado que las alas son elementos pesados, que van requiriendo nuevos estilos estructurales, que se van consiguiendo con diferentes diseños y con el empleo de nuevos materiales, que proporcionan altas prestaciones y menor peso. Con la utilización de los medios de cálculo electrónico actuales que permiten un cálculo de resistencias, análisis de cargas y esfuerzos, y simulación de resultados y comportamientos de las estructuras, se están consiguiendo unos óptimos resultados en la construcción de los elementos que componen las alas.

En aeronaves actuales con alas en voladizo, los bordes de ataque y los de salida son desmontables, y se ensamblan a los largueros anterior y posterior mediante tornillos. También se fabrica como unidad desmontable el borde marginal o extremo del ala, este elemento tiene gran variedad de formas de diseño, que permiten una mejora de las prestaciones aerodinámicas.

En la siguiente figura se muestran varios tipos de formas de puntas de ala, entre los que más se utilizan en los diseños actuales.

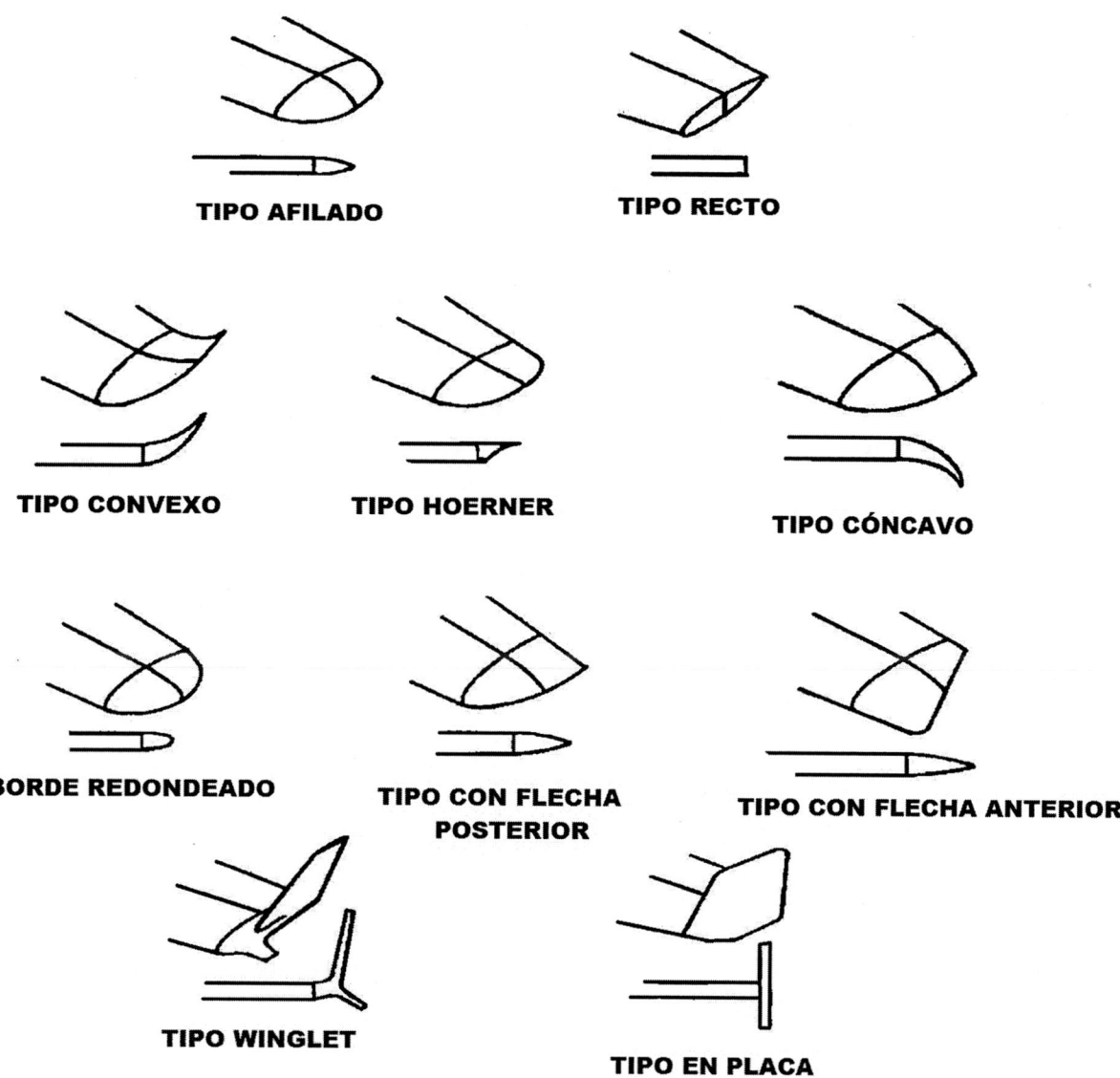

FORMAS DE BORDES MARGINALES DE ALAS

Se llama revestimiento a la parte del ala que cubre los largueros y las costillas conformando y dando forma al perfil del ala, puede ser de metal o de tela, si es de metal el ala será de revestimiento "**trabajando**", ya que se emplea como elemento primario de soporte y reparto de cargas.

El revestimiento metálico es de chapa de aleación de aluminio, de varios grosores, resistente a los esfuerzos de tracción, al cizallamiento, y si se refuerza convenientemente puede soportar cargas de compresión. El espesor de los revestimientos varía mucho dependiendo de los esfuerzos que tiene que soportar, de forma que irá adelgazándose según se vayan disminuyendo las cargas, para así ir disminuyendo el peso de la estructura. Este tipo de revestimiento tiene la ventaja de que como es bastante rígido conserva bien la forma aerodinámica.

Si la estructura del ala es de madera y el revestimiento de tela, se considera un revestimiento "**no trabajando**", por lo que la tela solo proporciona la forma del perfil, siendo necesario su impregnado con barnices apropiados que proporcionen el grado de tersura necesario además de una superficie lisa y firme, que después será pintada como el operador crea oportuno.

Para que la estructura de madera soporte bien las cargas se refuerzan con unos cables de acero y varillas que unen los largueros y las costillas de diversas formas en el interior del ala. En la figura siguiente se muestra un ejemplo de un ala de un avión ligero con estructura de madera con refuerzos metálicos en el centro de las costillas.

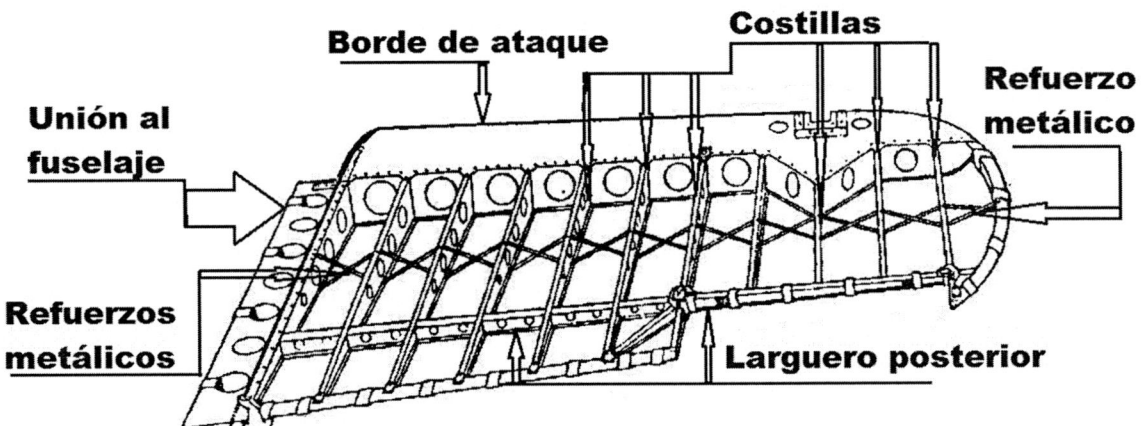

ALA CON ESTRUCTURA DE MADERA

Para la confección de los recubrimientos de tela se deben tener en cuenta varios e importantes detalles generales, como:

- La tela debe ser colocada de forma que la trama (hilos paralelos al orillo) quede paralela a la línea de vuelo.
- Las costuras de gran longitud deben realizarse paralelas a la línea de vuelo, para reducir la resistencia aerodinámica.
- Las costuras deben cruzar el menor número posible de costillas, para lo cual hay que cortar adecuadamente el patrón.
- La única costura que debe llevar un ala o una superficie de mando debe ser la del borde de salida, debiendo ser recubierta por las dos caras con una banda de tela.
- Los cosidos laterales deben ser hechos a máquina, con dos filas de puntadas, y recubiertas con una banda de tela que tendrá que ser cosida a mano para evitar arrugas, y estas costuras no es conveniente que tengan más de 15 centímetros de longitud sin interrumpirse, terminándolas con una punta de remate y un nudo.

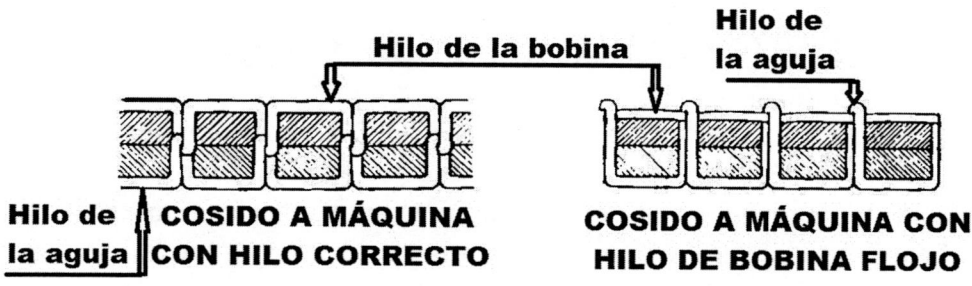

COSIDOS EN RECUBRIMIENTO DE TELA

Los factores que más afectan a la elasticidad de las uniones cosidas son el tipo de puntada, la longitud de esta y la calidad del cosido. En la figura anterior se muestran diferentes formas de cosidos y como, cuando se efectúa un cosido a máquina con un hilo de bobina flojo, el cosido no queda con el cruce de hilos en su sitio, si por el contrario el cosido se efectuase con el hilo de la aguja flojo, el cruce de hilos se produciría en la parte opuesta, comprobando que es de sumo interés que los hilos guarden su correcto grado de tensión para que el cruce de hilos se produzca en el centro de las telas que coser, como se muestra en la figura anterior.

Según se va avanzando en el conocimiento de los materiales, y para obtener una buena relación resistencia/peso, además de un alto grado de seguridad, los materiales con los que se efectúan los revestimientos van variando desde las antiguas telas a los materiales actuales a base de composites, pasando por las aleaciones de los aluminios, magnesio, titanio, etc., que se sitúan en las diferentes zonas según las necesidades, como p. ej. el extremo del ala o las zonas cercanas a los motores cuando están colgados de las alas, los materiales del revestimiento son diferentes.

11.3.2 – 2 – ALMACENAMIENTO DE COMBUSTIBLE

En aeronaves actuales que tienen las alas de estructura y revestimiento metálicos, el espacio libre en el cajón interlargueros se utiliza para el almacenamiento de combustible, se denominan "depósitos integrales", se forman en el momento de la fabricación del ala, sellando las piezas que componen la estructura con materiales blandos de relleno que son resistentes a los ataques químicos de los combustibles y que, después de unas horas de curado, forman un depósito estanco en el que se puede alojar una gran proporción del combustible total que almacena la aeronave.

Los demás depósitos integrales de combustible se sitúan en la parte central del fuselaje y/o en el estabilizador horizontal, utilizando las mismas formas y técnicas de construcción, para conseguir la estanqueidad de los mismos.

En la figura siguiente se presenta la forma de construir y unir las diferentes piezas, de sellar los varios elementos de diversas zonas de un depósito de combustible que forma parte del ala.

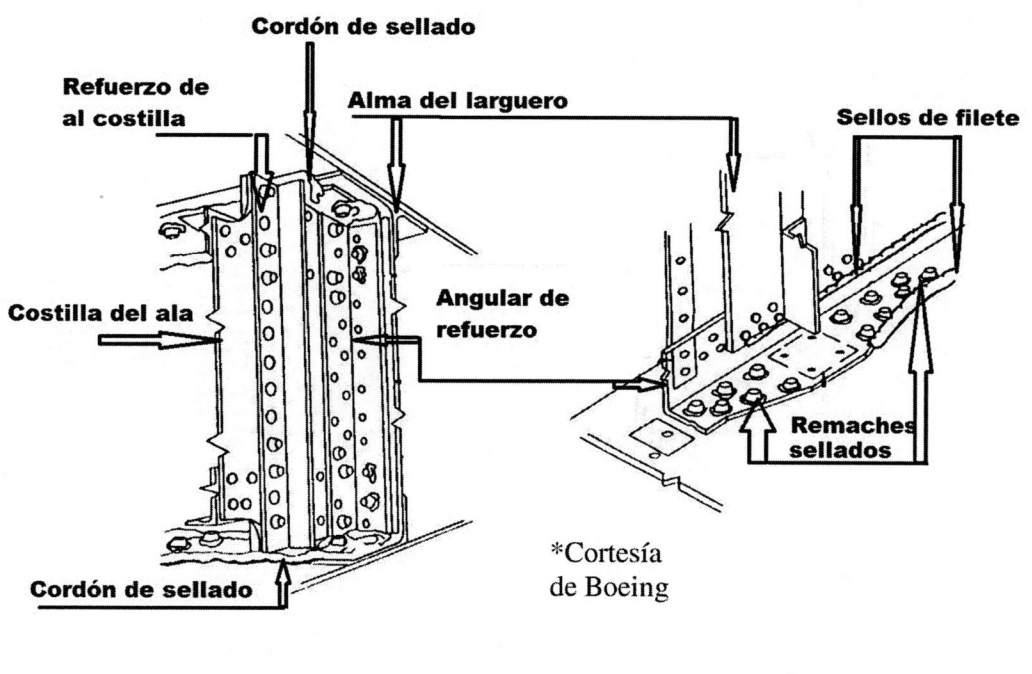

*Cortesía
de Boeing

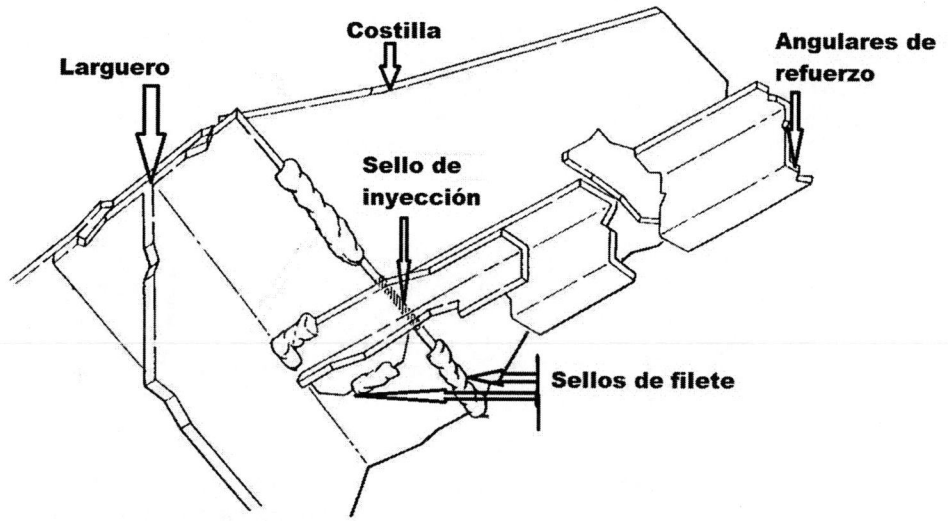

UNIONES DE COSTILLAS Y LARGUEROS EN LA ESTRUCTURA DE UN DEPÓSITO DE COMBUSTIBLE

En las alas que tienen los depósitos de combustible integrales, es necesario que tanto en el revestimiento del intradós como del extradós de la misma y en varias costillas y tabiques en el interior, se instalen unos huecos a modo de registros para el acceso que son cerrados con unas tapas con juntas blandas, fijadas con tornillos a unas tuercas especiales selladas por el interior, que una vez colocadas, además de

425

ser estancas, proporcionan las condiciones estructurales transmitiendo las cargas aerodinámicas normalmente. En la figura siguiente se presenta la estructura interna de un depósito integral y unas vistas de los registros de acceso desde el revestimiento y desde los mamparos laterales, y la forma de fijación de los mismos.

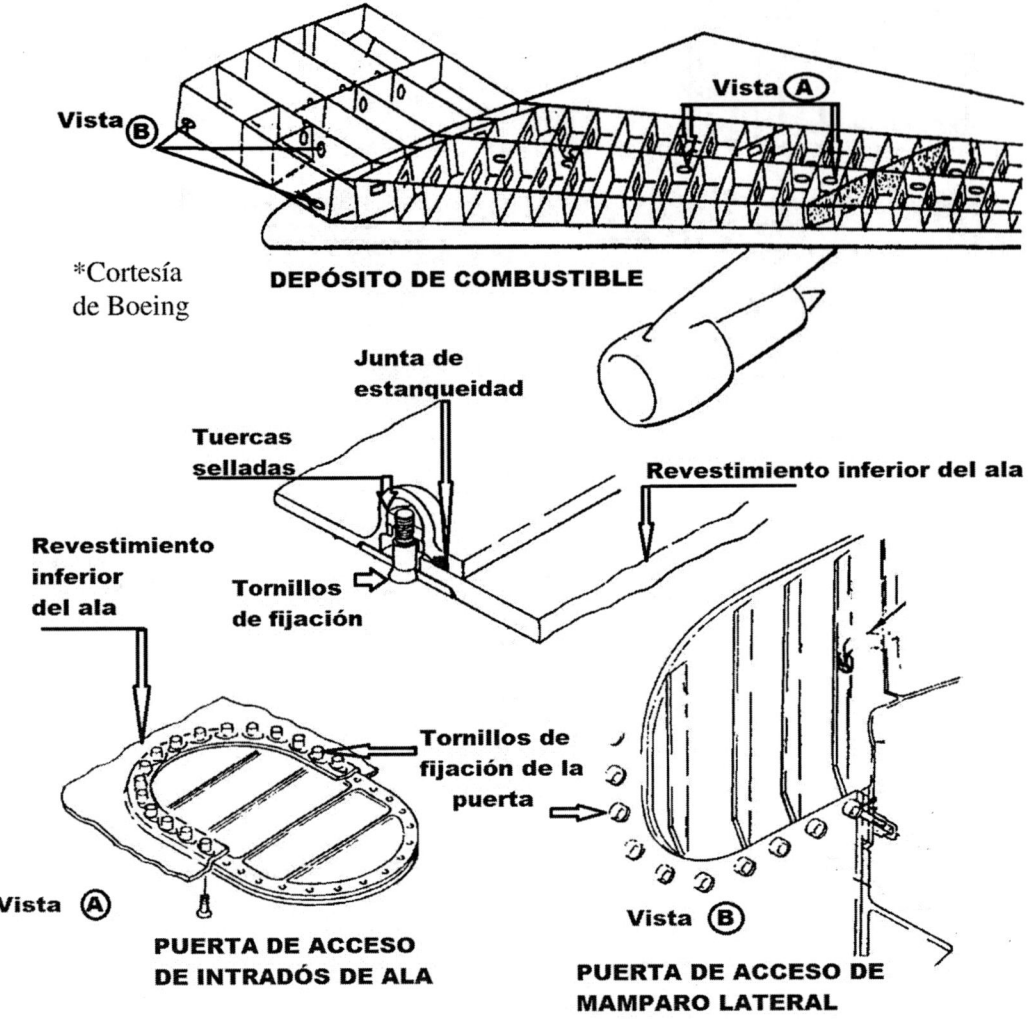

**PUERTAS DE ACCESO AL INTERIOR DE UN DEPÓSITO
DE COMBUSTIBLE DE ALA**

Además de los elementos que conforman la estructura de un ala, tiene en las zonas que corresponden a los herrajes soporte de los diversos elementos que van unidos a ella, como motores tren de aterrizaje o mandos de vuelo, mediante tornillos y remaches que también deben ser sellados por la parte interior del depósito para que mantenga la estanqueidad correspondiente.

En el interior de los depósitos de combustible van fijados, entre otros, los soportes de las instalaciones de ventilación, de las sondas de medida de cantidad o los soportes de las tuberías de alimentación de combustible a los motores, o en los aviones que los lleven, los radiadores de enfriamiento del líquido de los sistemas hidráulicos, elementos que por ir dentro de los depósitos no necesitan ser sellados, pero sí necesitan estar conectados a la estructura mediante masas que garanticen una perfecta conducción eléctrica en caso de un impacto de rayo o de la descarga de electricidad estática. En la siguiente figura se muestra un ejemplo de fijación de los tubos de alimentación de combustible a una bomba.

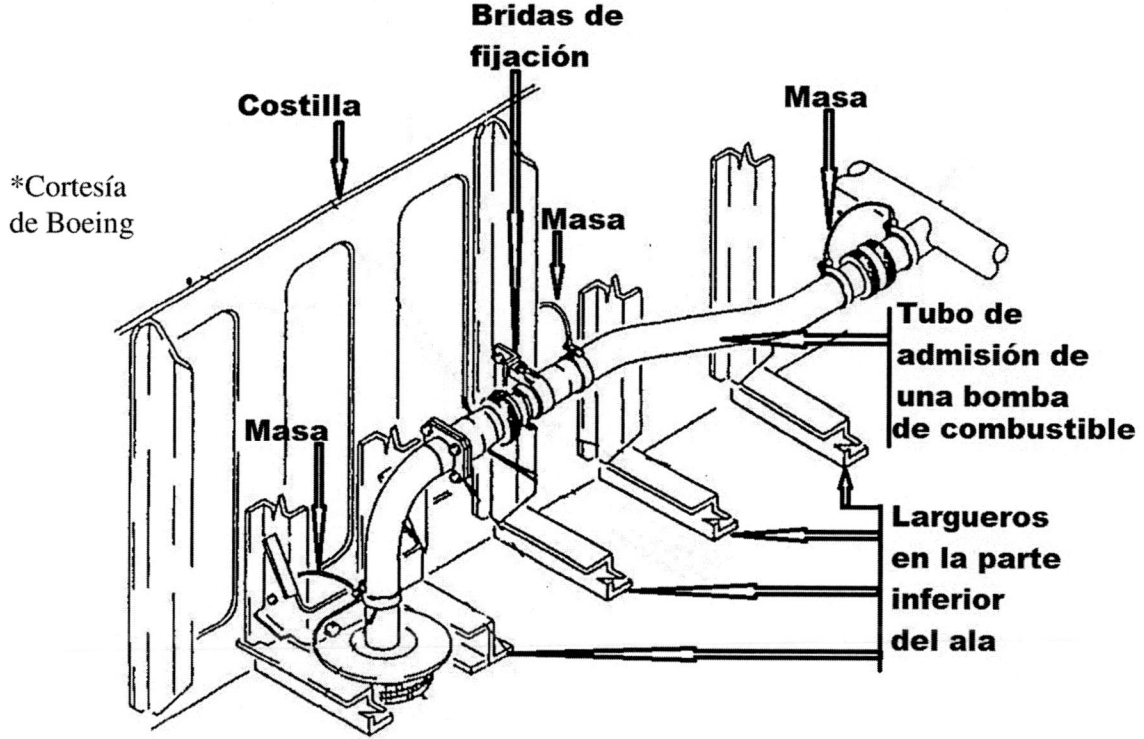

INSTALACIÓN EN EL INTERIOR
DE UN DEPÓSITO DE COMBUSTIBLE

Desde el punto de vista operativo, en las alas que se utilizan como depósitos de combustible, en muchos diseños estos depósitos están separados entre sí, quedando el situado más alejado del fuselaje (depósito que es el que primero se llena y el último que se consume) como elemento equilibrador de los esfuerzos a los que está sometida el ala, aprovechando el peso del combustible de este depósito auxiliar. En el módulo 11.10 ("Combustible") se trata este tema con la profundidad necesaria.

11.3.2 – 3 – ANCLAJES DE TREN DE ATERRIZAJE, VOLADIZOS, SUPERFICIES DE MANDO Y ELEMENTOS HIPERSUSTENTADORES Y DE AUMENTO DE LA RESISTENCIA

A la estructura de las alas, bien en los bordes de ataque, en los largueros o en el revestimiento convenientemente distribuidos y reforzados, se sitúan los herrajes y soportes a los que irán fijados los alerones, los flaps, los spoilers, carriles de los slats, soportes del tren de aterrizaje; y en aviones en los que la planta de potencia esté en las alas también se instalarán los soportes de los pylons que sujetan los motores. En la figura siguiente se muestra la fijación a la estructura de un ala, del herraje soporte de una pata de tren de aterrizaje, donde pueden verse los refuerzos que lo fijan.

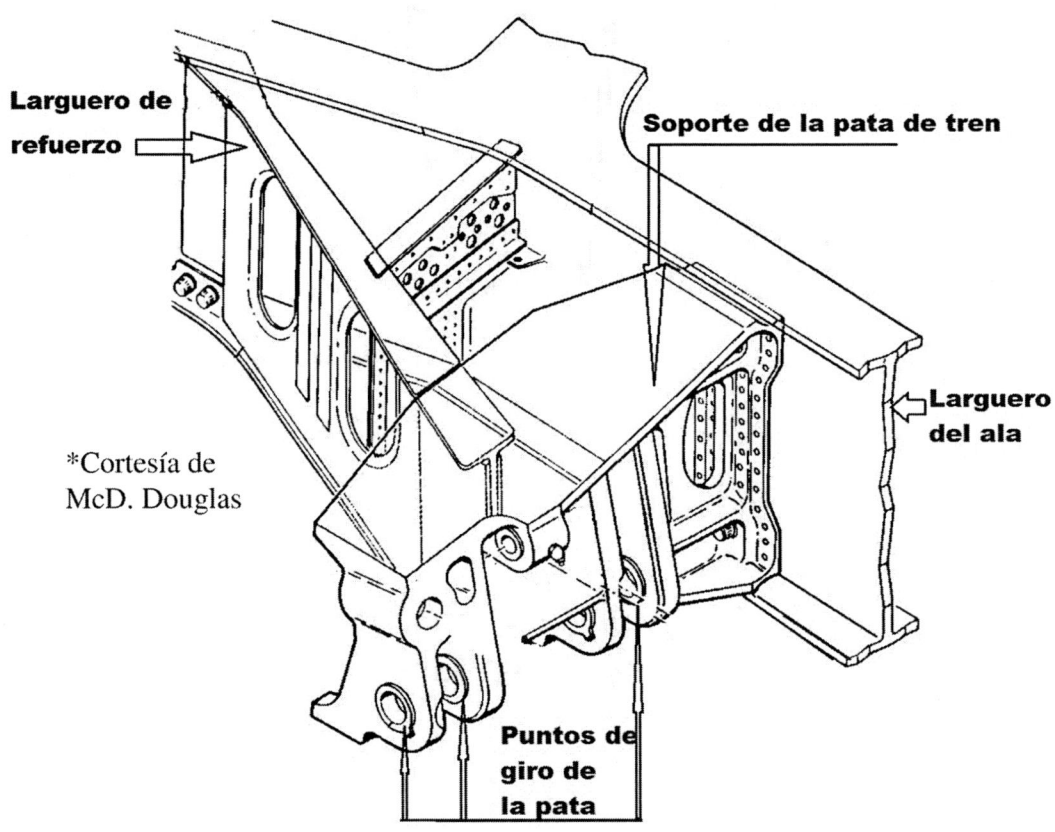

UNIÓN A LA ESTRUCTURA DEL ALA DE UN SOPORTE DE PATA DE TREN

Los mandos de vuelo van fijados a la estructura del ala de formas parecidas y acordes con la resistencia necesaria para soportar las cargas que producen las actuaciones de las superficies durante el vuelo. La fijación de los herrajes a la estructura se hace mediante remaches estructurales y/o tornillos. También en lugares adyacentes a los herrajes de sujeción de la superficie de control se ubican los herrajes de los mecanismos de actuación de las mismas.

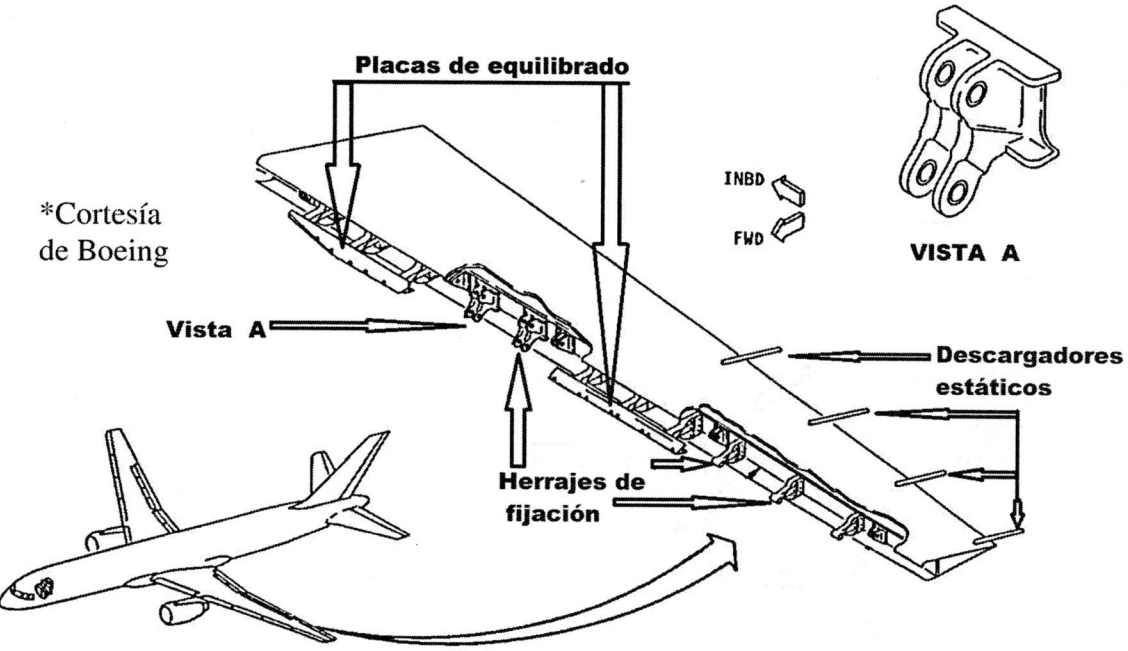

HERRAJES DE FIJACIÓN DE UN ALERÓN

En la figura anterior se presenta la forma y colocación de los herrajes de fijación al ala de un alerón, situación de los paneles de equilibrado estático y de los descargadores estáticos.

429

11.3 – 3 – ESTABILIZADORES (ATA 55)

Los estabilizadores son los conjuntos de planos fijos y timones que sirven para dar estabilidad y control a una aeronave, en un avión generalmente son dos, el estabilizador vertical y el estabilizador horizontal.

El estabilizador vertical o empenaje vertical se compone de plano fijo de deriva y timón de dirección, aunque no con gran profusión, en algunos aviones ligeros y otros militares se encuentran estabilizadores con dos derivas en forma de V que unifican los estabilizadores horizontal y vertical. En la figura siguiente se presenta un ejemplo de diseño de avión con empenaje de este tipo, indicando cómo inciden las fuerzas aerodinámicas para el mando longitudinal o de cabeceo y para el mando direccional o de guiñada.

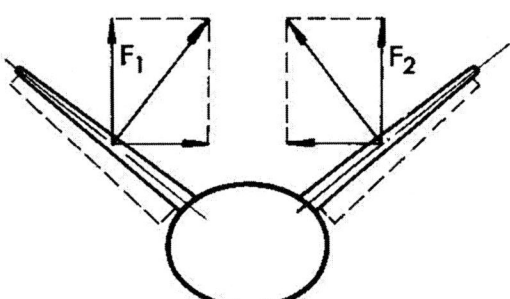

F1+F2=Fuerza aerodinámica para el mando longitudinal

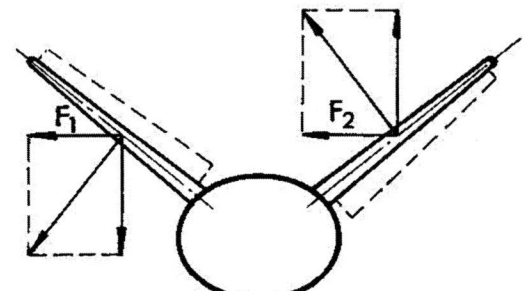

F1+F2=Fuerza aerodinámica para el mando de dirección

ESTABILIZADORES EN V

En aviones de gran tamaño de construcción para utilidades especiales, y también en cargueros de gran tamaño, que necesitan gran cantidad de mando, se diseñan con dos o tres derivas verticales, la central se une al fuselaje y las laterales nacen del estabilizador horizontal.

Este tipo de diseños no es nada novedoso actualmente, pues ya el fabricante Lockheed lo desarrolló en su modelo comercial trasatlántico Super Constellation en la década de los 50, y en varios modelos militares europeos y americanos de los años de la Segunda Guerra Mundial y siguientes.

El estabilizador horizontal, junto con los timones de profundidad, proporciona el control longitudinal alrededor del eje transversal. Se compone de dos partes simétricas con respecto a la cuerda del estabilizador vertical, unidas entre sí al fuselaje o al estabilizador vertical dependiendo del tipo de diseño. En la figura siguiente se presenta una cola de una aeronave con tres derivas verticales.

COLA DE TRES DERIVAS

Al igual que las alas de un avión que soportan sus correspondientes superficies de control en vuelo, los estabilizadores tienen la misma finalidad en cuanto soporte de los timones tanto de profundidad como de dirección.

Dependiendo del tipo de diseño que tenga la cola, el estabilizador horizontal estará fijado a la parte posterior del fuselaje si la aeronave es de cola baja, o al estabilizador vertical si la aeronave es de las denominadas de cola media o alta. Otra característica del estabilizador horizontal es que puede ser fijo, como en la mayoría de la aviación ligera y de baja velocidad, o móvil, como la mayoría de las aeronaves de alta velocidad donde se utiliza como compensador de la misma alrededor del eje transversal, o compensación de cabeceo, tema, en cuyo estudio se profundiza en el capítulo 11.9.4 del tomo II de esta obra.

Al conjunto de los estabilizadores se le denomina empenaje de cola, también se llama empenaje vertical al estabilizador vertical con su timón y aleta compensadora (si la lleva), y empenaje horizontal al conjunto de los estabilizadores horizontales con sus aletas compensadoras o de control.

431

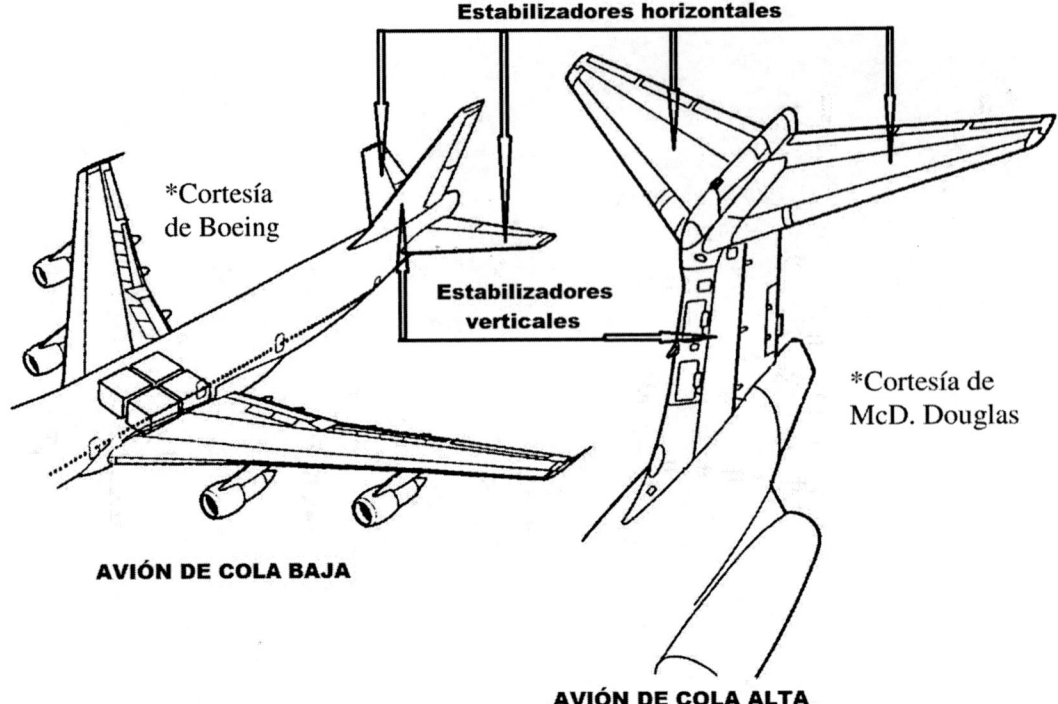

Estabilizadores horizontales

*Cortesía de Boeing

Estabilizadores verticales

*Cortesía de McD. Douglas

AVIÓN DE COLA BAJA

AVIÓN DE COLA ALTA

TIPOS DE EMPENAJES DE COLA

En la figura anterior se muestran dos ejemplos de tipos de empenajes de cola, uno de cola baja correspondiente a un Boeing 747 y otro de cola alta correspondiente a una aeronave del modelo MD82 de Douglas.

11.3.3 – 1 – ESTRUCTURA

En lo referente a la construcción de la estructura de los estabilizadores, tanto del vertical como de los simétricos horizontales, son de perfil aerodinámico, con largueros anterior y posterior, con bordes de ataque generalmente desmontables, y en aeronaves de alta velocidad y alto nivel de vuelo los bordes pueden ir calentados para prevenir la formación de hielo, junto con las costillas y el revestimiento forman el conjunto.

En cuanto a la forma de unión de las piezas y el revestimiento es igual que para las alas, si es de estructura metálica, las uniones se efectúan mediante remachado, y los soportes y anclajes de los mandos y elementos desmontables que tienen que soportar se fijan mediante tornillos. Si son de estructura de madera, las uniones se efectuarán mediante el encajado, encolado y reforzado por cables de acero o pletinas de unión y el revestimiento de tela impregnado con barnices que le dan la tersura necesaria.

Hay que diferenciar, en cuanto a la estructura, si el estabilizador es vertical u horizontal por dos condiciones básicas, una, que el vertical irá en su parte inferior unido al fuselaje, y otra, que si el avión es de cola alta deberá llevar también los herrajes y soportes que lo unirán al estabilizador horizontal, ya sea este fijo o móvil. En la figura siguiente se muestra un ejemplo de unión de estabilizador vertical al fuselaje de un avión CRJ, de Bombardier.

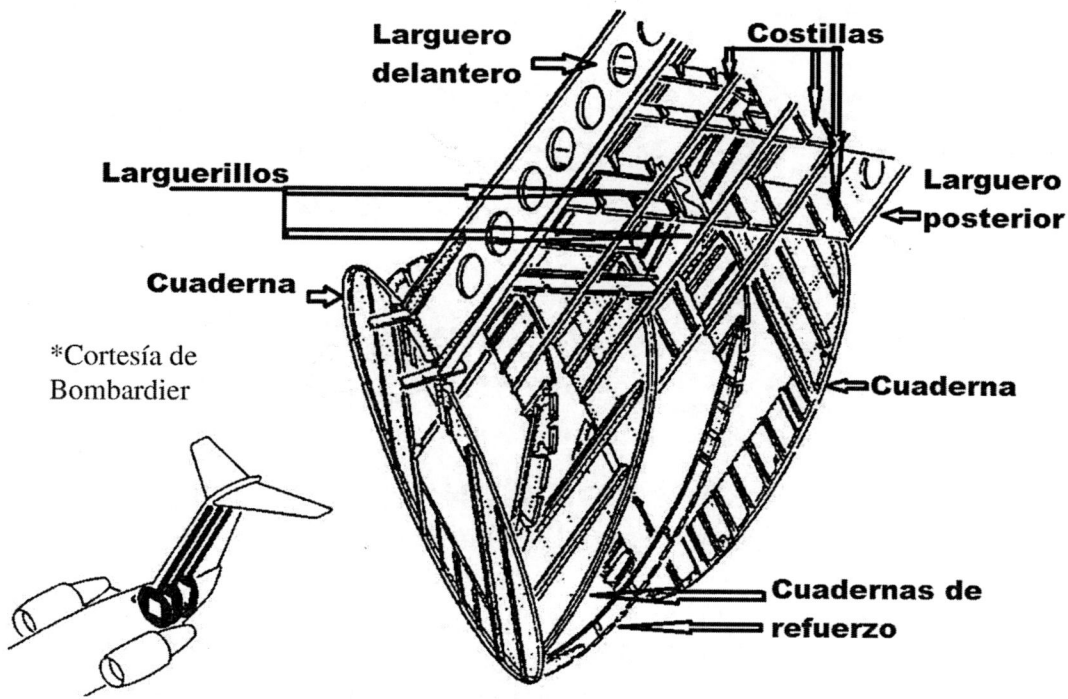

**UNIÓN DEL ESTABILIZADOR VERTICAL
CON EL FUSELAJE DE UN CRJ-200**

En la parte superior del estabilizador vertical, si es de los llamados de cola alta o cola en **T**, llevará los soportes y herrajes que a la vez que lo unen al estabilizador horizontal, si este es de posición variable, permitirán que este varíe su posición cuando sea necesario, para lo que llevarán su propio sistema de accionamiento que se desarrolla en el capítulo 11.9 del tomo II ("Mandos de vuelo").

En la figura siguiente se presenta un ejemplo de unión de estabilizadores vertical con el horizontal de posición variable de un avión de cola alta que el fabricante Douglas instala en varios de sus modelos, se puede observar también el mecanismo de variación del movimiento, y como **AVISO IMPORTANTE** se presenta el útil y la forma de instalarlo, para efectuar las funciones de mantenimiento con seguridad, norma que seguro que vendrá bien claramente especificada en la correspondiente tarea de mantenimiento que efectuar.

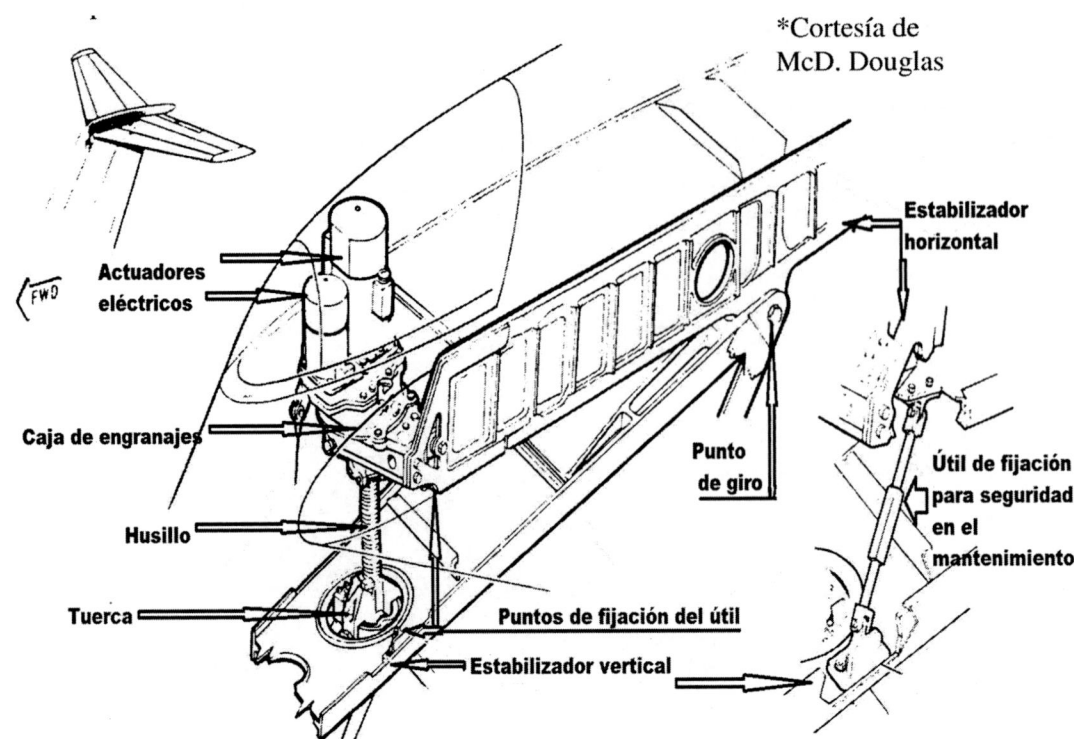

*Cortesía de McD. Douglas

Actuadores eléctricos

Caja de engranajes

Husillo

Tuerca

Punto de giro

Puntos de fijación del útil

Estabilizador vertical

Estabilizador horizontal

Útil de fijación para seguridad en el mantenimiento

UNIÓN DE UN ESTABILIZADOR VERTICAL CON EL HORIZONTAL MÓVIL DE COLA ALTA

Por el contrario, el avión es de cola baja y el estabilizador vertical no soporta al horizontal, el vertical estará fijado al fuselaje, mantiene su perfil aerodinámico con los largueros anterior y posterior, costillas, larguerillos y el revestimiento, y finalizando con el borde marginal con la preceptiva luz de navegación.

Por el interior de la estructura del estabilizador vertical están distribuidos los elementos necesarios para el funcionamiento y control del timón de dirección, si son aviones reactores, de alta velocidad y nivel de vuelo con la actuación del timón por unidades de energía hidráulica, estarán los tubos para el transporte de la presión y del retorno hidráulicos, cables de mando, y si el estabilizador está con protección contra el hielo, estarán bien los tubos de aire caliente o las botas neumáticas (ver el capítulo 11.12 "Protección contra el hielo", en el tomo III de *Sistemas de aeronaves de turbina*).

En la figura siguiente se presenta un ejemplo de la estructura de la parte superior de un estabilizador vertical de un avión ligero de baja velocidad en la que se pueden observar los diferentes elementos que la componen así como el registro de acceso al interior y el borde marginal superior.

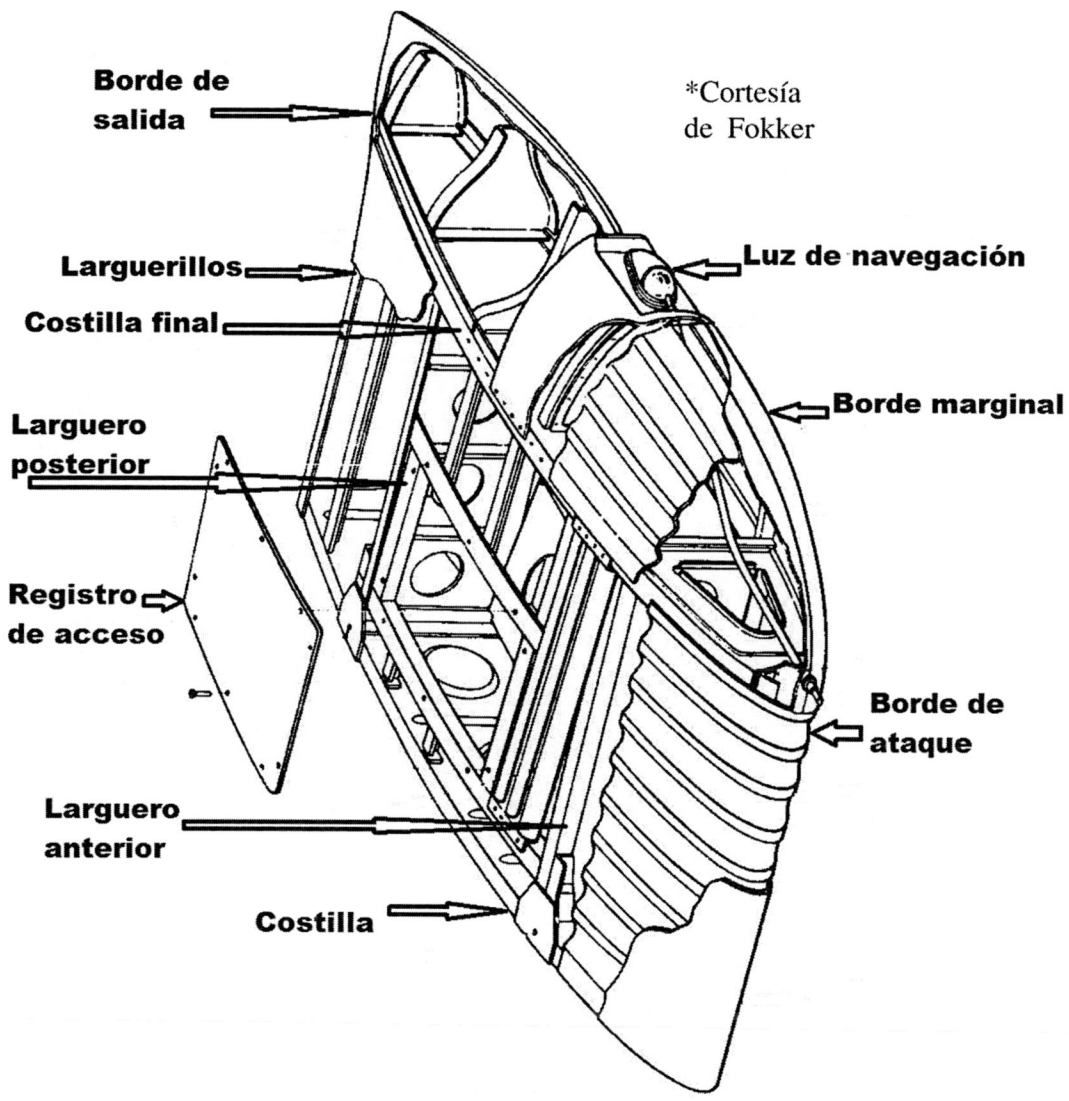

Borde de salida

*Cortesía de Fokker

Larguerillos

Costilla final

Luz de navegación

Larguero posterior

Borde marginal

Registro de acceso

Borde de ataque

Larguero anterior

Costilla

ESTRUCTURA DE LA PARTE SUPERIOR DE UN ESTABILIZADOR VERTICAL

El estabilizador horizontal, generalmente, en la aviación ligera, si es fijo tendrá un perfil aerodinámico y llevará los soportes para la fijación de los timones de profundidad, y para los elementos de actuación de este; su estructura estará formada por los largueros, costillas, larguerillos, que junto con el revestimiento conforman el perfil aerodinámico que se unirá al estabilizador vertical o al final del fuselaje, dependiendo de si es o no de cola alta, y en muchos diseños tienen el borde de ataque y el de salida desmontable además de los bordes marginales.

435

En la figura siguiente se presenta un ejemplo del empenaje de cola de un avión ligero en el que se describen el aspecto exterior y los elementos interiores que conforman el mismo.

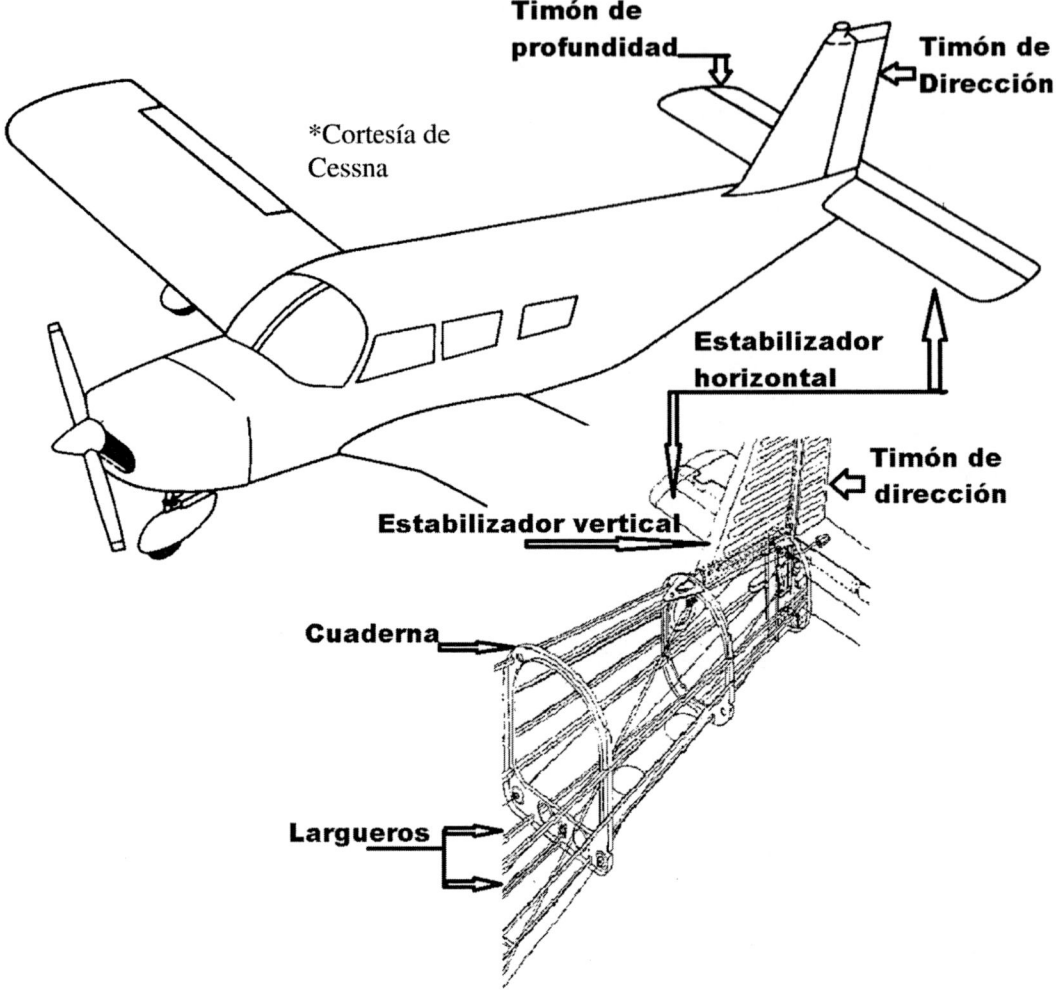

ESTABILIZADOR HORIZONTAL LIGERO

En aviones generalmente de alta velocidad tienen el estabilizador móvil, la estructura interna de este es similar a la del estabilizador vertical, es decir, con dos largueros, el anterior, donde va fijado el borde de ataque, y el posterior, donde se fijan los herrajes y soportes de los timones de profundidad; las costillas que a su vez darán la forma aerodinámica, los larguerillos que unirán las costillas y darán soporte al revestimiento que irá remachado quedando armado todo el conjunto.

El borde de ataque, en casos en los que lleve sistema antihielo, en la cola albergará los tubos de aire caliente, o sistema de deshielo por zapatas neumáticas.

En la figura siguiente se muestra un ejemplo de estabilizador móvil con la estructura interna y los elementos que la conforman.

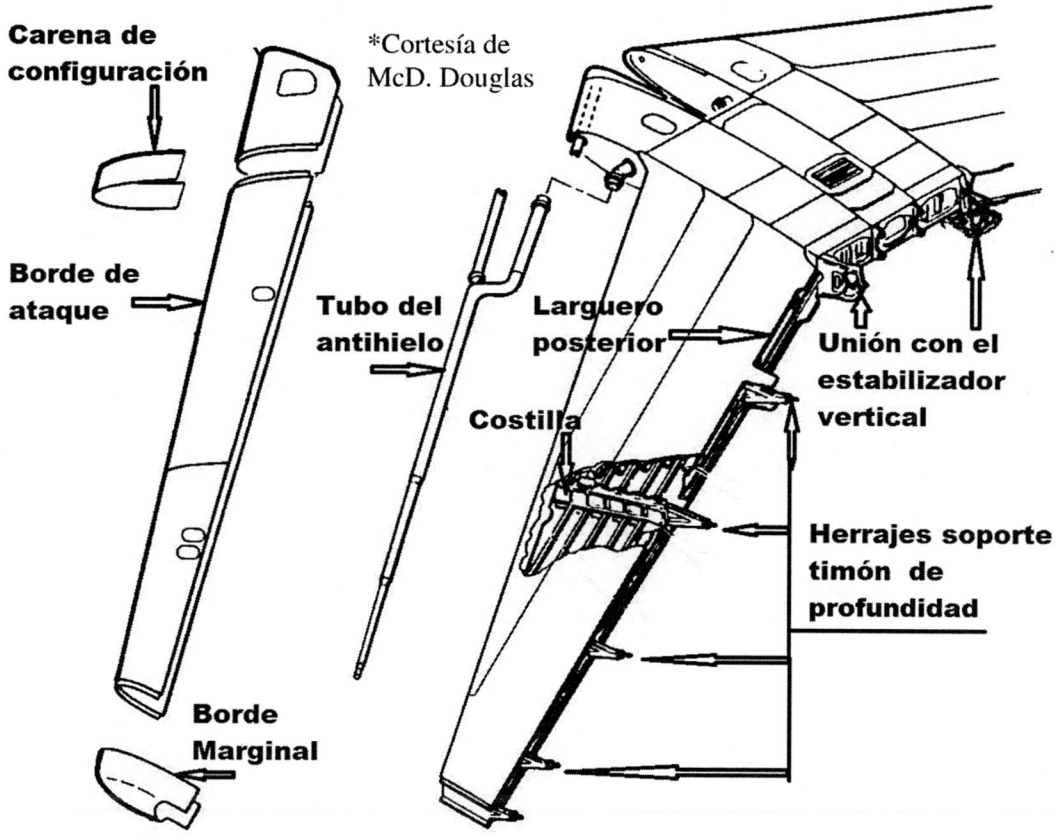

ESTABILIZADOR HORIZONTAL MÓVIL

En aviones de gran tamaño y de la generación actual, como el Airbus 340, en los espacios entre los largueros anterior y posterior hay habilitado un depósito de combustible en cada lado del estabilizador, por lo que su construcción sigue las mismas pautas que la construcción de las alas, sellado de todos los elementos con materiales blandos que no sean atacados por el combustible, quedando así las zonas estancas.

En los aviones que no lleven sistema de protección contra el hielo y en aeronaves actuales, los bordes de ataque y los de salida en las zonas donde no esté el timón se construyen de mezclas de fibras y composites que proporcionan buenas prestaciones con mucho menor peso.

11.3.3 – 2 – ANCLAJE DE SUPERFICIES DE MANDO

Las superficies de mandos de control del vuelo que están fijadas a los estabilizadores son: el timón de dirección al estabilizador vertical y los timones de profundidad al estabilizador horizontal; como los mandos de control tienen que ser móviles, la forma de unión entre los estabilizadores y los timones es de dos herrajes y un bulón como eje de giro formando bisagra; los herrajes, uno va fijado mediante remaches estructurales y tornillos al larguero posterior del estabilizador, y el otro se fija al timón. En cuanto al número de puntos de anclaje dependerá del tamaño del timón.

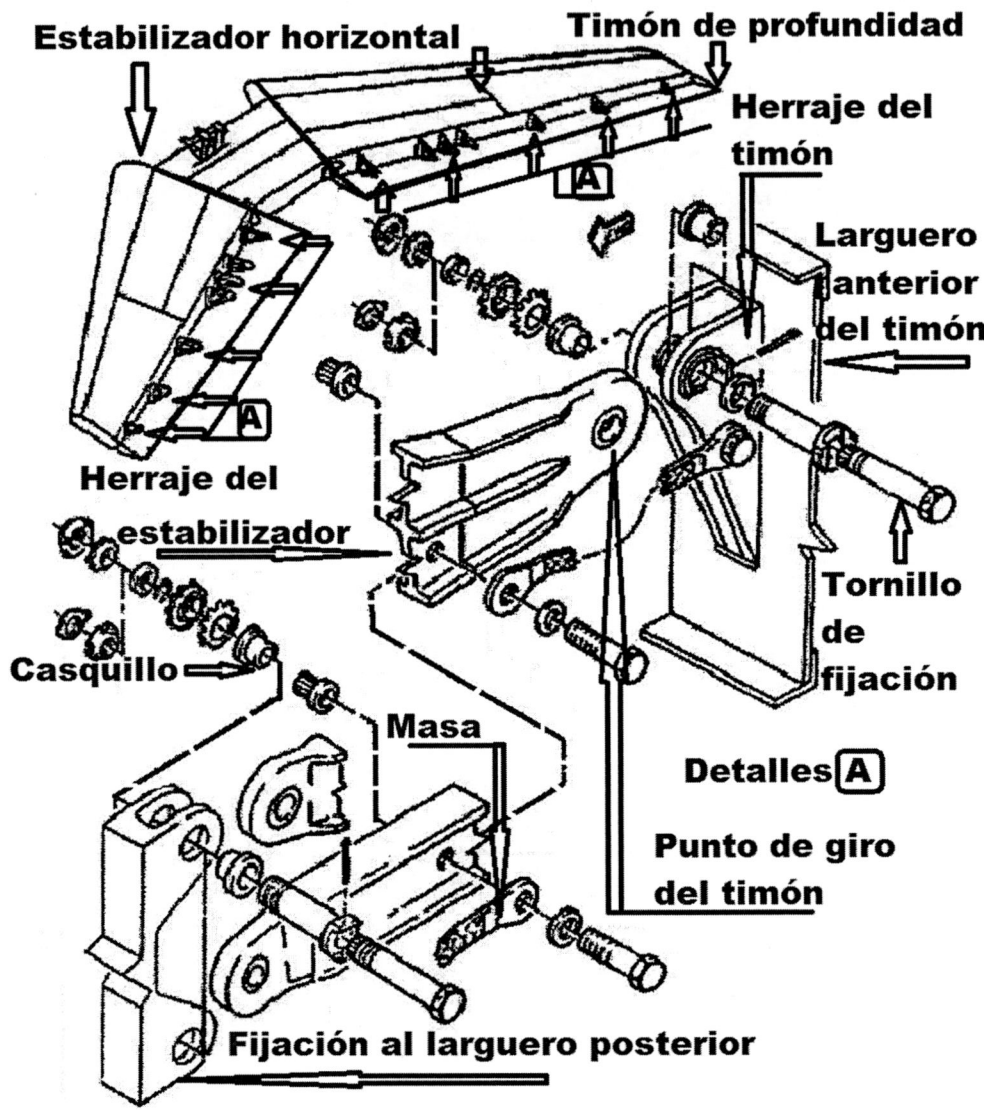

FIJACIÓN DE LOS TIMONES

Además de los puntos de anclaje de las superficies de mando, también sobre los largueros posteriores se fijan los soportes de las unidades de actuación si son hidráulicos o los soportes de unión de las poleas si son mecánicos, los soportes de los amortiguadores contra el flameo, transmisores de posición, etc.

Los puntos de giro de la fijación de los timones están provistos de los correspondientes casquillos y cojinetes, que proporcionan un giro sumamente suave y uniforme.

En lo referente a la fijación del timón de dirección al estabilizador vertical, el sistema es similar a los del canal de profundidad, si bien variará en cuanto al número de puntos de giro y unión. Una parte de la bisagra se fija mediante tornillos y remaches al larguero posterior del estabilizador vertical, y la otra al larguero anterior del timón de dirección.

El punto de giro comprende los cojinetes, casquillos y arandelas correspondientes y bulón pasador con tuerca que fija todo el conjunto.

En la figura siguiente se muestra un ejemplo se diferentes puntos de anclaje de un timón de dirección al larguero posterior del estabilizador vertical, donde se aprecian, además de los puntos de giro y anclaje del timón, en las vistas B y C el punto donde se aplica la fuerza del mecanismo actuador que mueve el timón.

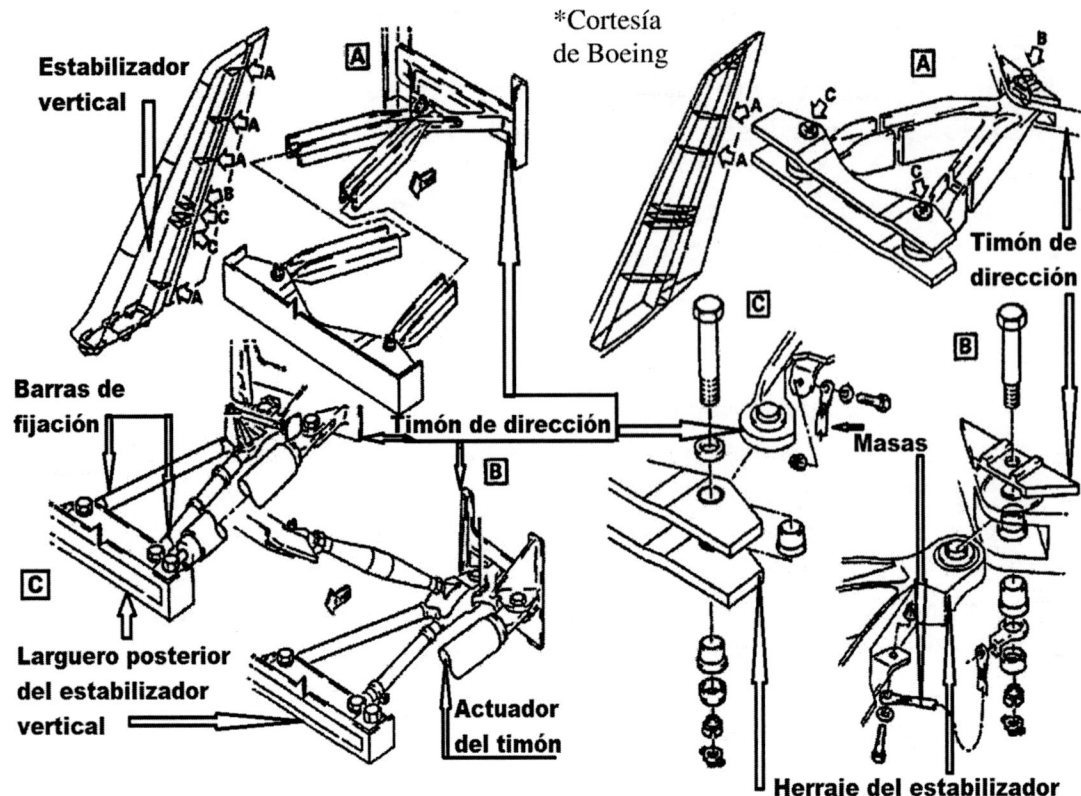

*Cortesía de Boeing

Estabilizador vertical

Barras de fijación

Larguero posterior del estabilizador vertical

Actuador del timón

Timón de dirección

Timón de dirección

Masas

Herraje del estabilizador

ANCLAJE DEL TIMÓN DE DIRECCIÓN

11.3 – 4 – SUPERFICIES DE MANDO DE VUELO (ATA 55, 57)

La variación de posición del avión durante el vuelo se consigue modificando la fuerza aerodinámica que las superficies de control proporcionan cuando varían su posición girando sobre el eje longitudinal para los movimientos de balanceo, variando la posición de los alerones; girando sobre el eje transversal para los movimientos de cabeceo, variando la posición de los timones de profundidad; y girando sobre el eje vertical para los movimientos de guiñada, variando la posición del timón de dirección.

Como se ha tratado en los apartados anteriores los elementos móviles van fijados a los largueros posteriores de las alas o de los estabilizadores mediante soportes, herrajes, casquillos, cojinetes y demás piezas que forman los conjuntos de bisagra.

11.3.4 – 1 – ESTRUCTURA Y ANCLAJES

Las superficies de los mandos de vuelo se construyen de una manera muy similar a las alas o los estabilizadores, pero de estructura más simple, un larguero anterior cercano al borde de ataque, costillas, una cuña en el borde de salida y el revestimiento que configura el perfil.

En cuanto a los materiales que se utilizan, en la aviación histórica, se utiliza la madera para las estructuras y la tela endurecida mediante barnices para los revestimientos, en la aviación ligera y la comercial de la segunda mitad del siglo veinte, se utilizan las diferentes aleaciones de aluminio, generalmente de los tipos 7075, ALCLAD, o cualquiera de las aleaciones de la serie 7000 dependiendo de la zona en que se vaya a emplear.

Con el desarrollo de los nuevos materiales, se empiezan a emplear el litio, las fibras de boro o de grafito, carbono, manta de vidrio, panel de abeja, resinas epoxi o materiales similares, a partir de la década de los 70 se empiezan a sustituir los revestimientos metálicos en muchos mandos de vuelo y cada vez más también en muchos elementos de la estructura de los mismos, como bordes de ataque y de salida o los mismos revestimientos.

Para las uniones de los elementos de la estructura se utilizan desde el remachado para los mandos de estructura metálica a las modernas técnicas de pegado para los nuevos materiales, pero en conjunto las estructuras compuestas o multimateriales permiten a los diseñadores conseguir cada día mejores índices de relación resistencia/peso que les permiten acercarse a los requerimientos de una estructura ideal en función de la trayectoria de las cargas en las piezas que ensamblar.

También hay que tener en cuenta que el progreso en los conocimientos y empleo de los materiales avanza a una velocidad que hace que los valores de peso/resistencia que se manejan en la actualidad estén bastante alejados de los que se utilizaban hace tan solo diez años, por lo que en un futuro se ofrecen muchas esperanzas de mejora de estos valores, en los aceros para aviación se producían aceros con una tensión máxima de 25 000 kg./cm^2, y en la actualidad ya sobrepasan ampliamente el doble de esos valores, ocurriendo lo mismo en lo referente a los materiales plásticos, resinas, epoxis o fibras. Todo esto junto a la capacidad que tiene la industria en cuanto a métodos de tratamiento, fabricación y reparaciones hacen que el medio de la construcción de piezas para la aviación avance a velocidades asombrosas.

En la figura siguiente se muestra la estructura interna de un timón de dirección de construcción metálica, donde se pueden apreciar los elementos que la conforman, un larguero anterior y los larguerillos de refuerzo que junto con las costillas y el revestimiento forman el conjunto.

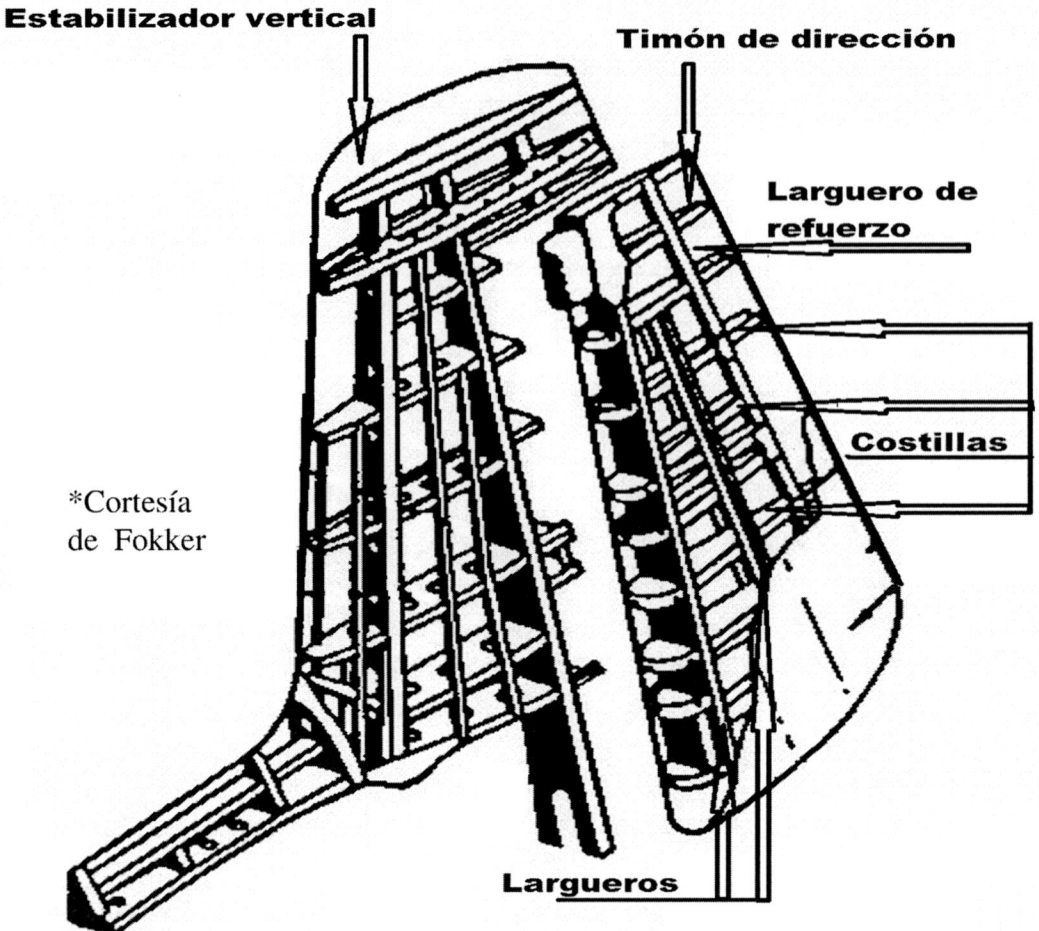

Estabilizador vertical

Timón de dirección

Larguero de refuerzo

Costillas

*Cortesía de Fokker

Largueros

ESTRUCTURA METÁLICA DE UN TIMÓN DE DIRECCIÓN Y ESTABILIZADOR VERTICAL

Con la entrada en la construcción de las superficies de control del vuelo y demás elementos de la aeronave, de los llamados nuevos materiales o materiales sintéticos, resinas, fibras, epoxis, y las correspondientes técnicas necesarias para el manejo y fabricación, se consiguen unan superficies de control mucho más ligeras pero con los mismos grados de eficacia.

En la figura siguiente se muestra una fotografía del proceso de fabricación de un timón con los elementos de fibra, situado en los conformadores para el secado y sin colocar el revestimiento.

CONSTRUCCIÓN EN FIBRA DE
UN MANDO DE VUELO

Con estos nuevos materiales no solo han variado los métodos de fabricación sino que también han variado en gran medida los métodos de reparación de las anormalidades como golpes o abolladuras, etc., y también los métodos de inspección sobre todo en cuanto a detección de abolladuras y golpes, ya que al ir los revestimientos pegados a las costillas los daños pueden encontrarse en el interior y no ser detectados a la vista, por lo que es necesario tocarlos con la mano o con alguna herramienta específica, que será especificada en los correspondientes manuales de inspección y reparación de las superficies en las aeronaves que lleven este tipo de materiales en su construcción. En el módulo 7.14.2 ("Prácticas de Mantenimiento") de la formación de un técnico de mantenimiento se profundiza en los conocimientos y manejo de todos estos tipos de materiales.

11.3.4 – 2 – EQUILIBRADO: MASA Y AERODINÁMICA

Las superficies de control del vuelo o mandos de vuelo como los alerones y los timones de dirección y profundidad deberán tener el necesario equilibrio estático, para que no produzcan vibraciones aeroelásticas, el centro de gravedad de la superficie móvil se debe encontrar en el eje de charnela o eje de giro. Normalmente las superficies de mando tienen situado muy hacia el borde de ataque el eje de giro, y por consiguiente muy retrasado con respecto a este el centro de gravedad.

Para conseguir que el centro de gravedad se adelante hasta el eje de giro o muy próximo a él se utilizan generalmente **dos métodos, uno,** la colocación de unas masas fijadas al interior del borde de ataque, a modo de contrapesos. En la figura siguiente se muestra un timón de profundidad con el que el fabricante Douglas equipa varios modelos de aviones de cola alta.

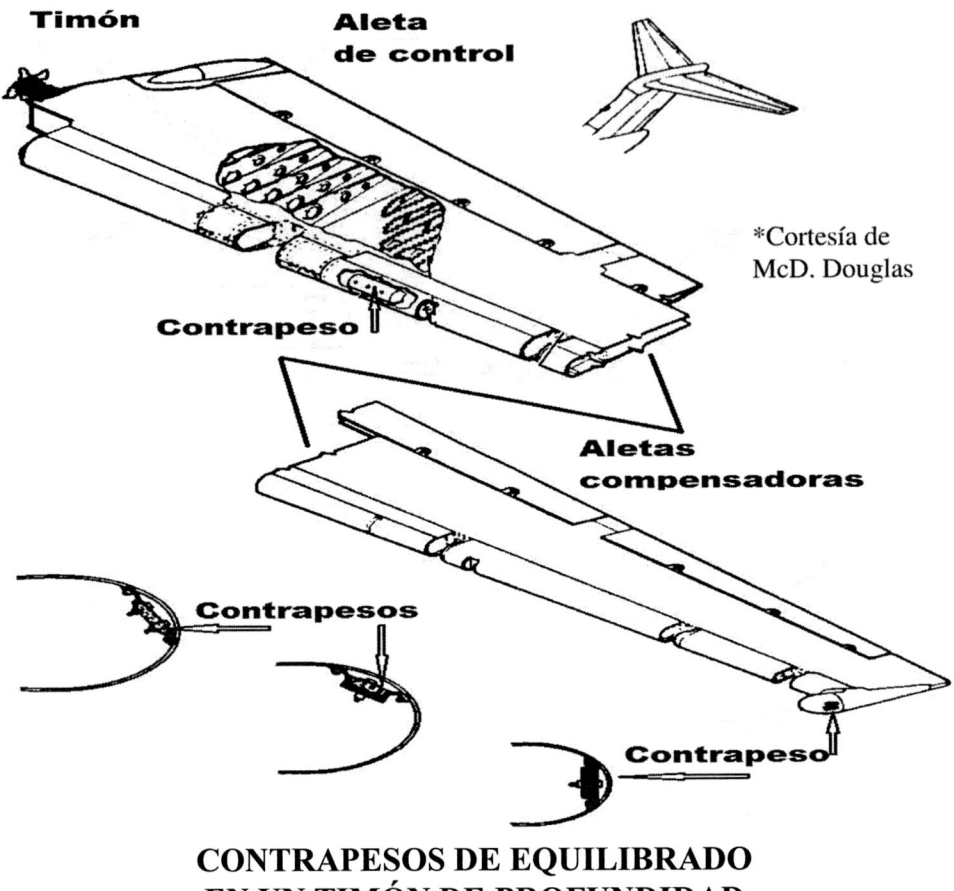

**CONTRAPESOS DE EQUILIBRADO
EN UN TIMÓN DE PROFUNDIDAD**

Otro método consiste en una masa delante de la superficie de mando, unida a él por medio de una placa o brazo que lo une a la estructura del ala o del estabilizador, estas placas están unidas mediante bisagras articuladas formando un conjunto con la placa contrapeso, todo ello alojado entre el borde de ataque del timón o alerón y el larguero posterior del ala o del estabilizador, donde también ayudan las diferencias de presión que se suceden en las dos cámaras que dentro del cajón forman las láminas de las bisagras y el contrapeso, diferencias que juegan a favor de la estabilidad estática del timón o alerón. En la figura siguiente se presenta un ejemplo de esta forma de conseguir el equilibrio estático en los alerones y timones de profundidad de varios modelos de aviones del fabricante Boeing.

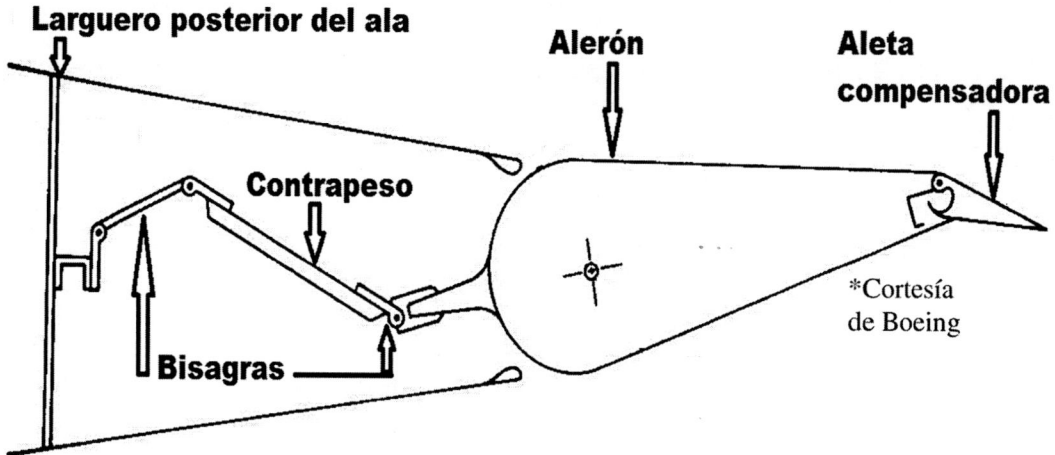

Larguero posterior del ala

Alerón

Aleta compensadora

Contrapeso

Bisagras

*Cortesía de Boeing

EQUILIBRADO CON PLACAS ABISAGRADAS

Si la superficie es metálica, este dato es más acusado que si los mandos son de fibras y materiales plásticos, porque tienen un menor peso, lo que resulta más fácil de equilibrar, sea cual sea el método utilizado.

11.3 – 5 – GÓNDOLAS/VOLADIZOS (ATA 54)

A los elementos de unión entre la planta de potencia de un avión y la estructura del mismo se les denomina góndola, voladizo, bancada o pylon, con independencia de que el diseñador haya colocado los motores, en el ala o el fuselaje, de que el motor sea reactor, turbohélice o de pistón.

Estos elementos, además de soportar el peso del motor, transmiten al resto de la aeronave el esfuerzo de tracción, las cargas laterales producidas durante el vuelo, o las cargas giroscópicas que se producen a consecuencia de la variación del plano de rotación del eje del motor, ya sea un motor que mueva una hélice o un turborreactor que mueve los compresores y turbinas, cargas calculadas a los valores de máximo régimen de variación. Estos elementos, además, permiten el paso de las conducciones neumáticas, eléctricas, de combustible, hidráulicas o de agente extintor de fuego.

Las góndolas o voladizos tienen tres partes con estructuras bastante diferenciadas, **sección central**, que es la parte que se une a la estructura de la aeronave; **mamparos cortafuegos**, pantallas para aislar la zona de motor en caso de incendio, y **bancada o montante de motor**, que son los elementos que unen el motor propiamente dicho a la estructura de la góndola o voladizo.

11.3.5 – 1 – ESTRUCTURA

Aunque las funciones de las góndolas o voladizos sean en todos los motores las mismas, en lo referente a la estructura de estos elementos hay varias formas muy diferenciadas, de las cuales las más comunes pueden ser:

- Motores turbohélices situados en las alas.
- Motores reactores situados en el fuselaje.
- Motores reactores situados en las alas.

El resto de las formas de unión de los motores, bien sobre el ala, al final del fuselaje, o sobre el estabilizador vertical, son formas menos utilizadas y muy específicas.

La estructura del voladizo que soporta el motor cuando es motor de émbolo o turbohélice montado en las alas está formada por largueros y refuerzos unidos por remaches que forman la estructura de acoplamiento al ala, estos elementos están construidos de aleaciones de acero y titanio, que les proporciona mucha resistencia a la temperatura y a la vibración.

El conjunto formado se une al ala por medio de tornillos y remaches estructurales, todo ello carenado mediante paneles de chapa de las mismas aleaciones que proporcionan una fuerte unión que soporta bien las vibraciones, los esfuerzos y cargas que se producen durante el funcionamiento del motor tanto en tierra como en vuelo.

En la figura siguiente se presenta un ejemplo de la estructura de una góndola que utiliza el constructor Fokker para varios de sus modelos con motor turbohélice en el ala.

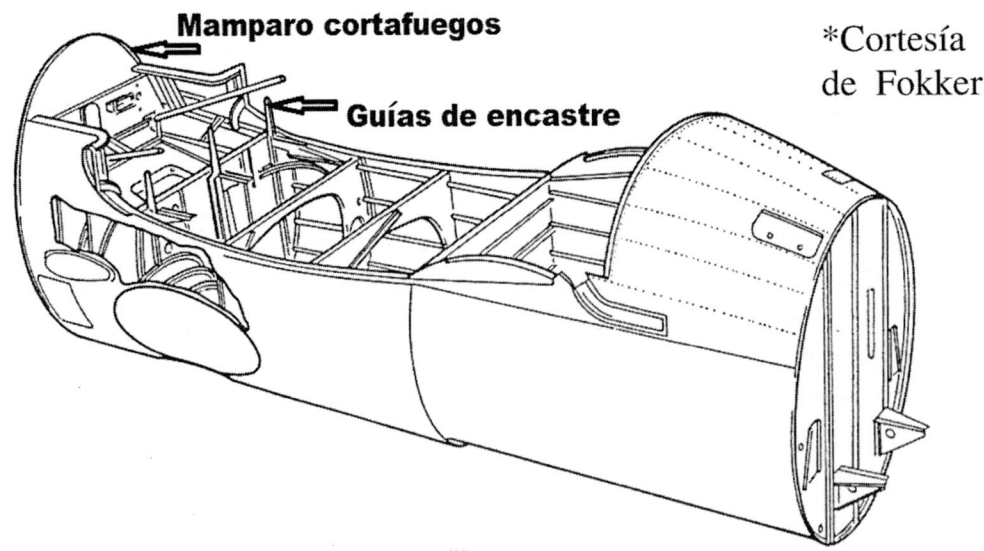

GÓNDOLA DE UN MOTOR TURBOHÉLICE

En aeronaves que lleven los motores reactores en el fuselaje, el voladizo que soporta el motor se construye de diferente forma, consta de dos largueros, mamparos, costillas de cierre, recubrimientos, herrajes de sujeción al fuselaje y soportes para fijación de los montantes de sujeción del motor. Todo ello forma una estructura tipo cajón como puede observarse en la siguiente figura donde se presenta un voladizo utilizado por el constructor Douglas para los modelos de aviones de cola alta y con motores en la parte posterior del fuselaje.

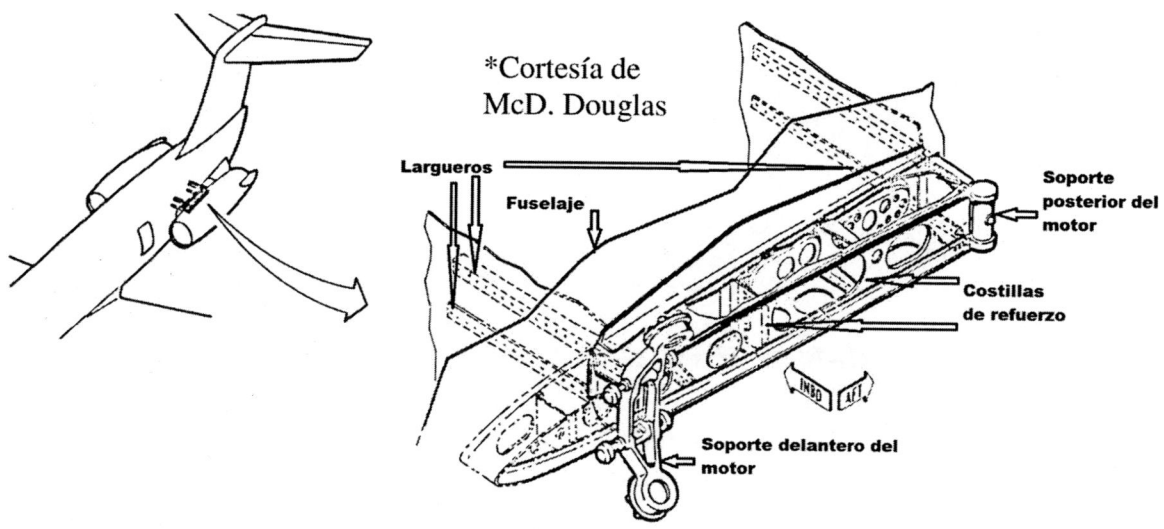

VOLADIZO (PYLON) DE ANCLAJE AL FUSELAJE POSTERIOR DE UN MOTOR TURBORREACTOR

En aviones en los que los motores sean turborreactores y estén instalados en el intradós de las alas los voladizos o pylons se construyen a modo de cajas de torsión con largueros, refuerzos y herrajes para sujeción del motor, y todo el conjunto se une al ala por medio de riostras internas y articulaciones en sentido longitudinal y transversal que dan estabilidad frente a vibraciones y cargas laterales, todo carenado mediante paneles, algunos con aberturas y rejillas para la refrigeración del interior del cajón.

En muchos casos la fijación a la estructura se hace mediante pasadores (bulones) y pernos de tope fusibles. En la figura siguiente se presenta un pylon de los que el fabricante Boeing instala para fijar los motores en el modelo B-757.

447

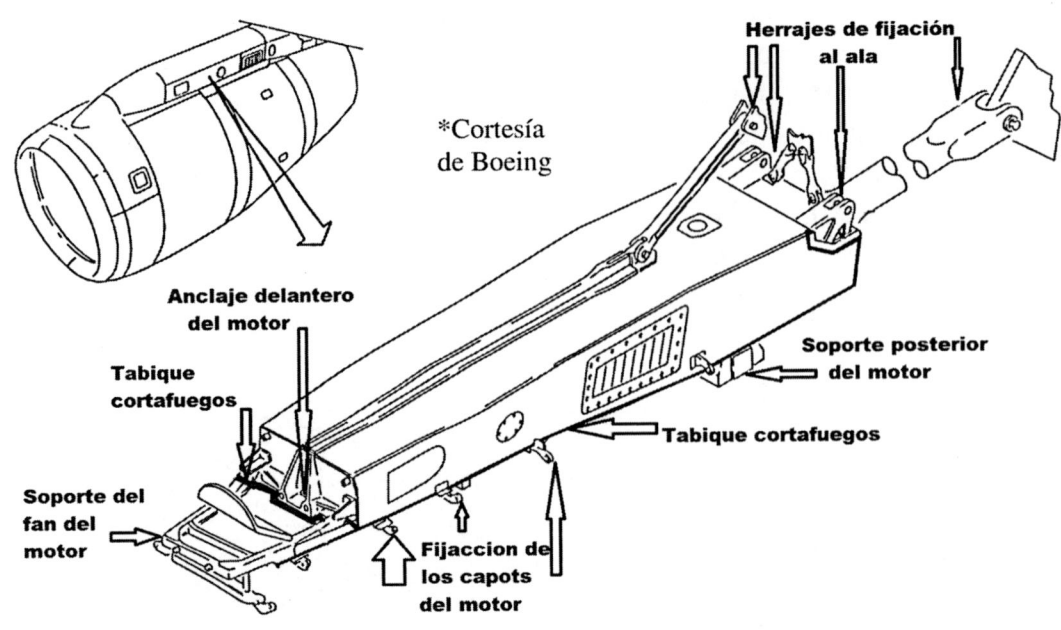

*Cortesía de Boeing

Herrajes de fijación al ala

Anclaje delantero del motor

Tabique cortafuegos

Soporte posterior del motor

Tabique cortafuegos

Soporte del fan del motor

Fijaccion de los capots del motor

ESTRUCTURAS DE UN VOLADIZO CON LOS MONTANTES DE FIJACIÓN DEL MOTOR AL ALA

11.3.5 – 2 – MAMPAROS CORTAFUEGOS

Los llamados mamparos cortafuegos son los elementos que tienen como misión principal la de impedir que en caso de fuego en la zona del motor se traslade al resto de la aeronave, para lo que forma una barrera por medio de una placa metálica de aleación de acero de alta resistencia a la temperatura, aleaciones de alto contenido de titanio o de acero inoxidable, que son revestidas de una capa de plasma u otro material similar que proporcionan una protección de más de mil grados centígrados.

Los mamparos cortafuegos son atravesados por todas las conducciones tanto de neumático y combustible como del sistema hidráulico o eléctrico, así que para mantener el aislamiento se utilizan unas juntas con bordes blandos para no dañar las conducciones, pero que mantienen la estanqueidad a un lado y a otro del mamparo cortafuegos. Estas juntas están construidas de fibras impregnadas en siliconas que tienen una resistencia al calor muy alta, alrededor de los 1 100 ºC y durante un tiempo de quince minutos como mínimo, lo que proporciona un alto grado de estanqueidad entre compartimentos.

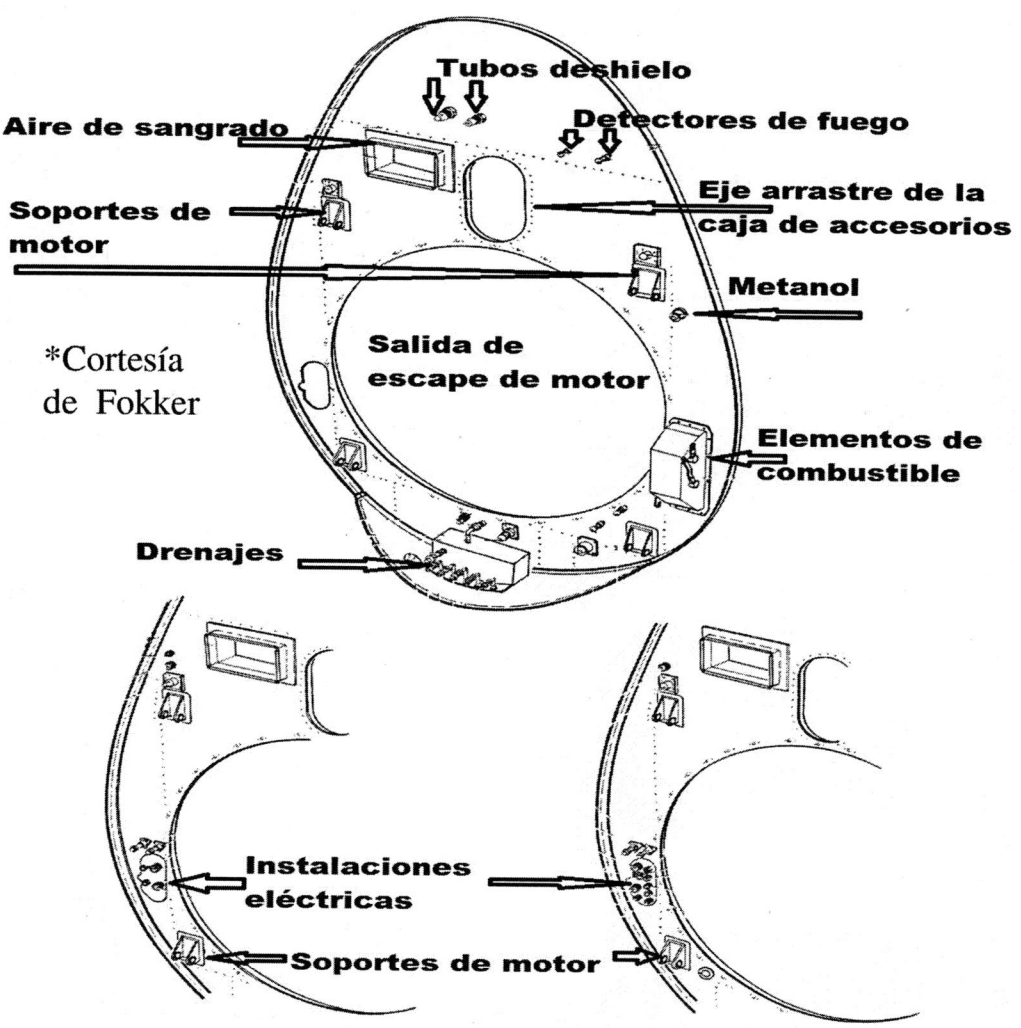

TIPOS DE MAMPAROS CORTAFUEGOS

En cuanto a la forma, se adapta al tipo de motor, así, en los motores turbohélice en las alas es un panel perpendicular al eje del motor, como puede observarse en la anterior figura, donde se presenta el mamparo cortafuegos de diferentes modelos de avión turbohélice de la marca Fokker.

Por otra parte, si el motor es turborreactor, el mamparo cortafuegos está situado en la parte de la góndola más cercana al motor, como se señala en la siguiente figura, donde se presenta un ejemplo de mamparo cortafuegos de un motor turborreactor montado en un ala.

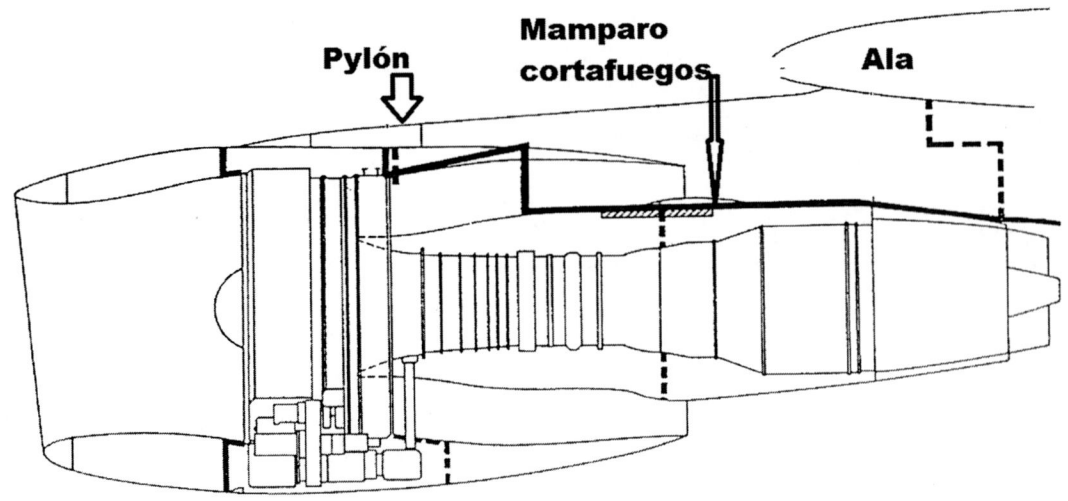

CORTAFUEGOS DE UN MOTOR
TURBORREACTOR MONTADO EN EL ALA

Estos mamparos cortafuegos también cumplen otras dos importantes misiones, una, que al cerrar los espacios dejan estancos los compartimentos y en caso de pérdidas, sobre todo de neumático, que por esa zona circula a altas temperaturas, impide que se propague la temperatura y aminora el riesgo de incendios; otra función importante es que aumenta la eficacia del sistema de extinción de incendios en caso de utilizarse, ya que al no haber circulación de aire hay más garantías de que el incendio se apague. Estas zonas están protegidas contra incendios con un sistema de detección de alta temperatura y un sistema de extinción de fuego, según se trata en el módulo 11.8 "Protección contra incendios" (ATA 26).

11.3.5 – 3 – BANCADAS DE MOTOR

La otra parte de la góndola o voladizo que forma la unión del motor con la estructura de la aeronave situada entre el mamparo cortafuegos y el motor propiamente dicho es a lo que se le denomina bancada o asiento de motor, aquí hay básicamente dos grandes diferencias, una, **que el motor sea turbohélice montado en ala**, y la **otra, que el motor sea turborreactor**, el lugar donde esté instalado este tipo de motor, en ala o en fuselaje, difiere poco a la hora de sujetar el motor a la estructura de la góndola.

En los motores turbohélice la bancada del motor generalmente está formada por brazos tubulares de sección circular u ovalada, de aleación de acero al cromo molibdeno, en forma de V con herrajes forjados y mecanizados en los extremos, está fijado a la estructura de la góndola en el mamparo cortafuegos mediante tornillos pasantes y tuercas fijadas con freno, bien de aletas, de alambre o sellado, que impidan su movimiento y sirvan de testigo para que, en caso de que por cualquier causa varíen su posición, sea fácilmente detectado en las inspecciones. El motor está sujeto a la bancada por tres puntos, dos laterales y uno en la parte superior, los herrajes de extremo generalmente son de espiga, con final cónico o con arandelas cónicas y pernos de fijación huecos, que a su vez están bloqueados por pernos de blocaje de rosca contraria (a izquierda) fijados mediante freno de alambre.

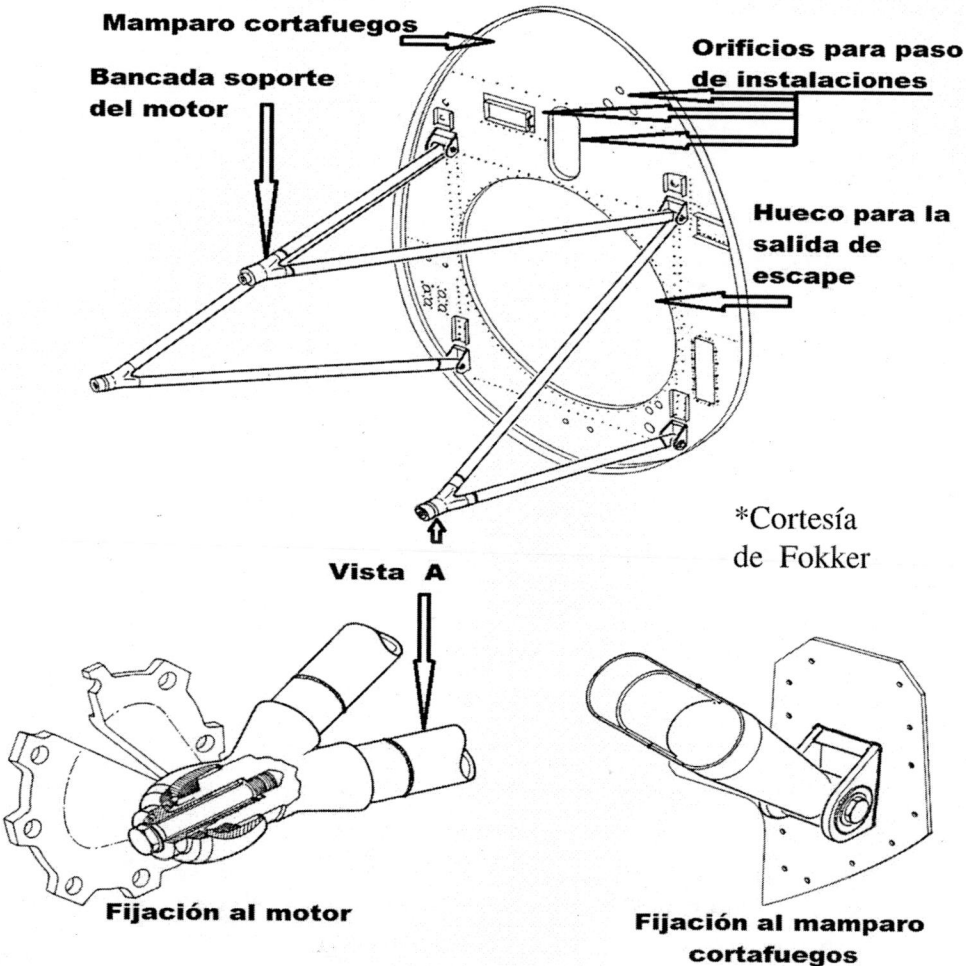

BANCADA DE MOTOR TURBOHÉLICE

En la figura anterior se muestra una bancada de sujeción de motor turbohélice en ala, donde se pueden ver las fijaciones tanto del motor como de la bancada.

451

En caso de motores turborreactores instalados en el fuselaje, el número de puntos de fijación al motor es de tres, dos puntos delanteros generalmente en el mismo soporte en forma de yugo y uno en la parte posterior del motor.

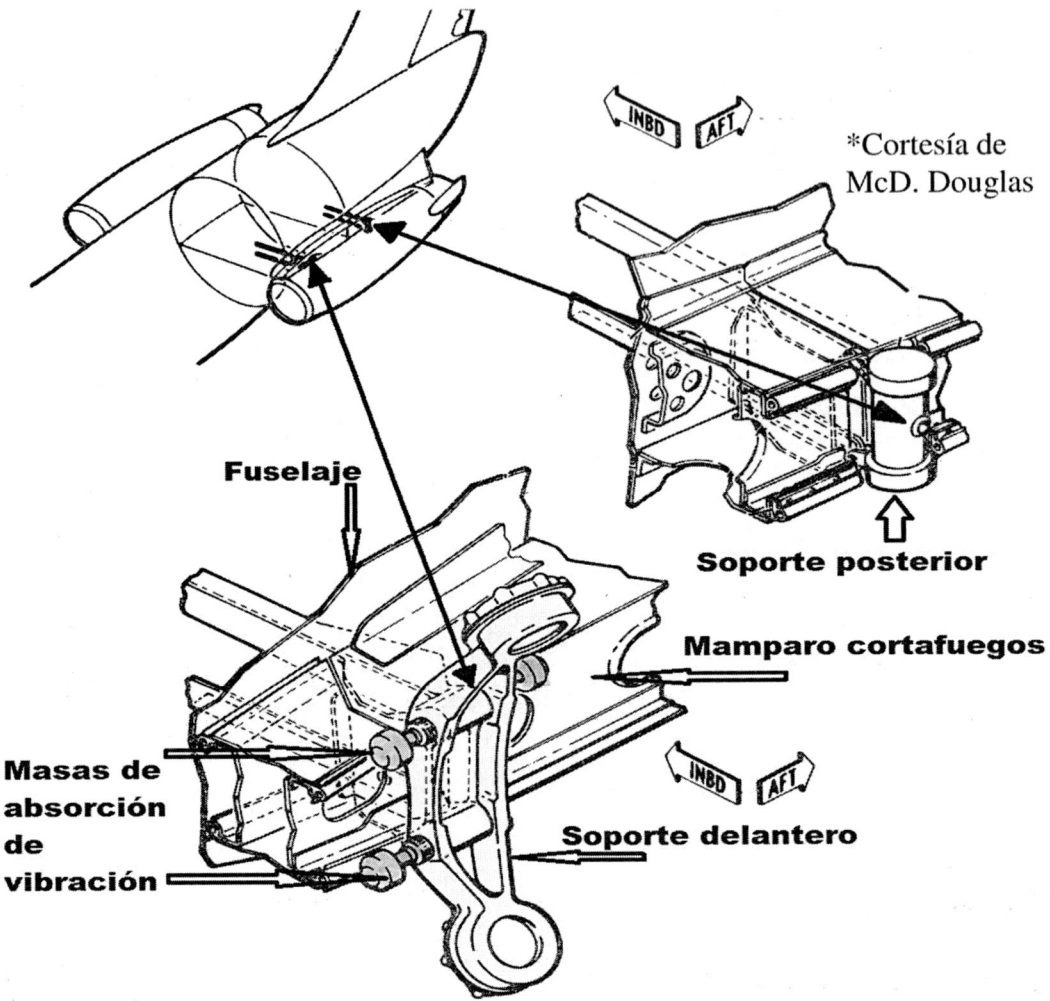

BANCADAS DE MOTOR TURBORREACTOR

Los voladizos o montantes donde se fija el motor generalmente están diseñados para que transmitan a la estructura la menor cantidad posible de ruidos y vibraciones, lo que redunda en una mayor calidad en el aislamiento de la cabina y un mayor confort para las personas que van dentro de ella, por lo que los montantes tienen la flexibilidad y a la vez la rigidez necesarias para conseguir estos objetivos.

Esto es más difícil cuando el motor está ubicado en la parte posterior del fuselaje, como en el caso que se presenta en la figura anterior, la ubicación del motor en un avión Douglas de la serie MD, donde se aprecian en el montante delantero cómo están colocadas las masas absorbedoras de la vibración producida por el motor.

En el caso de que los motores estén ubicados en las alas, los voladizos son de diferente estructura, pero cumpliendo los mismos requerimientos, el montante delantero se fija a las pestañas que a tal fin están en la carcasa del motor, en la zona de compresores, y el montante posterior se fija a otras pestañas ubicadas en la zona de turbinas. En la figura siguiente se presenta el montante delantero para la fijación del motor en ala que se utiliza en el motor de Rolls Royce RB-211.

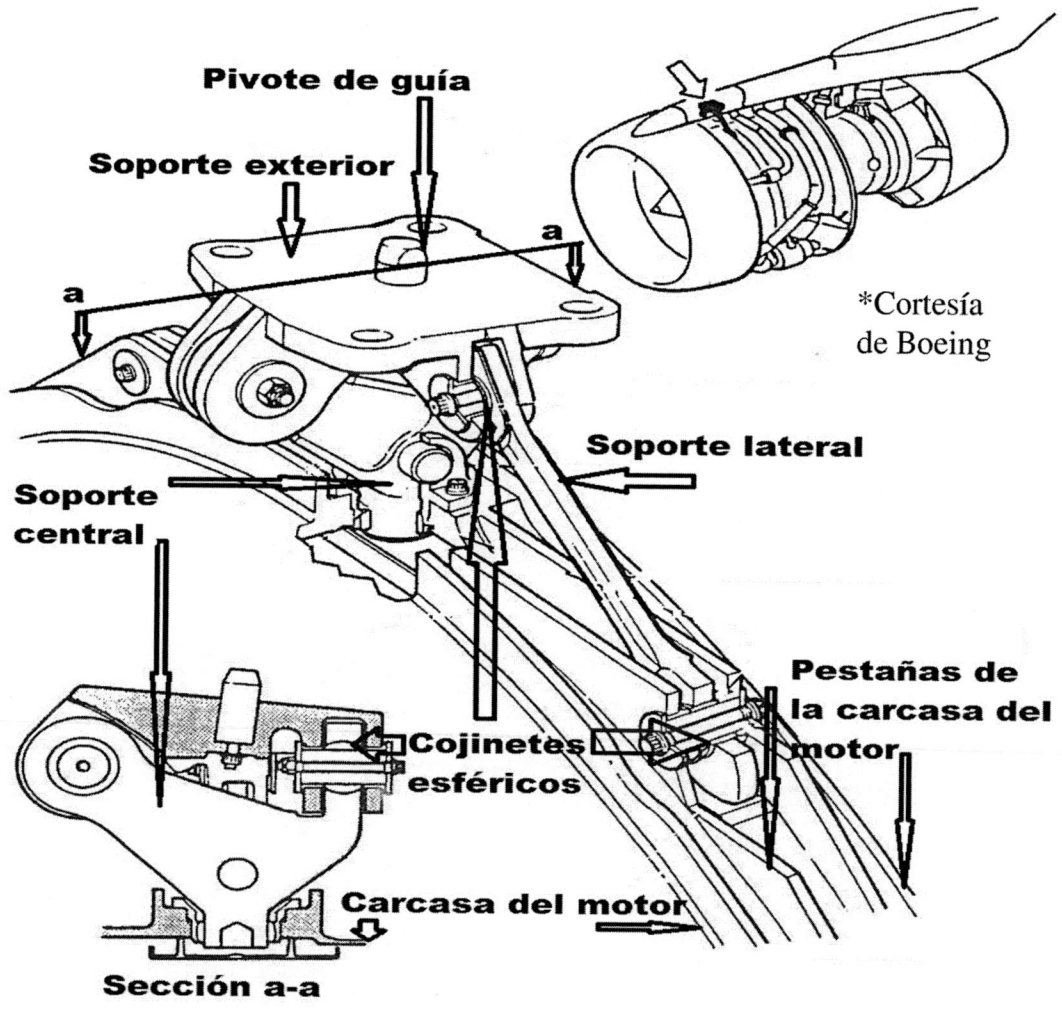

**MONTANTE DELANTERO DE
UN MOTOR REACTOR MONTADO EN ALA**

Para la fijación se utilizan generalmente cojinetes esféricos sujetos con tornillos pasantes y tuercas de seguridad, también se utilizan herrajes con casquillos y tornillo con parte cónica fijado con tuerca de seguridad. Las tuercas de seguridad, sean autofrenables o no, una vez que han sido apretadas a los valores que indiquen los manuales del fabricante, van aseguradas, o con testigo de alambre, o con testigo de silicona, y en muchos casos llevan también unas marcas de pintura a fin de facilitar en las inspecciones la correcta visión de la posición de todos estos mecanismos.

Como norma muy extendida en motores turborreactores fijados en las alas, el soporte delantero soporta la práctica totalidad del empuje y aproximadamente 1/3 del peso del motor, y los montantes posteriores soportan el resto del peso del motor, aunque cada tipo de motor tiene diferentes formas de sujeción, pero siempre todas cumplen los mismos requerimientos.

En la figura siguiente se muestra el soporte posterior de la fijación al ala de un motor RB-211 en un avión Boeing B-757.

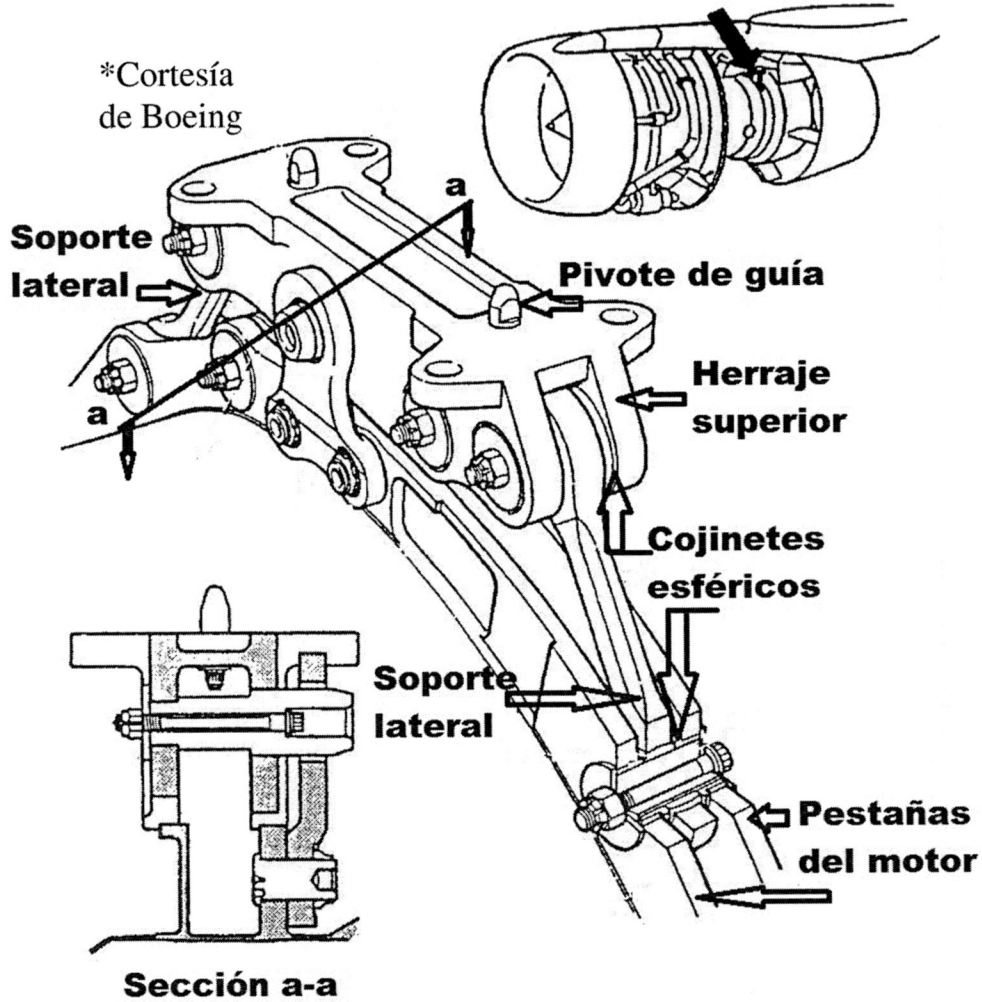

MONTANTE POSTERIOR EN ALA

BIBLIOGRAFÍA DE CONSULTA

- AIRBUS INDUSTRIES, Documentación para estudio de los modelos A-300, A-319, A-320, A-321, A-340, A-380
- ALLEN, JOHN E., *Aerodinámica*, Barcelona, 1969
- ANDERSON, JOHN D., *Introduction to Flight*, Boston: McGraw-Hill International, 2005
- ASCACIBAR, IÑAKI, *Descubrir las aeronaves*, Madrid: AENA, 2003
- ASHKOUTI, J.A., *Manual del mecánico de aviación*, Barcelona: Reverté, 1955
- AYMAT, JOSÉ MARÍA, *Navegación aérea*, Barcelona: Labor, 1951
- BAKER, ALAN A., *Composite materials for aircraft structures*, Reston: American Institute of Aeronautics and Astronautics, 2004
- BALCELLS SERRA, FERRÁN, *Luces aeronáuticas de superficie para el rodaje*, Madrid: AENA, 2006
- BARRY, W.S., *The language of aviation*, Londres: Chatto & Windus, 1962
- BOEING, Documentación para estudio de los modelos B-727, B-737, B-747 y B-757
- BOMBARDIER CANADAIR, Documentación para estudio de los modelos CRJ
- BRAMWELL, A.R.S., *Bramwell's helicopter dynamics*, Oxford: Butterworth-Heinemann, 2001
- BRUHN, E.F., *Analysis and design of flight vehicle structures*, Carmel: Jacobs, 1973
- CALVO, J.A., *Fundamentos de navegación aérea*, Madrid: Ediciones de la Universidad Autónoma de Madrid, 2001
- CASAMASSA, JACK V., *Jet Aircraft Power Systems*, New York: McGraw-Hill, 1965
- CUESTA ÁLVAREZ, MARTÍN, *Motores de reacción*, Madrid, 1976
- CUTLER, JOHN, *Understanding aircraft structures*, Malden, MA: Blackwell, 2005
- ENCYCLOPEDIA BRITANNICA, INC., *The new encyclopedia britannica*, Chicago: 1986
- ESTEBAN OÑATE, ANTONIO, *Conocimientos del avión*, Madrid, 1999
- FAA, *Airframe and power plant mechanics*, Washington D.C., 1972
- FOKKER-VFW, Documentación para estudio de de los modelos F-27 y F-50
- GARRIGA Ed., *Enciclopedia de aviación y astronáutica*, Barcelona, 1972
- *GNSS: navegación aérea por satélite: programa de divulgación aeronáutica PDA/1-2000*, Madrid: Ministerio de Fomento, D.L., 2000
- GONZÁLEZ BERNALDO DE QUIRÓS, J., *Radar y ayudas a la navegación aérea*, Madrid: Bellisco, 1999
- ISIDRO CARMONA, A., *Aerodinámica y actuaciones del avión*, Madrid, 1980
- KENDAL, B., *Manual de aviónica*, Madrid, 1982
- LAN, CHUAN "Airplane aerodynamics and performance", Lawrence: DAR corporation, cop. 2003

- LANGTON, R., *Aircraft fuel systems*, Chichester, United Kingdom: John Wiley & Sons, 2009
- MALLA, F. de la, *Tecnología aeronáutica*, Madrid, 1963
- MAPELLI, E., *Transportes aéreos especiales*, Madrid, 1982
- MATEO GARCÍA, M. L., *Descubrir la navegación por satélite*, Madrid: AENA, 2004
- McDONELL DOUGLAS Corp., Documentación para estudio de los modelos DC-9, DC-10, MD-83, MD-87, MD-88
- MOIR, I., *Aircraft systems: mechanical, electrical, and avionics subsystems integration*, London and Bury St. Edmunds: Professional Engineering Publishing, cop. 2001
- NORRIS, GUY, *Airbus A380: superjumbo of the 21st century*, St. Paul, MN: Zenith Press, 2005
- NORTHOP AERONAUTICAL INSTITUTE, *Entretenimiento y reparación de aviones*, Barcelona, 1958
- PALLETT, E, *Automatic flight control*, Oxford: Blackwell Science, 1994
- RAYMER, D. P., *Aircraft approach: a conceptual design* Reston: American Institute of Aeronautics and Astronautics, 2006
- ROSARIO SAAVEDRA, A., *Sistemas de aeronaves reactores*, Madrid, 1983
- ROSKAM, J., *Airplane flight dynamics and automatic flight controls*, Lawrence: DARcorporation, 2003
- ROSKAM,J. *Airplane Design* Lawrence, Kansas: DAR corporation, 2005
- SAEZ NIETO, F. J. *Descubrir la navegación aérea*, Madrid: AENA, 2003
- SAEZ NIETO, F.J., *La navegación aérea y el aeropuerto*, Madrid: Fundación AENA, 2002
- SHEVELL, RICHARD S., *Fundamentals of flight*, Upper Saddle River: Prentice Hall, 1989
- SUN,C. T., *Mechanics of aircraft structures*, New York: John Wiley & Sons, 2006
- TAYLOR, S.E.T., *Navegación aérea*, Madrid: Paraninfo, 1982
- TAYLOR, S.E.T., *Radio-ayudas para la navegación aérea*, Madrid: Paraninfo, 1982
- TOOLEY, MICHAEL, *Aircraft communications and navigation systems: principles, operation and maintenance*, Oxford: Butterworth-Heinemann, cop. 2007
- VAN SICKLE, NEIL D., WELCH, JOHN F., *Aeronáutica moderna*, Madrid, 1985